S0-AEB-421

Preußen

1701/2001

© 2001 by ECO Verlag, 50667 Köln
Projektleitung: Werner Schulte
Redaktion: Beatrix Schulte
Redaktionsassistenz: Martina Dold, Anne Krahe,
Michael Schulte, Dr. Eberhard J. Wormer
Bildredaktion und Bildtexte: Thomas Prüfer, Anke Waldmann
Chronik: Holger Vornholt
Titelgestaltung: Roberto Patelli, Britta Siebert, Köln
Titelfoto: Stiftung Preußische Schlösser und Gärten
Berlin-Brandenburg, Jörg P. Anders
Rückseitenfoto: Bildarchiv Preußischer Kulturbesitz
Layout: Roberto Patelli, Renate Trapp, Asuman Baltacioglu,
Britta Siebert
Bilder: Archiv für Kunst und Geschichte, dpa, Bildarchiv
Preußischer Kulturbesitz (davon u.a. Fotos von
Jörg P. Anders, Arthur Grimm, Dietmar Horn, Erich Salomon,
Hans Schaller, Günther Schwarzkopf), Deutsches Histori-
sches Museum, Museum europäischer Kulturen, Mauritius,
Militärisches Forschungsamt, Theodor-Fontane-Archiv
(Günter Prust), Idea-Bild, Daniel Fancher, Reinhard Fried-
rich, Kurt Julius, Elke Jung-Wolf, Jens Schicke
Historische Karten: Georg Stelzner, Frankfurt
Übersetzung: Hermann Kusterer (D. Fraser),
Werner Hölscher-Valtchuk (B. Geremek)
Gesamtherstellung: ECO Verlag, Köln, und Neue Stalling,
Oldenburg
Alle Rechte vorbehalten
www.eco-verlag.de
ISBN: 393451980-6

KARL-GÜNTHER VON HASE • REINHARD APPEL (HRSG.)

Preußen

1701/2001

eco

Inhalt

Vorwort

„Preußen ist tot" verkündete ein altpreußischer Freiherr auf einer Gedächtnisveranstaltung am 18. Januar 2001, also 300 Jahre, nachdem durch die Selbstkrönung Friedrichs I. in Königsberg Preußen in den Stand eines Königreiches erhoben worden war. Nun heißt es aber in einer alten Spruchweisheit: Totgesagte leben länger, und tatsächlich erlebten wir bei der Erarbeitung einer Konzeption und dem Kontakt mit den Autoren, wie lebendig die Erinnerung an Preußen wieder ist; und dass es eine große Bereitschaft gibt, sich aufs Neue unbefangen mit dem historischen Stoff auseinander zu setzen.
Auf die apodiktische Behauptung vom Tode Preußens geben 35 fachlich ausgewiesene Autoren in unserem Buch eine vielstimmige Antwort. Das Königreich Preußen und der republikanische Nachfolge-Staat der Weimarer Zeit sind zwar untergegangen, und jeder weiß, dass der Staat oder das Land Preußen nicht wieder entstehen werden. Jedoch: „Ein Staat lässt sich auflösen, aber sein Vermächtnis nicht, Preuße ist man nicht von Geburt, sondern wird es durch Bekenntnis", schreibt einer unserer Autoren. Mit zeitlichem Abstand drängen sich heute neben Bildern des auf den Schlachtfeldern erfolgreichen und gefürchteten kriegerischen Militärstaates mit seinem Drill, Kadavergehorsam und Dünkel auch Bilder von fortschrittlicher Aufklärung, von Toleranz, von Rechtsstaatlichkeit, von vorbildlicher Verwaltung und wirtschaftlicher Entwicklung. In der Bildung, Kunst, Architektur und Wissenschaft sind kulturelle Leistungen erbracht worden, „von denen wir bis heute zehren", schreibt Professor Knopp, der langjährige Präsident der „Stiftung preußischer Kulturbesitz".
Die preußischen Tugenden wie Pflichtbewusstsein, Tapferkeit und Bescheidenheit, Zuverlässigkeit und Redlichkeit, Sparsamkeit und Disziplin sind heute wie-

der in vieler Munde. Der hanseatische Alt-Kanzler Helmut Schmidt widerspricht allerdings in seinem Beitrag, dass es sich bei diesen Tugenden um ausschließlich „preußische" handele, denn in Hamburg oder Württemberg seien sie genauso hochgehalten worden. Im Übrigen gilt überall und für alle Tugenden, dass sich mit ihnen auch die Untugenden entwickeln.
Die Betrachtungen über Preußen von grotesken Zerrbildern zu befreien, ohne Beschönigungen zu unterliegen, ist ein Hauptmotiv dieses Buches. Als Herausgeber – wir sind beide in Schlesien geboren, in Berlin aufgewachsen und kennen uns seit 50 Jahren – lag uns daran, Licht- und Schattenseiten gleichermaßen zu beleuchten und den Lesern durch eine Vielzahl von Analysen und Meinungen eine Grundlage für die eigene Meinungsbildung zu bieten. Jedem Autor wurde ein spezielles Thema vorgeschlagen. So ist ein Mosaik entstanden, das in seiner textlichen Vielfalt mit der reichen Bebilderung von über 200 eindrucksvollen Farbdokumentationen über preußisches Leben, seine Kunst und Architektur ein einzigartiges Sammelwerk darstellt. Die ergänzende 50-seitige Chronik erhöht den Wert in seiner archivarischen Nutzung.
Besonders auch der jüngeren Generation, die Preußen nicht mehr als Staat erlebt hat, wollten wir die Chance geben, zu eigenen Bewertungen zu gelangen. Wir haben Konservative, Liberale und Sozialdemokraten ebenso aufgefordert wie Enkel und Ur-Enkel des letzten deutschen Kaisers und den Sohn des Kaisers in Wien aus dem Hause Habsburg. Der amtierende Bundespräsident Johannes Rau beschreibt seine Meinung über Preußen und zeigt uns, wie wir mit dem preußischen Erbe umgehen können. Alt-Bundespräsident Richard von Weizsäcker ist mit seinem Porträt über Friedrich II. vertreten, das er zum 200. Todestag im Charlottenburger Schloss unter dem Motto: „Missbrauch eines Mythos" vorgetragen und damit eine Wende in der öffentlichen Diskussion über Preußen mit eingeleitet hat.
Angesehene, kenntnisreiche Wissenschaftler, Historiker, Theologen, Diplomaten, Publizisten, Militärs und heutige Politiker aus Berlin, Brandenburg und Potsdam, den Kernlanden des ehemaligen Preußen, setzten sich aus heutiger Sicht mit dem Erbe dieses „janusköpfigen Staates" (Manfred Stolpe) von einst auseinander. Lothar de Maizière beschäftigt sich mit den Hugenotten und Preußen und von Frau Delf von Wolzogen, der Leiterin des Fontane-Archivs in Potsdam, erfahren wir, wie aus einem Hugenotten ein Preuße wurde.
Aus den Memoiren von Carl Schurz zitieren wir eine direkte dramatische Beschreibung über das Verhalten des preußischen Königtums zur Freiheitsbewegung von 1848. Aus der Zeit des Fürsten Bismarck, dessen geniale Amtsausübung Otto von Habsburg lobt, wird neben seinen bahnbrechenden Verdiensten um die Sozialgesetzgebung selbstverständlich auch dargelegt, wie es zum Kulturkampf gegen die Katholiken und zum Sozialistengesetz kam, mit dem sich der ehemalige SPD-Vorsitzende Hans-Jochen Vogel auseinander setzt.
„Die Geschichte Preußens ist nirgendwo präsenter und unmittelbarer erfahrbar als in Potsdam", sagte uns Potsdams Oberbürgermeister Platzeck in einem Gespräch für seinen Beitrag, und er ist in seiner Bewertung als Mann der jüngeren Generation in seinen abgewogenen Ansichten wohl auch repräsentativ für die Bewertung Preußens in der Zukunft.
Für unverzichtbar hielten wir auch Betrachtungen über Preußen durch seine nahen und fernen ausländischen Nachbarn: Polen und Frankreich, England und die Niederlande, aber auch Russland und Amerika. Sie sind allesamt äußerst lehrreich und tragen zu einem objektiven Porträt bei.
Wie wandelbar ideologisiert und dem Zeitgeist unterworfen Beurteilungen sein können, dafür bot uns die ehemalige DDR klassischen Anschauungsunterricht. Frau Professor Ingrid Mittenzwei, die zu DDR-Zeiten mit ihrem mutigen Porträt über Friedrich II. zu einer Neubewertung der preußischen Zeit beigetragen hat, beschreibt uns diesen Wandel. Unter Walter Ulbricht wurden das Berliner und das Potsdamer Schloss gesprengt, um den „Bruch mit Preußen" zu vollziehen. Erich Honecker dagegen ließ das Rauchsche Reiterstandbild von Friedrich II. wieder Unter den Linden aufstellen, um - wie es Klaus Bölling damals kommentierte - „die DDR aufzuwerten".
Die bewegte Geschichte Preußens ist auch eine Geschichte der einseitigen Verherrlichung wie der vorurteilsbeladenen ideologischen Verdammung. Wir haben die Freiheit, uns aus historischen Fakten und begründeten Analysen eine eigene Meinung zu bilden. Dazu möchten wir einen Beitrag leisten.
Wir danken dem Verleger Heinz Hermann Serges für die großzügige Akzeptanz unseres weit ausgreifenden Konzeptes, das zu einer Art preußischer Minibibliothek führte, und dem historisch kundigen Verlagsleiter Werner Schulte, aber auch seinen Mitarbeitern, für die reibungslose Zusammenarbeit und die hervorragende Organisation.

Bonn, im März 2001

Karl-Günther von Hase Reinhard Appel

JOHANNES RAU

Preußen: Zu lange galt nur schwarz oder

Schloss Bellevue, der Amtssitz des Bundespräsidenten, wurde im Auftrag des jüngsten Bruders Friedrichs II., Prinz Ferdinand von Preußen, um 1785 von dem jüngeren Boumann erbaut.

Am 7. März 2001 haben Königin Elisabeth II. und ich in London eine Ausstellung von Bildern deutscher Maler des 19. Jahrhunderts eröffnet. Unter dem Titel „Geist eines Zeitalters" wurden Werke von Caspar David Friedrich, Karl-Friedrich Schinkel, Max Liebermann, Lovis Corinth und anderen großen Künstlern gezeigt. Im Mittelpunkt der Ausstellung standen elf Gemälde Adolph von Menzels. Für viele Menschen ist er der Illustrator preußischer Geschichte schlechthin. Wer kennt nicht sein „Flötenkonzert"? Auch dies Bild war in London ausgestellt – und ihm gegenüber hing sein „Eisenwalzwerk".

In einem Raum der Spannungsbogen eines Malers, eines Jahrhunderts und eines Landes: Preußen. Beide Bilder versinnbildlichen, jedes für sich und beide zusammen, Vielfalt und Widerspruch, Größe und Schattenseiten, eben die ganze „Janusköpfigkeit" Preußens, wie Madame de Staël schon zu Beginn des 19. Jahrhunderts Preußen charakterisiert hat. Friedrich II.: Liebhaber der Musik und Briefpartner Voltaires – aber eben auch rücksichtsloser Krieger und zynisch kalkulierender Machtmensch. Die Industrialisierung des 19. Jahrhunderts: Technischer Fortschritt, wirtschaftlicher Aufschwung und Sozialgesetzgebung – aber gleichzeitig Dreiklassen-Wahlrecht, Weber-Elend und Sozialistengesetz. Preußen – zu oft und zu lange galt nur schwarz oder weiß; Geist und Geschich-

weiß

te Preußens wurden entweder verklärt oder verurteilt. Haltung und Historie werden oft für politische Zwecke instrumentalisiert. Darunter hat auch noch das Preußenbild im geteilten Deutschland gelitten. 2001 ist das erste „Preußenjahr" im geeinten Deutschland. Die zeitliche Distanz gibt uns die Chance, Preußen gelassener und ruhiger zu verstehen zu suchen. Wir sollten diese Gelegenheit nutzen.

Was verbindet mich selber mit Preußen? Als ich 1931 geboren wurde, gehörte meine Heimatstadt Wuppertal zu Preußen – einem demokratischen und modernen Land, das bis in die letzte Phase der Weimarer Republik politisch ungleich stabiler war als das Reich oder die meisten anderen Länder. Natürlich fühlte man sich im Westen des Landes nicht gleichermaßen als Preuße wie in den Kernlanden Brandenburg-Preußens, auch wenn „Preußen" immer mehr Idee und Haltung als eine geografische Bezeichnung war. Heute wird aber oft vergessen, welche Ausdehnung Preußen besaß: Nach 1918 umfasste es drei Fünftel der Fläche des Deutschen Reiches, fünf Achtel der deutschen Bevölkerung lebte in Preußen, in einem Land, das sich von Tilsit bis Trier und von Flensburg bis Fulda erstreckte.

Zehn Länder der Bundesrepublik Deutschland haben Preußens Erbe angetreten, darunter das Land, das ich selber zwanzig Jahre als Ministerpräsident regiert habe. Wichtige Gebiete des früheren Preußen gehören heute zu Polen und Russland. Im „Preußenjahr" 2001, das vor allem in Berlin und in Brandenburg gefeiert wird, ist auch das nicht ganz in Vergessenheit geraten: Das ganze Jahr über läuft eine Spendenaktion, mit deren Erlös das Königstor in Kaliningrad, dem früheren Königsberg, restauriert werden soll.

Preußen – das war eben stets auch die Summe seiner Landesteile und der Leistungen seiner Landeskinder aus allen Provinzen. Preußen – dafür steht der Schlesier Gerhard Hauptmann genauso wie der Rheinländer Heinrich Heine, der Märker Otto von Bismarck wie der Kölner August Bebel, die Königsbergerin Käthe Kollwitz wie die Wuppertalerin Else Lasker-Schüler, der Berliner Max Liebermann wie der Märker Theodor Fontane, der Westpreuße Kurt Schumacher wie der Kölner Konrad Adenauer, die Ostpreußin Marion Gräfin Dönhoff wie der Berliner Sebastian Haffner.

Adolph von Menzel zeigte in seinen Bildern die vielen Gesichter Preußens. Die Gouache „Am Dampfhammer" entstand 1872. Im Hintergrund ist der Künstler zu erkennen. Das Gemälde „Cercle am Hof Kaiser Wilhelms I." stammt aus dem Jahre 1879.

Die Rheinlande waren eines der wirtschaftlichen Zentren Preußens. Die Verlegung des Telegrafenkabels Berlin – Köln bei Mülheim im Jahre 1878 hielt der Maler Christian Sell 1880 fest. Links, im hellgrauen Anzug, ist der Generalpostmeister Heinrich Stephan zu sehen.

Als Ministerpräsident habe ich mich darum gekümmert, dass in Nordrhein-Westfalen die Erinnerung an den langen und prägenden Abschnitt preußischer Geschichte wach gehalten wird. In Minden und Wesel ist je ein Preußenmuseum begründet worden, das 350 Jahre preußische Geschichte im Westen Deutschlands dokumentiert. Schon Friedrich II. wusste, was er an seinen westlichen Landeskindern hatte: „Die aus dem Fürstentum Minden haben Verstand. Das ist das beste Volk der Welt, fleißig, arbeitsam und treu", vermerkte er 1768. In Westfalen hat der Freiherr vom Stein mit der bäuerlichen Selbstverwaltung die Erfahrungen gesammelt, die Grundlage seiner großen Reformprojekte waren. Dass der rheinische Karneval bis heute auch preußische Uniformen parodiert, ist eine liebenswürdige Erinnerung an das selbstbewusste und deshalb gelegentlich auch distanzierte Verhältnis, das den Westen mit den preußischen Kernlanden verband.

In Berlin ist Preußen heute natürlich ungleich gegenwärtiger als im Rheinland oder in Westfalen. Einen großen Teil ihres kulturellen und architektonischen Reichtums verdankt unsere Bundeshauptstadt der Tatsache, dass sie früher nicht nur deutsche Hauptstadt, sondern auch die Hauptstadt des größten deutschen Landes war. Manche Nöte und Sorgen der heutigen Berliner Kulturlandschaft sind vor diesem Hintergrund leichter zu verstehen. Als Amtssitz des Bundespräsidenten dient das Schloss, das der jüngste Bruder Friedrichs des Großen hat bauen lassen – praktisch und freundlich, nicht pompös oder großartig. Dass es den französischen Namen „Bellevue" trägt, entspricht der sprachlichen Mode seiner Entstehungszeit; Name und Geschichte des Ortes zeigen aber auch die Weltoffenheit Preußens im 18. Jahrhundert: Das Bellevue steht an einem Platz, den König Friedrich Wilhelm I. von Preußen zu Beginn des 18. Jahrhunderts hugenottischen Glaubensflüchtlingen zur Bewirtschaftung überlassen hatte. Das Schloss entstand in den Jahren, als das Preußen Friedrichs des Großen und die jungen Vereinigten Staaten von Amerika, vertreten durch Benjamin Franklin, einen Handelsvertrag abschlossen, der zum ersten Mal Menschenrechte in unserem heutigen Sinne zum Bestandteil einer völkerrechtlichen Vereinbarung machte. George Washington hat ihn den liberalsten Vertrag genannt, der je zwischen zwei unabhängigen Mächten zu Stande gekommen sei. Friedrich II. ist neben Bismarck wohl die

Friedrich II. gehört zu den umstrittensten Persönlichkeiten der preußischen Geschichte. Das Gemälde von Antoine Pesne entstand um 1745.

preußische Persönlichkeit, an der sich im besonderen Maße die Geister scheiden. Wie das bei großen Persönlichkeiten ist, gibt es gute Gründe für Verurteilung wie für Bewunderung. Gewiss ist es richtig, dass sein außenpolitisches Handeln, seine Kriege, im Zusammenhang der Zeit gesehen werden müssen – dem von Macht dominierten Konkurrenzkampf der großen europäischen Staaten. Aber Preußens Größe und Bedeutung baute auch auf dem Leid der Menschen in vom Krieg verheerten und verarmten Ländern auf. Dennoch haben seine Untertanen vor allem den Alten Fritz wohl tatsächlich verehrt. Der Staat, den er geschaffen hat, verkörperte viel von dem, wofür Preußen im Guten steht.
Preußen war kein Nationalstaat, sondern eine Staatsnation. Ihr lag keine Vision zu Grunde, sondern zunächst nur die schlichte Notwendigkeit, unverbundene und teils weit auseinandergelegene Territorien zusammen halten und für ihren Aufbau Menschen aus anderen Ländern gewinnen zu müssen. „Und wenn Türken und Heiden kämen und wollten das Land peuplieren," so hat Friedrich II. angemerkt, „so würden wir ihnen Kirchen und Moscheen bauen."
Zur nüchternen Einsicht in die Notwendigkeit gesellte sich die ehrliche Überzeugung, dass Toleranz die beste Voraussetzung für ein friedliches Zusammenleben sei, dass die „Gazetten nicht genieret werden" sollten und dass eben „ein jeder nach seiner Facon selig werden" können müsse. „Alle Religionen sind gleich und gut ," so ebenfalls Friedrich II., „wenn nur die Leute, so sie bekennen, nur ehrliche Leute sind". Preußen fiel es leichter als anderen Ländern, Fremde aufzunehmen oder Bedrängten Asyl zu gewähren – Böhmen und Niederländer, Salzburger und Franzosen. Juden hatten es auch in Preußen schwerer als Angehörige anderer Religionsgemeinschaften, und dennoch trifft wohl Gordon Craigs Einschätzung zu, dass „Brandenburg-Preußen von allen deutschen Staaten die größte Toleranz gegenüber Juden zeigte".
Noch in unserem Grundgesetz finden sich die Spuren preußischen Toleranzdenkens: der Wortlaut des Artikels 33, dass „der Genuss bürgerlicher und staatsbürgerlicher Rechte [...] unabhängig von dem religiösen Bekenntnis" ist, geht bis in die Formulierung hinein auf die preußische Verfassung von 1850 zurück.
Verwundert es da, dass gerade jene, die in den Genuss dieser Toleranz kamen, in besonderem Maße preußisch dachten und handelten? Napoleon dürfte wohl enttäuscht gewesen sein, als ihn ausgerechnet der Sprecher der französischen Gemeinde in Berlin 1806 mit den Worten empfing: „Ich wäre [...] des Königs, dem ich diene, nicht würdig, wenn ich die Anwesenheit Eurer Majestät an diesem Orte nicht mit den größten Schmerzen sähe". Wer so dachte, war eben nicht nur „Bürger", sondern im wirklichen Sinne „Staatsbürger". Nationalismus hatte daher in Preußen auch keine Chance, Fuß zu fassen, solange die Idee des Staatsbürgers und der Staatsnation lebendig war.
So sehr die preußische Staatsidee in vieler Hinsicht bemerkenswert war, so ist sie heute doch unwiederbringlich Geschichte: Der Bürger des Königreichs Preußen war Teil einer Ordnung, die sich immer deutlicher überlebt hatte; er diente dem Staat und dieser gewährte ihm Rechte. In der freiheitlichen Demokratie dagegen hat der Staat die Freiheits- und Bürgerrechte des Einzelnen zu wahren und zu verteidigen und ihre Entfaltung zu ermöglichen. Unsere Verfassung wird allerdings manchmal in dem Sinne missverstanden, dass ein nur auf die Maximierung des eigenen Vorteils bedachtes Individuum keine Verpflichtungen gegenüber der Gesellschaft habe.
Täte uns mehr preußisches Pflichtgefühl, ja Pflichterfüllung gut? Ein solcher Gedanke ist nicht ohne merkwürdigen Beigeschmack: Ist es nicht die Kultivierung jener Sekundärtugend gewesen, mit deren Hilfe die Nationalsozialisten ganz Europa und mit ihm Deutschland ins Verderben führten? Sebastian Haffner hat dazu angemerkt, dass Pflichterfüllung richtig und angebracht war, „solange der Staat, dem man diente, ordentlich und anständig blieb. Die Grenzen und Gefahren der preußischen Pflichtreligion haben sich erst unter Hitler gezeigt".
Nicht nur Pflichtgefühl lässt sich missbrauchen, wenn falsche Ziele gesetzt werden. Mein Vorgänger Theodor Heuss hat daher die Haltung jenes Herrn von

Pflichterfüllung war das oberste Gebot Friedrichs II., der sich als ersten Diener seines Staates verstand. Trotz der Gicht, die ihn schon früh plagte, besuchte er Jahr für Jahr die preußischen Provinzen, um deren wirtschaftliche Entwicklung voranzutreiben. Das Gemälde Adolph Menzels entstand 1854.

Die im Zuge der preußischen Reformen 1809 gegründete Berliner Universität hat ihren Sitz bis heute im ehemaligen Palais des Prinzen Heinrich Unter den Linden. Die Kreidelithografie von W. Loeillot entstand um 1840.

der Marwitz als „die moralische Substanz Preußens" bezeichnet, auf dessen Grabstein vermerkt ist, dass er Ungnade wählte, wo Gehorsam nicht Ehre brachte. War es Zufall, dass unter den führenden Männern des Nationalsozialismus kaum ein Preuße war? Die führenden Köpfe des deutschen Widerstandes waren dagegen ganz überwiegend Preußen. Die Gefahr falsch verstandener Pflichterfüllung sahen sie genau: „Vom wahren Preußentum ist der Begriff der Freiheit niemals zu trennen", hat Henning von Tresckow im April 1943 in der Potsdamer Garnisonskirche gesagt.
Nein, es gab keine historisch unausweichliche Entwicklung „von Bismarck zu Hitler", wie gelegentlich behauptet worden ist. Auch die Tatsache, dass die nationalsozialistische Propaganda sich in besonderem Maße preußischer Bilder und Legenden bediente, kann das nicht glauben machen. Missbrauch allein sagt nichts über den Wert einer Sache oder einer Tradition aus, weiß schon Thomas von Aquin. Auch die SED hat bekanntlich – vergeblich – versucht, der DDR durch den Rückgriff auf Preußen eine nationale Legitimation zu verschaffen. Die selektive Anknüpfung an Geschichte, Charakter und Traditionen gehört aber wohl auch zum Schicksal Preußens: Bis heute stößt man auf Sichtweisen und Urteile, die Preußen einseitig verdammen oder überhöhen, auf ein „halbiertes Preußentum".
Aus dem Ideal der Pflichterfüllung leitet sich vieles von dem ab, was gemeinhin als „preußische Tugenden" bezeichnet wird. Natürlich sind sie weder genuin noch exklusiv preußisch. Sie haben freilich wohl tatsächlich die Haltung besonders vieler Menschen dieses Landes ausgezeichnet. Jede Tugend kann Vorbild und Richtschnur des Handelns sein – und jede kann missbraucht werden, wenn sie in den Dienst falscher Ziele gestellt oder ohne Rückbindung an das Gewissen ausgeübt wird: Arbeits- und Leistungsbereitschaft, Fleiß und Sparsamkeit, Disziplin, Rechtschaffenheit und Unbestechlichkeit, Bescheidenheit und das Hintanstellen der eigenen Person. Wir leben zum Glück nicht länger in einem Obrigkeitsstaat, der solche Tugenden von seinen Bürgern einfordern könnte oder sollte. Dennoch: Die Grundwerte unserer Verfassung blieben tote Buchstaben, wenn sich niemand verpflichtet fühlte, sie mit Leben zu erfüllen und sich dort einzumischen, wo es um ein allgemeines Interesse geht.
Lange Zeit galt Preußen als das modernste und am besten verwaltete Staatswesen Europas. Die Verwaltung wirtschaftete sparsam, aber effizient und sie kam mit erstaunlich wenig Personal aus. Zugleich hat in kaum einem anderen Staat die Beamtenschaft je eine so starke Stellung gehabt – und die Geschichte hat gezeigt, dass sich das gut wie schlecht auswirken konnte.
In vorparlamentarischer Zeit ist die Beamtenschaft ein Gegengewicht zu monarchischer Gewalt und Adelsherrschaft gewesen. Das wurde in dem Maße möglich, wie Bildung statt Geburt zur wesentlichen Eignungsvoraussetzung auch für die höhere Beamtenlaufbahn wurde. Die Voraussetzung dafür war im Allgemeinen Landrecht von 1794 niedergelegt worden: „Niemand soll ein Amt aufgetragen werden, der sich dazu nicht hinlänglich qualifiziert und überzeugende Proben seiner Geschicklichkeit abgelegt hat."
In der Beamtenschaft des frühen 19. Jahrhunderts war fortschrittliches Denken weit verbreitet. Das zeigen nicht zuletzt die Reformen der Jahre nach 1807, die Gewerbefreiheit und die Städtereform – jener „Versuch, die Grenzen der Wirksamkeit des Staates zu bestimmen", wie Wilhelm von Humboldt es umrissen hat. Bezeichnenderweise fällt in diese Zeit auch die Gründung der Berliner Universität. Sie war nicht einfach eine weitere Hochschule, sondern verwirklichte die Humboldt'sche Idee der Freiheit von Forschung und Lehre. In einem aristokratisch geprägten Staat wird sie zur Bastion des Bürgertums und zum Vorbild der modernen deutschen Universität schlechthin.
Dass die Staatsnation Preußen keinem allgemeinen, programmatischen Ziel folgte, bedeutete nicht, dass sie ohne Anziehungskraft war. Die großen Reformer waren keine geborenen Preußen. „Preußen hat das Glück gehabt", so habe ich einmal gelesen, „von dem Sachsen Lessing glorifiziert, von dem Nassauer Stein regeneriert und von dem Schwaben Hegel dogmatisiert worden zu sein."
In der Restaurationszeit nach 1815 wurden die Hoffnungen all jener enttäuscht, die im Ende der alten Reichsordnung und im Aufbruch der Befreiungskriege die Chance zum politischen Neuanfang auch in Preußen gekommen sahen. Bei allen Leistungen, die die Verwaltung in vielen Bereichen vollbringen sollte – denken wir nur an den Zollverein: Die Geschichte Preußens in den Jahrzehnten nach dem Wiener Kongress ist gekennzeichnet von einem gebrochenen Verfassungsversprechen, von Studentenverfolgung und der Unterdrückung nationaler und liberaler Ideen und schließlich von der demütigenden Weigerung des Königs, die deutsche Reichskrone anzunehmen, die ihm das Volk angetragen hatte. 1848 gehörte der größte Teil der Abgeordneten, die Preußen in der Frankfurter Nationalversammlung vertraten, der beamteten Intelligenz an. Gegen Ende des 19. Jahrhunderts hatte sich die Haltung der preußischen Beamtenschaft aber grundlegend gewandelt: Freiheitliche war beharrender, nicht selten sogar reaktionärer Gesinnung gewichen. Die Verwaltung wurde zunehmend als Bevormundung empfunden; der Obrigkeitsstaat geriet immer stärker in Gegensatz zu modernen gesellschaftlichen Entwicklungen. Eine Beamtenschaft, die es stets als ihre Aufgabe gesehen hatte, Eingriffe

„von oben“ abzuwehren, stellte sich nicht länger den Eingriffen monarchischer Willkür entgegen, sondern dem zunehmenden Einfluss des Parlaments, der wachsenden Bedeutung der Parteien und den Ansprüchen selbstbewusster Bürger.
Die Reichsgründung, die Preußen als deutsche Zentralmacht betrieb, war sicher auch ein Akt der Selbstaufgabe. Wolfgang Mommsen ist zu dem Schluss gekommen, dass das Kaiserreich sich aus einer merkwürdigen Verbindung der eher negativen preußischen Züge mit den negativen Zügen des deutschen nationalen Bürgertums entwickelte und dass die positiveren Züge Preußens davon ganz überfahren wurden.
Nach 1871 nahm auch das Unvermögen zu, zwischen dem Militär, seinen Interessen und seinem Standesdenken und der modernen Industriegesellschaft einen Ausgleich zu finden. Immer stärker militarisiert sich das zivile Leben. Wilhelm Voigt, der „Hauptmann von Köpenick“ hat dieser Entwicklung mit seinem Schelmenstück ein wunderbares Denkmal gesetzt. Auch wenn die vorindustriellen Machteliten ihre Herrschaft bis 1918 behaupten konnten: Ihre überkommenen Formen und Strukturen passten nicht mehr in das Zeitalter der Massenbewegungen und der Demokratisierung. In diesen Jahren entstanden freilich auch politisch fortschrittliche Bewegungen. Dass Preußen mehr war als Kasernenhof, Wilhelminismus und Junkertum, zeigten die Jahre nach dem revolutionären Umbruch von 1918/19. Das Land entwickelte sich zu einer weitgehend stabilen Demokratie, in der ‚preußische Tugenden' sich noch einmal in ihren positiven Möglichkeiten beweisen konnten. „Preußen ist nie preußischer regiert worden als in meiner Amtszeit“ hat der langjährige Ministerpräsident Otto Braun wohl nicht ohne Berechtigung festgestellt. Anders als der Reichstag und manches Landesparlament wurde der preußische Landtag nie vorzeitig aufgelöst. Als die Regierung Braun am 20. Juli 1932 gegen Recht und Verfassung ihres Amtes enthoben wird, hört der Freistaat de facto auf zu bestehen. 1934 wird Preußen im Zuge der Gleichschaltung aller Länder auch juristisch aufgelöst und der Schritt, den die alliierten Siegermächte 1947 vollziehen, um den „Träger des Militarismus und der Reaktion“ zu beseitigen, wie es im so genannten Auflösungsgesetz hieß, war vielleicht eben wirklich nur noch „eine hämische Beurkundung, eine Art Totenschein“, wie Werner Knopp es genannt hat.
Was sagt uns Preußen heute noch? Preußen, darauf ist oft hingewiesen worden, ist vor allem eine tiefe Spur in unserer Vergangenheit. Preußen ist eben da, ein großer Block in unserer Geschichte, unübersehbar, ob wir nun wollen oder nicht. Seine Geschichte kann man sich nicht aussuchen, man muss sich ihr stets ganz stellen und sie wird immer Licht- und Schattenseiten haben. Man kann sich ihr so wenig entziehen, wie man sich der Größe des eigenen Landes, seiner Lage, oder der Tatsache entziehen kann, dass man mit mehr Nachbarn friedlich auskommen muss als sonst ein Staat in Europa. Das alles galt für Preußen und das alles gilt für das Deutschland unserer Tage.
Preußen, das ist ein überreiches kulturelles Erbe, das mit Namen wie Schlüter, Knobelsdorff und Schinkel, mit Schadow und Kleist, mit den großen Malern der romantischen Schule, mit Kant, Fichte und Humboldt verbunden ist. Der Bildungs-, der Rechts- und der Sozialstaat unserer Tage hat preußische Wurzeln – mag der Bildungsstaat auch nicht nur der Aufklärung, sondern auch nüchternem Zweckdenken zu danken sein und der Sozialstaat gleichermaßen gutsherrlichem Paternalismus wie fortschrittlichem Denken.
Preußen ist Geschichte und begegnet uns doch ständig: Preußisch-Oldendorf und preußischblau, die „Stiftung Preußischer Kulturbesitz“ und „der preußische Ikarus“, Borussia Dortmund und die schwarz-weißen Trikots der Fußball-Nationalmannschaft. Wer auf dem Leipziger Bahnhof auf die Abfahrt seines Zuges wartet und sich nicht in den Trubel der Einkaufspassage stürzen will, kann sich in die Ruhe des „Preußischen Wartesaals“ zurückziehen. Welche Assoziationen bieten sich an ... Preußen erscheint uns merkwürdig fern und ist doch in Vielem, oft ganz unauffällig, gegenwärtig. Alles liegt hier dicht beieinander: Aufklärung und Krieg, Gewissenhaftigkeit und Anmaßung, Pflichterfüllung und Großsprecherei, moderner Staat und Gutsherrschaft.
All das müssen wir sehen, wenn wir „Preußen ohne Legende“ betrachten wollen, wie Sebastian Haffner es gefordert hat. Dann können wir erkennen, dass es auch Traditionslinien und Einstellungen gibt, die es lohnt, beleuchtet und wieder entdeckt zu werden.

Heinrich von Kleist war einer der großen Dichter Preußens. 1777 in Frankfurt an der Oder geboren, suchte er 1811 am Berliner Wannsee den Freitod. Seine Stücke, darunter „Der zerbrochne Krug“ und „Das Käthchen von Heilbronn“, gehören bis heute zum festen Repertoire der deutschen Theater. Das Porträt von Peter Friedel entstand 1801.

Das berühmte Doppelstandbild der Prinzessinnen Luise und Friederike von Preußen schuf Johann Gottfried Schadow 1796/97. Es ist ein frühes Zeugnis des preußischen Klassizismus.

Der Aufstieg des Adlers

Brandenburgs Weg zur preußischen Krone

Mit seiner Krönung am 18. Januar 1701 machte der brandenburgische Kurfürst Friedrich III. das Herzogtum Preußen zum Königreich und sich zum König Friedrich I. in Preußen. Am Tag zuvor hatte er den königlichen Hoforden des Schwarzen Adlers gegründet. Dessen Wahlspruch lautete: suum cuique – Jedem das Seine.

Die Anfänge Preußens liegen in Schwaben. Von dort stammt das Geschlecht der Hohenzollern, dessen fränkische Linie unter dem Nürnberger Burggrafen Friedrich VI. 1417 die Mark Brandenburg zum Lehen erhielt. Das rückständige Land war zunächst nur eine Erweiterung des territorialen Besitzstandes der Familie. Erst als 1486 das Erbe der Hohenzollern in zwei fränkische und eine brandenburgische Herrschaft aufgeteilt wurde, verwuchs das Geschlecht mit dem Land im Osten. Das war der Beginn des Hauses Brandenburg, das nun stetig seinen Besitz ausbaute. Preußen kam erst später hinzu. Der Zufall wollte es, dass ein Spross der fränkischen Hohenzollern 1510 zum Hochmeister des deutschen Ordens gewählt wurde. Der tatkräftige Albrecht I. machte 1525 aus dem Ordensstaat das weltliche Herzogtum Preußen. Dieses Land und damit der Titel eines Herzogs in Preußen ging 1618 an die Brandenburger über.

Im selben Jahr begann der Dreißigjährige Krieg, in dem das protestantische Brandenburg zunächst eine neutrale Haltung einnahm. Doch diese gewährte keinen Schutz vor den marodierenden Heeren der Kriegsgegner, die das Land als Aufmarsch- und Durchzugsgebiet nutzten. Das änderte sich auch nicht nach dem Kriegseintritt des Kurfürsten Georg Wilhelm auf Seiten der Schweden. Gegen Ende des Krieges stand Brandenburg-Preußen am Rande des Zusammenbruchs. Die Hälfte der Bevölkerung war umgekommen oder geflohen, das Land selbst glich in weiten Teilen einer Ödnis, viele Orte und Anwesen waren zerstört. Das war die Situation, als Friedrich Wilhelm, der Große Kurfürst, im Jahre 1640 die Regierung übernahm. Er hatte in den Niederlanden studiert und dort ein modernes und prosperierendes Staatswesen kennen gelernt. Daran orientierte er sich beim Wiederaufbau seines Landes. Um den zerstreuten Besitz im Westen und im Osten an das brandenburgische Kernland zu binden, schuf er erste Formen einer zentralen Verwaltung. 1685 holte er mit den in Frankreich verfolgten Hugenotten eine große Zahl von Fachleuten ins Land, die wesentlich zum Aufschwung Branden-

burgs im 18. Jahrhundert beitrugen. Überhaupt verfolgte Friedrich Wilhelm eine tolerante Religionspolitik und entschärfte dadurch den Streit zwischen Calvinisten und Lutheranern, der das Land zu spalten drohte. Auch als Diplomat und Kriegsherr konnte der Große Kurfürst Erfolge erzielen. Wie andere absolutistische Herrscher seiner Zeit hatte er ein stehendes Heer aufgebaut, das er geschickt zur Sicherung und Erweiterung seines Territoriums einsetzte. Sein ständiges Taktieren und Wechseln der Bündnispartner brachte ihm den Beinamen ‚Fürst mit dem Wechselfieber' ein. Durch spektakuläre Siege, wie den bei Fehrbellin 1675, vertrieb Friedrich Wilhelm den mächtigen Nachbarn Schweden endgültig aus Brandenburg-Preußen.
Der Sohn des Großen Kurfürsten, Friedrich III., konnte schon die ersten Früchte der Aufbauarbeit seines Vaters genießen. Er ignorierte das Testament Friedrich Wilhelms, das eine Aufteilung der kleineren Gebiete unter seinen Söhnen aus zweiter Ehe vorsah, und sicherte sich 1688 das Gesamterbe. Das Regieren lag ihm nicht sehr am Herzen, das überließ er weitestgehend seinen Ministern Eberhard von Danckelmann und Johann Kasimir Kolbe von Wartenberg. Er selbst widmete sich ganz der barocken Prachtentfaltung seiner Herrschaft. In Berlin ließ er das königliche Schloss erweitern, weitere Prachtbauten entstanden in Potsdam und Oranienburg. Doch auch für die Wissenschaften und Künste floss das Geld reichlich. Bereits 1694 gründete Friedrich III. mit der Universität Halle ein Zentrum der deutschen Frühaufklärung und in Berlin entstanden wenige Jahre später die Akademie der Künste und die Sozietät der Wissenschaften, deren erster Präsident der Universalgelehrte Gottfried Wilhelm Leibniz war. Das große Ziel Friedrichs aber war die Königskrone. Mit Unterstützung des Kaisers konnte der brandenburgische Kurfürst sich am 18. Januar 1701 in Königsberg zum König in Preußen krönen. Nicht ‚von Preußen', da sich Westpreußen im Besitz des polnischen Königs befand. Erst nach der polnischen Teilung 1772 ging dieser Teil des Landes in den Besitz der Hohenzollern über, die sich von da an Könige von Preußen nannten. König von Brandenburg wollte Friedrich nicht werden, denn dann wäre er ein Vasall des Habsburger-Kaisers gewesen. In Preußen aber war er sein eigener Herr.

Auf dem Konzil von Konstanz erhielt der Hohenzoller Friedrich VI., Burggraf von Nürnberg, am 18. April 1417 die förmliche Belehnung mit der Mark Brandenburg durch König Sigismund (oben in der Bildmitte).

Links: Kurfürst Joachim II. konvertierte am 1. November 1539 zum Luthertum und gab der brandenburgischen Geschichte damit eine entscheidende Wende. Das zeitgenössische Gemälde zeigt ihn im Alter von 15 Jahren.

Albrecht I. aus der fränkischen Linie des Hauses Hohenzollern war der letzte Hochmeister des Deutschen Ordens und der erste Herzog in Preußen. 1544 gründete er die Universität Königsberg.

Im Westfälischen Frieden von 1648 wurden Brandenburg-Preußen die Fürstentümer Minden und Halberstadt, die Grafschaft Hohenstein und das Herzogtum Hinterpommern zugesprochen. Damit erstreckten sich die verstreuten Besitztümer der brandenburgischen Hohenzollern vom Rhein über Elbe und Oder bis an die Memel.

Friedrich Wilhelm, auch genannt der Große Kurfürst, baute das Land nach dem Dreißigjährigen Krieg wieder auf und schuf die Grundlagen für den Aufstieg Brandenburg-Preußens im 18. Jahrhundert.

Die Schlacht bei Fehrbellin wurde zum Triumph des Großen Kurfürsten. Die brandenburgischen Truppen besiegten hier am 28. Juni 1675 die zahlenmäßig überlegenen Schweden. 4 000 schwedische und 500 brandenburgische Soldaten starben allein an diesem Tag.

Die Idee, eine eigene Flotte aufzubauen, brachte Friedrich Wilhelm aus den Niederlanden mit. Brandenburg sollte eine See- und Kolonialmacht werden. Das Gemälde von Lieve Verschuir aus dem Jahre 1684 zeigt die Flotte mit ihrem Flaggschiff, der „Markgraf von Brandenburg" (rechts).

Der Weg zur absoluten Herrschaft war schwer. Der Große Kurfürst brauchte Jahre, um die preußischen Stände zur Anerkennung seiner Landesherrschaft zu bewegen. Der zeitgenössische Kupferstich zeigt die Huldigung Friedrich Wilhelms im Hof des Königsberger Schlosses am 18. Oktober 1663.

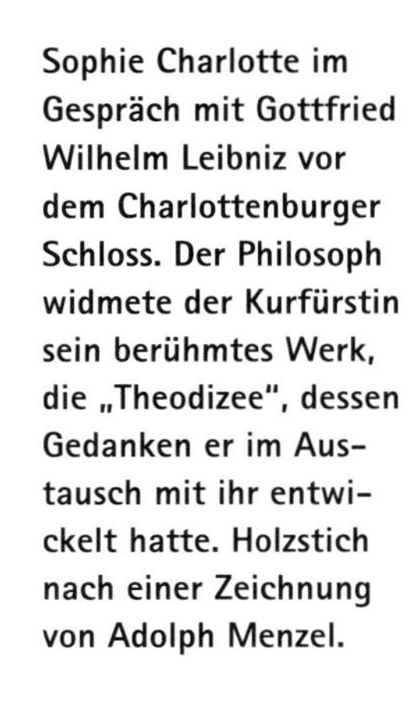

Sophie Charlotte im Gespräch mit Gottfried Wilhelm Leibniz vor dem Charlottenburger Schloss. Der Philosoph widmete der Kurfürstin sein berühmtes Werk, die „Theodizee", dessen Gedanken er im Austausch mit ihr entwickelt hatte. Holzstich nach einer Zeichnung von Adolph Menzel.

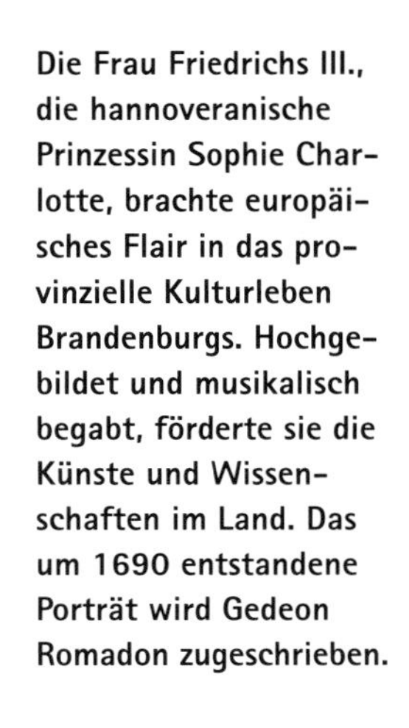

Die Frau Friedrichs III., die hannoveranische Prinzessin Sophie Charlotte, brachte europäisches Flair in das provinzielle Kulturleben Brandenburgs. Hochgebildet und musikalisch begabt, förderte sie die Künste und Wissenschaften im Land. Das um 1690 entstandene Porträt wird Gedeon Romadon zugeschrieben.

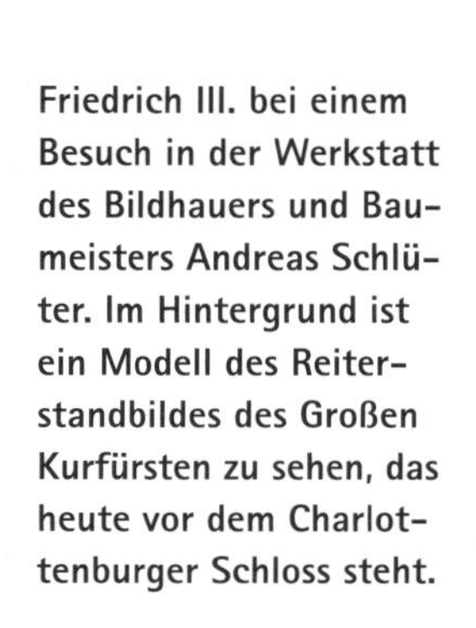

Friedrich III. bei einem Besuch in der Werkstatt des Bildhauers und Baumeisters Andreas Schlüter. Im Hintergrund ist ein Modell des Reiterstandbildes des Großen Kurfürsten zu sehen, das heute vor dem Charlottenburger Schloss steht.

Friedrich I. war der erste König in Preußen. Er war klein und verwachsen und liebte den großen Auftritt. Unter seiner Herrschaft erlebte Berlin eine erste kulturelle Blüte. Das nach 1701 entstandene Gemälde stammt vermutlich von Samuel Theodor Gericke.

Der große Augenblick: Am 18. Januar 1701 krönte sich Friedrich III., Kurfürst von Brandenburg, in Königsberg zum König Friedrich I. in Preußen. Studie von Anton von Werner.

Mein Preußenbild

WILHELM-KARL PRINZ VON PREUSSEN

Die Themen, mit denen ich mich beschäftigen will, heißen: „Preußen – Nostalgie? Verdammung? Hilfe zur Zukunftsbewältigung?" Alles mit Fragezeichen. Demgemäß gliedere ich meinen Beitrag in „Vergangenheit – Gegenwart – und Zukunft" und möchte ein Wort aus Psalm 127 voranstellen: „Wo der Herr nicht das Haus baut, so arbeiten umsonst, die daran bauen." Denn so wenig es ein Europa ohne das Kreuz gäbe, so wenig wären Aufstieg und Existenz Brandenburg-Preußens ohne seine vielfachen christlichen Wurzeln und Rückbezüge denkbar. PREUSSEN – dies Wort ist in mehrfacher Hinsicht ein Phänomen:

- Geliebt von den einen, gehasst von den anderen
- ein Staat, dessen Name von einem Randgebiet stammt
- tolerant und unduldsam zugleich
- Rokoko und Musik im kargen märkischen Sand
- Treffpunkt der besten Geister der Zeit und Exerzierplatz
- von eiserner Härte und voll sozialer Verantwortung
- avantgardistisch und konservativ
- Ständestaat und Vorkämpfer der Gerechtigkeit für jedermann
- ohne seine Armee nicht denkbar, und doch weniger Kriege führend als andere Mächte.

Kurz: Ein Staat, „ein Königtum der Widersprüche", wie es Theodor Schieder in seiner Biographie Friedrichs des Großen genannt hat.

Aber ist es eigentlich wirklich so kompliziert? Ist es tatsächlich so schwer zu begreifen, dass diese bessere Standesherrschaft, weit verstreut – im wörtlichsten Sinne von der Maas bis an die Memel reichend – und im Schnittpunkt geschichtlicher Macht- und Einflusszonen gelegen, dass Brandenburg-Preußen also besonderer Bedingungen bedurfte, um überhaupt überleben zu können oder gar im Konzert der damaligen Großmächte gehört zu werden?

Keimzelle war die Mark Brandenburg. Geopolitisch für die rivalisierenden Nachbarn wichtig. Interessant als eine der sieben Kurwürden. Jedoch ohne eigene Ressourcen. Nach langer Zeit der Ausplünderung und der wechselnden Dynastien, nach vielen Jahrzehnten des Interregnums und der Anarchie, bedurfte dieses Land der Sanierung.

Der nüchterne Burggraf Friedrich von Nürnberg aus der fränkischen Linie der Hohenzollern schien Kaiser Sigismund dafür der geeignete Mann zu sein. Er begann, Ordnung in die zerrütteten märkischen Verhältnisse zu bringen. Allerdings gab er persönlich stets seiner kultivierten fränkischen Heimat den Vorzug.

Die Hohenzollern in Brandenburg wurden unter Joachim II. lutherisch. Ebenso das ganze Land. Das zu gleicher Zeit unter dem letzten Hochmeister des Deutschen Ordens, Albrecht von Brandenburg, auf Luthers Rat säkularisierte Herzogtum Preußen fiel 1618 an die brandenburgische Hauptlinie.

Kurz zuvor war der Kurfürst im Zuge des Cleveschen Erbfolgestreites und unter dem Einfluss seiner oranischen Verwandtschaft zum Calvinismus übergetreten – damals für orthodoxe Lutheraner ein ebenso ungeliebter Glaubenspartner wie die römische Kirche. Und dies ist eigentlich der Ausgangspunkt jener spezifisch brandenburgischen Toleranz, die zum Grundpfeiler des sich heranbildenden, sprachlich und stammesmäßig außerordentlich heterogenen jungen Staates wurde. Ohne sie hätte er, umgeben von den großen Mächten seiner Zeit, keine Überlebenschancen gehabt.

Grenzenlos im wörtlichsten Sinne, ohne natürliche Reichtümer, ohne nennenswerte Manufakturen und Handelskontore, war Kurbrandenburg zum Spielball seiner stärkeren Nachbarn und zum Platz, auf dem sie die Gegensätze ihrer Interessen austragen konnten, prädestiniert. Der Dreißigjährige Krieg erbrachte dafür den Beweis in Gestalt entsetzlicher Bevölkerungsdezimierung und nahezu vollständiger Zerstörung des Kernlandes. So konnte der neue Staat nur wieder aufgebaut werden und überleben, wenn er Menschen anwarb, die ihm Kenntnisse, Fertigkeiten, Ideen und Erfahrungen in allen Lebensbereichen brachten und die durch Krieg und Pest verwüsteten Landstriche bevölkerten. Brandenburg-Preußen wurde für Jahrzehnte zum Einwanderungsland. Ende des 17. Jahrhunderts hatten fast 30 % der Einwohner Berlins Französisch als Muttersprache.

Und genau wie die bewundernswerte Aufbauleistung in der Bundesrepublik nach dem totalen Zusammenbruch von

1945 ohne die Einsatzbereitschaft, die spezifischen Fähigkeiten und den Überlebenswillen der Flüchtlinge und Vertriebenen undenkbar ist, wäre der Aufstieg Preußens vom Zwergstaat am Rande des Reiches zur europäischen Mittelmacht ohne die Vielfalt der Einwanderer und ihrer Begabungen unvorstellbar.
Damit es aber zu solchem „synergistischem" Effekt der verschiedenen Einwandererströme mit der eingesessenen Bevölkerung kommen konnte, bedurfte es des Verzichts des Herrscherhauses auf das „Cuius regio, eius religio" (Wessen Land, dessen Religion) des Augsburger Religionsfriedens.
Die Gleichstellung der Konfessionen wurde so konsequent praktiziert, dass der größte Liederdichter des Protestantismus, Paul Gerhardt, seine Berliner Kanzel verlassen musste, weil er sich weigerte, in der Predigt auf polemische Angriffe gegen die reformierten Neubürger zu verzichten. Kein Lutheraner wurde andererseits aufgefordert, dem Konfessionswechsel der kurfürstlichen Familie zu folgen.
Ihre äußeren Kulminationspunkte fand diese Staatsgesinnung im Toleranzedikt des Großen Kurfürsten als Antwort auf die Aufhebung des Edikts von Nantes durch Ludwig XIV. und schließlich in der berühmten aufklärerischen Randbemerkung Friedrich des Großen: „Denn hier" – gemeint ist der religiöse, im vorliegenden Falle der konfessionelle Bereich – „muss jeder nach seiner Fasson selig werden."

Der Große Kurfürst Friedrich Wilhelm von Brandenburg (hier links neben Johann Georg II. von Sachsen) öffnete das Land für die aus Frankreich vertriebenen Hugenotten.

Die Landkarte aus dem Jahre 1650 zeigt das Herzogtum Preußen nach dem Dreißigjährigen Krieg.

Der Sohn des Großen Kurfürsten wagte den entscheidenden Schritt: Als Friedrich I. krönte er sich im Jahre 1701 zum König in Preußen.

Friedrich Wilhelm I. war ein energischer Herrscher. Durch den Aufbau einer schlagkräftigen Armee und die Reform der Verwaltung legte er den Grundstein für den Aufstieg Preußens.

Wie aber sollte eine aus so unterschiedlichen ethnologischen Gruppen mit so verschiedenen historischen, kulturellen und religiösen Wurzeln zusammengewürfelte Bevölkerung zu gemeinsamen Anstrengungen beim Aufbau des Staates und seiner Verteidigung veranlasst werden? Was konnte Litauer, Pruzen und Polen, Holländer, Friesen und Wallonen, Franzosen, Flamen, Böhmen, Pfälzer und Rheinländer mit Brandenburgern, Altmärkern, Pommern, Franken und Salzburgern, was konnte Lutheraner und Reformierte mit Katholiken und Mennoniten mit Waldensern und Juden zu einem Staatsgefühl verbinden? Wie sollte jener Geist der Zusammengehörigkeit geweckt werden, der dem älterer und homogener Nationen entsprach und der die Voraussetzung für Bestand und Erhalt des jungen Königreiches war?
Das konnte nur geschehen, indem der Mehrzahl der Bürger das Gefühl der Sicherheit und allmählich wohl auch das des Stolzes auf das gemeinsam Erreichte gegeben wurde:

- Sicherheit vor Verfolgung um ihrer Religion und Konfession willen – dem diente die Toleranzidee.
- Sicherheit vor der Unterdrückung durch eine korrupte Verwaltung und Gerichtsbarkeit. (Hierzu gehört der das Gerichtswesen regelnde Erlass des „Soldatenkönigs", der unter der Bezeichnung „Die fürchterliche Musterung" in die preußische Rechtsgeschichte eingegangen ist und in dem es heißt: „Und den Herren Advocati soll man ein Mäntelchen anziehen bis kurz übers Knie, damit man die Spitzbuben von weitem erkennen und sich vor ihnen hüten kann.")
- Sicherheit durch Ordnung und Schutz nach innen und außen. – Dem diente der Aufbau einer disziplinierten Armee, die an die Stelle der plündernden Landsknechtshaufen trat – und deren Offiziercorps die Wahrung seiner persönlichen Ehre wie die Treue zum Königshaus zum Maßstab seines Verhaltens machte. Mag auch die Armee für das arme Land überdimensioniert und infolgedessen eine schwere Belastung gewesen sein, so basierte die Souveränität des Staates doch auf ihrer tatsächlichen Leistungsfähigkeit – ungleich existentieller jedenfalls als bei den stärkeren Mächten jener Zeit.
- Gleichheit aller vor dem Gesetz. Dem diente das von Friedrich dem Großen begonnene und von seinem Nachfolger in Kraft gesetzte „Allgemeine Landrecht für die preußischen Staaten".

Im Prozess um den Müller Arnold war der König sachlich wohl im Unrecht. Aber er wollte der Öffentlichkeit zeigen, dass auch ein kleiner Mann in Preußen gegen den großen Recht behalten könne. Die Anekdote vom Müller von Sanssouci zeigt, wie stark dieser königliche Wille damals in das allgemeine Bewusstsein eingegangen ist.

Solche Verhaltensweisen brachten Preußen unter den noch ganz feudalen und zumeist rein absolutistisch regierten Ländern Europas den Ruf eines modernen, aufgeklärten Staatswesens, dessen Herrscher sich das Wort „Der König habe der erste Diener seines Staates zu sein" (Friedrich der Große sagte einmal sogar „le premier domestique") ganz zu Eigen machte.
Das französische Sprichwort „Travailler pour le roi de Prusse", womit halb bewundernd, halb mitleidig ein Wirken nicht um materiellen Lohn, sondern um

der Ehre willen gemeint war, zeigt, welche Bedeutung dem Ehrbegriff in diesem Zusammenhang zukommt. „Sah Friedrichs Heldenzeit und kämpfte mit ihm in allen seinen Kriegen. Wählte Ungnade, wo Gehorsam nicht Ehre brachte", stand auf dem Grabstein von Johann-Friedrich-Adolf von der Marwitz, der sich geweigert hatte, den Befehl des Königs zur Plünderung des Schlosses Brühl auszuführen und stattdessen den Abschied nahm.
Der zunehmenden Bewunderung von außen entsprach der wachsende Stolz der Landeskinder auf ihren Staat. Und dies, obwohl Friedrich der Große trotz aller „Modernität" natürlich ein absoluter Monarch blieb. Aber Staatsgefühl und Stolz auf das Erreichte wuchsen unabhängig von den Belastungen, die für jedermann mit dem Aufstieg Preußens in die Reihe der europäischen Mittelmächte verbunden waren.
Natürlich war nicht alles Gold, was im Nachhinein zu glänzen schien. Der Große Kurfürst hatte aus seiner Position der Schwäche heraus eine Politik der wechselnden Allianzen betrieben, die kaum den Moralvorstellungen unserer demokratischen Zeitgenossen entspricht. Aber die anderen Mächte seiner Zeit waren keineswegs skrupelhafter. Sein Sohn hatte – nicht ohne neidischen Seitenblick auf den Schwager, der König von England geworden war – mit Erfolg die Königswürde in Preußen angestrebt.
Unter den cholerischen Ausbrüchen seines Nachfolgers hatten nicht allein dessen Familie, sondern auch zahlreiche Beamte und Bürger zu leiden. Und doch legte Friedrich Wilhelm I. in pietistischer Frömmigkeit und calvinistischem Arbeitsethos die Grundlagen des preußischen Staates.
Friedrich der Große selbst hatte dessen Kräfte in nahezu zehn Kriegsjahren beinahe bis zum wirtschaftlichen Ausbluten angespannt. Zeitweilig halfen nur englische Subsidien, der Verkauf des Silberschatzes und die Verschlechterung der Münze über den drohenden Zusammenbruch der Staatsfinanzen hinweg. Der Kampf um Besitz und Erhalt Schlesiens war jedoch keineswegs eine so einmalige Scheußlichkeit, wie neuzeitliche Kritiker meinen. Zahlreiche andere Kabinettskriege jener Epoche waren rechtlich durchaus nicht besser begründet. Man denke nur an den Einfall Ludwigs XIV. in die Pfalz, an August des Starken Angriff auf Riga, der den großen Nordischen Krieg auslöste, oder auch an die überseeischen Eroberungen der europäischen Großmächte.
Nur kam der Einfall in Schlesien seitens dieses jungen „Roi charmant" allzu unerwartet. Dabei ging es diesem natürlich nicht allein um die Befriedigung seines persönlichen Ehrgeizes, um das „Rendezvous mit dem Ruhm", wie er später schrieb, sondern auch um die richtig erkannten Grundvoraussetzungen für Preußens Unabhängigkeit.
Dass die Überzahl der protestantischen Schlesier die preußische Besitznahme begrüßte, erleichterte das Vorhaben. Wenn der König gleichzeitig ein herzliches Verhältnis zum Fürstbischof von Breslau herstellte und seinen neuen katholischen Landeskindern die zuvor übernommenen evangelischen Kirchen beließ, so war das sicher nicht allein Ergebnis seiner aufklärerischen Gleichgültigkeit, sondern entsprach der schon erwähnten Toleranzidee Preußens.
Die restlichen 23 Jahre seiner Regierungszeit beschäftigte sich der König mit dem Wiederaufbau seines Landes, der inneren Kolonisation, der Verbesserung von Verwaltung und Armee.
Ohne Hemmungen beteiligte er sich an der von Katharina der Großen inaugurierten ersten Teilung des von seinen Adelsparteien zerrissenen und mit dem „liberum veto" zur staatlichen Agonie verurteilten Polen. Sie brachte endlich den Besitz ganz Westpreußens und damit die Landverbindung zwischen den alten östlichen Provinzen. Sie machte den König *in* zum König *von* Preußen.
Nach der übergroßen Anspannung der friderizianischen Epoche sank das Land erschöpft und nicht unglücklich über diese scheinbare Entlassung aus harter Fron zurück. „Es ruhte auf den Lorbeeren Friedrichs des Großen aus", wie es die politisch und national engagierte Königin Luise nach der Katastrophe von 1806 ausdrückte.
Und doch gab es offenbar innere Kräfte in diesem Kunststaat, die sich noch im Zusammenbruch entfalteten. Sie trugen die Reformen und machten den raschen Wiederaufstieg nach 1812 möglich. Sie

Mit seinem Sieg über die Franzosen in der Schlacht bei Roßbach im November 1757 wurde Friedrich der Große zur Legende.

waren noch in der totalen Niederlage spürbar genug gewesen, um die besten Geister auch aus anderen deutschen Landen anzuziehen oder dem Staat zu erhalten: Von Stein bis Hardenberg, von Scharnhorst bis Gneisenau, von Hegel bis Iffland.

Das gemeinsame Erleben des Befreiungskampfes gegen die napoleonische Hegemonie, mit der sich die Erinnerung an die Raubkriege Ludwig XIV. und an die Zeit verband, in der Deutschland der Spielball fremder Mächte gewesen war, schien die österreichisch-preußische Rivalität zu beenden. Die Sehnsucht nach dem deutschen Nationalstaat war geweckt.

Wenn es auch sicher rückschauende Hagiographie war, die dem Preußen Friedrichs den bewussten Willen zur deutschen Einheit unterschob, so hatten die Siege bei Roßbach und Minden eben doch dazu geführt, dass der freie Reichsstädter Goethe als kleiner Junge mit seiner Mutter und vielen anderen „fritzisch" gesinnt war. Auch war der mittelalterliche Traum vom Reich der Deutschen nie ganz in Vergessenheit geraten. Die für beinahe ein halbes Jahrhundert den Frieden in Europa sichernden Verträge des Wiener Kongresses führten zu einer preußischen Westverschiebung bis über den Rhein hinaus. Zugleich aber wuchs die Enttäuschung darüber, dass der Sieg über Napoleon nicht den ersehnten deutschen Nationalstaat gebracht hatte und dass auch die in der Aufbruchstimmung des Freiheitskampfes gegebenen Verfassungsversprechungen nicht eingehalten wurden.

Es war aber nicht allein das nationale Empfinden, das in diese Richtung drängte. Es waren gerade auch die liberalen Zeitströmungen, es waren das Besitz- und Bildungsbürgertum, welche die deutsche Kleinstaaterei als Hindernis für die demokratische, vor allem aber für die wirtschaftliche Entwicklung ansahen. Bis zum allgemeinen, gleichen und geheimen Wahlrecht für jedermann gingen die Vorstellungen zu jener Zeit ja keineswegs, sondern man hielt das Zensussystem mit seiner Bevorzugung der Begüterten durchaus für eine sinnvolle Lösung, und man stand damit in Europa auch nicht allein. In England wurde der letzte Zensus beispielsweise erst 1919 abgeschafft.

Angesichts der realen Machtverhältnisse konnten allerdings noch so leidenschaftliche und idealistische Resolutionen eines Professorenparlaments in Frankfurt nichts Ernsthaftes bewegen. So trug man schließlich Friedrich Wilhelm IV. als dem Herrscher des stärksten deutschen Teilstaates die erbliche Kaiserwürde an. Das aber bedeutete zwangsläufig einen Affront gegen das Haus Habsburg, das ungleich stärkere, nichtdeutsche Bindungen – in Ungarn, Böhmen-Mähren, Polen, Italien und auf dem Balkan – hatte. In wohl richtiger Einschätzung des tatsächlichen Kräfteverhältnisses, das eineinhalb Jahre später zu der Preußen von Österreich und Russland aufgezwungenen „Punktation von Olmütz" führte, lehnte der König ab.

Preußen war noch nicht reif für die Führungsrolle in Deutschland. Gerade die preußischen Konservativen sahen die deutsche Aufgabe ihres Vaterlandes mit großem Unbehagen und mit der Sorge, Preußen könne darüber seinen Charakter verlieren, womit sie vielleicht nicht ganz Unrecht hatten, jedenfalls wenn man den Ausgang bedenkt. Aber auf der Höhe der Zeit – *ihrer* Zeit in der Mitte des 19. Jahrhunderts – waren nicht die Konservativen, sondern die Vertreter der deutschen Einheit – sei sie groß- oder kleindeutsch geprägt – waren Nationalismus und Liberalismus, mag man das rückschauend nun gut finden oder nicht. Ihnen fehlte nur noch der Staatsmann, der wie Cavour in Italien die Gunst der Stunde, d.h. der Mächtekonstellation zu nutzen wusste, der den Mut hatte „zuzuspringen und den Mantelsaum Gottes zu ergreifen, wenn er durch die Geschichte weht" – wie Bismarck selbst das in einem seiner schönen Bilder ausgedrückt hat.

Die Einzelheiten der Reichsgründung sind bekannt. Sie führte über den gemeinsam mit Österreich und einigen norddeutschen Staaten im Auftrag das Deutschen Bundes errungenen Sieg über Dänemark, an dessen Annektionsbestrebungen gegenüber Schleswig-Holstein sich der junge deutsche Nationalismus entzündet hatte, zur unmittelbaren Aus-

Abgesandte der Frankfurter Nationalversammlung unter Führung von Eduard Simson tragen am 3. April 1849 dem preußischen König Friedrich Wilhelm IV. die Würde eines Kaisers der Deutschen an. Doch der wollte kein Kaiser von Gnaden des Volkes sein.

Das Verhältnis Kaiser Wilhelms I. zu Bismarck war nicht frei von Spannungen. Doch letztlich ließ der Monarch seinem Minister freie Hand.

einandersetzung mit der Doppelmonarchie um die Vormacht in Deutschland und schließlich zum Sieg der von Preußen geführten Kontingente aller deutscher Staaten über Frankreich. Sie war allerdings auch mit dem Makel der Eingliederung Hannovers, Kurhessens, Nassaus und Frankfurts behaftet. Und doch stand am Ende der Spiegelsaal in Versailles, wo im Übrigen nicht allein die deutschen Fürsten und die Stadtstaaten König Wilhelm zum deutschen Kaiser wählten: Zum zweiten Mal nach 1849 stand Eduard Simson an der Spitze einer Parlamentsdelegation, die dem König von Preußen die Kaiserkrone antrug.
Zu dieser Zeit hatte wohl niemand – in Deutschland so wenig wie im übrigen Europa – eine Vorstellung davon, welches gewaltige Machtgebilde das neue Reich politisch, militärisch, wissenschaftlich und vor allem wirtschaftlich innerhalb kurzer Zeit werden würde. Ungeahnte Energien wurden unter dem bisher von den Großmächten etwas gönnerhaft behandelten „Volk der Dichter und Denker" freigesetzt, das seine neu gewonnene Stärke stolz und sicher nicht immer taktvoll zur Schau stellte. So begannen sich die benachbarten Staaten voller Nostalgie des Machtvakuums im Herzen des alten Kontinents zu erinnern.
Aber auf der anderen Seite war nicht zu verlangen, dass die junge Nation ihren Erfindungsreichtum, ihren Gewerbefleiß und ihr Organisationstalent einschränkte, die so lange brachgelegen hatten. So ist die Entwicklung, die mit zunehmender Geschwindigkeit auf den Ersten Weltkrieg und damit auf das Ende des alten Europas zutrieb, in der Tat so etwas wie ein Stück griechischer Tragödie, die von unentrinnbarem Schicksal bestimmt wird. Am Ende der von Deutschland nicht zu gewinnenden Auseinandersetzung stand die These von seiner Alleinschuld.
Sie hat mehr als andere Artikel des Versailler Vertrages die politischen Auseinandersetzungen in der Weimarer Republik belastet und wesentlich zu Hitlers Machtergreifung beigetragen. Und dies, obwohl einsichtige, vor allem angelsächsische Historiker und Politiker inzwischen längst von dieser These abgerückt waren. Die so genannte „Appeasement-Politik" Hitler gegenüber war nicht nur ein Ergebnis militärischer Schwäche, sondern sie entsprang eben auch dem Bewusstsein, dass dem Deutschen Reich in Versailles Unrecht geschehen war und dass auch den Deutschen das Selbstbestimmungsrecht in ihrem nun als selbstverständlicher Bestandteil Europas hingenommenen Nationalstaat zugebilligt werden müsse.
Über das Ende des alten Preußen kann man sicher spekulieren: War es bereits am 18. Januar 1871 voll im Zweiten Deutschen Reich aufgegangen – wofür einiges spricht? Stand der Thronverzicht des letzten Königs von Preußen an seinem Ende? War Papens „Preußenschlag" gegen die legale preußische Regierung Braun 1932 der Abschluss der Geschichte Preußens oder erst die von den Alliierten verordnete Auflösung des preußischen Staates? Mit Sicherheit aber stand am Ende dieses mit seinen Höhen und Tiefen einmaligen Staatswesens der Aufstand der Gewissen gegen den totalen Unrechtsstaat, der preußische Tugenden usurpiert und korrumpiert hatte. Vor Freislers Volksgerichtshof und unter dem Galgen bewährten sich neben vielen anderen noch einmal Träger stolzester Namen der preußischen Geschichte. Noch ein letztes Mal waren sie für die Ehre der Nation, für das Recht, für ihre christliche Überzeugung eingetreten und damit für die edelsten Wurzeln des Staates, dem ihre Vorfahren durch Jahrhunderte um der eigenen Ehre willen gedient hatten. Sie opferten ihr Leben im Kampf gegen ein Regime, das diesen Staat okkupiert und zugrunde gerichtet hatte.

Kaiser Wilhelm II. wurde zum Symbol einer Epoche, in der das Deutsche Reich seine neu gewonnene Stärke nicht immer taktvoll zur Schau stellte.

LOTHAR DE MAIZIÈRE

Hugenotten in Preußen

Friedrich Wilhelm von Brandenburg, der Große Kurfürst, trat ein schweres Erbe an, als er 1640 die Regierung übernahm. Das Land war durch den Dreißigjährigen Krieg erschöpft. Um es wieder auf- und auszubauen, öffnete er die Grenzen seines Herzogtums für ausländische Fachkräfte.

Am Anfang stand ein Massaker. In der Nacht vom 23. auf den 24. August 1572, der Bartholomäusnacht, ließ das katholische Frankreich Tausende Hugenotten wegen ihres calvinistischen Glaubensbekenntnisses niedermetzeln. Gemälde von François Dubois.

Als Preußens Glanz am 18. Januar 1701 mit Gloria in Königsberg anhob, zählten bereits Hugenotten zu des ersten Königs Untertanen. Friedrich I. setzte an ihnen mit Mildtätigkeit und Kalkül fort, was sein Vater, der Große Kurfürst, mit Barmherzigkeit und Berechnung begonnen hatte: die aus ihrer Heimat geflüchteten, respektive vertriebenen Franzosen zu animieren und zu nutzen, gemeinsam mit den Brandenburgern das nach dem Dreißigjährigen Krieg daniederliegende Land zu neuer Blüte zu führen. Energisch und phantasiereich legte der calvinistisch erzogene Friedrich Wilhelm in unglaublich langer Regentschaft von 48 Jahren die Grundlagen für den Aufstieg Brandenburg-Preußens und zu einer lang anhaltenden Allianz zwischen Hohenzollern und Hugenotten. Dabei kam ihm zupass, dass in Frankreich eine andersgläubige Minderheit verfolgt, verfemt und verjagt wurde.

Sommer 1685. Unendlich viele Franzosen flüchteten aus ihrem Heimatland, weil sie sich wegen ihres Glaubens lebensbedrohlichen Verfolgungen ausgesetzt sahen. Angst ging seit der Bartholomäusnacht um: vom 23. zum 24. August 1572 waren im katholisch regierten Frankreich Tausende Hugenotten ihres Glaubens wegen hingeschlachtet worden. Ludwig XIV., bekannt als Sonnenkönig, erhöhte den Druck. Er hob am 18. Oktober 1685 das Toleranzedikt von Nantes aus dem Jahre 1598 auf, das den Hugenotten gewisse Freiheiten im Glauben und bürgerliche Rechte eingeräumt hatte. Nach dem Grundsatz „Eine Religion, ein Gesetz, ein König" verbot er in seinem Reich die reformierte Kirche.

Betroffen war fast eine Million seiner Untertanen. Vor allem Aristokraten, Vertreter des aufstrebenden Bürgertums und qualifizierte Handwerker hatten sich zum reformierten Glauben Calvins bekannt. Wer ihm nicht entsagte, dem drohten lebenslängliche Galeerenstrafe, Kinderraub, Folter und andere Drangsalierungen. Landesflucht stellte Ludwig XIV. unter Strafe. Dennoch verließen Zehntausende das intolerante Land. Diesen Aderlass – meinen nicht wenige Historiker – habe Frankreich bis in unsere Tage nicht voll ausgleichen können. Den Großen Kurfürst dauerten seine Glaubensbrüder. So kanalisierte er den Strom der Vertriebenen, der Réfugiés, mit seinem berühmt gewordenen Toleranzedikt vom 29. Oktober 1685 (nach heutigem Kalender am 8. November) in seinen Herrschaftsbereich. Um reicheren Aufnahmeländern wie Holland und England etwas Handfestes entgegensetzen zu können, lockte er mit Privilegien. Die Hugenotten erhielten unter anderem volle Freizügigkeit, „alle und jede Orte in unseren Provincien zu ihrem etablissement zu erwählen", Befreiung von Einfuhrzöllen („auch Kauffmanns und andere Waaren"), unentgeltliche Übereignung leer stehender Gebäude am Niederlassungsort, kostenlose Lieferung von Baumaterialien, langjährige Befreiung von Steuern und Abgaben außer der Akzise, Förderung hugenottischer Wirtschaftsbetriebe, großzügige Subventionen, eigene Justiz und Rechtsverwaltung, Berechtigung, den Gottesdienst in französischer Sprache zu halten („mit eben denen Gebräuchen und Ceremonien ..., wie es biß anhero bey den Evangelisch Reformirten Kirchen im Franckreich bräuchlich gewesen"), die von der Gemeinde frei gewählten Prediger sollen aus kurfürstlicher Kasse besoldet werden, hugenottische Adlige werden den einheimischen gleichgestellt und erhalten Zutritt zu „vornehmsten Chargen und Ehren-Aemptern an Unserem Hoffe", Offiziere behalten in der brandenburgischen Armee ihren Rang.

20 000 Hugenotten nutzten die vorzüglichen wirtschaftlichen Startbedingungen, etwa 6 000 ließen sich in Berlin nieder. Die Mehrzahl siedelte sich nördlich der „Linden" in der Dorotheenstadt und später in der Friedrichstadt an, also außerhalb der Stadtmauern. Dort erinnert heute noch die Französische Straße an den Beginn. Peu à peu entstand die französische Kolonie.

Die da eine neue Heimat suchten und fanden, staunten erfreut: Es bestand bereits eine Hugenotten-Gemeinde. Eine kleine zwar, aber immerhin. Für das französische Fähnlein erhielt Graf d'Espence, kurfürstlicher Generalleutnant und Oberstallmeister zu Berlin, von Friedrich Wilhelm die Erlaubnis, eine französisch-reformierte Gemeinde zu gründen. Der erste Gottesdienst fand am 10. Juni 1672 mit einer Predigt von David Fornorod statt. In der Wohnung des Barons von Pöllnitz im Marstall in der Breiten Straße schlug die Geburtsstunde der heute noch existierenden Gemeinde.

Der Kurfürst hätte das Attribut „Großer" nicht verdient, hätte er höchst menschliche Schwierigkeiten nicht bedacht. Hugenotten und Preußen unterschied manches, wenn sie auch im Glauben einander nahe waren. Lebenserfahren forderte Friedrich Wilhelm seine Beamten auf, dafür zu sorgen, dass den Hugenotten nicht „das geringste Übel, Unrecht oder Verdruß zugefüget, sondern vielmehr im Gegentheil alle Hülffe, Freundschaft, Liebes und Gutes" erwie-

Der Große Kurfürst holte die Hugenotten nach Preußen. Die ersten kamen im Winter 1685. Der Holzstich von Hugo Kaeseberg zeigt Friedrich Wilhelm beim Empfang einer Abordnung der „Réfugiés" vor dem Potsdamer Stadtschloss.

sen werde. Er kannte offensichtlich seine Pappenheimer in Berlin, die in den Neuankömmlingen privilegierte berufliche Rivalen und elegante Nebenbuhler sahen. Deshalb steckten sie schon mal aus Missgunst und zum zweifelhaften Vergnügen ein Hugenottenhaus in Brand, karrten nächtens Mist vor deren Haustür und nannten die Franzosen abschätzig „Bohnenfresser". Solches dürfte uns Heutigen bekannt vorkommen.

Es ging noch weiter. Als der Große Kurfürst 1686 die Berliner zu Spenden für die Not leidenden Réfugiés aufrief, erntete er Spott statt Geld. Daraufhin dekretierte er eine Zwangssammlung, weil „die Collecte, welche Wir zu Behuff der aus Frankreich flüchtenden Evangelisch Reformirten Leute in Unsern Landen bis anhero einsammeln lassen, ein gar geringes eingebracht". Jetzt klingelte zwar mehr im Beutel, ob aber im Herzen die Zuneigung zu den Franzosen gewachsen war, darf bezweifelt werden.

Kühle Ablehnung durch das Volk band die Hugenotten naturgemäß stärker an die Herrschenden, unter deren Schutz sie standen. Aus ehrlich und tief empfundener Dankbarkeit dafür und für vieles andere entwickelten sich die französischen Preußen zu pflichtbewussten und loyalen Landeskindern. Bismarck ehrte sie mit der Bemerkung, dass sie zu den „besten Deutschen" gehören.

Die französische Kolonie baute ein beispielhaftes Sozial- und Bildungswesen aus: mit eigenem Hospital, Altenpflegeheim, Waisenhaus, Kinderheim, der Suppenküche „Marmite", einer Armenbäckerei und einer Holzgesellschaft, die Bedürftigen im Winter Brennholz spendete. Die Kinder armer Familien besuchten die „Ecole de Charité", eine Elementarschule, die neben dem Französischen Gymnasium, dem „Collège français", bestand. Es existierte auch ein eigenes Predigerseminar. 1779 eröffneten die Hugenotten eine Ausbildungsstätte für ihre Lehrer; sie war die erste in Preußen überhaupt.

Kurfürst Friedrich III., ab dem 18. Januar 1701 als Friedrich I. erster Preußen-König, erkannte 1689 die hugenottische Kirchenordnung an, jedoch mit der Einschränkung, dass er oberster Bischof auch der Französischen Kirche Berlins bleibe. Der Vorteil: Die Hugenotten konnten sich ihre eigenen Verwaltungsgremien und kirchlich-soziale Einrichtungen schaffen und 1701 von der deutschen Kirchenleitung unabhängig werden. Der Nachteil: Sie durften wohl Konsistorien bzw. Presbyterien ins Leben rufen, aber keine Synoden mit ihren verstreuten Gemeinden halten. Proteste unterblieben aus Dankbarkeit dem Landesherrn gegenüber.

Im Jahre 1700 schenkte der Kurfürst den Hugenotten ein unbebautes Gelände der Friedrichstadt zum Bau einer Kirche. Ingenieur und Baumeister Louis Cayart hatte den Auftrag und zugleich die Bitte übermittelt bekommen, sich mit seinem Riss an die Kirche zu Charenton anzulehnen. Dieser Tempel galt bis zu seiner Zerstörung im Jahre 1685 als ein geistliches Zentrum der Hugenotten in Frankreich. Cayart – er war 1686 nach Berlin gekommen und hatte die Tochter des Predigers David Ancillon geheiratet – starb ein Jahr nach Baubeginn, sodass Architekt Abraham Quesnay, gleichfalls Réfugié, das Werk fortsetzte und im Jahre 1705 vollendete. Am 26. Februar oder am 1. März fand im Beisein des ersten Preußen-Königs die Einweihung statt.

In den dreißiger Jahren des 18. Jahrhunderts warf Friedrich Wilhelm I., der an der feierlichen Grundsteinlegung für das französische Gotteshaus teilgenommen hatte, einen Schatten auf das traditionell gute Verhältnis zwischen Preußen und Hugenotten. Der Soldatenkönig gab Order, rund um die Französische Friedrichstadtkirche und auch um die gegenüber nahezu gleichzeitig erbaute Neue oder Deutsche Kirche unansehnliche Stall- und Wachgebäude für sein Regiment Gens d'Armes zu errichten, sodass die Gemeindeglieder vor dem Gottesdienst dampfende Pferdeställe passieren mussten. Nicht selten unterbrach Wiehern den Gesang von Chorälen. Sein Sohn Friedrich II. kittete die Brüche, indem er die Stallungen beseitigen und einen prächtigen Kuppelbau vor die französische und vor die deutsche Kirche setzen ließ. Einhundert Jahre nach dem Edikt von Potsdam konnte die Gemeinde den Turm beziehen, dessen Grundstein diesen Text trägt: „Im 18. Jahrhundert nach Christus, 80. Jahre, im 41. seiner sehr glücklichen Regierung im Monat Juni legt Friedrich der Große des

Friedrich II. im Gespräch mit Voltaire. Die Vorliebe des preußischen Königs für die französische Kultur erstreckte sich auch auf „seine" Franzosen, die Hugenotten. Während seiner Herrschaftszeit wuchsen die ehemaligen Einwanderer in die preußische Gesellschaft hinein.

neuen Turmes Fundamente, in dem er so dem Tempel und der Stadt eine neue Zierde hinzufügt, seinen aus Frankreich geflohenen Bürgern eine neue Gnade bezeugend, alle Räume und Kammern des königlichen Gebäudes durch seine Freigebigkeit zum frommen Gebrauch zusagend und schenkend."

Diese Tradition besteht bis heute: Der Staat stellt der Gemeinde den Turm zur unentgeltlichen Nutzung zur Verfügung. So hielt es übrigens auch die DDR.

Spätestens seit Friedrich dem Großen assimilierten sich die Hugenotten zunehmend den Preußen. Sie heirateten in einheimische Familien hinein und nahmen Einheimische in ihren Reihen auf. Preußen-Brandenburg war ihre geistige und tatsächliche neue Heimat geworden. Wie sehr, verdeutlicht Pastor Jean Pierre Erman zu Beginn des neunzehnten Jahrhunderts. Als sich Napoleon im besetzten Berlin über sein Dasein verwunderte und darauf verwies, dass er doch Franzose sei, antwortete der französische Geistliche: „Sire, ich wäre weder des Amtskleides würdig, das ich trage, noch des Wortes, das ich verkündige, noch des Königs, dem ich diene, wenn ich die Anwesenheit Eurer Majestät an diesem Ort nicht mit dem größten Schmerz sähe."

Die innige Verbundenheit Preußens zu Frankreich – man bedenke, dass alle preußischen Thronfolger vom Ende des 17. bis Anfang des 19. Jahrhunderts ihre Erziehung durch Hugenotten genossen und man bei Hofe nur französisch sprach – kühlte nach dem napoleonischen Intermezzo deutlich ab. Das französische Jahrhundert in Preußen, das sichtbaren Ausdruck u. a. in der engen Beziehung Friedrichs des Großen mit dem französischen Philosophen Voltaire fand, klang aus und führte zu einer von beiden Seiten geschürten Gegnerschaft, ja Feindschaft. Deutschlands Einheit von oben wurde u. a. mit dem Krieg gegen Frankreich 1870/71 erkämpft. Unter den preußischen Truppen befanden sich Soldaten und Offiziere, deren Namen sie als Hugenotten auswiesen.

Preußen endete – so urteilt Sebastian Haffner – am 18. Januar 1871 im Spiegelsaal von Versailles, als der preußische König Wilhelm I. zum deutschen Kaiser gekrönt und das Deutsche Reich gegründet wurde. Und damit das Sonderkapitel „Preußen und seine Hugenotten".

Nicht aber deren Wirkungen, die bis in unsere Tage anhalten. Der königlich-preußische Kammerherr Carl Ludwig Freiherr von Pöllnitz urteilte über sie in seinen „Memoiren zur Lebens- und Regierungsgeschichte der vier letzten Regenten des preußischen Staates" voll des Lobes: „Wir haben ihnen unsere Manufakturen zu danken, und sie gaben uns die erste Idee vom Handel, den wir vorher nicht kannten. Berlin verdankt ihnen seine Polizei, einen Teil seiner gepflasterten Straßen und seine Wochenmärkte. Sie haben Überfluss und Wohlstand eingeführt und diese Stadt zu einer der schönsten Städte Europas gemacht. Durch sie kam Geschmack an Künsten und Wissenschaften zu uns. Sie milderten unsere rauen Sitten, sie setzten uns in den Stand, uns mit den aufgeklärtesten Nationen zu vergleichen, sodass, wenn unsere Väter ihnen Gutes erzeigt haben, wir dafür hinlänglich belohnt worden sind."

Wie Zwillinge stehen der deutsche und der französische Dom auf dem Gendarmenmarkt nebeneinander – dazwischen das Schauspielhaus. Federzeichnung von Friedrich August Calau um 1825.

Nach dem triumphalen Sieg über die preußischen Truppen bei Jena und Auerstedt zog Napoleon am 27. Oktober 1806 durch das Brandenburger Tor in Berlin ein. Vertreter der Stadt überreichten ihm die Schlüssel.

Was heute der US-amerikanische Einfluss, war in jenen Jahren der französische – bis hin zur teilweise verballhornten Sprache. Die Réfugiés betrieben Schankgeschäfte unter der Bezeichnung „Boutiquen", woraus die Berliner „Budiken" machten. Entsprechend nannten sie den Wirt „Budiker". Letzteres Wort ist weiter im Schwange, doch unter „Boutiquen" kennt man heute vor allem Modegeschäfte. Die Hugenotten luden in den „Zelten" am Rande des Tiergartens in die ersten Gartenlokale Berlins ein. Bislang unbekannte Gemüse- und Obstsorten kamen aus hugenottischen Gärten auf den preußischen Tisch: Delikatess-Erbsen und -Bohnen, Spargel und Champignons, Salate, Melonen usw. Die typisch Berliner Weiße – eine Erfindung der Hugenotten, die typisch Berliner Boulette – zuerst von Berliner Franzosen gemengt, geknetet und gebraten, und der Muckefuck – er half zunächst als Mocca faux (Kaffeeersatz) der französischen Hausfrau beim Sparen. Wichtiger aber war, was die Hugenotten in der Wirtschaft an Neuem einführten und was sie an Vorhandenem auf eine höhere Stufe hoben. Dem Staat lag im merkantilistischen Zeitalter daran, moderne Unternehmensformen zu begünstigen, also half er dem zum Teil von Hugenotten eingeführten Manufakturwesen durch Staatsaufträge. Bald gehörten hugenottische Textilfabrikanten, aber auch Friseure und Perückenmacher, Juweliere und Uhrmacher zum Berliner Geschäftsleben.

In der weiteren Umgebung Berlins sah es ähnlich aus. So befand sich in Neustadt/Dosse eine Spiegelmanufaktur der Réfugiés Jean Henri de Moor und dessen Vetter Jean Colomb aus Nimes. Die Tochter des letzteren heiratete den Major von Humboldt und wurde die Mutter der weltbekannten Gelehrten Wilhelm und Alexander von Humboldt.

Manche der heutzutage zu Recht gerühmten, weil vermissten preußischen Tugenden hatten ihren Ursprung sicher bei den Hugenotten. Als Bekenner des reformierten Glaubens lebten sie sittenstreng, arbeitsam und auf das Gemeinwohl bedacht. Sie machten mit ausgeprägtem Unternehmergeist gute Geschäfte, übernahmen freudig Verantwortung und arbeiteten zielstrebig. Wie der Große Kurfürst und später Friedrich der Große standen sie für eines jeden Recht auf Glaubens- und Gewissensfreiheit. Als Calvinisten sahen sie die Würde des Menschen als unantastbar an, beanspruchten sie das Selbstbestimmungsrecht und erlaubten sie sich Widerstand gegen unrechtmäßige Akte des Staates, was im Preußischen mit „Stolz vor Königsthronen" umschrieben wurde.

Hugenotten hatten erste Adressen und gute Namen. Einige seien stellvertretend für alle genannt: der Fürst der Mathematiker Leonhard Euler, der die Sternwarte der Akademie leitete und sich um das Kassen- und Rechnungswesen der Friedrichstadtgemeinde kümmerte; Pierre Chrétien Frédéric Réclam, Prediger an der Französischen Friedrichstadtkirche, Vorfahre des bekannten Verlagsgründers; Francois Charles Achard, der als erster Zucker aus Runkelrüben gewann; Baumeister

Jean de Bodt, dem die Stadt u. a. das Schwerinsche Palais am Molkenmarkt und das Podewilssche Palais in der Klosterstraße verdankt; Kupferstecher und Radierer Daniel Nikolaus Chodowiecki, dessen Werke ein lebendiges Bild vom Leben der Hugenotten in Berlin bieten; David Gilly, der die Schlösser in Paretz und Bad Freienwalde ebenso baute wie die Königliche Eisengießerei vor dem Neuen Tor in Berlin; Schauspieler Daniel Louis (Ludwig) Devrient, der als Mime und als regelmäßiger Gast des Weinrestaurants „Lutter und Wegner" am Gendarmenmarkt unserem Harald Juhnke glich; der Schriftsteller Friedrich de la Motte Fouqué, dessen letzte Ruhestätte auf dem Garnisonfriedhof an der Linienstraße zu sehen ist; die Schriftsteller Willibald Alexis und Theodor Fontane, die als exzellente Schilderer des Lebens in Berlin und der Mark unvergänglich bleiben, und – später – Günter Rutenborn, Poet und Pfarrer.
Gerade an Fontane, dem Edel-Brandenburger und Preußen-Kenner, ist zu erkennen, wie stark sich die Hugenotten und ihre Nachfahren ihrer Umgebung angepasst hatten – im besten Sinn. Unterschiede gab es schließlich nur noch in Glaubensfragen. Bis 1813 wurde der Gottesdienst in französischer Sprache gehalten, ab diesem Jahr alternierend mit der deutschen. Erst 1914 verschwand die französische Sprache aus den hugenottischen Andachten.
Mit seinem Toleranzedikt von 1685 offerierte der Große Kurfürst seinen „wegen des heiligen Evangeliums bedrängten Glaubensgenossen eine sichere und freie Retraite". Dies veranlasste Theodor Fontane, zur 200-Jahr-Feier des Edikts ein Festgedicht zu schreiben, in dem es heißt:
„Ein hochgemuter Fürst, so frei wie fromm,
Empfing uns hier, und wie der Fürst des Landes
Empfing uns auch sein Volk. Kein Neid ward wach,
Nicht Eifersucht; man öffnete das Tor uns
Und hieß als Glaubensbrüder uns willkommen."
Gleich Theodor Fontane erinnert die Gemeinde auch heute noch an die großherzige Tat: Sie dankt mit einem festlichen Gottesdienst, dem Réfugiéfest, jeweils am ersten Sonntag nach dem 29. Oktober eines jeden Jahres.

In Paris war es die Porte St. Martin, durch die am 31. März 1814 der preußische König Friedrich Wilhelm III. zusammen mit seinen Verbündeten einzog und damit das Ende der napoleonischen Vorherrschaft auf dem europäischen Kontinent besiegelte.

Theodor Fontane, der wie kein anderer Dichter das Preußen-Bild bis heute prägt, war hugenottischer Abstammung. Ausschnitt aus einem Gemälde von Carl Breitbach von 1889.

Friedrich Wilhelm I.

Der Soldatenkönig

Friedrich Wilhelm I., auch der Soldatenkönig genannt, legte die Grundlagen für den Aufstieg Preußens im 18. Jahrhundert. Das Gemälde von Antoine Pesne stammt aus dem Jahre 1729.

Friedrich Wilhelm I. war das Gegenteil seines Vaters. Friedrich I. liebte den barocken Prunk und gab das Geld mit vollen Händen aus. Als er am 25. Februar 1713 starb, hinterließ er einen Schuldenberg von 20 Millionen Talern. Um den Staat vor dem Bankrott zu retten, musste Friedrich Wilhelm I. hart durchgreifen. Und er tat dies mit der ihm eigenen Entschlossenheit. Kaum war er König, ließ Friedrich Wilhelm I. den diamantenbesetzten Krönungsmantel des Vaters verkaufen, löste fast den gesamten Hofstaat auf und kürzte die Gehälter der wenigen verbliebenen Hofbediensteten drastisch. Der Luxus des Vaters, Schiffe und Schlösser, Gold und Silber, wurden verkauft, um die

Schulden zu tilgen. Sparen und nochmals Sparen war die neue Parole in Preußen und der König ging mit gutem Beispiel voran.
Dabei verfolgte Friedrich Wilhelm ein ganz bestimmtes Ziel, trieb ihn ähnlich wie die Prunksucht des Vaters eine Leidenschaft an, die für das weitere Schicksal Preußens entscheidend sein sollte: die Armee. Alles überschüssige Geld steckte er in den Ausbau seines Heeres, und das waren zeitweise bis zu 80 Prozent des Staatshaushaltes. Unter Friedrich Wilhelm I. wurde die Armee zum Mittelpunkt des preußischen Staates. Nur durch militärische Stärke, das war des Königs Überzeugung, könne er sich Respekt unter den europäischen Mächten verschaffen. Innerhalb weniger Jahre verdoppelte er die Größe seiner Truppen auf etwa 80 000 Mann. Unterstützt von Leopold I., Fürst von Anhalt-Dessau, führte er den berühmt-berüchtigten preußischen Drill ein, der seine Armee zur diszipliniertesten und schlagkräftigsten in Europa machte. Doch Kriege führte er nur einen. Ihm ging es vor allem um die abschreckende Wirkung. Für einen Kampfeinsatz war ihm seine „formidable Armee" zu schade.
Friedrich Wilhelm I. war aber mehr als ein „Soldatenkönig". Er machte aus Preußen ein einheitliches Staatsgebilde, indem er die Verwaltung zentralisierte und neu organisierte. Das von ihm gegründete so genannte Generaldirektorium war eine Oberbehörde, die alle anderen Behörden kontrollierte und die dem König direkt unterstand. Der verlangte von seinen Beamten dasselbe wie von seinen Soldaten: Gehorsamkeit, Disziplin und Pflichtgefühl, vor allem aber Unbestechlichkeit und Sparsamkeit. Neben der Verwaltung reformierte Friedrich Wilhelm I. auch die Justiz. Sein Minister Samuel Freiherr von Cocceji entwarf ein neues Landrecht und ordnete das Gerichtswesen neu. Der König führte zudem die allgemeine Schulpflicht in Preußen ein, förderte den Aufbau von Manufakturen und steigerte so die Wirtschaftskraft des Landes. All dies diente in der einen oder anderen Form der Armee oder war vom militärischen Geist geprägt. Doch die Wirkung war enorm. Unter der Herrschaft Friedrich Wilhelms I. blühte das Land, das kurz vor dem Bankrott stand, auf. Dennoch haben ihn seine Untertanen nicht geliebt. Allzu brutal setzte der König seinen Willen durch. Die Soldaten wurden zwangsrekrutiert und für kleinste Vergehen hart bestraft. Die Bauern mussten nicht nur ihrem Gutsherren, sondern auch der Armee dienen. Und die Stadtbürger stöhnten unter der Last der hohen Steuern. Selbst vor persönlichen Züchtigungen schreckte Friedrich Wilhelm I. nicht zurück. Er prügelte seine Untertanen ebenso wie seine Minister, besonders hart aber traf es den Kronprinzen Friedrich. Als dieser

Johann Christof Merk malte um 1720 einige der „Langen Kerls" aus dem Garderegiment Friedrich Wilhelms I. in Originalgröße.

versuchte, sich durch Flucht dem gewalttätigen Vater zu entziehen, hätte dieser ihn beinahe getötet, wären nicht mutige Offiziere dazwischengegangen.

Die „Langen Kerls" waren die große Leidenschaft Friedrich Wilhelms I. In ganz Europa kaufte er die Hünen und bezahlte entgegen seiner sonstigen Knausrigkeit bis zu 5 000 Taler für sie. Seine „Riesengarde" bestand aus drei Bataillonen zu je 800 Mann.

Friedrich Wilhelm I. begründete Preußens militärische Stärke und reformierte den Staat. Das Gemälde von Antoine Pesne entstand um 1733.

August der Starke, König von Polen und Kurfürst von Sachsen (links), war einer der wichtigsten Verbündeten Friedrich Wilhelms I. (rechts). Louis de Silvestre malte das Bild um 1720.

Im Tabakskollegium war die höfische Etikette aufgehoben und jeder durfte frei reden. Das Bild von Georg Lisiewski zeigt in der Mitte Friedrich Wilhelm I. und rechts neben ihm den Kronprinzen Friedrich.

Großer Empfang für August den Starken (rot gekleidet) durch Friedrich Wilhelm I. (mit roter Schärpe) und einen Teil seiner Familie im Berliner Schloss am 29. Mai 1728. In der Bildmitte des Gemäldes von Antoine Pesne steht Königin Sophie Dorothea, umgeben von einigen ihrer 14 Kinder.

Der 2-jährige Kronprinz Friedrich an der Hand seiner Lieblingsschwester Wilhelmine. Gemälde von Antoine Pesne aus dem Jahre 1714.

Das Porträt von Antoine Pesne zeigt den 24-jährigen Kronprinzen Friedrich, der als Friedrich II. 1740 zum preußischen König gekrönt wurde.

Friedrich Wilhelm I. inspiziert eine der vielen Dorfschulen, die er nach Einführung der allgemeinen Schulpflicht 1717 gründete. Holzstich nach einem Gemälde von Adolph Menzel.

Dem Vater im Tabakskollegium eine Gute Nacht zu wünschen, war für den Kronprinzen Friedrich und seinen Bruder Prinz Heinrich kein Vergnügen, sondern Pflicht.

Friedrich Wilhelm I. liebte die Malerei. Eines seiner bevorzugten Motive waren die „Langen Kerls". Holzstich nach einem Gemälde von Carl Becker.

Auf der Flucht vor den Demütigungen und Prügeln seines Vaters wird der Kronprinz Friedrich am 4. August 1730 gefangen genommen. Zeichnung von Adolph Menzel 1840.

Anstelle des Kronprinzen wird dessen Freund und Fluchthelfer Katte vor den Augen Friedrichs hingerichtet. Kupferstich um 1790.

FRIEDHELM KLEIN

Die Preußische Armee

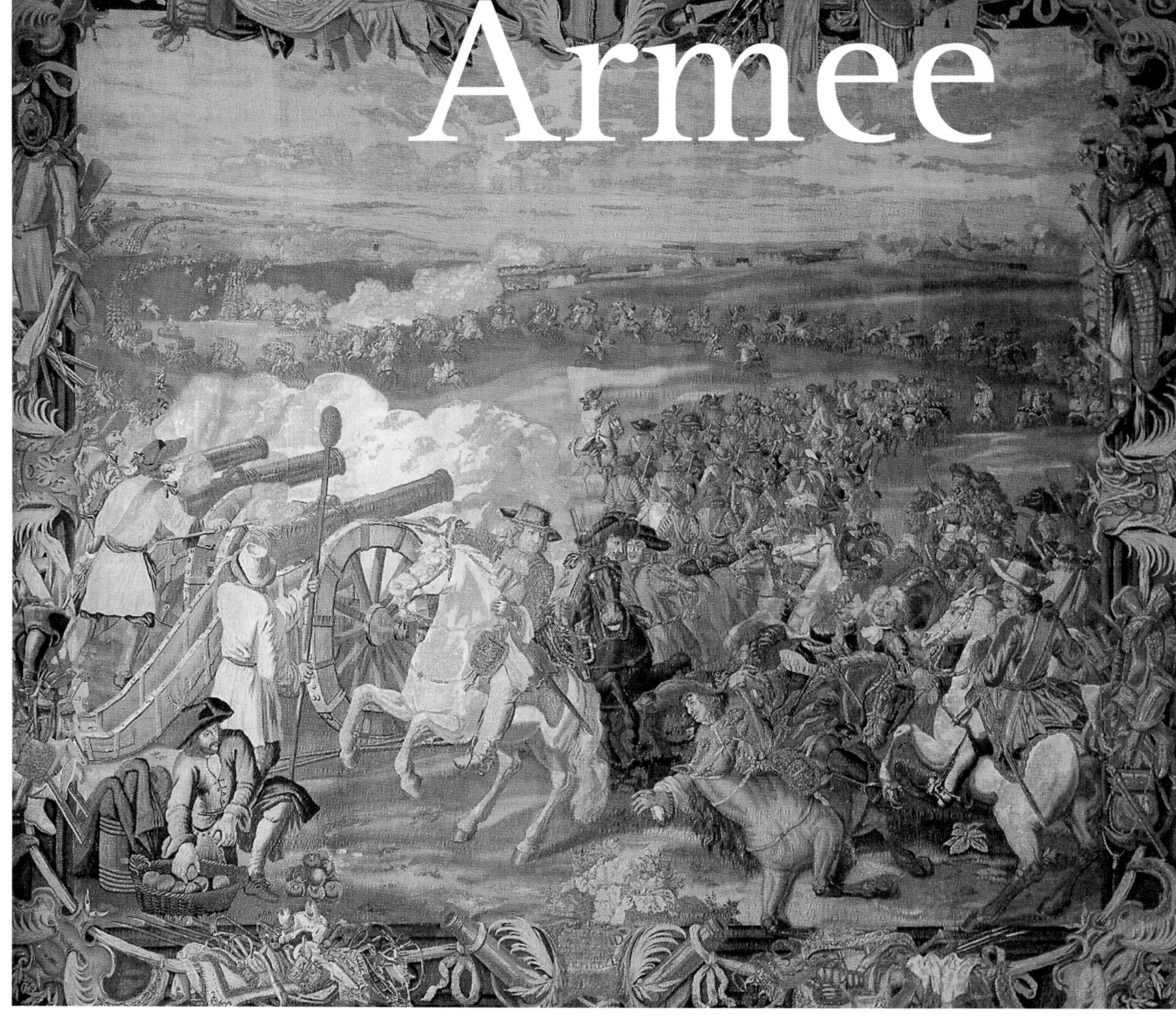

Der Sieg des Großen Kurfürsten über die Schweden in der Schlacht bei Fehrbellin am 28. Juni 1675 begründete den Ruhm der brandenburgisch-preußischen Armee. Tapisserie um 1695.

Dem französischen Publizisten und Politiker Graf Mirabeau, einem enthusiastischen Bewunderer Friedrichs des Großen, wird der Satz zugeschrieben, Preußen sei kein Staat, der eine Armee, sondern eine Armee, die einen Staat habe. Was dem Zeitgenossen Respekt abnötigte, mündete jedoch zuletzt in einen historischen Schuldspruch.
Erstmalig tritt „das militärische Element" als wirkungsmächtiger Faktor unter Markgraf Friedrich Wilhelm von Brandenburg (1640-1688) in Erscheinung. Mit dem Aufbau eines stehenden Heeres als fürstliches Machtinstrument ging es dem „Großen Kurfürsten" dabei vornehmlich um zwei Dinge: Zum einen um die Befreiung von ausländischer Besatzung und damit auch um den Gewinn außenpolitischer Handlungsfreiheit, zum anderen um die Neuordnung des Staates

Das Königsregiment der „Langen Kerls" war mehr als ein Spleen Friedrich Wilhelms I. Die großen Soldaten konnten besser mit den langen Musketen der damaligen Zeit umgehen. Das Bildnis des Riesen-Grenadiers stammt aus dem Jahre 1735.

durch den Aufbau eines absolutistischen Herrschaftssystems. So verkörperte das Heer, das bis zu seinem Tode auf 28 000 Mann anwuchs, „in sinnfälliger Weise die Gesamtstaatsidee, die am Anfang der Entwicklung zur preußischen Großmacht stand"[1].

Auf dem Weg zur Königswürde spielte das preußische Heer nur indirekt eine Rolle, und zwar in der Weise, dass der Kaiser als Gegenleistung für die Anerkennung Friedrichs I. als „König in Preußen" 8 000 Mann Hilfstruppen erhielt. Mit dem Regierungsantritt des „Potsdamer Soldatenkönigs" Friedrich Wilhelm I. im Jahre 1713 begann die Ausformung des preußischen Militärstaates. Eine durchgreifende Sanierung der Staatsfinanzen war der erste und entscheidende Schritt für den Aufbau eines Heeres, das sich in 27 Regierungsjahren von 45 000 Mann auf 80 000 Mann nahezu verdoppelte. Der „Primat des Militärischen" bestimmte auch die Grundlinien der großen Staatsreform, die der König parallel zur Neuordnung des Heeres durchsetzte. Das Heer wurde zum „Schwungrad an der Staatsmaschine" (Otto Hintze). Die Militärausgaben flossen weitgehend in den Wirtschaftskreislauf des Landes ein und kamen damit der öffentlichen Wohlfahrt in hohem Maße zugute. Die Entstehung eines leistungsfähigen Textilgewerbes zur Herstellung von Uniformen ist hierfür ebenso beispielhaft wie die Gründung der Gewehrfabrik Potsdam/Spandau. Das Geld sollte im Lande bleiben. Fleiß und Sparsamkeit, vom König selbst vorbildhaft praktiziert, waren daher Qualitäten, die der „ewige Plusmacher" nachhaltig von seinen Untertanen einforderte.

Mit dem Kantonsreglement von 1733/35, das in seinen Grundzügen bis zur Einführung der allgemeinen Wehrpflicht 1814 in Preußen Geltung hatte, lenkte Friedrich Wilhelm I. die Heeresaufbringung in geordnete Bahnen. Er mobilisierte Landeskinder aus den bäuerlichen und bürgerlichen Unterschichten für den ersten Zweck des Staates, die Armee, wenngleich die Reichs- und Auslandswerbung aus wirtschaftlichen Gründen noch überwog. Als Ergebnis der Untertanen-Pflicht zum Waffendienst begannen sich vorsichtige Ansätze einer preußischen Staatsgesinnung zu entwickeln, selbst wenn den Betroffenen staatsbürgerliche Rechte noch vorenthalten wurden.

Dem „Soldatenkönig" verdankte die preußische Armee ein Offizierkorps, das sich durch ein besonderes Treueverhältnis zum Kriegsherrn und absoluten Souverän auszeichnete. Diese Bindung zwischen dem Monarchen als „Primus inter pares" und seinen Offizieren sollte sich „zu einer der umstrittensten und zugleich stabilsten Stützen der deutschen Monarchie und des späteren Kaiserreiches"[2] entwickeln. Friedrich Wilhelm I. formte seine Armee zu einem Qualitätsheer. Drill sowie unerbittliche Disziplin und Subordination war dafür ebenso maßgeblich wie die persönliche Fürsorge des Königs für seine „lieben blauen Kinder", in der er sich von niemand übertreffen ließ. Als erster Soldat seines Heeres lebte er zudem die geforderten Tugenden vor: gottesfürchtigen Wandel, Pflichttreue, Gewissenhaftigkeit und Sparsamkeit. Doch diente die „formidable Armee" auch der barocken Repräsentation, was im Königsregiment der berühmten „Langen Kerls" besonders augenfällig wurde. Dabei gab es für diese bisweilen als „Potsdamer Wachparade" bezeichnete Formation durchaus einsichtige militärische Gründe.

Sie rührten aus der Bewaffnung mit den damals gebräuchlichen überlangen Musketen, aber auch aus der Rolle des Flügelbataillons, an dem sich die Armee in der Schlacht auszurichten hatte.

Als der „Soldatenkönig" am 31. Mai 1740 starb, übernahm sein Sohn ein gut organisiertes Staatswesen mit geordneten Staatsfinanzen, einer leistungsfähigen Verwaltung und einem starken, disziplinierten Heer – dem nach Russland, Österreich und Frankreich viertstärksten in Europa. Dies befähigte Friedrich II. gleich zu Beginn seiner Regierungszeit, mit der Besetzung Schlesiens einen Weg zu beschreiten, der „der preußisch-deutschen Geschichte eine neue Richtung gegeben hat – mit weitreichenden, keineswegs auf den deutschen Raum beschränkten Konsequenzen"[3]. Für Preußens Aufstieg zu

Der berüchtigte Drill machte aus der preußischen Armee eine gut funktionierende Maschine. Jeder Handgriff musste sitzen und wurde bis zur Perfektion geübt. Die Abbildung aus dem Jahre 1726 zeigt das Kommando von Feuern und Laden.

Der Dienst in der preußischen Armee brachte nur einen kargen Lohn. Nebentätigkeiten waren keine Seltenheit. Der um 1785 entstandene Stich zeigt einen preußischen Soldaten, der sich als Bürstenverkäufer verdingt.

einer europäischen Großmacht war die Armee Dreh- und Angelpunkt. Ihrer Schlagkraft und Effizienz galt daher das besondere Augenmerk des Königs. Dies betraf die Gliederung und Führung ebenso wie die Rekrutierung, Ausbildung und Erziehung der Soldaten, insbesondere aber die Auswahl der Offiziere. Der „Soldatenkönig" hatte sich bei der Heranziehung des einheimischen Landadels zum Offiziersdienst noch überwiegend von politischen und sozialen Notwendigkeiten leiten lassen, als er diesem in der Armee eine „neue gesamtstaatliche Funktion"[4] zuwies. Für Friedrich II. rückten die standesethischen Grundsätze in den Vordergrund. Aus dem Bewusstsein, dass „der Geist des preußischen Heeres in seinen Offizieren (sitzt)", wurden Ehre und Ambition, aufgehoben in einem Korpsgeist, zu zentralen Werten. Die exklusive Verpflichtung des Offizierskorps auf einen „point d'honneur" und auf einen „ésprit de corps et de nation" kam einer Transformation der Standesethik zu einer Staatsethik gleich, die den König als den ersten Diener des Staates mit seinen Offizieren in besonderer Weise verband. Dazu stand die strenge Forderung nach Disziplin und Gehorsam nicht im Gegensatz. Das bekannte Beispiel des Oberstleutnant von der Marwitz, der einen Plünderungsbefehl seines Königs verweigerte und lieber „Ungnade" (wählte), wo „Gehorsam nicht Ehre gebracht hätte", zeigt jedoch, in welchem Spannungsverhältnis Subordination und Standesehre zueinander stehen konnten.

Für Unteroffiziere und einfache Soldaten als „Räder in der Heeresmaschine" galt der Ehrenkodex der Offiziere nicht. Entsprechend dem Menschen- und Kriegsbild jener Zeit war ihr Dienst vielmehr von Zwang, Drill und oftmals brutaler Härte bestimmt. Gehorsam und Disziplin wurden mit teilweise drakonischen Strafen durchgesetzt, was dazu führte, dass die Soldaten lernten, „ihre Offiziere mehr

Brutale Strafen gehörten zum Alltag des preußischen Militärdienstes. Besonders schmerzhaft war das Gassenlaufen (im Vordergrund) und die so genannte Stäupung (im Hintergrund). Kupferstich von Daniel Chodowiecki aus dem Jahre 1770.

zu fürchten als alle Gefahren". Opferbereitschaft und Ehrgeiz entwickelten sich unter solchen Bedingungen nur schwer und Desertion gehörte zum militärischen Alltag. So waren es höchst unterschiedliche Faktoren, die den Zusammenhalt und die Schlagkraft des friderizianischen Heeres bestimmten. Eine wesentliche Klammer bildete der König selbst. Als „roi connétable", als Feldherr, der das Metier wie kein anderer beherrschte, aber auch als charismatischer Führer, der durch persönliche Teilhabe an Gefahren und Entbehrungen die zwischen Offizieren und Soldaten bestehenden Schranken durchbrach, befähigte er seine Armee zu den höchsten Leistungen. Dies kam vor allem im Siebenjährigen Krieg zum Tragen, als das Land mehrfach am Rande des Untergangs stand.

Die Zeitenwende der revolutionären Veränderungen im Übergang vom 18. zum 19. Jahrhundert bereiteten auch in Preußen den Boden für Reformen, wiewohl die Nachfolger Friedrichs des Großen zunächst noch keine Veranlassung sahen, am überkommenen Staats- und Heerwesen grundlegende Änderungen vorzunehmen. Erst die verheerende Niederlage von 1806 bei Jena und Auerstedt gegen Napoleons Grande Armée setzte den überfälligen Reformprozess in Gang, der seinerseits den Grund für die Befreiung vom napoleonischen Joch und den Wiederaufstieg Preußens nach 1815 legte.

Die große Heeresreform, die eng mit dem Namen Gerhard von Scharnhorst verbunden ist, war Teil einer Staat und Gesellschaft umfassenden Gesamtanstrengung. Im Mittelpunkt stand die Idee, „Armee und Nation inniger zu vereinigen", wofür die Allgemeine Wehrpflicht als das geeignete Instrument erschien. Weil „alle Bewohner des Staates geborene Verteidiger desselben" waren, sollte sie Ehrenpflicht jedes Staatsbürgers sein. Das neue Verständnis vom Soldaten als „Staatsbürger in Waffen" war notwendigerweise mit einer rechtlichen und moralisch-ethischen Neuorientierung verbunden, die vor allem in der Abschaffung entehrender Strafen ihren Ausdruck fand. Der Aufbau einer den veränderten Bedingungen gerecht werdenden militärischen Führungsschicht war ein weiteres wesentliches Element der Reform. Scharnhorst wollte einen neuen Offizierstyp, „den gebildeten Fachmann und soldatischen Führer, der durchdrungen war von der Idee des Bündnisses zwischen Regierung und Nation"[5]. Nicht „Vorzug des Standes" sollte nach dem Willen der Reformer künftig den Zugang zum Offiziersberuf ermöglichen, vielmehr „in Friedenszeiten nur Kenntnisse und Bildung" und „in Kriegszeiten ausgezeichnete Tapferkeit und Überblick". Dies entsprach einem neuen Eignungs- und Leistungsprofil, einem „auf Verantwortung, Charakter und Pflichtbewusstsein" beruhenden und damit „tief sittlich verankert(en) Können"[6].

Nach der Niederlage bei Jena und Auerstedt 1806 gab es in Preußen eine große Heeresreform. Die Militärreorganisations-Kommission stellte 1808 die entscheidenden Weichen. Von links: Major von Boyen, König Friedrich Wilhelm III., Oberstleutnant von Gneisenau, Generalmajor von Scharnhorst, Major von Grolman und Freiherr vom Stein.

Die Reformideen wurden nach 1815 nur unvollkommen verwirklicht. Das Bild vom aufgeklärten Bürgersoldaten wurde alsbald wieder abgelöst von der Vorstellung des Militärs als besonderem Stand mit einem fern der bürgerlichen Gesellschaft ausgeübten Handwerk. Die dadurch ausbleibende Verschränkung des Militärwesens mit der politischen, gesellschaftlichen und geistigen Entwi-

Es war die preußische Armee, die die Revolution von 1848/49 niederschlug und die alte Ordnung wieder herstellte. Gefecht bei Waghäusel in der Nähe von Heidelberg am 21. Juni 1849 zwischen der badischen Revolutionsarmee (im Vordergrund) und preußischen Truppen (im Hintergrund).

cklung der Nation wurde somit zu einem wesentlichen Strukturmerkmal der preußisch-deutschen Militärgeschichte des 19. Jahrhunderts. Aus der Revolution von 1848/49 ging die preußische Armee als eindeutiger Sieger hervor. Sie erwies sich als zuverlässiger Garant der ,alten Ordnung' und sah sich mehr denn je als außen- und innenpolitischer Ordnungsfaktor.
Die Roon'sche Heeresreorganisation von 1860 bedeutete endgültig den Abschied vom „verbürgerlichten" Volksheer. Indem nunmehr die reguläre „Linientruppe" auf Kosten der „Landwehr" erheblich verstärkt wurde, festigte die preußische Armee ihren Charakter als „königliche Garde": straff diszipliniert, innerlich geschlossen und geführt durch ein überwiegend adliges Offizierskorps.

Erfolg macht beliebt. Jubelnd empfingen die Berliner am 20. September 1866 die preußischen Truppen nach ihrem Sieg über Österreich-Ungarn.

„... und dann müsst ihr bedenken, als Zivilisten seid ihr hergekommen und als Menschen geht ihr fort!" Karikatur von Olaf Gulbransson aus dem Jahre 1910 auf die Vergötterung alles Militärischen in der wilhelminischen Zeit.

Die militärtechnische Leistung von 1860 steht außer Frage. Zusammen mit dem durch Moltke als wirksames Führungsinstrument ausgebauten Generalstab schuf sie wesentliche Voraussetzungen für die militärischen Siege von 1864, 1866 und 1870/71, die schließlich in der Proklamation des Deutschen Reiches am 18. Januar 1871 gipfelten. Der Erfolg in den „Reichseinigungskriegen" verschaffte dem Heer eine nie zuvor dagewesene Popularität. Das liberale Bürgertum schätzte die Armee als freiwillig akzeptiertes „Erziehungsinstitut des Volkes", dem man um der gesellschaftlichen Reputation willen als Reserveoffizier angehören musste. Ein teilweise bis ins Groteske gesteigertes Prestige des Offiziers gehörte dabei ebenso zum Erscheinungsbild eines „sozialen Militarismus" wie die Übernahme militärischer Formen und Verhaltensweisen und die Pflege des „militärischen Geistes" im zivilen Bereich. Der Streich des „Hauptmanns von Köpenick" und die „Zabern-Affäre" von 1913 wurden beispielhaft für diesen Zeitgeist.
Die Reichsgründung von 1871 führte zu einer immer stärkeren Vereinheitlichung des Militärwesens. So konnte man nach 1900, wenn auch noch nicht der Form, so doch der Sache nach von einem „Reichsheer" sprechen, wobei das preußische Vorbild für die landesfürstlichen Kontingente maßgeblich wurde. Dies betraf nicht nur eine den Veränderungen des Kriegsbildes und dem technischen Fortschritt Rechnung tragende, moderne strukturelle Ausrichtung des Heeres sowie neue Ausbildungs- und Führungsgrundlagen. Dies galt auch für den Geist der Armee in ihrer Sonderstellung als monarchisches Machtinstrument innerhalb der sich immer stärker formierenden Industriegesellschaft. Im Offizierkorps wurde dabei die ganze Ambivalenz offenbar: Einerseits ein ausgeprägtes Berufsethos auf der Grundlage der tradierten Normen, die insbesondere in der Standesehre, im „preußischen" Pflichtbewusstsein, im Begriff des Dienens, aber auch in der Fürsorge für die Untergebenen zum Ausdruck kam. Andererseits das Unvermögen, den Herausforderungen der Moderne, insbesondere der sozialen Veränderungen der Gesellschaft angemessen zu begegnen.
Der Erste Weltkrieg bedeutete eine Zeitenwende, und das Erlebnis dieses alle bisher bekannten Dimensionen sprengenden „modernen Volkskrieges" zugleich den Abschied von der bisherigen Geschichte. Mit dem Sturz der Monarchie als Folge der Niederlage des Deutschen Reiches verlor das preußisch geprägte Offizierkorps den „Königsschild", d. h. den „Bezugspunkt seiner politischen Loyalität" und damit auch die „Basis seiner gesellschaftlichen Selbsteinschätzung als der dem Throne am nächsten stehende Berufsstand, der durch ‚des Königs Rock' von allen anderen abgehoben war"[7]. Die preußische Armee hatte somit 1918/19 ihr geschichtliches Ende gefunden.
Aus der Rückschau erscheint ihr Erbe ebenso ambivalent wie ihre Geschichte. Repräsentanten preußischer soldatischer Tradition waren mitverantwortlich am Niedergang der Demokratie von Weimar und am Aufstieg der NS-Diktatur. Andere verfügten „über die geistige und moralische Substanz", „um die unheilvollen Teile ihres Erbes zu überwinden und aus dessen wertvollen Gut Grundlagen für einen neuen Anfang zu legen".[8] Generalmajor Henning von Tresckow, durch das traditionsreiche Potsdamer Infanterie-Regiment 9 geprägter Motor des Widerstandes gegen Hitler, ist dafür ein herausragendes Beispiel. Für ihn bedeutete wahres Preußentum vor allem „Synthese zwischen Bindung und Freiheit". Dieses im christlichen Glauben gegründete Verständnis verpflichtete zum Handeln gegen den Diktator, um der „Majestät des Rechts" wieder den Vorrang vor Unrecht und Inhumanität zu verschaffen.

Anmerkungen siehe Anhang S. 320

RICHARD VON WEIZSÄCKER

Friedrich II. – Missbrauch eines

Der Dreispitz war sein Markenzeichen. Friedrich II., auch der Große genannt, im Jahre 1764.

Friedrich und die Folgen – das ist ein großes und schwieriges Kapitel unserer Geschichte. In einer schwer zu entwirrenden Weise vermischen sich die politischen Auswirkungen seiner Herrschaft, die geistige Belebung, die von ihm ausging, und eine gefährliche Mythenbildung um seine Person.

Die Gewichte des deutschen Sprachraums veränderten sich. Das Deutsche Reich österreichischer Prägung ging seinem Ende entgegen. Neben den südlichen katholischen Reichslanden war ein mächtiger protestantischer Norden entstanden. Damit veränderte sich auch das kulturelle Klima. Zum festlichen Rokoko Süddeutschlands trat der strenge Klassizismus Berlins.

Die Erstarkung Preußens zur europäischen Großmacht hat die Einflüsse in Deutschland nachhaltig verändert. Die meisten deutschen Staaten verloren im Laufe des 19. Jahrhunderts nach und nach an Gewicht, sodass die Dinge trotz des Rückschlages in der napoleonischen Zeit immer stärker auf Preußen zutrieben. 1849 wurde dem preußischen König vom Frankfurter Parlament die Kaiserkrone angetragen, es folgten der Zollverein, der Norddeutsche Bund und schließlich, 1871, das Deutsche Reich. Die Hauptstadt Preußens wurde auch zur Hauptstadt Deutschlands. Der König von Preußen wurde zusätzlich deutscher Kaiser. Das Deutsche Reich wurde bis 1945 vom Ausland überwiegend als ein preußisches Deutschland empfunden. Deshalb lösten die Siegermächte nach dem Zweiten Weltkrieg den Staat Preußen ausdrücklich und formell auf. Es war Preußen, dass man treffen wollte, weil man ihm das ganze Unglück des Jahrhunderts zuschrieb. Das war freilich eine arge Vergewaltigung der Geschichte. Aber es zeigte doch, dass Preußen und das unter Preußens Führung geratene Deutschland über fast zwei Jahrhunderte seinen unangefochtenen Platz in der europäischen Staatenwelt nicht gefunden hatte. Das geht auf das Konto aller Beteiligten, im eigenen Land und bei den Nachbarn.

Ein Berliner sah sich nach der Reichsgründung als Bürger eines Landes, das sich unter Friedrich dem Großen gegen die ganze Welt behauptet, anschließend in den Befreiungskriegen Napoleon zurückgeschlagen, dann die Österreicher 1866 und sodann noch einmal die Franzosen 1870/71 besiegt hatte.

Sein Selbstgefühl, sein deutsches Nationalbewusstsein, leitete sich aus Erfolgen ab, zu denen Friedrich der Große letztendlich den Grundstein gelegt hatte. Die Siege Napoleons gegenüber Preußen wurden in Episoden umgedeutet, die man schließlich durch den Einmarsch preußischer Truppen in Paris glaubte korrigiert zu haben. Das Deutsche Reich hatte sich Achtung verschafft. Sie beruhte nicht auf Zuneigung, sondern auf dem Respekt vor der Stärke der Deutschen. Wie Friedrich der Große versuchte Bismarck, diesen neuen Machtfaktor Deutschland in das europäische Staatensystem einzufügen und einzubinden. Er hatte es von Friedrich gelernt, dass die anderen nur bereit sein können, ein solches Machtgebilde zu akzeptieren, wenn man selbst nicht nur stark, sondern auch maßvoll ist, wenn man seine Ansprüche zu beschränken weiß. Wo das, wie im Falle Elsass-Lothringen, nicht geschah, wurden neue Gefahren erzeugt. Bismarck versuchte, seine Politik des Maßes mit einem höchst komplizierten europäischen Bündnisgefüge zu erreichen. Aber es überdauerte seinen Rücktritt kaum.

Es folgten die beiden Weltkriege. In ihnen hat nun der Mythos Friedrich des Großen eine ganz verhängnisvolle Rolle gespielt, mit der dem Wesen des Alten Fritz eine unsinnige Gewalt angetan wurde. Der oberste Kriegsherr, Wilhelm II., sah sich als eine Reinkarnation Friedrichs. Er, seine Heerführer und weite Teile des Volkes fühlten sich 1914 von einer „großen Koalition" eingekreist, wie weiland Friedrich im Jahre 1756. Und wieder sollten die Preußen-Deutschen den anderen beweisen, dass sie imstande waren, einer ganzen Welt trotzig die Stirn zu bieten.

Wie kein anderer verkörpert Friedrich der Große den Mythos Preußen. Das Original der Skulptur von Schadow entstand 1793 und steht heute vor dem Schloss Charlottenburg.

Der deutsche Kaiser Wilhelm II. sah sich gern als ein zweiter Friedrich. Doch sein martialisches Auftreten und die prunkvollen Uniformen widersprachen dem Geist des Alten Fritz.

Friedrich II. verband in seiner Person Geist und Macht. Das Gemälde von Johann Heinrich Christian Franke zeigt den preußischen König im Jahr der Beendigung des Siebenjährigen Krieges 1763.

Kein Geringerer als Thomas Mann schrieb 1914 in einem Aufsatz mit dem Titel „Gedanken im Kriege":
„Deutschland ist heute Friedrich der Große. Es ist sein Kampf, den wir zu Ende führen, den wir noch einmal zu führen haben. Die Koalition hat sich wenig verändert, aber es ist sein Europa, das im Hass verbündete Europa, das uns nicht dulden, das ihn, den König, noch immer nicht dulden will, und dem noch einmal in zäher Ausführlichkeit, in einer Ausführlichkeit von sieben Jahren vielleicht, bewiesen werden muss, dass es nicht angängig ist, ihn zu beseitigen.
Es ist auch seine Seele, die in uns aufgewacht ist, diese nicht zu besiegende Mischung von Aktivität und durchhaltender Geduld, dieser moralische Radikalismus, der ihn den anderen so widerwärtig zugleich und entsetzlich, wie ein fremdes und bösartiges Tier, erscheinen ließ." In diesen Worten werden die Macht des Mythos und seine verderblichen Folgen deutlich. Die ganze Nation wird mit Friedrich dem Großen gleichgesetzt. Friedrich erscheint als moralischer Rigorist, die übrige Welt aber als hasserfüllt. Der Weltkrieg selbst wird als eine Bewährungsprobe des eigenen Volkes verstanden, das sich gegen eine Welt von Feinden zu verteidigen hat. Militärische Niederlagen sind keine Warnungen, sondern Prüfungen der Seelenkraft. All das ist mit der tiefen Überzeugung verbunden, dass das Wiedererwachen friderizianischen Geistes Deutschland letztlich unverwundbar mache. Natürlich gab es auch Gegenstimmen; nicht zuletzt in der Familie Mann selbst. Aber Thomas Mann hat hier patriotische Gefühle angesprochen, die zu jener Zeit große Teile der Bevölkerung erfüllten. Übrigens waren damals in keinem der Krieg führenden Länder die Gefühle von Augenmaß und Vernunft geprägt.
Der Erste Weltkrieg nahm seinen Lauf – und Wilhelm II. war nicht Friedrich. Dem Willen der Führung, durchzuhalten, fehlte der friderizianische Geist der Mäßigung in den politischen Zielen. An keinem Punkt war das Deutsche Reich im Ersten Weltkrieg unfritzischer als bei den unsinnigen, bis gegen das Kriegsende andauernden Erörterungen über Kriegsziele. Hier gab es Träume von einer Ausdehnung deutscher Herrschaft, die niemals historisch hätten Bestand haben können. Niemand wäre solchen Wahnideen ferner gewesen als der Alte Fritz. Am Ende kam dennoch die Einsicht. Der Kampf war sinnlos geworden.

Es gab keine den Schlesischen Kriegen Friedrichs vergleichbare Lage. Gerade noch rechtzeitig vor der völligen Katastrophe galt es einzulenken. Die Kapitulation von 1918 war eine schwere und doch im Lichte der Tradition eine verantwortungsbewusste Tat. Aber nun, da Deutschland sich in das Geschick fügte, verloren die Gegner jedes Maß. Man setzte Deutschland das Kainsmal der alleinigen Kriegsschuld auf die Stirn, verurteilte es in Grund und Boden und demütigte es, wo und wie man nur konnte.

Das musste seine Folgen haben, sie kamen und sie waren schwer. Natürlich war auch das deutsche Volk des Krieges müde geworden. Aber noch war ja kein deutscher Boden vom Feinde besetzt. Und als dann die Bedingungen des Versailler Vertrages bekannt wurden, da war das Gefühl in Deutschland allgemein: das haben wir nicht verdient. So kann man uns nicht behandeln. Das ist ungerecht. Hätten wir das vorher gewusst, dann hätten wir weiter gekämpft.

Es waren keineswegs nur extreme Rechte, die so dachten, es waren aufrechte deutsche Patrioten. Sie standen bei weitem damit nicht allein in der Welt. Keynes, der große britische Ökonom, der an den Verhandlungen auf alliierter Seite teilgenommen hatte, kennzeichnete den Versailler Vertrag als ein Werk „ohne Demut, ohne Moral, ohne Verstand". Hier wurden Drachenzähne gesät, die furchtbar aufgehen sollten. Das politische Klima der jungen Weimarer Republik war von Anfang an vergiftet. Das schreckliche Dilemma aller Weimarer Regierungen war es, dass die Vertreter und Verteidiger der Demokratie sich um des Friedens willen vor den Vertrag stellen mussten, während die Verächter und Zerstörer der Demokratie sich offen gegen ihn wenden konnten. Das alles entschuldigt Hitler, sein Regime und seine Untaten nicht im Geringsten – aber es macht doch das Klima deutlich, in dem er gedeihen konnte.

Im Arbeitszimmer Hitlers hing bis zum Schluss, sogar noch im Bunker unter der Reichskanzlei, ein Porträt des Preußen-Königs. Hitler selbst betrachtete sich gewissermaßen als einen Über-Friedrich. Es wurde dafür gesorgt, dass auch das Volk in ihm den neuen Friedrich sah. Die Otto-Gebühr-Filme über den Siebenjährigen Krieg dienten diesem Zweck. Dem Volke wurde nahe gebracht, dass der „Führer", gegen alle Wahrscheinlichkeit, am Ende schließlich doch siegen werde. Hitler hielt sich für einzigartig und letztlich unbesiegbar. Am 23. November 1939 sagte er seinen Oberbefehlshabern: „Das Schicksal des Reiches hängt nur von mir ab." Und weiter: „Preußen verdankt seinen Aufstieg dem Heroismus eines Mannes. Auch dort waren die nächsten Berater geneigt zur Kapitulation. Alles hing von Friedrich dem Großen ab." So war eine große historische Gestalt in einen Mythos verwandelt und als Waffe missbraucht worden. Als das Verderben kam, wurde mit dem Mythos des Alten Fritz auch seine geschichtliche Person selbst in den Strudel gerissen. Der Heroisierung folgte die Verteufelung. Nun hieß es, eine gerade Linie habe von Friedrich zu Hitler geführt.

Beides – Verherrlichung und Verdammung – ist gleichermaßen unhistorisch. Der Gang unserer Geschichte sollte uns gelehrt haben, dies zu erkennen. Die Lektionen unseres Jahrhunderts waren deutlich genug. Wir sind gegen Gefahren gefeit, die in der Mythologisierung historischer Gestalten liegen. Damit sind wir aber auch frei zum unbefangenen Blick auf geschichtliche Größe. Friedrich war kein Mensch, den man zu vergöttern hat. Die Abgründe seines Wesens liegen offen zutage. Ohne sie hätte der Mythos nicht entstehen können, von dem sich schwächere politische Nachfahren verführen ließen.

Auch ist unsere Zeit gewiss nicht in der Versuchung, den Staat Preußen, den der Alte Fritz hinterlassen hat, einfach in den Himmel zu heben. Alle Welt hat kritisch zu fragen gelernt, was denn die Werte und Ziele dieses Staates waren. Hatte er sich nicht selbst zum Wert an sich erhoben? War seine Liberalität nicht davon abhängig, dass jeder seine Pflicht erfüllte – im Frieden und im Krieg? Die Preußen dienten ihrem Staat. Welcher Idee diente Preußen? Sebastian Haffner sagte unter anderem: der Haltung und der Selbsterhaltung. Solche

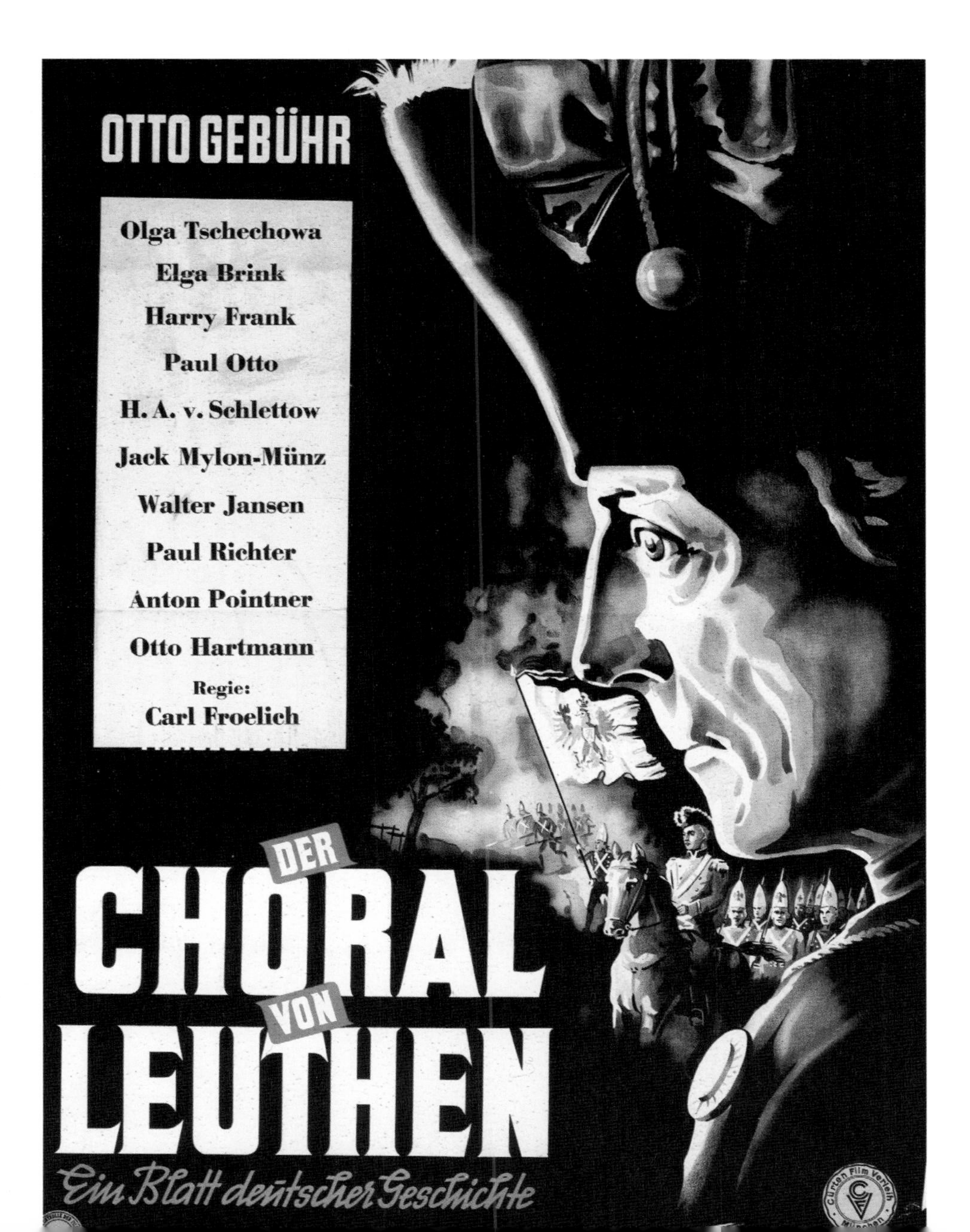

Friedrich-Filme mit Otto Gebühr in der Hauptrolle waren schon in der Weimarer Republik Kassenschlager. Nach 1933 dienten sie der Propaganda der Nationalsozialisten.

An eine Wiederholung des „Mirakels des Hauses Brandenburg", verkörpert in der Person Friedrichs II., glaubte Hitler noch im April 1945, als man ihm die Nachricht vom Tode Präsident Roosevelts brachte.

Haltungen können zum Guten und zum Bösen führen. Wir haben bitter genug erfahren, dass Pflichtgedanke und Staatsdienst missbraucht werden können, wenn der Staat in die Hände von Leitfiguren ohne Maß und Moral gerät. Das alles wissen wir, und wir haben so gründliche Konsequenzen daraus gezogen, dass sie oft in ein anderes schädliches Extrem umschlagen, nämlich in die Verneinung jeglicher Pflicht gegenüber dem Staat überhaupt. Ein bisschen mehr Friedrichs Preußen in dieser Hinsicht wäre heute für uns doch gar nicht so schlecht.
Jedenfalls mit keinem dieser Extreme werden wir Friedrich gerecht. Wenn auch sein Staat Preußen von der Landkarte verschwunden ist – vieles von dem, was er geschaffen hat, wirkt mehr als 200 Jahre nach seinem Tode unter uns fort. Es gehört wahrlich nicht zum schlechtesten Teil der Hinterlassenschaft aus unserer Geschichte. Dies zu erkennen und zu würdigen, liegt in unserem ureigensten gegenwärtigen Interesse.
Wenige Beispiele mögen es belegen.
Friedrich der Große und Benjamin Franklin, zwei politische Philosophen, machten erstmalig Menschenrechte in unserem heutigen Sinn zum Bestandteil völkerrechtlicher Abmachungen. Wir finden sie in einem Freundschafts- und Handelsvertrag, den der Alte Fritz ein Jahr vor seinem Tode mit den Vereinigten Staaten schloss. Noch Jahrzehnte später nannten die Amerikaner Friedrich den einzigen europäischen Souverän, bei dem sie mit ihren „liberalen und erleuchteten Grundsätzen" Zugang gefunden hätten.
Vor allem im innerstaatlichen Bereich stoßen wir bis zum heutigen Tage auf die Spuren Friedrichs. Das fritzische Preußen lieferte den entscheidenden Ansatz, um Glaubens-, Gewissens- und Religionsfreiheit verfassungsrechtlich zu sichern. [...] Er war es, der das Toleranzprinzip zur Staatsdoktrin erhoben hat.
Zu den Vorreitern der Demokratie gehörte Friedrichs Preußen nicht. Was er aber auf den Weg brachte, war eine Justiz, die gegen jedermann – egal ob „Prinz oder Bauer" – mit dem gleichen Maß des Gesetzes vorzugehen hatte. Das war nichts Geringeres als der Weg zum ersten Rechtsstaat unseres Kontinents.
Seine Regierungsform war persönliche Herrschaft. Indessen war er der Erste, der sie in die Trägerschaft eines Amtes verwandelte. „Ich habe meine Pflichten gegen den Staat erfüllt", das durfte er in seinem Testament schreiben. Er war der erste Diener seines Staates.
Trotz der absoluten Monarchie des Königs herrschte in seinem Preußen durchaus kein bedingungsloser Untertanengeist.
Der Minister Zedlitz, dessen Gerichte der Alte Fritz im Falle des Müllers Arnold vergewaltigt hatte, verweigerte kategorisch die Ausführung des königlichen Befehls, den Richter zu bestrafen. Im Widerstreit der Pflichten galt seine Loyalität seiner Überzeugung, nicht seinem Herrscher.
Der Oberst Marwitz nahm lieber seinen Abschied, als einen Plünderungsbefehl Friedrichs zu befolgen. Es war gerade seine Hochachtung vor den Maßstäben Preußens, die es ihm vorschrieb, auf sein Gewissen zu hören. Denkwürdig sind die einfachen Worte auf seinem Grabstein: „Er sah Friedrichs Heldenzeit und kämpfte mit ihm in allen seinen Kriegen. Wählte Ungnade, wo Gehorsam nicht Ehre brachte."
Eine solche Gesinnung war in Preußen keine Ausnahme. Sie war notwendig gegenüber der uneingeschränkten Herrschaft des Königs. Friedrich hatte aber auch das Format sie zu achten, ja, sie zu erwarten. Es ist derselbe Geist, der bis tief in unser Jahrhundert hineingewirkt hat. In der höchsten Führungsschicht der Nationalsozialisten gab es kaum einen Preußen. Unter denen, die um ihres Gewissens willen Widerstand gegen Hitler geleistet haben und hingerichtet wurden, stammten die meisten aus Preußen. Diese Haltung ist es, die die deutsche Geschichte ehrt und uns verpflichtet. [...]
Friedrich hat uns ein unsentimentales, charakterstarkes, reformbereites Gemeinwesen hinterlassen. Kein Volk, auch nicht das unsrige, ist reich an vergleichbaren Persönlichkeiten, deren Maßstäbe weit über ihre Lebzeiten fortwirken. Es liegt an uns, sorgfältig mit ihrem Erbe umzugehen. Es gibt uns wohl aber auch das Recht, des Alten Fritz heute ohne Scheu mit Verehrung zu gedenken.
Friedrich der Große war und bleibt eine der staunenswerten, überragenden Gestalten der deutschen Geschichte.

Gegen die eigenen Prinzipien verstieß Friedrich II., als er die Richter im Fall des Müllers Arnold maßregelte. Denn niemand, auch der König nicht, stand im friderizianischen Preußen über dem Gesetz.

Friedrich II.

Rendezvous mit dem Ruhm

Friedrich II. wollte ein aufgeklärter Herrscher sein. Als er im Mai 1740 den preußischen Thron bestieg, setzte er sogleich eine Reihe fortschrittlicher Reformen in Gang. Doch schon bald zeigte sich, dass der junge König nicht nur ein Schöngeist, sondern auch ein Machtpolitiker war. Anders als sein Vater Friedrich Wilhelm I. war er bereit, die gut ausgebildete Armee einzusetzen. Der Tod Kaiser Karls VI. im Oktober 1740 bot ihm dazu die Gelegenheit. Die Dynastie der Habsburger war geschwächt, da andere europäische Mächte der Thronfolgerin Maria Theresia das Erbe streitig machten. Friedrich erkannte die Gunst der Stunde und fiel am 16. Dezember 1740 in das habsburgische Schlesien ein. Damit war ein Eroberungsfeldzug eröffnet, der das weitere Schicksal Preußens bestimmen sollte. Mit seinem Angriff auf einen überlegenen Gegner setzte der junge König alles auf eine Karte. An seine Offiziere appellierte er: „Meine Herren, ich unternehme einen Krieg, für den ich keine anderen Bundesgenossen habe als Ihre Tapferkeit und Ihren guten Willen", und rief ihnen zu: „Leben Sie wohl! Brechen Sie auf zum Rendezvous des Ruhmes, wohin ich Ihnen ungesäumt folgen werde." Doch schon die erste große Schlacht schien Friedrichs Träume zu zerstören.

Der junge Friedrich galt vielen als Schöngeist. Doch nach seiner Krönung zum König in Preußen entpuppte er sich als Machtpolitiker. Holzstich nach einer Zeichnung von Adolph Menzel.

Bei Mollwitz brachte der unerfahrene Feldherr seine Truppen am 10. April 1741 an den Rand einer Niederlage. Doch die schnellfeuernde Infanterie wendete die drohende Niederlage Preußens ab. Nach dem großen Sieg bei Chotusitz schloss Preußen im Sommer 1742 einen Frieden mit Habsburg, der ihm den größten Teil des rohstoffreichen Schlesiens als Beute einbrachte.
Der Preis war hoch. Denn Maria Theresia war von nun an der größte Feind Friedrichs, den sie den „bösen Mann in Berlin" nannte. Um seine Eroberung zu sichern, griff der preußische König das Habsburgerreich im Sommer 1744 erneut an. Dieser Zweite Schlesische Krieg war noch härter als der erste. Allein in der Schlacht bei Hohenfriedberg starben fast 5 000 preußische Soldaten. Doch konnte Preußen im Frieden von Dresden 1745 den Besitz Schlesiens verteidigen. Als Friedrich an der Spitze seiner Truppen nach Berlin zurückkehrte, wurde er erstmals als „der Große" gefeiert. Die Kunst seiner Kriegführung wurde allerorten gelobt. Erstaunlich fanden es die Zeitgenossen, dass Friedrich mit seinen Truppen in den Kampf zog und seine Entscheidungen vor Ort traf. Das machte die preußische Armee beweglicher als ihre Gegner, deren Generäle ihre Anweisungen aus den fernen Hauptstädten erhielten.

Der Friede sollte jedoch nicht lange währen. Im Jahre 1756 sah sich Preußen einer gefährlichen Koalition gegenüber, zu der neben Österreich und Frankreich auch Russland, Schweden und Sachsen gehörten. Um dem Gegner zuvorzukommen, eröffnete Preußen, das sich mit England verbündet hatte, im August 1756 den Dritten Schlesischen Krieg, der bis 1763 dauerte und deswegen auch der Siebenjährige Krieg heißt. Diesmal ging es ums Ganze. Preußen befand sich im Verlaufe der Kriegsjahre mehrfach am Rande des Untergangs. Besonders schlimm stand es im Winter 1761/62. Da geschah ein Wunder, das „Mirakel des Hauses Brandenburg". Die Zarin Elisabeth starb, und Russland wandelte sich unter ihrem Nachfolger Peter III. vom Gegner zum Verbündeten Preußens. Am 10. Februar 1763 beendete der Frieden von Hubertusburg den Siebenjährigen Krieg und Schlesien ging endgültig in den Besitz Preußens über.
Durch die Schlesischen Kriege stieg Preußen zur europäischen Großmacht und zum direkten Konkurrenten Österreichs auf. Ein Gegensatz, der die deutsche Geschichte von nun an prägen sollte. Friedrich hat keine weiteren Kriege geführt. Doch mit der ersten Teilung Polens 1772, der unter seinem Nachfolger Friedrich Wilhelm II. noch zwei weitere folgen sollten, konnte Preußen seinen Besitz im Osten weiter ausbauen und seinen Großmachtstatus festigen.

Nach dem Einmarsch preußischer Truppen in Breslau huldigten am 7. November 1741 die schlesischen Stände im Fürstensaal des Rathauses Friedrich II., dem „Eroberer Schlesiens". Ölskizze von Adolph Menzel aus dem Jahre 1755.

Durch Siege wie den in der Schlacht bei Hohenfriedberg am 4. Juni 1745 wurde Friedrich II. zur Legende. Die Schattenseite des Krieges: Fast 18 000 Soldaten starben allein an diesem Tag. Der Farbdruck nach einem Aquarell von Carl Röchling zeigt das Bataillon Grenadier-Garde.

Friedrich II. war sein eigener Feldherr. Während die anderen Monarchen in den Hauptstädten saßen, zog er mit seinen Soldaten in den Krieg. Das Gemälde von Johann Georg Ziesenis von 1763 zeigt den preußischen König mit Kommandostab und Landkarte.

Der Bruder des Königs, Prinz Heinrich von Preußen, galt vielen als der bessere Feldherr. Durch sein taktisches Geschick verteidigte er Preußen im Siebenjährigen Krieg gegen eine Vielzahl von Gegnern.

Auf den Herrscher kam im Zeitalter des Absolutismus alles an. Deshalb hat Friedrich II. während des Siebenjährigen Krieges mehrfach Instruktionen für den Fall seines Todes verfasst.

Die Instruktion vom 19. Januar 1757 zeigt die Bedeutung des Bruders Heinrich. Ihm sollte nach Friedrichs Willen der Oberbefehl übertragen werden.

In der Schlacht bei Zorndorf besiegte Friedrich II. am 25. August 1758 die russischen Truppen und verhinderte so deren Vereinigung mit den Österreichern. Der Bildausschnitt aus einem Gemälde von Emil Hünten zeigt den preußischen König mitten im Schlachtgetümmel.

Neben großen Siegen standen verheerende Niederlagen Preußens. Das zeitgenössische Gemälde zeigt den Sieg der österreichischen Truppen unter Führung Dauns in der Schlacht bei Hochkirch am 14. Oktober 1758. Insgesamt fielen mehr als 16 500 Mann.

Preußische Infanteriefahne aus dem Siebenjährigen Krieg. Über dem preußischen Adler und unter der Königskrone steht: „pro gloria et patria" („Für Ehre und Vaterland").

Die großen Siege Friedrichs II. im Siebenjährigen Krieg machten ihn zur Legende. Das Gemälde von Carl Röchling aus dem Jahre 1904 zeigt den König, wie er seinen Truppen in der Schlacht bei Zorndorf mit der Fahne vorangeht.

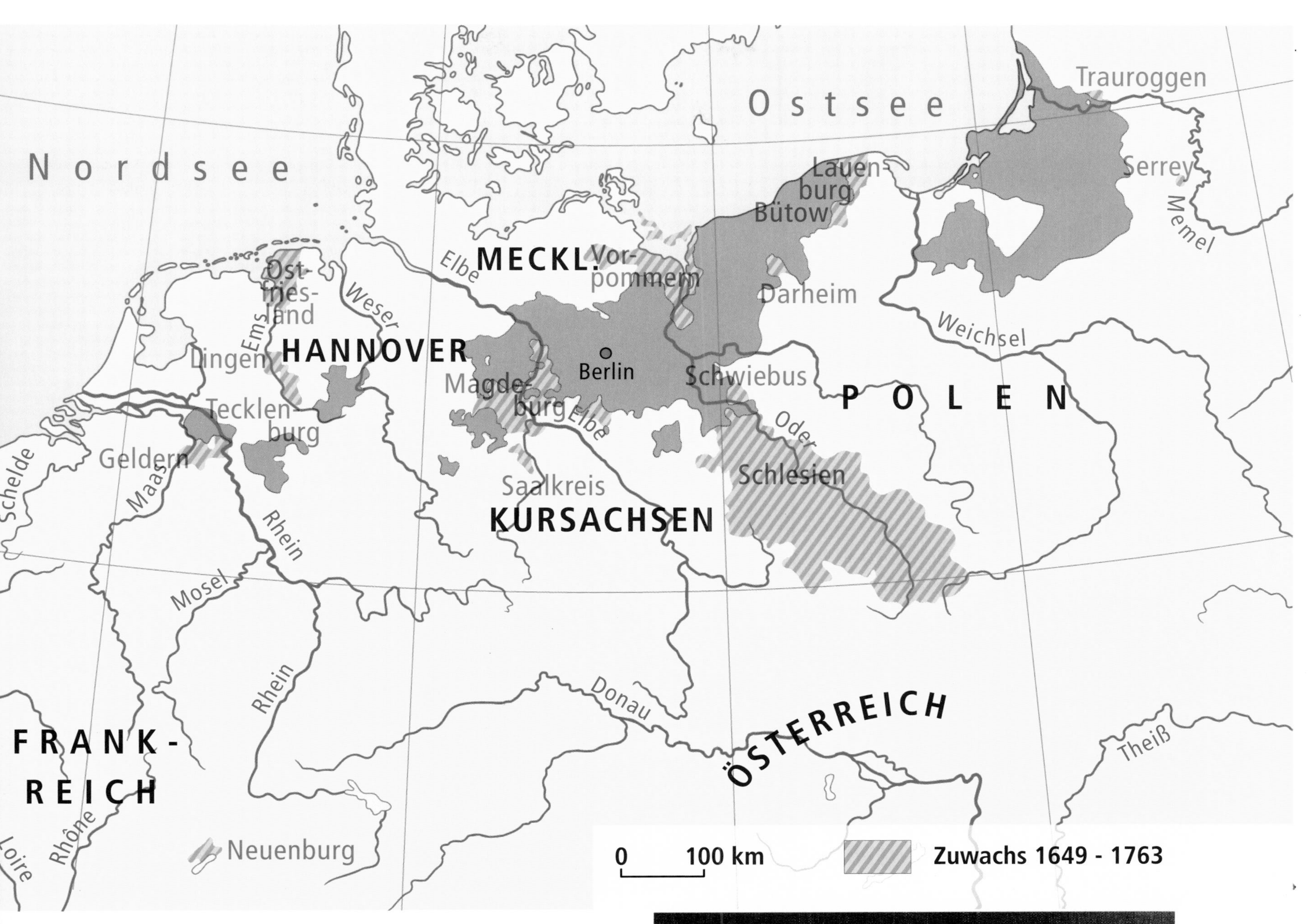

Zwischen dem Ende des Dreißigjährigen Krieges 1648 und dem des Siebenjährigen Krieges 1763 wuchs Preußen zunächst nur langsam. Erst die Eroberung und Sicherung Schlesiens in drei Kriegen durch Friedrich II. brachte einen erheblichen Zuwachs und machte Preußen zur europäischen Großmacht.

„Da kennen Se Buchholtzen schlecht!" Dieses geflügelte Wort stammt von Friedrich dem Großen. Dessen Rentmeister Johann August Buchholtz, Berater des Königs in fast allen Geldangelegenheiten, war berühmt für seine Sparsamkeit.

BRONISŁAW GEREMEK

Ein polnischer Blick auf Preußen

Die Marienburg, 1272 erbaut, war der Stammsitz des Deutschen Ordens in Westpreußen. Ansicht vom Ufer der Nogat aus.

Preußen hat seinen Platz in der Geschichte Europas, aber sowohl im vereinten Deutschland als auch im sich vereinenden Europa existiert es nicht. Der Begriff Preußen scheint vollständig der Vergangenheit anzugehören und Teil einer eigentümlichen politischen Archäologie zu sein. Die Grenze der realen Existenz Preußens ist festgelegt durch seinen Erfolg im Prozess der Einigung Deutschlands unter dem Szepter der Hohenzollern, denn der Vereinigungserfolg hat die Besonderheit dieses Landes fortgewischt. Als Datum des Endes von Preußen wird das Jahr 1871 angeführt, aber auch das Jahr 1918, als die Hegemonie Preußens über Deutschland endete, oder schließlich das Jahr 1932, als Preußen seine Unabhängigkeit verlor. Die Ernennung Hermann Görings zum preußischen Ministerpräsidenten nach der Machtergreifung Hitlers sowie auch der Beschluss des Alliierten Kontrollrates 1947 über die Auflösung des preußischen Staates legten jedoch Zeugnis ab über die lange Dauer der Legende Preußen – die einen verkündeten die Fortdauer Preußens zu ihrer eigenen Ehre, die anderen fürchteten sich vor dem nichtexistierenden preußischen Staat. Preußen ist von der gegenwärtigen politischen Landkarte verschwunden, nicht verschwunden ist es jedoch aus dem gegenwärtigen Bewusstsein. Eines der Elemente der geschichtswissenschaftlichen Debatten über die Vergangenheit Deutschlands war die Bewertung der Rolle Preußens, und die in Berlin organisierte große Ausstellung „Preußen. Versuch einer Bilanz" war Ausdruck dessen, in gewisser Weise der „schwarzen Legende" Preußens entgegenzutreten. Ein interessantes Faktum ist, dass diese Debatte sogar nicht einmal die damalige DDR verschonte, für welche die Frage nach Preußen als Problem des eigenen „territorialen und staatlichen Geschichtserbes" auftauchte. Der Jahrestag von

Bismarcks Tod wurde in Deutschland von der Veröffentlichung von Biographien des „Eisernen" Kanzlers begleitet, die auf beiden Seiten der Mauer geschrieben wurden, aber in ähnlicher Weise um eine Revision der „schwarzen Legende" Preußens bemüht waren. Diese Preußenwelle scheint fast ein Vierteljahrhundert anzudauern bis zu dem 300. Jahrestag des Augenblicks, als sich Friedrich von Hohenzollern in Königsberg mit Zustimmung des Kaisers zum „König in Preußen" krönte.

Ich versuche nicht, an dieser Stelle die großen Probleme der Geschichte Preußens anzugehen oder eine komplexe Bilanz der Errungenschaften und Niederlagen dieses Staates zu ziehen. Unter den historischen Versuchen, eine solche Bilanz zu ziehen und die Zwangslagen vorzustellen, in denen Preußen sich befunden hat, erwähne ich hier besonders den scharfsinnig analysierenden Text Rudolf von Thaddens „Fragen an Preußen" sowie die nicht nur zu meinen Universitätsjahren als Lektüre klassischen Werke von Droysen oder Hintze. Bei der Reflexion über Preußen verbindet sich jedoch in meinem Fall in unausweichlicher Art der Objektivismus des Blicks eines Historikers mit der polnischen geschichtlichen Erfahrung. Es fällt mir schwer, mich von diesen polnischen Implikationen der Geschicke des preußischen Staates freizumachen, sogar wenn ich auf diese Weise negativen Stereotypen Raum gebe. Die Gespenster der Geschichte lassen sich nur mit Mühe einer kühlen und rationalen Analyse unterziehen.

Das Interesse einer meiner ersten Forschungen galt – nach dem Studium der gesellschaftlichen Aufstände von Jacob und Philipp van Artevelde im Gent des 14. Jahrhunderts – der Geschichte des Staates der Deutschordensritter in Preußen. Ich habe die gesellschaftlichen Prozesse in diesem Staat untersucht. Es war dies ein faszinierendes Beispiel eines Kolonialstaates, der die Erfahrungen bei der Errichtung des Königreiches Jerusalem wiederholte, allerdings unter völlig anderen Bedingungen. Der Ordensstaat wurde auf dem Wege einer imperialen Expansion errichtet, welcher die örtliche Bevölkerung zum Opfer fiel. Eine Ironie des historischen Schicksals war es, dass ausgerechnet die Pruzzen, die der Deutsche Orden durch physische Ausrottung oder durch kulturelle Germanisierung von der Landkarte tilgte, dem dort entstehenden Staat den zukünftigen Namen verleihen sollten. Ungewöhnlich war die innere Struktur dieses Staates, in welchem sich die religiösen, militärischen

Die legendäre Baumburg des Deutschen Ordens in Thorn. Die Ordensritter eroberten im 13. Jahrhundert im Kampf gegen die einheimischen Pruzzen das Territorium des späteren Preußen. Das Gemälde entstand um 1600.

und politischen Funktionen in den Händen der Ordensritter befanden. Die leistungsfähig organisierte innere Verwaltung und der für damalige Zeiten mustergültig funktionierende Apparat der wirtschaftlichen Organisation und des Außenhandels erlauben es, im Ordensstaat des späten Mittelalters eins der ersten Beispiele eines neuzeitlichen Staates zu sehen. Bezeichnend ist auch, dass gegen die Ordensherrschaft gesellschaftlicher Widerstand entsteht, aus dem sich ein System der Vertretung von Adel und Bürgerstand herausbildet. Von der Stärke dieses Systems kann die Tatsache Zeugnis ablegen, dass sowohl in dem Teil des Ordensstaates, der nach 1466 unter der Bezeichnung „Preußen Königlichen Anteils" Bestandteil des Königreiches Polen wurde, als auch in dem Teil, der zuerst in den Händen des Deutschritterordens verblieb, aber nach dessen Säkularisierung 1525 als Herzogtum Preußen (Herzogliches Preußen) zum polnischen Lehen wurde, die Kultur der Herrschaft mit Beteiligung der Ständevertretungen, also des Adels und der Städte, erhalten blieb.

In diesem ersten Modell der Existenz Preußens kann man folglich ein Miteinander auf der einen Seite der militärischen Macht – wenngleich in einer besonderen Form, da sie von einer Schicht ausgeübt wurde, die das Kriegshandwerk mit der Ordensregel verband – und auf der anderen Seite der Herausbildung

Die Erhebung polnischer Truppen gegen die russische Herrschaft 1830/31 löste unter den preußischen Reformern und Revolutionären Begeisterung aus. Das Gemälde von Marcin Zaleski aus dem Jahre 1831 zeigt die Einnahme des Warschauer Arsenals durch die Aufständischen.

eines politischen Gemeinwesens beobachten. Der Ordensstaat war eine Quelle der beständigen Bedrohung für Polen, und im Geschichtsbewusstsein des mittelalterlichen Polens verfestigte sich das Bild dieses kolonialen und militärischen Nachbarn als düster und bedrohlich. So erscheint dieses Bild auch in der Literatur und Kultur des Nachbarlandes der folgenden Jahrhunderte und übte seinen Einfluss aus auf die Herausbildung des Stereotyps eines Deutschen. Bedeutend schwächer setzte sich das Bild des politischen Gemeinwesens oder der Kultur der Ständeversammlungen als Erbe des Ordensstaates durch. In geringem Maß auch war das Wissen um die wirtschaftliche Aktivität der Agenturen des Ordensstaates, die mit Getreide, Tuch oder Pelzen handelten, und um die Verbindungen mit dem zentralen Handelsplatz Europas des 15. Jahrhunderts – Brügge – präsent. Schwert und Blut verdeckten alles.

Das zweite Modell von Preußen ist der preußisch-brandenburgische Staat, also Preußen unter der Herrschaft der Kurfürsten von Brandenburg. Das alte Lehensband der preußischen Gebiete zu Polen wurde schwächer, und die wachsende Macht des Staats der Hohenzollern stützte sich auf eine Polen gegenüber eindeutig aggressive Politik. Sie führte schließlich mit dem Augenblick der Krönung Friedrichs III. im Jahre 1701 zur völligen Unabhängigkeit von Polen, aber auch zur Vernichtung der Besonderheit Preußens. Jener seinem Wesen nach brandenburgische Staat behielt aber auf Dauer den Namen Preußen. Von der Kultur und Tradition der preußischen Ständevertretungen blieb wenig übrig – im sich entwickelnden brandenburgischen Absolutismus hatte der Adel, jene Junker-Klasse in statu nascendi, garantierte Privilegien, aber er verlor seine politische Bedeutung. Es bildete sich in diesem Staat im 18. Jahrhundert ein militärisches System heraus, welches das gesamte Geflecht des gesellschaftlichen und politischen Lebens durchdrang. Eben damals sagte man, dass dies nicht ein Land sei, das eine Armee habe, sondern eine Armee, die ein ganzes Land besitze. Die Kultur der Monarchie Friedrichs des Großen stand in ungewöhnlicher Blüte, aber das Erbe dieser Epoche war der preußische Militarismus und seine symbolische Krönung die Rolle Preußens bei den Teilungen Polens.

Preußen feierte sich selbst bei der Krönung Wilhelms I. am 18. Oktober 1861 in der Königsberger Schlosskirche, 160 Jahre nach der Gründung des Königreichs durch Friedrich I. Ölskizze von Adolph Menzel aus dem Jahre 1861.

Helmuth von Moltke wurde durch die Siege der von ihm geführten preußischen Armee bei Königgrätz 1866 und Sedan 1870 zur Legende. Doch anders als viele seiner Bewunderer stellte er das Militärische nicht über das Menschliche. Das Grisaillegemälde von Ritscher entstand um 1870.

Das dritte Modell Preußens schließlich war nicht die Monarchie der Epoche der vom Stein - Hardenberg´ schen Reformen oder etwa das Hambacher Fest, das um die Solidarisierung mit dem polnischen Freiheitskampf herum Scharen deutscher Reformer und Revolutionäre versammelte, und auch nicht die Zeit der revolutionären Bewegungen des Völkerfrühlings – sondern das Preußen, das im Glanz der Krönung Wilhelms I. im Jahre 1861, am 160. Jahrestag der Entstehung des preußischen Königreiches, die Vereinigung Deutschlands ankündigte. Das Preußen Bismarcks ist im polnischen Geschichtsbewusstsein ein Staat, in dessen Ideologie die Feindschaft gegenüber Polen ein Strukturelement war. Die Macht Preußens war „mit Blut und Eisen" gebaut, aber sie sollte der Einigung Deutschlands dienen: Bismarck hat einmal gesagt, dass die Kaiserkrone des neuen Deutschland von Preußen auf den Schlachtfeldern erworben worden sei. Daraus ergibt sich die augenfällige Vorherrschaft Preußens im Deutschen Reich, aber auch die besondere Rolle der gesellschaftlichen Elite Preußens im Machtapparat Deutschlands. Der Militarismus, der Chauvinismus, die Glorifizierung der Stärke sowie der Expansionismus schienen das Erbe Preußens zu sein, das von ganz Deutschland übernommen wurde.

Im Prinzip kann man sagen, dass jedes dieser drei Modelle Preußens sehr komplex war, aber wenn wir über die geschichtliche Erinnerung sprechen, berühren wir gesellschaftliche Konstrukte und Stereotypen – und nicht das Wissen. Zur stereotypen Betrachtungsweise Preußens haben negative Elemente aller drei Modelle des historischen preußischen Staates beigetragen. So wird denn auch – nicht nur in Polen, das durch die Nachbarschaft mit Preußen seine Erfahrungen gesammelt hat, sondern in ganz Europa – die preußische Mentalität als eine wahrgenommen, in welcher der Militarismus des Staates die Weihen erhält durch die Mystik von Befehl und Gehorsam. Die Worte Moltkes – der einen so ehrenvollen Platz in der preußischen Mythologie und Tradition einnimmt – dass der Gehorsam die Regel sei, der Mensch aber über der Regel stehe, widersprechen diesem Stereotyp, aber sie sind nicht imstande, es zu zerstören. Die Erfahrungen mit dem Funktionieren des Staates und der Armee im Hitler-Deutschland haben sich ohne Mühe eingefügt in das Unheil verkündende Bild Preußens, und die bedeutende Rolle preußischer Junker- und Offiziersgeschlechter im Widerstand gegen Hitler und an der Verschwörung vom 20. Juli 1944 war nicht in der Lage, dieses stereotype Bild zu zerstören. Stereotype haben ein langes Leben und sie räumen ihren Platz nicht vor der Entwicklung des historischen Wissens. Für die psychische Gesundheit des vereinten Deutschland mit seiner Hauptstadt in Berlin und für das sich vereinende Europa ist es sicherlich notwendig, das Bild von der Stellung Preußens in der Geschichte zu revidieren und Stereotype zu zerschlagen. Die preußischen Tugenden, die von denen gerühmt werden, die Preußen verherrlichen, aber auch von solch einem Kritiker der preußischen Tradition, wie es Friedrich Meinecke war, erfordern eine neue Analyse. Das betrifft sicherlich die Dialektik von Gehorsam und Freiheit in der preußischen Tradition wie auch die Koexistenz einer Kultur der Gewalt und einer Kultur der Toleranz oder schließlich die Merkmale von Organisation, effektivem Handeln und Regeln der Redlichkeit. Dies erfordert eine ungeheuere Überzeugungsarbeit gegenüber der heutigen öffentlichen Meinung, es erfordert Instrumente von hoher Qualität, wie - um nur ein Beispiel zu nennen - die Erinnerungen von Marion Gräfin Dönhoff an das preußische Familienleben. Leitschnur einer solchen Arbeit muss aber sein, dass die „schwarze Legende" Preußens nicht einer „rosafarbenen Legende" über Preußen ihren Platz abtritt.

Das Jubiläum Preußens sollte dazu anhalten, nach der Wahrheit über Preußen zu suchen.

Allianzwappen derer von Dohna und von Callenberg über dem Hauptportal des Alten Schlosses in Muskau (Niederschlesien).

LOTHAR GRAF ZU DOHNA

Der preußische Adel und das Werden des Staates

Die verbreitete Sicht, als erschöpfe sich die Bedeutung des preußischen Adels für den Staat darin, Reservoir für das Beamten- und Offizierkorps zu sein, blickt zu kurz. Wäre denn, so ist zu fragen, die Umwandlung des Deutschordensstaates in ein weltliches, evangelisches Herzogtum Preußen ausführbar gewesen ohne die Mitwirkung der politischen Stände des Landes, vor allem des Adels? Und wäre der Übergang dieses Landes an die brandenburgische Kur-Linie und damit die folgenreiche Vereinigung Preußens mit der Mark Brandenburg möglich gewesen ohne den Einsatz einer engagierten Gruppe der Landstände des Herzogtums, voran des „Herrenstandes"? Beide Fragen zu stellen – was freilich selten genug geschieht – heißt, sie zu verneinen. Dieser Blick zurück auf die Frühzeit des Preußenlandes mag zunächst überraschen. Sind wir es doch gewohnt, die Ursprünge des Staates Preußen in Brandenburg zu suchen, dessen Kurfürsten, so heißt es, zielstrebig eine Provinz nach der anderen ihrem Stammland angegliedert und, nur von abhängigen Staatsdienern unterstützt, den preußischen Staat geschaffen hätten. Dieses dynastisch geprägte Geschichtsbild – veranschaulicht in der leider zerstörten Berliner „Siegesallee" – hat ja die Monarchie durchaus überdauert. Lange hat man, einem unreflektierten Fortschrittsdenken verhaftet, den voll ausgebildeten Staat als das Ziel der preußischen Geschichte betrachtet und die ganz anderen Verhältnisse der älteren Zeit an diesem Maßstab gemessen. So erschienen die Landstände und namentlich der Adel einseitig als Bremsklotz der Staatswerdung. Übersehen wurde hierbei der Beitrag, den die Teilhabe der Stände am fürstlichen „Regiment", den das Ringen um gemeinsame Lösungen auf Landtagen zu Integration und Identität des Landes geleistet haben. Überdies waren herrschaftliche und ständische Seite personell vielfach ineinander verflochten. Vernachlässigt wird meist auch die höchst verschiedene politische und soziale Struktur des Adels in den einzelnen, in Personalunion verbundenen Territorien des Hauses Brandenburg.

Hier soll der Blick nun auf zu wenig bekannte Zusammenhänge gelenkt und in erster Linie das Land betrachtet werden, das die notwendige Grundlage war für das Königtum und somit für das allmähliche Entstehen eines Gesamtstaates, dem es den Namen gab: das Land Preußen. Denn sein spezifisch strukturierter Adel war auch für die Monarchie als Ganzes von besonderer Bedeutung. Nur dies Herzogtum als das einzige souveräne, nicht dem Reich untergebene Land des Kurfürsten konnte zum Königreich erhoben werden, konnte zudem seinem Herrscher die volle Souveränität auch über den Adel geben. Fragen wir also nach den Ursprüngen dieses Staatswesens.

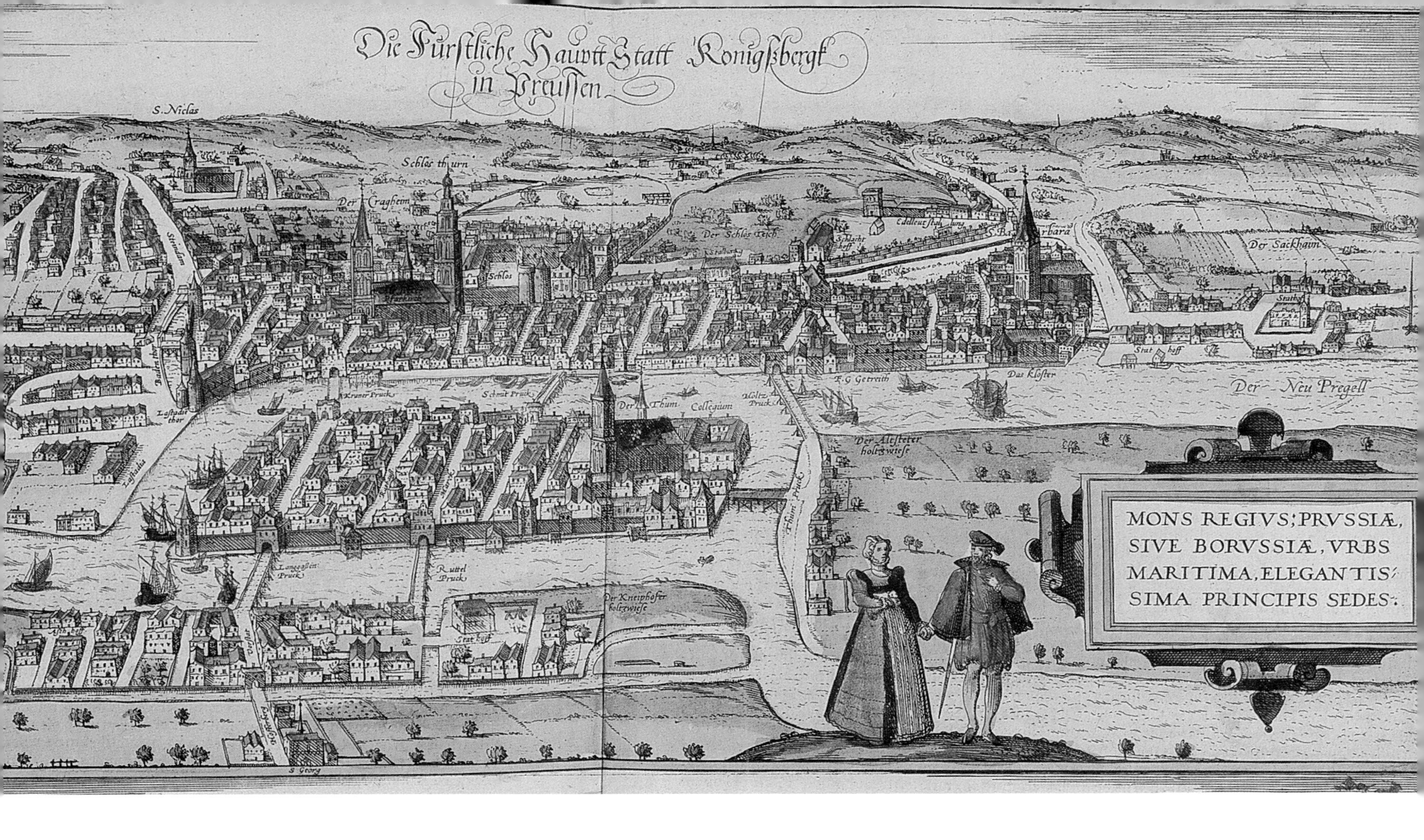

Königsberg war das Zentrum des Herzogtums Preußen. Kupferstich aus dem späten 16. Jahrhundert.

Am Anfang war die Krise. Darüber täuscht die übliche Formel hinweg, Albrecht von Brandenburg-Ansbach habe den Ordensstaat in ein weltliches Herzogtum „umgewandelt". Der Hochmeister konnte dies keineswegs allein bewirken; sein Handlungsspielraum war nur klein. Beharrlich verweigerte er dem König von Polen den Huldigungseid und bemühte sich im Reich verzweifelt um Hilfe für eine Wiederaufnahme des Krieges. Die Stände in dem verarmten und verwüsteten Land hingegen drängten auf Frieden und Ausgleich mit Polen und verweigerten bis dahin die Steuern. Insbesondere der Adel erstrebte darüber hinaus ein Ende der missliebigen geistlichen Herrschaft der landfremden Ritter, zumal der „Deutsche" Orden „preußische" Adlige nicht aufnahm. Da konnte das Erbieten des Königs, selbst Oberhaupt des Ordens zu werden, verlockend erscheinen. Hatte man doch das Beispiel des „Königlichen Preußen" (Westpreußen) vor Augen, dessen Stände im „13-jährigen Krieg" die strenge Herrschaft des Ordens abgeschüttelt und sich der polnischen Krone unterstellt hatten. Entscheidend wurde nun die Initiative der „Landräte", die während der dreijährigen Abwesenheit Albrechts erfolgreich zwischen Land und Herrschaft vermittelten. Diesem schon früh von der Reformation erfassten Kreis von Notabeln gelang es, alle Beteiligten, vor allem die unwilligen Städte, für eine „Erbherrschaft" zu gewinnen und den unerlässlichen Konsens des Landes zum Vertrag von Krakau (1525) zu bewirken. Unter den Landräten – vom Landesherrn berufene bewährte und einflussreiche Adlige – überwogen Nachfahren von „deutschen" Söldnerführern oder Beamten, die der Orden im Lande mit Grundbesitz versorgt hatte, deren Loyalität man höher einschätzte als die der „preußischen" Ritter, der Nachkommen der Aufrührer von 1454. Einen Kern bildeten die „Herren" (Freiherren), die als dem Herrenstand des Reiches entstammend – und nicht etwa aufgrund privilegierten Grundbesitzes in Preußen – stets zu den Landräten gehörten. So tritt hier erstmals in entscheidender Funktion eine Gruppierung im Adel hervor, die langfristig als Bindeglied zwischen Landesherrn und opponierenden Landständen wirken sollte. Schon hier erscheinen die Namen, denen wir in der preußischen Geschichte weiterhin begegnen: im Herrenstand Dohna, Eulenburg und Kittlitz, in der Ritterschaft: führend Georg von Kunheim, dann Rautter und andere sowie der „einheimische" Lehndorff. Verstärkt wurde das loyale „deutsche" Element durch die evangelisch werdenden und heiratenden Ordensritter, bei den „Herren": Heydeck und Truchseß von Waldburg.

Auch die zweite große Weichenstellung wird meist als rein dynastischer Vorgang dargestellt. Die Brandenburger, heißt es schlichtweg, hätten Preußen geerbt. Der Fall lag indes komplexer. Die im Polen der Wasa-Könige wachsende Tendenz zu machtpolitischer Expansion sowie zur Unterdrückung der Reformation hatte auch die Hoffnung gestärkt, Preußen werde als Lehen dem König anheimfallen. Nach der „polnischen Freiheit" – Freiheit vom König und über leibeigene Untertanen – strebte auch die Mehrheit der preußischen Ritterschaft. Ihre Anführer arbeiteten auch in Warschau gegen die Brandenburger. In einem „Staatsstreich" (Ch. Krollmann) usurpierten sie die Erste Kurie der „Herren und Landräte", das Bollwerk der „kurfürstlichen" Partei, sodass sie mit zwei von drei Kurien den Landtag beherrschten. Der Berliner Hof nahm das Preußen-Problem nicht realistisch wahr, und diese Perspektive prägt die Akten und die Darstellungen. „Der brandenburgischen Politik in Preußen die Bahn gewiesen zu haben" ist nach W. Nissen „das historische Verdienst" von Fabian Burggraf zu

Gegen erhebliche Widerstände erzwang der Große Kurfürst mit Hilfe einer kleinen Gruppe Adliger seine Anerkennung als Landesherr durch die preußischen Landstände, die ihm am 18. Oktober 1663 in Königsberg huldigten.

Dohna. Früh vom reformierten Glauben und dessen Impuls zur praktischen Weltgestaltung geprägt, in Ost- und mehr noch Westeuropa zum Staatsmann gereift, führte er das im Dienst der Pfalz erprobte „Landrettungswerk" (Vorläufer der „Landwehr") gegen den Willen der Stände in Preußen ein. Lange ohne Amt und Bezahlung, nur „als Herrenstands-Landsasse" dem Lande dienend, setzte er mit seinem Dienstethos Maßstäbe. Unterstützt von seinen Neffen, gewann er zu der uns bekannten Gruppe im Adel weitere, meist reformiert werdende Anhänger, so die Finck (Finckenstein), um sich unbeirrt für die „Westanbindung" Preußens einzusetzen. Von den „Oberständen" unter ihrem fanatischen Führer Otto von der Groeben auf dem Landtag und auch beim König als Ketzer verklagt, vom Hass der Kurfürstin verfolgt, vom Kurfürsten im Stich gelassen, nur von den Städten respektiert, blieben Dohna und die Sache, für die er stritt, schließlich auch in Polen, wo er über großes Ansehen verfügte, Sieger. Noch der Große Kurfürst hat die besonderen Verdienste der Familie Dohna, „bei dem schweren Kuratel- und Sukzessions-Werk dies Land auf unsere Kur-Linie zu bringen", anerkannt. Sie hat dann auch in der Folge nach dem Urteil G. Oestreichs ihrer Heimat reformierte Frömmigkeit, „neustoische Pflichtauffassung und die niederländische Staats- und Kriegskunst vermittelt" als „Wegbereiter des ‚Preußentums'".
Noch einmal geriet der Staat in eine kritische Lage. Die Stände verweigerten dem Kurfürsten Huldigung und Steuern, weil die Verträge, in denen Polen auf die Lehnsbindung Preußens verzichtet hatte (1657/60), ohne ihre Mitwirkung geschlossen waren. Diesmal ging die trotzigste Gegenwehr von den Städten aus. In Königsberg kam es zu offenem Aufruhr. Auch ein Teil der Ritterschaft bemühte sich in Polen um die Rücknahme der Konzession von Wehlau. Wieder war es der gleiche kleine Kreis des Adels, der energisch für den Kurfürsten und die Souveränität eintrat, voran Jonas Kasimir Herr zu Eulenburg und Johann Ernst von Wallenrodt. Durch seine militärischen Erfolge konnte der Große Kurfürst das Land von seinem wirksamen Schutz überzeugen und ihm seinen Willen aufzwingen. Das ist bekannt. Nur wenige der vom Ständewesen begünstigten „Junker", wie manche der reichen Groeben, suchten ferner polnische Dienste. Die große Mehrheit des von der Hinrichtung Kalcksteins geschockten und gefügig gemachten Adels nahm – „verbrennend, was sie angebetet hatte" – auch innerlich die Rolle gehorsamer Funktionsträger des gut funktionierenden absoluten Staates an und fand darin Auskommen und Ehre. Schon der Enkel des Rebellen Kalckstein war voll integriert, er wurde Prinzenerzieher und zuletzt Feldmarschall.
Demgegenüber bewahrte die kleine Schicht der loyalen „großen Familien" – von außen kamen nur die Grafen von Dönhoff hinzu – eine gewisse Unabhängigkeit. Sie brauchten ihre bewährte Rolle als Bindeglied von Fürst und Ständen nicht zu verdrängen und sahen sich weiterhin als Vertreter der Interessen des Landes auch im Gesamtstaat. Besonders in der Frühphase des Absolutismus stützten sich die Monarchen bevorzugt auf Mitglieder dieser Gruppierung, so auf Friedrich Dönhoff und dessen Sohn Otto Magnus, den „General-Kriegskommissar", dem nicht nur die Heeres-, sondern auch die Steuerverwaltung unterstand. Anderen vertraute man die Erziehung der Thronfolger an, die Friedrich Wilhelms (I.) Alexander Dohna und dem späteren Feldmarschall Finckenstein, Letzterem auch die Friedrichs (II.). Indes auch in ihrer engeren Heimat wurden sie gezielt eingesetzt, um in dem auf Selbstständigkeit bedachten „Königreich", wo man „Berliner Beamte" auflaufen ließ, unpopuläre Reformen durchzuführen. So wurde dem „Etatsministerium", dem alten „Oberrat", anfangs ein „Chef" übergeordnet, der zugleich den modernen Behörden, den beiden Kriegs- und Domänenkammern, als „Ober-Präsident" vorgesetzt wurde, um die Verwaltung gemäß der Behördenstruktur des Gesamtstaats zu reformieren. Es war Feldmarschall Alexander Dohna, der auch Minister in Berlin war. Der „Oberrat" protestierte zwar prinzipiell, akzeptierte den Eingriff aber um der Person willen. Bedeutend war auch die Leistung von Carl Heinrich Truchseß zu Waldburg: die den Adel belastende Reform der „General-Hufensteuer". Doch gegebenenfalls widersprachen diese Aristokraten auch dem König aus der Sicht des Landes. Daraus erklärt sich die zunächst überraschende Mahnung im Politischen Testament Friedrich Wilhelms I.: „In Preußen ist auch ein großer Adel; [...] auf die Familien Finck(enstein) und Dohna muss mein Nachfolger ein wachsames Auge haben, sonst werden sie mit ihm mitregieren."
Nicht vorgesehen im absoluten Staat war auch das ganz unabhängige Handeln der Stände (Ost-)Preußens, die schon seit dem 11. Januar 1813 die Erhebung gegen Napoleon vorbereiteten, weshalb dies in der gängigen Literatur auch stark heruntergespielt wird. Die Behörden ließen keinen Landtag zu, so versammelten sich die ad hoc gewählten adligen, bürgerlichen und freibäuerlichen Deputierten „nur" zu einem „Ständetag". In Zusammenarbeit mit dem offiziell abgesetzten Yorck haben die opferbereiten Stände des ausgebluteten Landes die Errichtung einer Landwehr auf eigene Kosten beschlossen und durchgeführt. Zu jener Zeit ohne Staatsamt, war Alexander Dohna, dem seine Brüder beistanden, die leitende und treibende

Kraft. Ergänzend gründete Carl Lehndorff ein „National-Kavallerieregiment" (national = „preußisch"). Die unerhörte Tat mündiger Stände – von hohen Bürokraten als „Verräterei des ostpreußischen Adels" verurteilt – machte als Signal für eine freiwillige Volkserhebung einen tiefen Eindruck. Doch erst nachdem sie ein breites Echo fand, haben die Regierenden sich zum Bruch mit Napoleon entschlossen, die ostpreußische Landwehrordnung in ihrer Eigenart anerkannt und eine abweichende für den gesamten Staat erlassen.

Aus dem gleichen Geist der Verantwortung für das Ganze protestierten dieselben Patrioten, das „Comité der ostpreußischen Stände", beim König heftig gegen die von Metternich bewirkten polizeistaatlichen „Karlsbader Beschlüsse". In den Jahren der Restauration wandten sich dann breitere Schichten des alteingesessenen Adels, enttäuscht, dass man die „Ideen von 1813" nicht mehr als patriotisch und königstreu anerkannte, einem grundsätzlicher werdenden Liberalismus zu, die Auerswald, Brünneck, Saucken. In der traditionellen Mittlerrolle indes trat der Bundestagsgesandte August Dönhoff für die Bildung eines Bundesparlaments ein und versuchte, Friedrich Wilhelm IV. für die konstitutionelle Idee zu gewinnen. In der Revolutionszeit 1848 vorübergehend Außenminister, musste er mit seiner Position zwischen Parlament und König scheitern.

Nicht der König, sondern die ostpreußischen Stände gaben das Signal zur Erhebung gegen Napoleon. Als Yorck von Wartenburg sie am 5. Februar 1813 zum bewaffneten Kampf aufrief, hatten die Adligen bereits die ersten Vorbereitungen getroffen.

Als dann Wilhelm I. die „Neue Ära" einleitete, bot er ihm, allerdings vergeblich, die Ministerpräsidentschaft an. Unmittelbar vor dem Ende Preußens als Staat und Ostpreußens als Land „treten uns", wie Ernst Moritz Arndt in Bezug auf 1813 und 1848 sagte, „die eigentlich preußischen Namen als Männer (und Frauen) entgegen, welche die Zeit begriffen haben". Im Widerstand gegen Hitler sind es die Namen Dohna, Dönhoff und Lehndorff.

Es gab also in Preußen jenseits von „Junkertum", Offiziers- und Beamten-Adel eine kleine, aber wirksame Schicht, die sich über die absolute Geltung des Staates und über die Selbstverwirklichung im eigenen Stand erhob, die „ständische Pflicht über ständisches Recht" (H. Rothfels) stellte.

Die Huldigung der preußischen Stände vor Friedrich Wilhelm IV. am 15. Oktober 1840 in Berlin war ein überholtes Ritual. Doch nur wenige Adlige erkannten die Zeichen der Zeit und votierten 1848 für die Errichtung einer konstitutionellen Monarchie. Zeitgenössisches Gemälde von Franz Krüger.

Friedrich der Große

Ein Aufklärer auf dem Königsthron

Die Aufklärung, das war für Friedrich II. in erster Linie Voltaire. Seit seiner Jugend bewunderte er den französischen Intellektuellen, der von 1750 bis 1753 in Sanssouci lebte und arbeitete.

Seinem Vater, dem Soldatenkönig, war er zu weich und geistreich. Und tatsächlich zog es den jungen Friedrich mehr zu den schönen Künsten und Wissenschaften als auf den Kasernenhof. Der Gegensatz zwischen Vater und Sohn eskalierte, als der Kronprinz 1730 zu fliehen versuchte und mit der Hinrichtung seines Freundes Katte bestraft wurde. Friedrich hatte verstanden. Er unterwarf sich dem Willen des Vaters und bereitete sich in Küstrin gewissenhaft auf seine zukünftige Rolle als König vor. Zur Belohnung schenkte ihm Friedrich Wilhelm I. das heruntergekommene Schloss Rheinsberg, das Friedrich nach seinem Geschmack herrichten ließ und wo er die glücklichsten Jahre seines Lebens verbrachte. Hier konnte er sich ganz seinen Leidenschaften widmen: der Musik, dem Schauspiel, dem philosophischen Gespräch und geselligem Beisammensein.

Als der Vater 1740 starb, war Friedrich 28 Jahre alt und voller Tatendrang. Kaum in Berlin angekommen, setzte der neue König eine Reihe von fortschrittlichen Reformen in Gang. Er schaffte die Folter ab, milderte die brutale Strafordnung des Vaters und lockerte die Zensur. Gegenüber den Religionen setzte er die tolerante Linie seiner Vorfahren fort. In Preußen, erklärte Friedrich, „muss jeder nach seiner Fasson selig werden". Als Regent wollte er der „erste Diener seines Staates" sein. Die Wohlfahrt des Staates und das Glück des Volkes wollte der neue König fördern. Ein Idealist war er jedoch nicht. Seine Grundhaltung gegenüber den Menschen war skeptisch, und je älter er wurde, desto zynischer fiel sein Urteil über die Welt aus.

Nach Beendigung der beiden ersten Schlesischen Kriege 1745 machte Friedrich einen Traum wahr und ließ in Potsdam ein Schloss nach seinen Wünschen bauen. In Sanssouci, dem Ort „ohne Sorgen", nahm er das gesellige Leben von Rheinsberg wieder auf. Dort fanden die berühmten Flötenkonzerte statt, bei denen der König auf der Querflöte eigene Kompositionen spielte. Friedrichs Tafelrunde versammelte einige der führenden Köpfe Europas zum geistreichen Meinungsaustausch, darunter auch Voltaire. Der Preußen-König sprach und schrieb am liebsten französisch. Die deutsche Literatur verachtete er, und auch für die deutsche Aufklärung, die in Berlin eine ihrer Hochburgen besaß, hatte er wenig Interesse.

Eine der wichtigsten Reformen, die Friedrich in Gang setzte, war die der preußischen Justiz. Seit 1747 vereinheitlichte Samuel von Cocceji in seinem Auftrag das Gerichtswesen, verbesserte die Ausbildung der Juristen und entwickelte eine einheitliche Prozessordnung, den Codex Fridericianus. Gleiches Recht für alle, auch für den König, das war der oberste Grundsatz. Auch in der Wirtschaftspolitik wurde Friedrich aktiv und förderte mit Erfolg Handel und Gewerbe. Durch die Trockenlegung des Oder-Bruchs unter Leitung holländischer Fachleute gewann Preußen neues fruchtbares Land. Das Arbeitspensum des Königs, der all diese Unternehmungen persönlich überwachte, war enorm und konnte nur mit größter Disziplin bewältigt werden. Nach dem Ende des Siebenjährigen Kriegs beanspruchte der Wiederaufbau, der so genannte Retablissement, die ganze Aufmerksamkeit Friedrichs II. Er war alt und gebeugt aus dem Krieg zurückgekommen. Gestützt auf seinen Krückstock begab er sich Jahr für Jahr auf Inspektionsreisen durch sein geschundenes Land. Der Alte Fritz, wie ihn die Leute jetzt nannten, sorgte für eine bessere Schulbildung, setzte den Anbau der Kartoffel durch und förderte mit der See-Handlungs-Gesellschaft den preußischen Außenhandel. Die letzten Lebensjahre des Preußen-Königs waren von Einsamkeit und Verbitterung geprägt. Die alten Weggefährten waren gestorben und die wenigen verbliebenen vertrieb der König durch seinen Zynismus. In Sanssouci ging er am liebsten alleine mit seinen beiden Windhunden spazieren. Dort starb er auch, kinderlos und ohne Freunde, am 17. August 1786 um 2.20 Uhr.

Als junger Mann genoss Friedrich das Leben. Das Gemälde von Antoine Pesne aus dem Jahre 1739/40 zeigt den Kronprinzen im Jahr vor seinem Regierungsantritt.

Es war eine Hochzeit auf Befehl des Vaters. Sobald er selbst König war, verbannte Friedrich II. seine Frau Elisabeth Christine, geborene Prinzessin von Braunschweig-Bevern, auf das Schloss Niederschönhausen. Die Ehe blieb kinderlos. Das Porträt von Antoine Pesne zeigt Elisabeth Christine als preußische Kronprinzessin.

Die Jahre, die Friedrich als Kronprinz auf Schloss Rheinsberg verbrachte, waren ein Fest fürs Leben. „Ich bin nur in Rheinsberg glücklich gewesen", erinnerte sich der Alte Fritz. Der Holzstich nach einem Gemälde von Georg Wenzelslaus von Knobelsdorff zeigt den Kronprinzen stehend bei einer Kahnfahrt auf dem Schlosssee.

Die Musik war seine Leidenschaft. Friedrich II. komponierte selbst und spielte Querflöte. Das Gemälde von Adolph Menzel zeigt eines der berühmten Flötenkonzerte, die der König in Sanssouci gab.

Die Tafelrunde in Sanssouci vereinte die beiden Leben Friedrichs. Hier fanden sich die Mächtigen und die Geistreichen Preußens im geselligen Gespräch zusammen. Das Gemälde von Adolph Menzel aus dem Jahre 1850 zeigt von links nach rechts: Lordmarschall Georg Keith, Voltaire, General von Stille, Friedrich II. in der Bildmitte, Marquis d'Argens, Feldmarschall James Keith, Graf Algarotti, General Graf von Rothenburg und den Arzt des Königs La Mettrié.

Der berühmteste Philosoph Preußens, der Königsberger Professor Immanuel Kant (links), war ein Bewunderer Friedrichs II. Das Zeitalter der Aufklärung nannte er das „Jahrhundert Friederichs". Der König aber nahm von dem Begründer des deutschen Idealismus keine Notiz.

Moses Mendelssohn gehörte zu den bedeutendsten Vertretern der Berliner Aufklärung. Seine philosophischen Schriften verschafften ihm Zugang zur Tafelrunde des Königs. Die Tore der Berliner Akademie der Wissenschaften blieben dem Streiter für die Emanzipation der Juden jedoch verschlossen.

Gesellige Gespräche bei Tisch waren kein königliches Vorrecht, sondern eine bürgerliche Veranstaltung. Das Gemälde von Emil Doerstling zeigt den Königsberger Philosophen Immanuel Kant, dem seine Tischgenossen gebannt lauschen.

Die Bittschriften-Linde war eine Institution in Preußen. Friedrich II. nahm dort vor dem Stadtschloss in Potsdam Petitionen seiner Untertanen entgegen.

Die Kartoffel wurde unter Friedrich II. zum Grundnahrungsmittel in Preußen. Ihre Ernte war dem König einen Halt auf seinen Reisen durchs Land wert. Robert Warthmüller malte die Szene 1886.

Der Alte Fritz. Von der Gicht geplagt, konnte er sich nur noch mit einem Krückstock bewegen. Holzstich von Adolph Menzel.

Friedrich II. in seinen letzten Lebensjahren: einsam auf der Terrasse des Stadtschlosses in Potsdam. Holzstich von Adolph Menzel.

ERNST CRAMER

Preußen und die Juden

Die Berliner Synagoge in der Oranienburger Straße entstand in der zweiten Hälfte des 19. Jahrhunderts. Erbaut hat sie Eduard Knoblauch in den Jahren 1859 bis 1866.

In dem etwa eineinhalb Jahrhunderte dauernden, nie ganz vollendeten und in einer unvorstellbaren Katastrophe endenden Verlauf der Emanzipation der Juden in Deutschland waren die Verhältnisse in Preußen für die übrigen Länder immer irgendwie beispielgebend. Diese von vielen retardierenden Momenten begleitete gesellschaftliche und bürgerliche Angleichung der Juden an ihre Umgebung entwickelte sich parallel zu dem allmählichen Herauswachsen der deutschen Länder aus dem Zustand eines patrimonialen Absolutismus in moderne, immer mehr dem Recht verpflichtete Staaten.

Gleichzeitig durchliefen in Preußen und entsprechend in den anderen deutschen Landen die Juden einen in ihrer mehrtausendjährigen Geschichte in vergleichbarer Form nie erlebten Wandlungs- und Annäherungsprozess, die Assimilation an ihre Umgebung, das wohl heikelste und meist umstrittene Problem der Diaspora-Existenz. Es ging, knapp ausgedrückt, um die psychische Umwandlung des in Jahrhunderten der Unterdrückung, aber auch der Selbstabkapselung entstandenen Gettojuden in einen den neuen Zeiten angepassten und damit der Allgemeinheit vergleichbaren Menschentyp. So entstand der preußische, der deutsche Jude, den es allerdings als Folge der nationalsozialistischen Ausrottungspolitik heute so gut wie nicht mehr gibt.

Dieses deutsche Judentum, das sich hauptsächlich von den Zeiten Napoleons bis zu den Tagen Bismarcks entwickelte und in den ersten dreißig Jahren des 20. Jahrhunderts einen, wie man dachte, unerschütterlichen Rang und eine scheinbare Blütezeit erreichte, wurde für die Juden der ganzen Welt von außerordentlicher, noch heute wirksamer Bedeutung.

Aus dem Geist der Assimilation und beeinflusst von den großen Denkschulen, vor allem an preußischen Universitäten, war in jüdischen Reformkreisen nach dem Wiener Kongress die „Wissenschaft des Judentums" entwickelt worden. Deren Einfluss war bald sogar bei der Ausbildung orthodoxer Rabbiner und Lehrer zu spüren, obwohl die Idee, auch wissenschaftlich über das Judentum zu forschen, von traditionellen Kreisen lange abgelehnt wurde. Die Orthodoxie wurde vornehmlich und zuerst in Preußen so modernisiert, dass dem frommen, absolut gesetzestreuen Juden der Zugang zur Geisteswelt seiner Umgebung nicht nur eröffnet, sondern die Zugehörigkeit zu dieser, d. h. der deutschen Kultur auch für ihn eine Selbstverständlichkeit wurde.

Die hervorragendsten frühen Vertreter dieser eine moderne Orthodoxie möglich machenden, aber dennoch der jüdischen Tradition fest verbundenen Entwicklung waren der Frankfurter Rabbiner Samson Raphael Hirsch und der Gründer der Berliner Adass Jisroel Gemeinde, Jesreel Hildesheimer. Letzterer nahm als erster orthodoxer Lehrer Mädchen in seine Schule auf und setzte durch, dass in dem von ihm geleiteten traditionell geführten Rabbiner-Seminar auch weltliche Fächer gelehrt wurden.

Hirsch sah im Kreis der deutschen Kultur die Möglichkeit der Verwirklichung wahren Judentums. Über seine politische Verpflichtung zum Land seiner Geburt schrieb er 1839: „Man mag dir das Recht verkümmern, Mensch zu seyn und gerechtes Menschenleben zu verwirklichen auf dem Boden, der dich geboren. Du, lasse nicht von deiner Pflicht, sey dir gerecht, sey gerecht dem Namen, den du trägst, der Pflicht, die Gott von dir fordert: Treue gegen den Fürst und das Land."

Dieses Wort Treue, ein Begriff, der lange für wohl verstandenes Preußentum stand, bis er, wie so vieles, von den nationalsozialistischen Usurpatoren deutschen Geistes missbraucht, pervertiert wurde, erscheint oft in Hirschs Schriften und Predigten. Treue gegenüber den Geboten der Thora zunächst, aber ebenso Treue zum Geist der Menschlichkeit und auch zur weltlichen Obrigkeit.

Die „Wissenschaft des Judentums" entstand aus Überlegungen eines 1819 in Berlin gegründeten „Verein(s) für Cultur und Wissenschaft des Judentums". In einer frühen Schrift heißt es, die Juden müssten sich „als rüstige Mitarbeiter an dem gemeinsamen Werke der Menschheit bewähren, sie müssen sich [...] auf den Standpunkt der Wissenschaft erheben, denn dies ist der Standpunkt des europäischen Lebens".

Einer der ersten Vorkämpfer dieser in Preußen entstandenen Wissenschaft war der Berliner Prediger Leopold Zunz. Wie viele seiner Mitstreiter war er ein Mann, der sowohl von Kant als auch von Hegel beeinflusst wurde.

Diese Wissenschaft des Judentums, fest eingebettet in deutsches, in europäisches Gedankengut, wurde eine Generation später besonders von dem Breslauer und später Berliner Rabbiner Abraham Geiger gefördert, der auch Lehrer an der 1872 gegründeten „Lehranstalt für die Wissenschaft des Judentums" wurde. Als erster prominenter jüdischer Gelehrter ging er auch daran, über die Entwicklung des Christentums zu forschen.

Diese Lehranstalt, 1920 in „Hochschule für die Wissenschaft des Judentums" umbenannt, war auch die letzte akademische Wirkungsstätte des Berliner Rabbiners Leo Baeck in Deutschland. Wie Geiger hatte dieser sich, nach einer frühen Auseinandersetzung mit einem Hauptwerk des Berliner Kirchenhistorikers Adolf von Harnack, sein Leben lang mit dem Christentum beschäftigt. Später, im Konzentrationslager Theresienstadt, hielt er abends, nachdem er tagsüber als Müllfahrer gearbeitet hatte, in einer überfüllten Schlafkammer aus dem Gedächtnis Vorlesungen über Religion, aber auch über Sokrates, Plato, Maimoides, Kant – und Jesus.

Anfang und Ende des preußischen, des deutschen Judentums werden durch zwei ungewöhnliche Persönlichkeiten markiert. Am Ende war es der eben erwähnte, an den besten deutschen Universitäten aus-

Der Berliner Rabbiner Leo Baeck war der letzte hohe Repräsentant des Judentums im nationalsozialistischen Deutschland. Er überlebte das KZ Theresienstadt und gründete 1947 das später nach ihm benannte „Institut zur Erforschung der Geschichte des Judentums in Deutschland seit der Aufklärung". Das Foto stammt aus dem Jahre 1950.

Moses Mendelssohn war einer der bedeutendsten Philosophen der deutschen Aufklärung. Das Bild zeigt ihn (links) in Gesellschaft mit Gotthold Ephraim Lessing (Mitte) und Johann Caspar Lavater (rechts).

Die Berliner Salons des jüdischen Großbürgertums waren um 1800 die Zentren des kulturellen Lebens der Stadt. Um Henriette Julie Herz (oben) versammelten sich u.a. Alexander und Wilhelm von Humboldt und der Theologe Schleiermacher. Das Porträt von Georg Friedrich Adolph Schöne entstand um 1802.

gebildete, in seinen letzten Lebensjahren fast als Heiliger verehrte Leo Baeck. Am Anfang stand ein kleiner, buckliger Mann aus Dessau, der Philosoph und Schriftsteller Moses Mendelssohn.
Dieser konnte als Junge nur eine Talmudschule besuchen und bildete sich dann später in Berlin neben seiner Arbeit als Kaufmannsgehilfe privat in den Geisteswissenschaften aus. „Übrigens bin ich nie auf einer Universität gewesen, habe auch in meinem Leben kein Kolleg lesen hören", schrieb er 1774 als 45-Jähriger. Aber er verfasste eine gelehrte Arbeit über den griechischen Philosophen Phädon und übersetzte als Erster die hebräische Bibel für seine jüdischen Mitbürger ins Deutsche.
„Deutschland braucht Sie!", rief ihm 1781 der Kulturphilosoph Johann Gottfried Herder zu. Zwei Jahre später meinte Immanuel Kant in einer Kritik über Mendelssohns „Jerusalem", er habe das Buch mit „Bewunderung der Scharfsinnigkeit, Feinheit und Klugheit" gelesen.
Zu Lebzeiten Mendelssohns begann das, was man Emanzipation der Juden nennt. Zunächst entwickelte sich das auf der anderen Seite des Atlantiks, im Rahmen der amerikanischen Unabhängigkeitsbewegung. Dem folgte in Europa Frankreich, wo die Gleichberechtigung der Juden eines der Revolutionspostulate war. Recht zögerlich kam der Geist der Aufklärung auch nach Preußen. Und seit diesen Tagen gibt es preußisches, gibt es deutsches Judentum.
Natürlich lebten auch schon früher Juden in den später preußischen Landen. In der Mark Brandenburg tauchten sie zum ersten Male im 10. Jahrhundert auf. Während der Kreuzzüge wurden sie, ähnlich wie im Rheinland, verfolgt – etwa in Berlin, Spandau, Stendahl und Cölln –, und viele flohen, ihr aus dem Mittelhochdeutschen entstandenes Sprachgemisch mitnehmend, nach Polen.

Der Salon von Rahel Levin, später verheiratete Varnhagen von Ense, war um 1800 Treffpunkt der deutschen Frühromantiker Ludwig Tieck, Friedrich und August Schlegel und Heinrich Wackenroder. Zeitgenössische Zeichnung von Wilhelm Hensel.

Wie in fast allen Teilen Europas gab es auch in Brandenburg für die Juden ein immerwährendes Auf und Ab. So erneuerte z. B. Kurfürst Friedrich I. (vorher Burggraf von Nürnberg) 1420 ein altes Judenprivileg; sein Sohn, Friedrich II., der Eiserne, enteignete die Juden und wies sie wieder aus. Bald schon wurden sie zurückgerufen, aber 1510 unter Joachim I. erneut vertrieben, nachdem man 39 von ihnen, als Kindesmörder beschuldigt, auf dem Berliner Neuen Markt öffentlich verbrannt hatte.
Relativ bald danach schon wurden wieder Juden zugelassen, um zu helfen, den Handel mit Polen zu beleben. Doch schon 1573 wurden sie abermals vertrieben.
Erst nach dem Dreißigjährigen Krieg durften wieder etliche kommen. 98 Jahre nach einer „für ewig" verordneten Verbannung holte der Große Kurfürst 1671 reiche Juden aus Wien ins Land, die er zu „Schutzjuden" machte. Jahrzehntelang durften daneben nur solche weniger bemittelte Juden ins Land kommen, die von einem Schutzjuden aufgenommen wurden.
Auf diese Weise war auch Moses Mendelssohn aus Dessau nach Berlin gekommen, und zwar durch das Rosenthaler Tor, das damals ausschließlich für Juden und Vieh bestimmt war.
Mendelssohn gewann durch seine hohe Menschlichkeit, seine Selbstbescheidung und sein umfassendes Wissen die Freundschaft und Unterstützung bedeutender Zeitgenossen. Zum Kreis seiner Förderer gehörten u. a. der Buchhändler Friedrich Nicolai, der Dichter Gotthold Ephraim Lessing, der Humanist Wilhelm von Humboldt, der Pfarrer Johann Caspar Lavater, der Militärhistoriker Christian Wilhelm Dohm. Für sie alle und noch viele mehr war Mendelssohn der lebende Beweis dafür, dass Juden anders waren, als man sie über Generationen verzerrt dargestellt hatte.
Aus dem Kreis dieser Freunde wurde auch Mendelssohns Gesuch unterstützt, das Schutzprivilegium zu erhalten, was Friedrich II. 1763 nach langem Zaudern genehmigte. Als Mendelssohn allerdings 1779 ähnliche Rechte für seine Kinder erbat, lehnte der Alte Fritz das ab. Der große König hatte auch 1771 die ihm nahe gelegte Berufung Mendelssohns in die Königliche Akademie verhindert, obwohl dieser Jahre vorher Friedrichs „poésies diverses" in Nicolais Zeitschrift „Literaturbriefe" sehr wohlwollend beurteilt, allerdings bedauert hatte, dass der Monarch nicht in deutscher Sprache schrieb.
Es war ein unfreies, aber nicht hoffnungsloses Leben, das die Juden in Preußen in der Zeit kurz vor und während der Aufklärung führten. Dabei war das Los der Begüterten, der Priviligierten weit angenehmer als das der jüdischen Massen. Aber langsam begannen alle, die teils verordnete, teils gewollte Abgeschlossenheit zu überwinden, statt jiddisch deutsch zu sprechen und sich so weit wie möglich dem kulturellen Umfeld auf allen Ebenen des Lebens zu nähern. Das Ziel war die

Edikt

betreffend

die bürgerlichen Verhältnisse

der Juden

in dem Preußischen Staate.

Das „Edikt betreffend die bürgerlichen Verhältnisse der Juden in dem Preußischen Staate" vom 11. März 1812 war ein Herzstück der preußischen Reformen und brachte die rechtliche und wirtschaftliche Gleichstellung der in Preußen lebenden Juden. Um jedoch in den Staatsdienst eintreten zu können, mussten Juden erst zur christlichen Religion konvertieren.

bürgerliche Gleichberechtigung, die auch viele der großen deutschen Geister der damaligen Zeit versprachen – allerdings nicht wenige mit dem Zusatz „sobald ihr euch taufen lasst".
Diesen Weg, den Heinrich Heine später das „Entree-Billet in die europäische Kultur" nannte, gingen u. a. drei von Mendelssohns vier Kindern. Zu dem Kreis der Getauften gehörte auch Rahel von Varnhagen, die in ihrem Salon in Berlin die Creme des deutschen Geisteslebens zusammenbrachte. Dagegen blieb die ihr in vielem vergleichbare Henriette Herz Jüdin.
Im ganzen 19. Jahrhundert wurde trotz nie verstummender Opposition und vieler Rückschläge die Gleichberechtigung der Juden in Preußen stetig weitergetrieben. Es begann mit dem hauptsächlich von Karl August von Hardenberg geförderten Emanzipationsedikt von 1812. Alle preußischen Juden wurden zu „Einländern" erklärt. Schon drei Jahre später setzte allerdings auf dem Wiener Kongress die Einschränkungen bringende Gegenbewegung ein.
1823 wurde in Preußen den Juden das passive Wahlrecht wieder abgesprochen, ab 1833 durften sie keine Schulzen-Ämter mehr annehmen und 1847 gab es sogar ein restriktives „Juden-Gesetz".
Erst die Revolution von 1848 brachte wieder einen Durchbruch. Der Präsident der Nationalversammlung, Eduard von Simson, war ein getaufter Jude aus Königsberg. Ihr fortschrittlicher Motor war der Hamburger Jude Gabriel Riesser, der die später für das deutsche Judentum prägende Formel schuf: „Wir sind nicht eingewandert, wir sind eingeboren."
1869 kam es zu einem Gesetz des von Otto von Bismarck geschaffenen Norddeutschen Bundes, das 1871 als Reichsgesetz übernommen wurde. Darin heißt es lapidar: „Alle noch bestehenden, aus der Verschiedenheit des religiösen Bekenntnisses hergeleiteten Beschränkungen der bürgerlichen und staatsbürgerlichen Rechte werden [...] aufgehoben."
Das blieb die Rechtslage, die auch in der von dem Berliner Juden Hugo Preuss entworfenen Reichsverfassung von 1919 bestätigt wurde. Die Jahre zwischen der Reichsgründung unter Führung Preußens über den Ersten Weltkrieg bis hin zur Machtergreifung der Nationalsozialisten hatten den Juden die Gleichstellung langsam gebracht – trotz nie verstummender Gegenstimmen. Erinnert sei an den antisemitischen Berliner Hofprediger Adolf Stoecker, an den Historiker Heinrich von Treitschke („Die Juden sind unser Unglück") oder an General Erich Ludendorff, der mitten im Ersten Weltkrieg Antisemitismus zu schüren begann.
„Preußen und die Juden" ist eine Rückschau auf im Wesentlichen nur eineinhalb Jahrhunderte, eine Geschichte voll berechtigter Hoffnungen mit einem verhängnisvollen Ende. Ganz besonders das letzte Drittel dieser Epoche gab trotz mancher Rückschläge viel Anlass zu Optimismus. Es waren Jahre, in denen das Leben der Juden in Preußen verhältnismäßig normal verlief. Sie waren nicht länger nur Objekte der Obrigkeit, sondern Handelnde, Gestaltende in fast jeder Gliederung der Gesellschaft.
Sie wirkten in so gut wie allen Bereichen des wirtschaftlichen, sozialen, kulturellen, akademischen und auch politischen Lebens. Dabei ist nicht nur an die Bleichröders, die Liebermanns, die Rathenaus, die Reinhardts, die Ullsteins und Mosses, die Benjamins, die Cassirers, die Walters gedacht, um nur einige „Prominente" zu nennen. Wichtiger noch waren die Nachbarn, der Arzt, der Anwalt, der Kaufmann von gegenüber, kurz der Alltagsjude, für den Berlin, Breslau, Hannover oder Potsdam selbstverständlich Heimat waren.
Sie alle glaubten, in Preußen, in Deutschland ihr selbstverständliches Zuhause zu haben. Und sie waren keine Träumer. Wieso es dann ganz anders kam, wieso der Weg in die Katastrophe führte, darauf hat bis heute noch niemand eine Antwort gefunden.
Nach 1945 war es ausgerechnet ein Jude, der als Erster und lange als Einziger mit der Ehrenrettung Preußens begann. Es war der Geisteswissenschaftler Hans-Joachim Schoeps, der nicht müde wurde, über Preußen zu schreiben und zu reden und seiner Verfemung zu widersprechen. Immer, auch im Exil, hatte er die preußische als die ihm am besten erscheinende Staatsform und Deutschland als seine Heimat angesehen.
Von den heute in Deutschland lebenden Juden jedoch weiß kaum einer noch, was Preußen war.

JOHN C. KORNBLUM

Amerika, Preußen Deutschland

Die Tradition der Offenheit wiedergewinnen

Es gibt wahrscheinlich keine ambivalenteren Beziehungen als die zwischen den Vereinigten Staaten und Preußen. Die frühen Jahre unserer Beziehungen waren positiv und von Zusammenarbeit geprägt. Nach 1860 wurde Preußen in den Augen der Vereinigten Staaten zum Synonym für Nationalismus und Militarismus. Heute, am Anfang eines neuen Jahrhunderts, ist es wichtig, einen Weg zu finden, um diese zwei sehr unterschiedlichen Zeitalter in unseren Beziehungen miteinander in Einklang zu bringen. Denn die Vorstellung von „Preußen" hat heute unterschiedliche Bedeutung für unterschiedliche Menschen oder Gruppen von Menschen. Und wie wir Preußen definieren, bestimmt natürlich, wie wir die Beziehungen zwischen Preußen, Deutschen und Amerikanern definieren.

Die Darlegung der amerikanischen Sichtweise von „Preußen" bezieht sich nicht nur auf die Sichtweise von Preußen als historischem Staat, sondern auch von Preußen als einer Idee – eine Sichtweise, die bedauerlicherweise im Verlauf der Jahrhunderte verzerrt und missbraucht wurde und im Großen und Ganzen verloren ging. Es geht mir darum, das Preußen zu erklären, das ich sehe – eine Ansammlung von Idealen, die häufig aus dem gleichen Rohmaterial wie die Nation geschaffen wurden, die ich

Es ist interessant festzustellen, dass im Gegensatz zu Frankreich, dessen Bürger eine 1000-jährige gemeinsame Geschichte und Kultur verband, das Preußen-Brandenburg des 17. Jahrhunderts zunächst durch die Hohenzollern aus Völkern zusammengesetzt wurde, die vielleicht so unterschiedlich waren wie die Einwanderer in Amerika. Bei den nachfolgenden Gebietsanschlüssen – wie Schlesien – wurde ebenfalls kein großer Wert auf kulturelle Ähnlichkeiten oder anfängliche Verträglichkeiten gelegt. Obwohl im 18. Jahrhundert Hunderttausende nach Übersee gingen, um die Neue Welt zu kolonialisieren, verdreifachte sich die Bevölkerung Preußens beinahe – und über die Hälfte der vier Millionen neuen Preußen waren Ausländer, die aufgrund der Eroberung von neuem Gebiet automatisch Preußen geworden waren. Es war die Notwendigkeit, so unterschiedliche und weit verstreute Völker zu regieren, die einer der langlebigsten preußischen Innovationen Auftrieb verlieh: der modernen Verwaltung.

Amerika profitierte in hohem Maße vom Einfluss dieser hart arbeitenden preußischen und anderen deutschen Einwanderer. Bereits Ende des 18. Jahrhunderts sahen 250 000 Menschen aus deutschen Staaten Amerika als ihre Heimat an – rund neun Prozent unserer Gesamtbevölkerung. Diese frühen Siedler vertrete: Die Integrität des deutschen Volkes, die Ideen des Zeitalters der Aufklärung und ein Gefühl nach außen gerichteter Offenheit für verschiedene Einflüsse und Thesen.

Preußen wurde natürlich ebenso wie Amerika durch unterschiedliche Menschen und Kulturen geformt und gewann in seinen Jahrzehnten der Berühmtheit durch Gebietseroberungen und die Integration unterschiedlicher Völker immer mehr an Stärke. Aber während die amerikanische Expansion vor allem durch Einwanderung gelenkt wurde, war die preußische Expansion eher einer durch Gebietsannexion gebildeten „Patchworkdecke" vergleichbar. Trotzdem spielte die Einwanderung zeitweise eine wichtige Rolle. Als Friedrich Wilhelm der Große Kurfürst beispielsweise im 17. Jahrhundert ein Edikt erließ, um die französischen Hugenotten zu ermutigen, nach Preußen zu kommen, folgten diesem Aufruf rund 20 000. Diese Handwerker, Händler, Rechtsanwälte und gebildeten Mitglieder des Adels (also die Computerprogrammierer des 17. Jahrhunderts) leisteten einen dauerhaften wirtschaftlichen und philosophischen Beitrag zu der wachsenden Nation.

Linke Seite: Ankunft deutscher Einwanderer im Hafen von New York. Unter den vielen Auswanderern, die seit dem 18. Jahrhundert in den USA ihr Glück suchten, waren auch zahlreiche Preußen.

Ein Preuße im Dienste der USA. Friedrich Wilhelm von Steuben war einer der engsten Berater George Washingtons im amerikanischen Unabhängigkeitskrieg.

August Wilhelm Anton Graf Neidhardt von Gneisenau kämpfte im amerikanischen Unabhängigkeitskrieg auf Seiten der Briten und geriet in US-Kriegsgefangenschaft. Seine Erfahrungen mit der Schlagkraft von Volksarmeen nutzten ihm später beim Aufbau des ersten Freiwilligenheeres in Preußen.

Preußens Neutralität während des amerikanischen Unabhängigkeitskriegs begünstigte die Befreiung der Amerikaner von der britischen Kolonialherrschaft. Das Bild von Emanuel Gottlieb aus dem Jahre 1851 zeigt George Washington bei der Überquerung des Delaware einen Tag vor der siegreichen Schlacht von Trenton am 26. Dezember 1776.

kämpften Seite an Seite mit amerikanischen für die Unabhängigkeit von den Briten – einer Regierung, die ihrer Ansicht nach nicht ihre Interessen vertrat. Diese Einwanderer waren nur die erste vieler aufeinander folgender Einwanderungswellen von Deutschen, die ihr Heimatland auf der Suche nach Glück – oder Freiheit – in der Neuen Welt verließen. Heute sind über 60 Millionen Amerikaner deutscher Abstammung. Nahezu ein Drittel unserer Gesamtbevölkerung kann mindestens auf einen deutschen Vorfahren verweisen.

Die preußischen Deutschen brachten ebenso wie die anderen germanischen Völker Werte wie Pragmatismus, harte Arbeit und ein starkes Gefühl persönlicher Ehre mit nach Amerika. Die Deutschen waren bekannt für ihren Fleiß und ihre Sparsamkeit, und manchmal beschuldigten die anderen Siedler sie sogar, zu materialistisch zu sein. Diese Behauptung gründete zweifelsohne mehr auf Neid als auf Tatsachen. Aber ihre Qualitäten wurden insgesamt äußerst geschätzt, bewundert und erwiesen sich als nützlich in einem sich ausdehnenden, manchmal schwierigen Grenzland. Bis heute bilden die gemeinsamen Werte und das Vermächtnis unserer Völker das Kernstück der starken Partnerschaft zwischen unseren Nationen.

In diesen frühen Jahren bot vor allem ein Preuße unserer Nation einen großen Dienst an – Kavallerieoffizier Friedrich Wilhelm Baron von Steuben. Nachdem er unter Friedrich dem Großen in den Rang eines Hauptmanns aufgestiegen war, ging er nach dem Siebenjährigen Krieg auf die Suche nach neuen Chancen. Seine Bewerbungen, in der britischen, französischen oder österreichischen Armee zu dienen, wurden abgelehnt. Aber er erfuhr, dass seine Talente in Amerika von Nutzen sein könnten. 1777 halfen Benjamin Franklin, der französische Kriegsminister und andere, dem Hauptmann in Paris seine Zeugnisse zu verschönern, sodass sie bei George Washington, dem Oberbefehlshaber der unerfahrenen Kolonialarmee, mehr Eindruck machen würden. Washington stellte ihn prompt ein. Der neue Generalmajor von Steuben machte aus seiner zerlumpten, schlecht ausgebildeten und demoralisierten Truppe ein richtiges Heer. Diese Armee überdauerte in vielen Schlachten mit den Briten – und ihren 30 000 deutschen Söldnern. Nicht zuletzt dank von Steuben gewannen die Kolonisten 1781 ihren Unabhängigkeitskrieg.

Es ist ein interessanter Aspekt der Geschichte, dass Graf von Gneisenau unter den rund 7 000 Soldaten auf der Seite der Briten war, die in der letzten Schlacht als Kriegsgefangene genommen wurden. Später war er zusammen mit Scharnhorst und Blücher ein Gründungsmitglied des ersten Freiwilligenheeres in der preußischen Geschichte, des Patriotischen Volksheeres, das einen erfolgreichen Befreiungskrieg gegen die napoleonischen Truppen führte.

Im gesamten Verlauf des amerikanischen Unabhängigkeitskriegs blieb Preußen unter Friedrich dem Großen großteils neutral. Gleichzeitig in einen Konflikt mit Frankreich und Österreich verwickelt, wollte Preußen England sich nicht entfremden – oder wollte, genauer gesagt, nicht die Subventionen verlieren, mit denen sein Krieg gegen Frankreich unterstützt wurde. Als sich die preußisch-britischen Beziehungen jedoch abkühlten, versickerten die Finanzmittel und Preußen begann, die amerikanischen Kolonien in ihrem Kampf um Unabhängigkeit in einem etwas freundlicheren Licht zu sehen.

Obwohl Preußen nie direkte Hilfe anbot, verweigerte es zum Beispiel auf Bitten Amerikas den hessischen Söldnern im Dienst der Briten auf dem Weg nach Amerika die Durchreise. Obwohl die Amerikaner diese Maßnahme zu schätzen wussten, war es die grundlegende Neutralität Preußens, die ihrer Sache am zuträglichsten war. Ein neutrales Preußen führte zu einer politischen Konstellation in Europa, die am Ende die koloniale Unabhängigkeit begünstigte. Auf diese Weise spielte Preußen zumindest indirekt eine Rolle beim Entstehen der Vereinigten Staaten als unabhängige Nation.

Zusätzlich zu den gesellschaftlichen Verbindungen und indirekten politischen und militärischen Diensten hatte die wirtschaftliche Zusammenarbeit zwischen unseren Nationen ihren wirklichen Beginn während des letzten Jahres der Herrschaft von Friedrich dem Großen. Nur zwei Jahre nach der Erlangung der Unabhängigkeit unterzeichne-

ten die Vereinigten Staaten den ersten Handelsvertrag ihrer Geschichte mit Preußen – den Freundschafts- und Handelsvertrag. Die Preußen waren gnädig genug zuzulassen, dass die amerikanische Version sowohl auf Französisch als auch auf Englisch niedergeschrieben wurde, im Gegensatz zu der rein französischen preußischen Kopie. Ich denke, wir Amerikaner waren von Anfang an nicht gut in Sprachen!
Der Vertrag erleichterte die Gepflogenheiten des Handels, beispielsweise förderte er den direkten Austausch von schlesischem Leinen und Tabak aus Virginia und schloss den Mittelsmann – die Engländer – aus einem Handelsystem aus, das sich zunehmend globalisierte.

Aber seine tiefere Bedeutung lag in seiner progressiven humanitären Konzeption. Friedrich der Große und die amerikanischen Verhandlungsführer, darunter Thomas Jefferson, Benjamin Franklin und John Adams, vereinbarten, dass die Bedingungen des Vertrags auf den Prinzipien von Gleichheit und Gegenseitigkeit gründen sollten. So wurde es ein Dokument von dauerhafter Bedeutung in der Entwicklung des Völkerrechts.
Zusätzlich zu den Bestimmungen, wie dem Konzept des Most Favored Nation-Status sowie garantierter Gewissens- und Religionsfreiheit der Vertragspartner, legte er Grundsätze bezüglich der Wahrung der Menschlichkeit in Kriegszeiten fest, die bisher als völlig unvereinbar mit der Staatskunst galten. Deshalb könnte man sagen, dass es der erste Vertrag war, der gemäß dem Völkerrecht die Menschenrechte anerkannte.
George Washington erklärte einem französischen Zeitgenossen: „Sollten seine Grundsätze in Zukunft als Basis für die Beziehungen zwischen Nationen betrachtet werden, wird er mehr zur allgemeinen Friedensschaffung beitragen als jede andere Maßnahme, die je von einem Menschen ergriffen wurde."
Es ist interessant festzustellen, dass dieses Dokument, das Washington „das liberalste je von zwei unabhängigen Mächten geschlossene Abkommen" nannte, nicht lediglich ein Produkt idealistischer und hehrer Beweggründe war. Der Vertrag war vielmehr aufgrund der gemeinsamen Interessen und Werte so erfolgreich, die Preußen und Amerika verbanden. Wir waren beides Randmächte, wir benötigen beide Handelspartner, und die Werte und Gedanken der Aufklärung beeinflussten uns beide erheblich.
Tatsächlich dient dieser Vertrag als Beispiel dafür, dass die Gedanken der Aufklärung nicht lediglich die philosophische Debatte in den Vereinigten Staaten und Preußen beeinflusste, sondern auch tiefgreifende Auswirkungen auf die wirtschaftlichen, politischen und kulturellen Strukturen unserer Nationen und Gesellschaften hatten.
Die Amerikaner, die diesen Vertrag aufsetzten – und auch andere frühe, jedoch die Zeit überdauernde Dokumente der Nation, wie die Unabhängigkeitserklärung und die Verfassung der Vereinigten Staaten – lehnten sich stark an die Vorstellungen europäischer Philosophen der Zeit an, wie Locke, Montesquieu und Rousseau.
Das wahre Interesse Friedrichs des Großen an den schönen Künsten – und seine Offenheit ihnen gegenüber – zog zahlreiche Musiker, Schriftsteller, Philosophen und Dichter aus ganz Europa in die preußische Hauptstadt. Auch wenn man ihn als gesellschaftlich

King of Prussia, PA, USA: 1904 schenkte Kaiser Wilhelm II. den Amerikanern das Denkmal Friedrichs des Großen.

In den USA wurde die Märzrevolution von 1848 mit Sympathie verfolgt. Die zeitgenössische Farblithographie hält die Barrikade an der Kronen- und Friedrichsstraße in Berlin fest.

1945 kamen die Amerikaner als Sieger über das nationalsozialistische Deutschland nach Berlin. Das Foto vom Mai 1945 zeigt einen US-Soldaten vor dem im Krieg zerstörten Reichstagsgebäude.

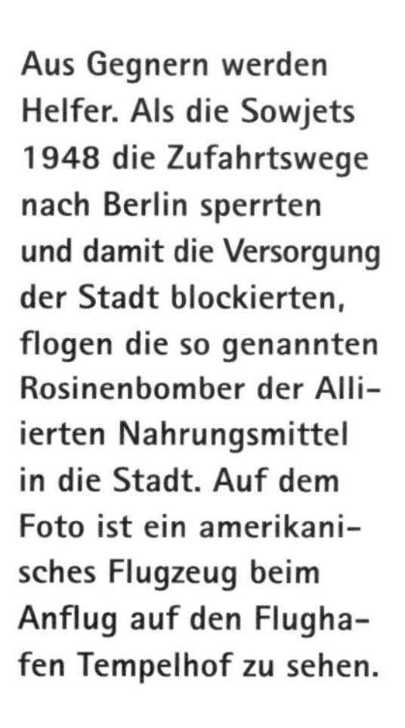

Aus Gegnern werden Helfer. Als die Sowjets 1948 die Zufahrtswege nach Berlin sperrten und damit die Versorgung der Stadt blockierten, flogen die so genannten Rosinenbomber der Alliierten Nahrungsmittel in die Stadt. Auf dem Foto ist ein amerikanisches Flugzeug beim Anflug auf den Flughafen Tempelhof zu sehen.

konservativ bezeichnen konnte, so machte die Bedeutung, die er Toleranz sowie Redefreiheit beimaß, die Nation doch zu einer großen geistigen und kulturellen – nicht nur einer militärischen – Macht.
Jahrzehntelang bewahrte Preußen sich diese große Offenheit. Kultureller, bildungspolitischer und wissenschaftlicher Austausch waren die aktivsten Formen der Zusammenarbeit zwischen unseren Ländern. Auf allen Ebenen entwickelte sich eine tiefe Freundschaft zwischen unseren Gesellschaften, nicht nur zwischen den Staatschefs und Diplomaten.
Die Amerikaner beobachteten die deutschen Revolutionen von 1848 mit regem Interesse und großer Anteilnahme. Es wurde Geld für die Unterstützung der Revolutionäre gesammelt, und einige Freiwillige gingen nach Deutschland um zu kämpfen. Unser Volk war offensichtlich enttäuscht, als die Revolutionen scheiterten, glaubte immer noch daran, dass das deutsche Volk eines Tages ein dem amerikanischen ähnliches föderales Staatssystem aufbauen würde. Ein bekannter amerikanischer Politiker sagte damals: „Ich habe mehr Hoffnung für das Land als für Frankreich oder jedes andere Land des Kontinents. Ich schaue tatsächlich auf dieses Land, um Europa zu retten, einschließlich Frankreichs selbst."
Hätten die Völker eines jahrhundertealten Preußen mit ihren Bruderstaaten in einem föderalistischen Deutschland das 72 Jahre alte Amerika als positiven Einfluss gewürdigt, wenn sie erfolgreich gewesen wären? Vielleicht zumindest zum Teil. Das war die Dynamik der Zeit. Schließlich entstanden preußische Kultur und Werte nicht durch Urzeugung, wie auch Amerika nicht mit einer Baseballkappe ins Leben trat. Viele verschiedene Völker und Kulturen trugen zur Stärke des Systems bei. Diese Einflüsse bereicherten Preußen nicht nur, sie schafften Preußen.
Wie Amerika war auch Preußen geschickt bei der Verbindung dieser unterschiedlichen Einflüsse zu einer neuen Synthese. Dabei schaffte es völlig Neues und Einzigartiges und präsentierte neue Ideen, die es dann wieder nach außen, über Europa hinweg, vermittelte. Das ist meines Erachtens die wahre Stärke der preußischen Kultur. Bis heute profitiert die atlantische Welt von preußischer Kunst und Musik, seinen moder-

nen Verwaltungsstrukturen und seinem Bildungs- und Rechtssystem.
Aber der Traum zerbrach. Der zunehmende Nationalismus nach den gescheiterten Revolutionen von 1848 zerstörte langsam die Traditionen der Offenheit, die Preußen stark gemacht hatten. Das Bild Preußens als tolerante und ehrliche Gesellschaft wurde durch das Bild eines Preußen ersetzt, in dem exzessiver Militarismus und Nationalismus Fuß gefasst hatten. Es stellte keine positive Kraft mehr dar, die andere Nationen an seine Seite zog. Damit wurde Preußen zu einem gemeinsamen Feind, gegen den sich andere – auch die Vereinigten Staaten – verbündeten, um ihn zu zerstören. Das dunkle Kapitel der preußischen Geschichte endete so 1947 mit der Auflösung Preußens.
Heute stellt sich die Aufgabe, diese beiden Sichtweisen Preußens miteinander in Einklang zu bringen. Wir können und sollten nie versuchen, einen Teil unserer Geschichte zu vergessen, unabhängig davon, wie schrecklich er ist. Wir können uns allerdings nicht entscheiden, welchen Teil unserer Geschichte und unserer Traditionen wir mit in die Zukunft nehmen wollen. Meiner Meinung nach sollten die Traditionen der Offenheit, der Vielfalt und Toleranz die gemeinsame Währung für Preußen und Amerikaner sein. Das ist wichtig für Deutschland, Amerika und für unsere sich öffnende und verändernde atlantische Welt.

Heute haben die Vereinigten Staaten – wie Preußen im 18. Jahrhundert – Erfolg, weil sie eine offene Gesellschaft sind. Wir verlangen nicht, dass alle Menschen in Amerika unsere politischen oder gesellschaftlichen Vorstellungen gutheißen. Wir sind zu einer Art Labor für die Talente vieler Teile der Welt geworden. Wir geben ihnen unsere Ressourcen und profitieren von ihrer Kreativität – ohne zu fragen, ob sie sich Amerikaner nennen oder alle Aspekte unserer Kultur akzeptieren wollen. So kennt Amerika immer weniger Ausländer.
Meines Erachtens sollte ein vordringliches Ziel Deutschlands und Europas darin bestehen, wieder ein Importeur solcher Talente und Ideen zu werden – statt zunehmend Talente in die Vereinigten Staaten zu schicken. Das ist vielleicht die wahre Herausforderung, die Amerika für Europa bedeutet – nicht unsere Mikrochips oder unsere Popmusik, sondern vielmehr unsere Offenheit und unser Pragmatismus – Eigenschaften, die wir von unseren europäischen Vorfahren geerbt haben.
Es ist außerordentlich wichtig, dieses gemeinsame Erbe nicht zu vergessen. Deutschland und Europa können die Zukunft am besten beeinflussen, wenn sie mit Amerika bei der Weiterentwicklung unserer gemeinsamen Grundlagen zusammenarbeiten und so eine Synthese von Ideen und Kulturen in der Tradition Friedrichs des Großen schaffen.
Nur durch Offenheit, Toleranz und indem wir aus allen Fehlern der Vergangenheit und unseren jeweiligen besten Praktiken lernen, können wir die Schrecken und die Teilung des 20. Jahrhunderts hinter uns lassen und auf eine viel versprechende Zukunft eines Europas und einer atlantischen Welt blicken, die aus eigenem Willen friedlich vereint ist.

50 Jahre nach Berlinblockade und Luftbrücke besuchte der amerikanische Präsident Bill Clinton 1998 Berlin. Ein Abstecher der Ehepaare Clinton und Kohl zu einem der Symbole preußisch-deutscher Tradition, dem Brandenburger Tor, gehörte dazu.

Preußen um 1800

Im Schatten der Französischen

Von 1792 an versuchten die großen europäischen Monarchien mit vereinten Kräften, das republikanische Frankreich zu unterwerfen. Doch die französischen Truppen erwiesen sich als überlegen. Die Karikatur von Isaac Cruikshank aus dem Jahre 1792 zeigt den revolutionären Geist Frankreichs, der die Monarchen Katharina II. von Russland, Friedrich Wilhelm II. von Preußen und den Habsburger Kaiser Franz II. vertreibt.

Friedrich II. starb kinderlos. Die Nachfolge trat deshalb 1786 der Sohn seines früh verstorbenen ältesten Bruders August Wilhelm an. Friedrich Wilhelm II. war ein schwacher Herrscher, der sich wenig um die Regierungsgeschäfte, dafür umso mehr um seine vielen Mätressen und die Vergnügungen eines ausschweifenden Hoflebens kümmerte. Als er 1797 starb, hatte er den von Friedrich II. angehäuften Staatsschatz von 54 Millionen Talern in ebenso viele Schulden verwandelt. Ein nicht unerheblicher Teil des Geldes floss in die Förderung der Kunst und Kultur. In der Regierungszeit des „dicken Wilhelms" begann die kulturelle Blüte Berlins um 1800. Doch war Friedrich Wilhelm II.

Revolution

kein aufgeklärter Monarch wie sein Onkel. Unter Einfluss des spiritistischen Geheimbunds der Rosenkreuzer verfolgte er eine intolerante Religionspolitik und verschärfte die Zensur. Zu seinen Leistungen gehörte die Vollendung der unter Friedrich II. begonnenen Rechtsreform. Das 1794 eingeführte „Allgemeine Landrecht für die preußischen Staaten" war eine moderat moderne Rechtsordnung, die bis zur Ablösung durch das Bürgerliche Gesetzbuch im Jahre 1900 in Kraft blieb.
Doch diese Reformansätze reichten nicht aus. In Frankreich entstand nach der Revolution von 1789 ein moderner bürgerlicher Staat, der die Errungenschaften des aufgeklärten Absolutismus in Preußen in den Schatten stellte. War die preußische Monarchie unter Friedrich II. eine der fortgeschrittensten Staaten Europas, so verlor sie nun den Anschluss an die rasante Entwicklung. Das zeigte sich, als Preußen gemeinsam mit Österreich im ersten Koalitionskrieg 1792 Frankreich angriff. Gegen die hoch motivierten Truppen der Revolution mussten die Verbündeten bei Valmy eine herbe Niederlage einstecken. Als Friedrich Wilhelm II. sah, dass im Westen kein Land zu gewinnen war, konzentrierte er sich auf die Erweiterung des preußischen Territoriums im Osten. Die beiden polnischen Teilungen von 1793 und 1795 ließen Preußen auf eine nie gekannte Größe anwachsen. Von den nun 7,5 Millionen Einwohnern waren fast die Hälfte Polen. Aus der wenig erfolgreichen Koalition der europäischen Monarchien gegen das republikanische Frankreich schied Preußen durch den Sonderfrieden zu Basel vom 5. April 1795 aus.
Diese Neutralitätspolitik brachte dem Land ein Jahrzehnt des Friedens und der kulturellen Blüte. Es gab auch Ansätze zu einer echten Reformpolitik unter Friedrich Wilhelm III., der seinem Vater 1797 auf dem preußischen Thron folgte und als Erstes die Vielzahl der Günstlinge und Mätressen entließ. Nüchterner als sein Vater und in seinem Lebensstil eher bürgerlich, war Friedrich Wilhelm III. ein konservativer und wenig entschlussfreudiger Herrscher. Glanz brachte seine Frau Luise in das Königshaus. Nach ihrem frühen Tod 1810 entstand ein regelrechter Luisenkult.
Den enscheidenden Fehler beging Friedrich Wilhelm III. in der Außenpolitik. Der erste Koalitionskrieg war 1797 zu Gunsten Frankreichs ausgegangen, dem im Frieden von Campo Formio das linke Rheinufer zufiel. Preußen wahrte seine Neutralität zunächst auch im zweiten Koalitionskrieg von 1799 bis 1802, der die Ergebnisse des ersten bestätigte. Inzwischen war Napoleon in Frankreich an die Macht gekommen und verfolgte eine expansionistische Politik. Preußen gab nun seine neutrale Haltung auf und verbündete sich mit Russland gegen das napoleonische Frankreich. Doch nach der Niederlage der Koalition bei Austerlitz ging Preußen 1805 ein Bündnis mit Napoleon ein, der sich 1804 zum ersten Kaiser Frankreichs gekrönt hatte. Die Schaukelpolitik Friedrich Wilhelms III. isolierte das Land. Am 9. Oktober 1806 erklärte Frankreich überstürzt den Krieg, ohne sich der Unterstützung der anderen europäischen Großmächte zu versichern. In der Doppelschlacht bei Jena und Auerstedt am 14. Oktober erlitten die preußischen Truppen eine katastrophale Niederlage. Napoleon zog in Berlin ein, und der Preußen-König floh nach Königsberg. Unterstützt von Russland setzte er den Krieg fort, musste aber nach der Niederlage von Friedland am 14. Juni 1807 endgültig aufgeben. Im Frieden zu Tilsit einigten sich Russland und Frankreich auf Kosten Preußens, das mit dem größten Teil seines Territoriums auch den Status einer Großmacht verlor.

Friedrich Wilhelm II. folgte seinem Onkel Friedrich II. auf dem preußischen Königsthron. Sein aufwändiger Lebensstil leerte die gut gefüllte Staatskasse innerhalb weniger Jahre. Porträt von Anton Graff aus dem Jahre 1792.

Wilhelmine Gräfin von Lichtenau war die langjährige Geliebte Friedrich Wilhelms II. Die „preußische Pompadour" war die Tochter des Potsdamer Musikers Enke. Porträt von Anton Graff aus dem Jahre 1787/88.

Nach dem frühen Tod Friedrich Wilhelms II. bestieg 1797 sein erst 26 Jahre alter Sohn Friedrich Wilhelm III. den preußischen Thron. Im Unterschied zu seinem Vater pflegte er einen bürgerlichen Lebensstil. Porträt von Ernst Gebauer aus dem Jahre 1814.

Königin Luise mit zwei ihrer Söhne im Park: dem späteren König Friedrich Wilhelm IV. und dessen Nachfolger Wilhelm I.

Die Frau Friedrich Wilhelms III., Königin Luise von Preußen, geborene Prinzessin von Mecklenburg kämpfte entschlossen um die Selbstständigkeit der preußischen Monarchie. Nach ihrem frühen Tod 1810 wurde sie zur Symbolfigur des Widerstandes gegen die französische Besetzung Preußens. Porträt eines unbekannten Malers von 1806.

Prinz Louis Ferdinand von Preußen war ein Neffe Friedrichs des Großen. Wie dieser war er nicht nur ein militärischer Stratege, sondern auch ein philosophischer Kopf. Porträt von Jean Laurent Mosnier aus dem Jahre 1799.

Die Kriege gegen das napoleonische Frankreich forderten viele Opfer. In einem Vorhutgefecht bei Saalfeld in Thüringen am 10. Oktober 1806 starb mit Prinz Louis Ferdinand die „Hoffnung Preußens".

In der Schlacht bei Jena und Auerstedt am 14. Oktober 1806 erlitten die preußischen Truppen unter Führung des greisen Herzogs Karl Wilhelm Ferdinand von Braunschweig eine katastrophale Niederlage. Das Gemälde von Edouard Detaille aus dem Jahre 1898 zeigt die Eroberung der preußischen Fahne durch einen französischen Dragoner.

Napoleon I., Kaiser der Franzosen, nach dem Sieg bei Jena und Auerstedt 1806. Gemälde von Horace Vernet aus dem Jahre 1836.

Die Schlacht von Preußisch-Eylau am 7./8. Februar 1807 war eine der letzten des dritten Koalitionskrieges. Die preußischen Truppen stemmten sich nochmals vergeblich gegen die endgültige Niederlage. Das Gemälde von J.-B. Mauzaisse aus dem Jahre 1810 zeigt Napoleon bei seinen Truppen.

Der Frieden zu Tilsit am 9. Juli 1807 kostete Preußen mehr als die Hälfte seines Territoriums und degradierte das Königreich zu einer Mittelmacht. Das konnte auch der Einsatz der Königin Luise bei ihrer Begegnung mit Napoleon in Tilsit am 6. Juli 1807 nicht verhindern (im Hintergrund der russische Zar Alexander I., rechts neben Luise Friedrich Wilhelm III.). Gemälde von Nicolas Louis Francois Gosse.

FRANZ PFEFFER

Frankreich und Preußen

Am Anfang steht der Große Kurfürst. Vor ihm war für den französischen König, den mächtigsten in Europa, das Land Brandenburg, so ist anzunehmen, eine quantité négligeable.
Der Große Kurfürst Friedrich Wilhelm, der erste Hohenzoller von europäischem Format, brachte Frankreich in sein außenpolitisches Spiel. Er wechselte zehn Mal das Bündnis zwischen den beiden Großmächten Frankreich und dem Reich der Habsburger. Da dies mit großem Geschick geschah, brachte das Hin und Her dem Kurfürstentum Landgewinn und erhebliche Zahlungen ein.
Für die innere Entwicklung des Landes erwies sich die Aufnahme der französischen Glaubensflüchtlinge als überaus weitsichtig. Blitzschnell, nämlich elf Tage nach der Verkündung des Edikts von Fontainebleau, mit dem Ludwig XIV. das Toleranzedikt von Nantes aufgehoben hatte, erließ Friedrich Wilhelm am 29. Oktober 1685 das Edikt von Potsdam, das den Hugenotten den Weg in sein Land öffnete.
Von diesem Jahr an beginnt in Brandenburg-Preußen „das französische Jahrhundert". Es wird bis zum Tode Friedrichs des Großen im Jahr 1786 dauern.
Die Aufnahme der Réfugiés durch Friedrich Wilhelm war ein Akt des Mitleids für seine bedrängten Glaubensgenossen. Sie war aber auch eine volkswirtschaftlich weise Maßnahme. Sie wirkte wie eine Art „Initialzündung" für die Wirtschaft Brandenburgs, das nach dem Dreißigjährigen Krieg entvölkert und entkräftet daniederlag. [1]
Die Hugenotten waren, ins Moderne übersetzt, green-card-Zuwanderer, die sich durch technisches Können und Wissen auszeichneten. Ludwig XIV., der offenbar nicht ahnte, was er mit seinem Intoleranz-Edikt anrichtete, ließ so Frankreich zur Ader und stärkte auf lange Sicht einen künftigen Gegner. (Am Rande bemerkt: Nach dem Fall der Mauer habe ich in Paris und landauf, landab in der französischen Provinz dafür geworben, französische Unternehmer sollten als Pioniere mit uns zum Aufbau in die neuen Bundesländer gehen. Dabei habe ich an die Geschichte der Hugenotten in Brandenburg angeknüpft. Der Appell, den natürlich auch die Bundesregierung an Frankreich richtete, verhallte nicht ungehört. Die Franzosen nahmen bald den ersten Platz unter den ausländischen Investoren in Ostdeutschland ein.)
Die preußische Königskrönung von 1701

hat Frankreich erst mit dem Ütrechter Frieden von 1713 anerkannt. Ob Paris die ganze Tragweite des Ereignisses und der damit verbundenen, jedenfalls formalen Ranggleichheit Preußens erfasst hat, steht dahin. Der englische König äußerte sich übrigens mit verletzendem Spott über den preußischen Königstitel. [2]
Dass Friedrich Wilhelm I., der Soldatenkönig, mit seinem Tabakskolleg in französischer Sicht keine Gnade findet, sondern als ungebildeter Barbar wahrgenommen wird, braucht nicht zu wundern. Verwundern mag indessen, dass ihm, der zwar eine starke Armee aufgebaut, aber keinen großen Krieg geführt hat, dafür kein Bonus gewährt wird.
Wie anders „Frédéric le Grand", der Große König. Ihm verzeiht man, so scheint es, alle kriegerischen Expansionen, die Eroberung Schlesiens und die polnische Teilung, zu der ihm Voltaire gratulierte.
Der Roi philosophe ist ein Herrscher nach französischem Gusto. Französisch erzogen, von den Schriftstellern der französischen Aufklärung geprägt, als König von seinem französischen Sekretär beeinflusst, verschreibt sich Friedrich II. der „Tolerance", der „Raison" und der „Gloire". In der französischen Enzyklopädie wird er denn auch als größter Feldherr, größter Gesetzgeber und größter Philosoph seiner Zeit apostrophiert. Preußen, so heißt es da, sei der natürliche Verbündete Frankreichs. Selbst nach dem Bündniswechsel, als Friedrich der Große zum Kriegsgegner wird, lebt die Bewunderung fort.
Fast unmittelbar nach dem Tode des Alten Fritz im Jahre 1786, ruft die Französische Revolution von 1789 in Preußen zwiespältige Gefühle hervor. Preußen tritt mit dem größten Missvergnügen an der Seite Österreichs, dem Frankreich den Krieg erklärt hat, in diesen Konflikt ein, um sich möglichst bald durch einen Separatfrieden wieder aus ihm zu lösen. [3]
Auch Napoleon I. scheidet die preußischen Geister. Als der Kaiser 1806 in Berlin einmarschiert, wird er von Teilen der Bevölkerung mit Beifall begrüßt. Aber langsam wendet sich das Blatt. Für den großen Reformer Freiherrn vom Stein ist Napoleon „das Monster", „das große Krokodil". [4] Mit Napoleons Katastrophe in Russland schlägt die öffentliche Meinung in Preußen vollends um. Nach seinem Sturz breitet sich Franzosenhass aus.
Aber noch einmal flutete der Zorn zurück. Die Pariser Juli-Revolution von 1830 erregte nur die Gemüter derer, die das Eindringen des französischen Liberalismus in Preußen befürchteten. Die Revolution von 1848, die im Februar in Paris ausbrach und im März nach Berlin überschwappte, sah wiederum die Konfrontation der Frankophilen und der Frankophoben. Die Revolution endete mit der oktroyierten preußischen Verfassung vom Dezember 1848, die nach

An Napoleon schieden sich die Geister. Für die einen war er ein fortschrittlicher Herrscher, der mehr Freiheit nach Preußen brachte, für die anderen ein Unterdrücker und Besatzer. Gemälde von Jacques Louis David aus dem Jahre 1812.

Linke Seite: Die französischen Aufklärer bewunderten Friedrich den Großen und sahen in ihm den Roi philosophe, den Philosophenkönig, den sie sich für ihr Land wünschten. Friedrich selbst war ein Liebhaber der französischen Kultur. Die Zeichnung von Adolph Menzel zeigt ihn im Gespräch mit Voltaire.

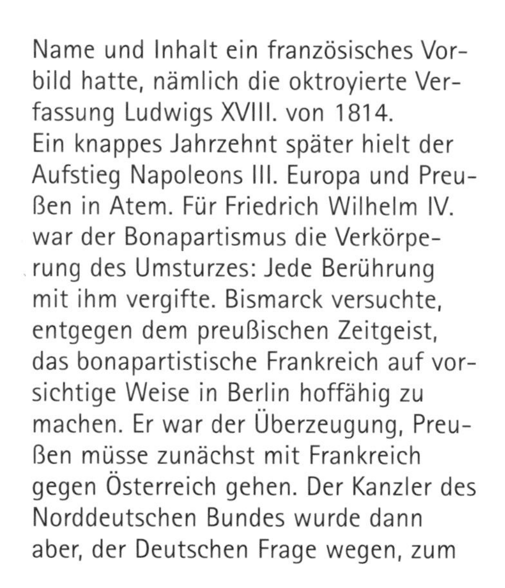

Name und Inhalt ein französisches Vorbild hatte, nämlich die oktroyierte Verfassung Ludwigs XVIII. von 1814.
Ein knappes Jahrzehnt später hielt der Aufstieg Napoleons III. Europa und Preußen in Atem. Für Friedrich Wilhelm IV. war der Bonapartismus die Verkörperung des Umsturzes: Jede Berührung mit ihm vergifte. Bismarck versuchte, entgegen dem preußischen Zeitgeist, das bonapartistische Frankreich auf vorsichtige Weise in Berlin hoffähig zu machen. Er war der Überzeugung, Preußen müsse zunächst mit Frankreich gegen Österreich gehen. Der Kanzler des Norddeutschen Bundes wurde dann aber, der Deutschen Frage wegen, zum

„Übermut nahm sie – Tapferkeit bringt sie zurück." Karikatur auf die Rückführung der 1806 von Napoleon geraubten Quadriga nach Berlin am 10. April 1814.

Der Sedanstag, an dem das Deutsche Reich jedes Jahr den Sieg über die Franzosen in der Schlacht bei Sedan am 1. September 1870 feierte, war eine Provokation für Frankreich. Die französische Karikatur, in der Napoleon I. feiernden deutschen Offizieren erscheint, erinnert an andere, glorreiche Zeiten: „Wir besaßen ihn, euren deutschen Rhein."

Gegenspieler des französischen Kaisers. Als Napoleon 1867 Landkompensationen forderte und, von Bismarck hingehalten, keine erhielt, fühlte er sich düpiert. Die französische Presse schrie nach „Rache für Sadowa" (Königgrätz). Von nun an galt Preußen, die dominierende Macht im Norddeutschen Bund, als eindeutiger Gegner Frankreichs.
Der Krieg von 1870/71 machte den Bruch endgültig. Der Verlust zweier französischer Provinzen hinterließ eine tiefe Wunde. In der preußischen Öffentlichkeit, besonders in der Berliner Presse, herrschte übrigens keineswegs Einmütigkeit über die Annexion Elsass-Lothringens, wie ja auch Bismarck sich lieber mit weniger zufrieden gegeben hätte. Frankreichs Gefühle gegenüber Preußen übertrugen sich nun auf das Deutsche Reich, das den Franzosen bald wegen des industriellen Aufschwungs und der demographischen Entwicklung neuartige Sorgen bereitete. [5]
Der „Große Krieg" von 1914-1918 zerstörte im deutsch-französischen Verhältnis so ziemlich alles, was sich an relativem Vertrauen seit 1871 neu gebildet hatte.
Bei der Ausarbeitung des Versailler Friedensvertrages verfolgte Clemenceau, der Regierungschef des vom Krieg am stärksten getroffenen Staates unter den Alliierten, den härtesten Kurs gegen den Besiegten. Die Gebietsverluste und die Klausel über die alleinige Kriegsschuld hinterließen nun tiefe Wunden in Deutschland, die von Nationalisten immer wieder aufgerissen wurden.
Aristide Briand und Gustav Stresemann suchten die Aussöhnung gegen enorme innere Widerstände auf beiden Seiten des Rheins. Mit Locarno 1926 und dem Friedensnobelpreis für die beiden Staatsmänner erreichte diese Politik ihren Scheitelpunkt. Dann brach das nationalsozialistische Desaster über Deutschland und schließlich über Europa herein.
Nach der vernichtenden Niederlage des Reiches dekretierten die Alliierten 1947 die Auflösung Preußens, dass sie in erster Linie für den deutschen Militarismus verantwortlich machten.
Muss es nicht heute immer noch als ein Wunder erscheinen, dass der französische Außenminister Robert Schuman, von Jean Monnet beraten, nur fünf Jahre nach Kriegsende in einem Brief an den Bundeskanzler Adenauer den Vorschlag machte, die Kohle- und Stahlindustrien beider Länder zusammenzulegen? So würden die Rüstungen gegeneinander verriegelt. Adenauer griff zu. Diesen Augenblick mag man als Geburtsstunde nicht nur der Europäischen Union, sondern auch der deutsch-französischen Aussöhnung ansehen, die durch de Gaulle und Adenauer in den beiden seit Jahrhunderten gegeneinander kämpfenden Völkern psychologisch tiefer verankert und durch den Elysée-Vertrag von 1963 vertraglich besiegelt wurde.
Nach dem 9. November 1989 wurde ich in Paris immer von neuem mit der Befürchtung konfrontiert, die Wiedervereinigung käme der Auferstehung des Bismarck-Reiches gleich. Das war leicht zu widerlegen, würde doch von Preußen nur Brandenburg in den deutschen Gesamtverband zurückkehren. Ostpreußen und Westpreußen, Schlesien und Pommern seien an Polen und die Sowjetunion verloren und die westelbischen Provinzen Preußens bereits 1949 in verschiedenen Ländern der Bundesrepublik Deutschland aufgegangen.
Das Netz des Vertrauens, das sich in fast einem halben Jahrhundert zwischen

Aristide Briand und Gustav Stresemann setzten gegen die Widerstände der Nationalisten in ihren Ländern auf die Versöhnung Frankreichs und Deutschlands. Das Foto zeigt die Verhandlungspartner Gustav Stresemann, Joseph Austen Chamberlain und Aristide Briand (von links nach rechts) in Locarno 1925.

Konrad Adenauer und Charles de Gaulle setzten die Versöhnungspolitik von Briand und Stresemann nach dem Zweiten Weltkrieg fort. Mit einer Messe in der Kathedrale von Reims besiegelten sie im Juli 1962 die deutsch-französische Freundschaft.

Deutschen und Franzosen gebildet hatte, hielt stand, als 1990 – nach kurzem Straucheln Mitterands – die neue Einheit Deutschlands in den Zwei-plus-vier-Verhandlungen unter aktiver Mitwirkung Frankreichs durchgesetzt wurde. Bleibt der Epilog und die Frage, ob das Interesse an der preußischen Geschichte, das seit dem 3. Oktober 1990 bei uns eine gewisse Renaissance erfährt, in Frankreich wahrgenommen wird, und wenn ja, wie man sie bewertet. Eine Nation, in deren kollektivem Gedächtnis das Bild Preußens und Deutschlands mit vielen Schatten gespeichert ist, wird uns noch lange Zeit kritisch beobachten. Wenn wir über preußische Tugenden diskutieren, wird man sich jenseits des Rheins wohl damit beruhigen, dass diese, soweit sie noch existieren, in alle Winde verstreut und auch in anderen europäischen Ländern zu finden sind, wennschon nicht unter diesem Namen. Sicher aber wäre unser Nachbar, und nicht nur er, sehr hellhörig – und wir selber sollten es sein, wenn Untugenden, die aus der Überspitzung oder Entartung der preußischen Tugenden hervorgegangen sind, zu neuem Leben erweckt würden. Videant consules.

Anmerkungen siehe Anhang S. 320

RÜDIGER VOM BRUCH

Innovation und Disziplin

Stationen preußischer Wissenschaftsgeschichte

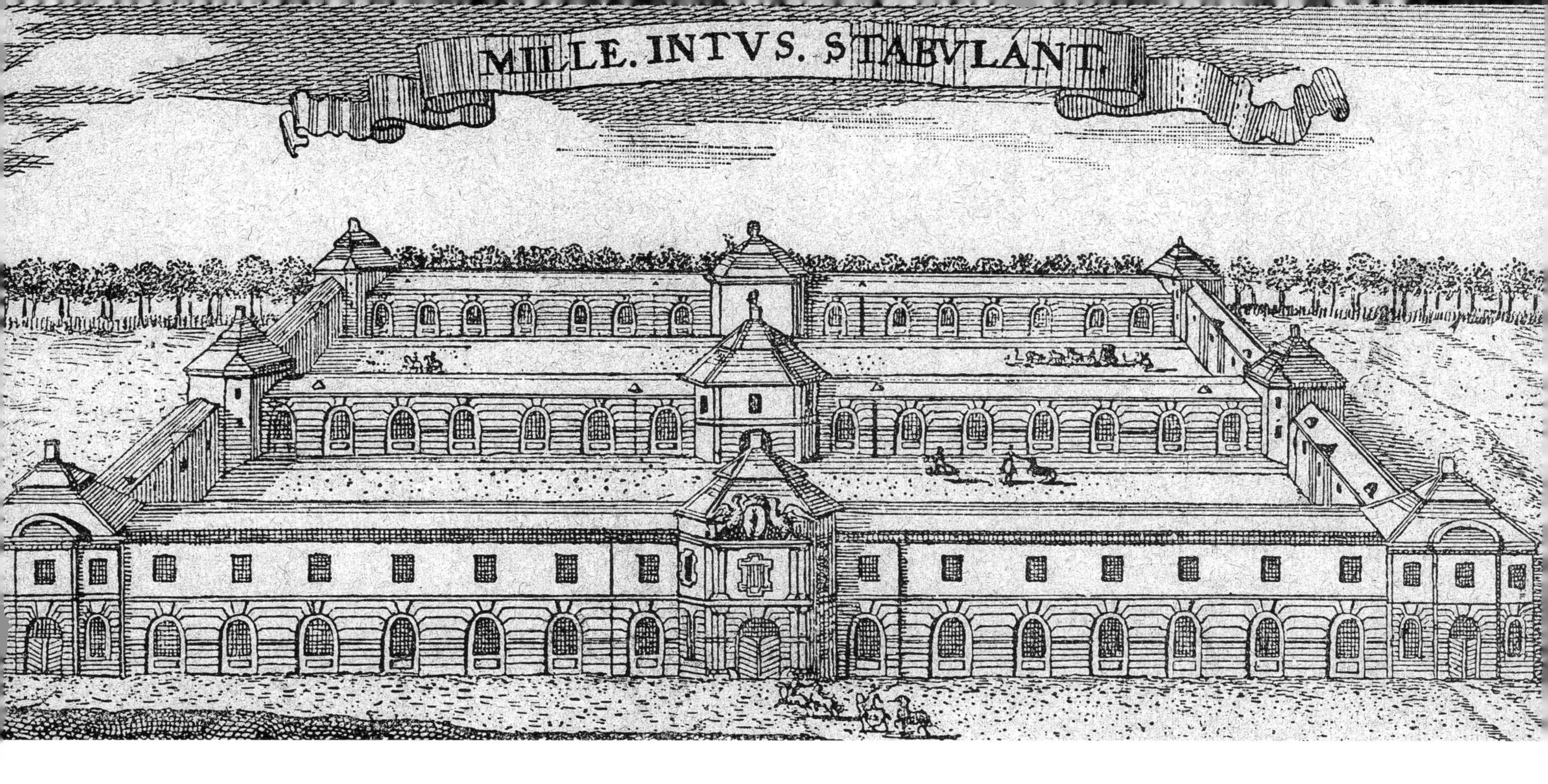

An der Schwelle zur Neuzeit formten sich im Westen Europas moderne Nationalstaaten heraus, zusammengehalten nicht mehr allein durch Gefolgschaft und dynastische Herrschaft, sondern durch eine Idee der Staatsräson. Jean Bodin hatte im 16. Jahrhundert die staatstheoretische Begründung dafür bereitgestellt. An das östliche Kurfürstentum Brandenburg dachte zu dieser Zeit niemand, sein Aufschwung zu einer europäischen Großmacht setzte erst im späten 17. Jahrhundert ein, unterstrichen dann durch die Königserhebung „in Preußen" 1701. Doch eben dieser Staat, geographisch ein gesprenkelter Flickenteppich vom Rhein bis zur Memel, gründete sich wie keine andere europäische Macht auf die Bindekraft einer Staatsidee. Loyalität rangierte vor Nationalität, und die viel gerühmten, zugleich höchst ambivalenten preußischen „Tugenden" wie Disziplin und Nüchternheit, Toleranz und Dienst am Staate, als „Sekundärtugenden" durchaus für sehr problematische politische Zwecke einsetzbar, prägten vor allem Adel und Beamtentum. Die Stichworte „Innovation" und „Disziplin" vermögen eine Musterung preußischer Wissenschaftsgeschichte zu strukturieren. Als Staat der Schulen und Kasernen hat Preußen Eingang in die Geschichtsbücher gefunden. Mit der Einführung der allgemeinen Schulpflicht ging Preußen im frühen 18., mit der Einführung der allgemeinen Wehrpflicht im frühen 19. Jahrhundert in Deutschland voran: jeder Einzelne ein nützliches Glied im Staate. Doch was hat Disziplin als eine Klammerkategorie der preußischen Staatsidee mit grenzüberschreitender Forschergesinnung, mit wissenschaftlichem Erkenntnisstreben zu tun? Wir wollen fragen: Welche Chancen bietet disziplinierte Wissenschaft für das Gemeinwesen, für das forschende Individuum und für das moderne Wissenschaftssystem selbst, und inwiefern schritt Preußen mit neuen Ideen voran? Im Rückblick lassen sich in der preußischen Wissenschaftsgeschichte drei markante Schnittstellen ausmachen, merkwürdigerweise angekoppelt an drei Jahrhundertwechsel: um 1700 unter dem Motto „theoria cum praxi", nach 1800 unter dem Motto „Einsamkeit und Freiheit", und eine dritte um 1900 unter dem Motto „Von der Wissenschaftsverwaltung zur Wissenschaftspolitik". Verknüpft mit den Namen Gottfried Wilhelm Leibniz, Wilhelm von Humboldt und Friedrich Althoff wurden jeweils entscheidende Weichen auf dem Weg zu unserer gegenwärtigen Wissensgesellschaft gestellt.

Bereits 1661 entstand unter dem Großen Kurfürst in der Residenzstadt Berlin die Churfürstliche, später Königliche und schließlich Preußische (Staats-) Bibliothek als eine Voraussetzung für gelehrte Studien. Den späteren, „Kommode" genannten Neubau unter Friedrich II. schmückte die Inschrift nutrimentum spiritus (die „Nahrung des Geistes" deutete der Berliner Volksmund um zu: „Schnaps ist auch ein Lebensmittel"). Nach der bereits 1696 begründeten Akademie der Künste markierte die 1700 von Kurfürst Friedrich III. nach langjährigen Plänen von Leibniz errichtete Sozietät der Wissenschaften eine entscheidende Weichenstellung. Forschende Neugier, doch nicht ohne praktischen Nutzwert, das meinte der Wahlspruch theoria cum praxi des großen Universalgelehrten für die neue Akademie. Zahlreiche kunst- und naturgeschichtliche Sammlungen, wie sie nach

Die 1700 gegründete Sozietät der Wissenschaften war im kurfürstlichen Marstall Unter den Linden untergebracht. Ihr erster Präsident war der Philosoph Gottfried Wilhelm Leibniz, ihre Initiatorin die Kurfürstin Sophie Charlotte.

Der Universalgelehrte Gottfried Wilhelm Leibniz stand am Anfang der preußischen Wissenschaftsgeschichte. Nach seinen Plänen entstand 1700 die Sozietät der Wissenschaften zu Berlin. Zeitgenössisches Porträt von Martin Bernigeroth.

Linke Seite: Die 1694 gegründete Universität Halle war die erste deutsche Aufklärungsuniversität und wirkte weit über Preußen hinaus. Der Kupferstich zeigt das neue, 1832–1834 erbaute Hauptgebäude.

Christian Thomasius war einer der führenden deutschen Aufklärer. In Halle führte der Jurist und Philosoph Deutsch als Unterrichtssprache ein. Zeitgenössisches Porträt von Martin Bernigeroth.

Eine Spende von sieben Gulden veranlasste den pietistischen Pfarrer August Hermann Francke 1695 zur Gründung einer Armenschule in Halle. Aus ihr ging eine der führenden Lehranstalten Preußens hervor, deren Schüler als Offiziere, Beamte, Lehrer und Pfarrer das Land prägten.

Leibniz' Vorstellung von Kunstkammern angelegt wurden, schufen eine günstige Infrastruktur für wissenschaftliche Beobachtungen. Eine neue Sternwarte sicherte zudem das einträgliche Kalendermonopol der Akademie, die nicht zufällig mit der Kalenderreform 1699/1700 in den deutschen protestantischen Staaten entstand. Diese erste (nach der privaten Schweinfurter Gelehrtensozietät „Leopoldina") in Deutschland errichtete Wissenschaftsakademie glitt dann unter dem Soldatenkönig Friedrich Wilhelm I. in Bedeutungslosigkeit ab, erfuhr aber mit dem Regierungsantritt Friedrichs II. 1740 als Académie Royale des Sciences et Belles Lettres einen glänzenden Aufschwung. Ihre zum Teil vom König selbst gestellten Preisfragen erregten in ganz Europa Aufsehen. Unter Friedrichs Nachfolgern verblasste die vormalige wissenschaftliche Exzellenz, die Akademie rang um einen neuen, eigenen Standort, zumal im Windschatten der 1810 gegründeten Berliner Universität; sie gewann dann aber im 19. Jahrhundert hohes Prestige mit ihren aus der Universität gewonnenen Mitgliedern und ihren vornehmlich geisteswissenschaftlichen Langzeitvorhaben.

Nicht nur mit der Berliner Wissenschaftssozietät schloss Preußen um 1700 in das Spitzenfeld europäischer Gelehrsamkeit auf, bereits 1694 hatte die neue Universität in Halle eine Reform des deutschen Universitätssystems eingeleitet. Mit dem Dreißigjährigen Krieg 1618-1648 waren auch die Hohen Schulen, vormals Glanzstätten humanistischen Forschungsdrangs, zu neuscholastischen Ausbildungsorten der konfessionspolitisch geschiedenen deutschen Staatenwelt erstarrt. Doch während in ganz Europa die Universitäten auf eine schulmäßige, berufsausbildende Kenntnisvermittlung absanken, wohingegen die wissenschaftlichen Revolutionen der frühen Neuzeit in Mathematik und Naturforschung in Gelehrtensozietäten verankert waren, wies Halle dem deutschen Universitätssystem einen neuen Weg.

Anlass für die Neugründung war die Ausbildung lutherischer Geistlicher in dem kurz zuvor an Preußen gefallenen Herzogtum Magdeburg. Die Hohenzollern waren lange schon zum reformierten Glauben übergetreten, und die drei Landesuniversitäten in Frankfurt/Oder, Königsberg und Duisburg konnten dem neuen Bedarf nicht entsprechen. Doch nun ereignete sich ein kühner Reformschwung in Halle mit dem praxisklugen Juristen Christian Thomasius, dem frühaufklärerischen Naturrechtsphilosophen Christian Wolff und dem bei den Theologen angesiedelten tatkräftigen Menschenfreund und Pietisten August Hermann Francke. In besonderer Weise kam hier das Leibniz-Motto theoria cum praxi zum Tragen. Das vormalige theologische Zensurrecht über die gesamte akademische Lehre wurde abgeschafft, freies Denken gemäß Vernunftgründen zugelassen und damit das Toleranzprinzip in den akademischen Unterricht eingeführt. Verzopftes wurde abgeschnitten, Thomasius führte erstmals Deutsch als Unterrichtssprache in die Universität ein, die Lehre zielte auf Nützliches und Verständiges. Halle öffnete den Universitäten das Tor in die Aufklärung, in den nüchternen bürgerlichen Erwerbsgeist des 18. Jahrhunderts. 1737 nahm die neue hannoversche Universität in Göttingen den Stab auf, praktizierte bei den hier vielfach adeligen Studenten Lehr- und Lernfreiheit gemäß dem liberalen Marktprinzip und band Lehrerfolg an Forschungserfolg. Von hier aus war es nur ein Schritt zur Berliner Universitätsgründung im Jahre 1810, und doch bildete diese einen neuen Meilenstein nicht nur in der preußischen, sondern in der deutschen Wissenschaftsgeschichte insgesamt.

Eine ganze Reihe hochschulartiger Spezialakademien für bestimmte Berufe waren in Berlin während des 18. Jahrhunderts entstanden, darunter eine Berg- und eine Bauakademie, auch genoss die Medizin in Berlin bereits um 1800 einen guten Ruf, der sich dann um 1900 in Verbindung mit der schon 1726 errichteten Charité mit Namen wie Rudolf Virchow oder Robert Koch ins Legendäre steigern sollte. Um 1800 erwog der Minister Julius von Massow eine höhere Lehranstalt in Berlin, frei-

lich keine herkömmliche Universität mit vier Fakultäten und Senatsverfassung – das erschien allgemein als Auslaufmodell, zumal sehr viele Universitäten in den deutschen Staaten gerade geschlossen wurden. Vielmehr ging es mit Billigung des Königs Friedrich Wilhelm III. um ein Bündel praxisnah ausbildender Spezialhochschulen. Nach Wilhelm von Humboldts Ausscheiden aus dem Ministerium 1810 suchte sein Nachfolger Friedrich von Schuckmann in ähnlicher pragmatisch-reaktionärer Gesinnung unter dem Beifall des nämlichen Königs, die junge Universität mit gängelndem Druck von oben einzuschüchtern und staatsfromm zu disziplinieren. Doch was 1810 als Berliner Universität ins Leben trat, das war ganz etwas anderes, ein Reformaufbruch aus eigenem Geist und Anstoß für den künftigen Siegeszug der neuen deutschen Forschungsuniversität. Der König war nicht begeistert, aber er ließ immerhin für einige wenige, freilich entscheidende Jahre ein neues Denken zu.
Was hatte es mit der erst später als „Humboldt-Universität" gekennzeichneten neuen Universitätsidee auf sich?
Bereits vor 1800 war der junge Wilhelm von Humboldt in Jena mit führenden Philosophen des deutschen Idealismus und mit Friedrich Schiller zusammengetroffen. Dieser hatte unter dem Einfluss der strengen Maximen des Königsberger Philosophen Immanuel Kant in seiner berühmten Antrittsrede von 1789 anstelle von „Brotgelehrten" den „philosophischen Kopf" an der Universität gefordert. Kant selbst begründete 1798 in seiner Schrift „Der Streit der Fakultäten" einen Vorrang der bislang untergeordneten Philosophischen Fakultät vor den „Berufsfakultäten" Theologie, Jura und Medizin, da nur die Philosophie ohne jedes äußere Interesse Sätze mit wissenschaftlichem Anspruch auf ihren Wahrheitsgehalt überprüfe. So formte sich um 1800 unter führenden deutschen Denkern ein neues Wissenschaftsethos heraus, welches ohne vorgegebene Zweckbindung nur auf wissenschaftliche Klarheit, auf systematische Ableitung des Besonderen aus allgemeinen Begriffen im Dienste einer Erkenntniserweiterung abzielte.
In Berlin förderte ausgerechnet Preußens katastrophale Niederlage gegen Napoleon 1806/7 jene geistige Erneuerung in einer Reformära, welche auch die neue Universität trug. Die besten Köpfe legten Denkschriften vor, darunter der Philosoph Johann Gottlieb Fichte und insbesondere der evangelische Theologe und Philosoph Friedrich Daniel Ernst Schleiermacher, mit dem Wilhelm von Humboldt nach seiner Ernennung zum Sektionschef für Kultus und Unterricht im preußischen Ministerium Anfang 1809 eng zusammenarbeitete. Schleiermacher kehrte zu dem altvertrauten Universitätsmodell zurück, erfüllte dieses aber mit neuem, liberalem Geist. Nicht um bloße Kenntnisvermittlung gehe es, sondern um das Lernen des Lernens, und in der neuartigen Lehrform des Seminars sollten Lehrende und Lernende gemeinsam an einem noch ungelösten Problem arbeiten. Humboldt griff das auf, goss das neue Ideal in prägnante Formeln und bewirkte mit weltmännisch-diplomatischem Geschick die Gründung der Universität.
Als Eigentum der gesamten Nation solle sie sich frei von staatlichen Einwirkungen entfalten, auch wirtschaftlich unabhängig – eine Grundausstattung aus

Die Berliner Charité ging aus einem außerhalb der Stadt gelegenen Pesthaus hervor. Der Stahlstich von 1850 zeigt das Hauptgebäude.

Die 1810 gegründete Berliner Universität fand ihr Quartier im Palais des Prinzen Heinrich Unter den Linden. Sie wurde zum Vorbild für zahlreiche Universitätsgründungen in Europa und Übersee. Bleistiftzeichnung von F. A. Borchel 1860.

königlichem Domänenbesitz scheiterte freilich –, und mit einer soliden Infrastruktur ausgestattet, vermittels der an die Universität übertragenen Akademie-Sammlungen.
Unter dem Motto „Einsamkeit und Freiheit" entwickelte Humboldt als Ziel Freiheit der Wissenschaft, Verbindung von Lehre und Forschung in der Gemeinschaft von Lehrenden und Lernenden sowie vollendete Selbstentfaltung der Einzelpersönlichkeit durch wissenschaftliche Arbeit. Disziplin meinte bei ihm nicht Druck von oben, sondern Selbstzucht durch methodenstrenge Forschung – und damit eine Disziplinierung der Forschungsgegenstände selbst.
Es gelte, „Wissenschaft als etwas noch nicht ganz Gefundenes und nie ganz Aufzufindendes zu betrachten und unablässig sie als solche zu suchen". In wenigen prägnanten Sätzen umriss er seine Vision: „Der Universität ist vorbehalten, was nur der Mensch durch und in sich selbst finden kann, die Einsicht in die reine Wissenschaft. Zu diesem Selbst Actus im eigentlichsten Verstand ist nothwendig Freiheit und hülfreich Einsamkeit, und aus diesen beiden Punkten fliesst zugleich die ganze äussere Organisation der Universitäten. Das Kollegienhören ist Nebensache, das Wesentliche, dass man in enger Gemeinschaft mit Gleichgestimmten und Gleichaltrigen und dem Bewusstsein, dass es am gleichen Ort eine Zahl schon vollendet Gebildeter gebe, die sich nur der Erhöhung und Verbreitung der Wissenschaft widmen, eine Reihe von Jahren sich und der Wissenschaft lebe."
Gingen im 17. Jahrhundert entscheidende wissenschaftliche Impulse vor allem von England, im 18. Jahrhundert vor allem von Frankreich aus, so übernahm die neue deutsche Forschungsuniversität im 19. Jahrhundert in weiten Teilen der sich rasch auffächernden Geistes- und Naturwissenschaften den Führungsstab. Verkrustungen in der beamteten Ordinarienuniversität blieben nicht aus, der politisch-gesellschaftliche Modernisierungsspielraum war gegenüber den westeuropäischen Zivilgesellschaften beschränkt, aber der deutsche Weg einer konservativen Modernisierung von Staat und Gesellschaft koppelte eng an wissenschaftliche Methodik und Expertisen an. Unbesoldete, forschungsintensive und in der Lehre hoch motivierte Privatdozenten bildeten den Sauerteig in diesem System einer oft selbstlosen Hingabe an wissenschaftliche Arbeit.
Wiederum eine neue Situation ergab sich um 1900. Moderne Laborforschung, etwa in der Chemie, erwies sich als kostspielig. Generalstabsmäßig organisierte Verbundforschung begründete einen wissenschaftlichen Großbetrieb, der nicht von einem allein geleistet, aber nur von einem geleitet werden könne, wie es der Althistoriker Theodor Mommsen 1890 und der evangelische Theologe Adolf Harnack 1905 formulierten. Seit 1911 war Harnack zwei Jahrzehnte lang Präsident der Kaiser-Wilhelm-Gesellschaft zur Förderung der Wissenschaften (KWG), einem Zusammenschluss von zunächst privat finanzierten, staatlich gelenkten und fast ausnahmslos naturwissenschaftlichen Forschungsinstituten, aus dem 1946/48 die Max-Planck-Gesellschaft hervorging. Heftig wurde im späten Kaiserreich um außer-

universitäre oder hochschulgebundene Forschungsinstitute gestritten, nachdem Kaiser Wilhelm II. ausgerechnet zur Hundertjahrfeier der Berliner Universität 1910 die Errichtung der (außeruniversitären) KWG als „Geschenk" verkündet hatte. Harnack selbst knüpfte listig an Wilhelm von Humboldt an, der zwischen Akademie, Universität und „Hilfsinstituten" unterschieden und damit die von der Akademie an die Universität zu übertragenden Einrichtungen wie Sammlungen, Sternwarte etc. gemeint hatte. Harnack nannte diese dann „Forschungsinstitute", als habe Humboldt visionär die KWG als Vollendung seines Werkes erträumt. Tatsächlich zog mit der KWG die Forschung tendenziell wieder aus der Universität heraus, in welche Humboldt sie ein Jahrhundert zuvor eingepflanzt hatte.

Auch wer dieses Auseinanderstreben mit Sorge registriert, wird nicht verkennen, dass ein umfassend gestaltendes Konzept zugrunde lag. Eingeleitet hatte diese Entwicklung bereits der zwischen 1882 und 1907 für Wissenschaft zuständige preußische Kultusbeamte Friedrich Althoff, der systematisch ordnende Wissenschaftsverwaltung in planende Wissenschaftspolitik überführte. Obgleich verantwortlich „nur" für Preußen und die Reichsuniversität Straßburg, prägte er mit taktischer Meisterschaft synergetisch und arbeitsteilig das gesamte deutschsprachige Hochschulsystem, modernisierte er geschickt, wenn auch mit harter Hand, universitäres und technisches Hochschulwesen in Abstimmung mit gesonderten Lehr- und Forschungseinrichtungen, begünstigte er fachwissenschaftliche Kompetenzzentren an einzelnen Hochschulen. Organisierte Interessenabstimmung durch Hochschulreferenten- und Rektorenkonferenzen, Instrumente zu Forschungsplanung und Qualitätssicherung, regionalpolitisch motivierte Neugründungen, ausbildungspolitische Bedarfssteuerung, all das setzte im „System Althoff" ein, und wesentlich Neues ist im 20. Jahrhundert nicht dazugekommen. Disziplin zielte nun auf System, im streng gegliederten Verbund der Einzelwissenschaften wie auch in einer planmäßig gesteuerten Wissenschaftspolitik.

Ein Staat lässt sich auflösen, wie dies 1947 mit Preußen geschah, sein Vermächtnis nicht. Um 1700, um 1800 und um 1900 wurden hier entscheidende Weichen für die Wissenschaftsentwicklung nicht nur in Preußen, sondern im gesamten deutschen Raum gestellt, teilweise mit Fernwirkungen weit darüber hinaus. Auch wer mit diesem Erbe hadert, kann an seiner Geschichtsmächtigkeit nicht vorübergehen. Von diesem Erbe zehren wir immer noch, nicht zuletzt in kritischer Auseinandersetzung.

Der evangelische Theologe Adolf von Harnack war einer der bedeutendsten deutschen Wissenschaftsmanager. Das Porträtfoto zeigt den Präsidenten der Kaiser-Wilhelm-Gesellschaft im Jahre 1928.

Er war die treibende Kraft der preußischen Bildungsreform von 1809: Wilhelm von Humboldt, der Gründer der Berliner Universität. Sein von Paul Otto 1883 geschaffenes Denkmal befindet sich vor dem Universitätseingang Unter den Linden.

Phönix aus der Asche

Reformen und Befreiung 1807-1815

Er war der Kopf der preußischen Reformer und eine der treibenden Kräfte der Befreiungskriege: Karl Reichsfreiherr vom Stein. Das Gemälde von Johann Christoph Rincklake entstand 1804.

Der Zusammenbruch Preußens von 1806 wurde zum Motor der Erneuerung. Mehr als die Hälfte des preußischen Territoriums waren verloren, die Armee nur noch ein Schatten ihrer selbst, das Land ohne Hoffnung. Die hohen finanziellen Lasten durch die französische Besatzung, die Kontributionszahlungen und die von Napoleon gegen England verhängte Kontinentalsperre drohten Preußen zu ruinieren. In dieser Situation zwang Napoleon den preußischen König Friedrich Wilhelm III., seinen leitenden Minister Karl August von Hardenberg zu entlassen, und empfahl ihm, den Freiherrn vom Stein an seine Stelle zu setzen. Obwohl er den Mann nicht mochte, folgte Friedrich Wilhelm III. dem Rat und eröffnete damit eine Phase intensiver Reformen, die letztendlich zum Wiederaufstieg Preußens und seiner Befreiung von der französischen Besatzung führten.

Vom Stein setzte mit neuem Schwung die Reformen fort, die Hardenberg schon vor 1807 begonnen hatte. Er konnte sich dabei auf eine kleine, aber einflussreiche Gruppe von Diplomaten, Beamten und Militärs stützen. Deren „Revolution von oben" sollte Preußen in allen Bereichen modernisieren. Ein Kernstück des ganzen Unternehmens war die Befreiung der Bauern, deren Gutsuntertänigkeit vom Stein nur fünf Tage nach seinem Regierungsantritt am 9. Oktober 1807 abschaffte. Die wichtigste Aufgabe aber war die Neuordnung des preußischen Heeres. Sie begann mit einer vollständigen Erneuerung des Offizierskorps. Von den 143 Generälen von 1806 waren sieben Jahre später nur noch zwei übrig. Die Heeresreform war das Werk Gerhard von Scharnhorsts. Er richtete Kriegsschulen zur besseren Ausbildung der Offiziere ein, baute einen Generalstab auf und führte die allgemeine

Ein General mit Geist war Gerhard von Scharnhorst. Auf seinen Ideen basierte die preußische Heeresreform. Er starb 1813 im Kampf gegen französische Truppen. Das undatierte Porträt stammt von Friedrich Bury.

Karl August Freiherr von Hardenberg war neben vom Stein der bedeutendste preußische Reformer. Er vertrat Preußen auf dem Wiener Kongress. Gemälde von Johann Heinrich Wilhelm Tischbein.

Wehrpflicht ein. Ein weiterer wichtiger Schritt war die Städteordnung vom November 1808. Sie schuf eine kommunale Selbstverwaltung und stärkte damit den politischen Einfluss der Bürger. Vom Steins Ziel war die Einrichtung einer Nationalversammlung.
Auch nach der Entlassung vom Steins am 24. November 1808 gingen die Reformen weiter. Ihr Herzstück wurde die von Wilhelm von Humboldt 1809 eingeleitete Bildungsreform. Im Zentrum standen der Aufbau des humanistischen Gymnasiums und der Berliner Universität als Muster für eine neue Form der akademischen Ausbildung. Die Einheit von Forschung und Lehre, die Humboldt propagierte, wurde zum Vorbild für eine Reihe von Universitätsgründungen in Deutschland, Europa und Übersee. Hardenberg trieb von 1810 an als leitender Minister die Reform der Finanzen und der Wirtschaft voran. Er führte Grund- und Verbrauchssteuern ein und hob den Zunftzwang auf. Die rechtliche und wirtschaftliche Gleichstellung der Juden im Jahre 1812 machte diese zu preußischen Staatsbürgern und war ein entscheidender Schritt ihrer Emanzipation.
Doch noch stand Preußen unter französischer Besatzung. Da brachte Napoleons Feldzug gegen Russland 1812 die Wende. In den Weiten des Landes verlor sich die Stoßkraft der französischen Truppen und ihrer Verbündeten. Der Winter zwang sie zu einem verlustreichen Rückzug. Yorck von Wartenburg, der das preußische Kontingent in der Armee Napoleons führte, nutzte die Gelegenheit. In der Konvention von Tauroggen vereinbarte er am 30. Dezember 1812 ohne Wissen des preußischen Königs mit den Russen die Neutralität seines Korps. Yorcks entschlossenes Handeln hatte Signalwirkung. In Ostpreußen organisierten vom Stein und Clausewitz 1813 die Erhebung gegen Napoleon. Ganz Deutschland wurde von nationaler Begeisterung erfasst: Einheit und Freiheit war die Losung der Patrioten im Befreiungskampf. Der König zögerte lange, bevor er sich zum Krieg gegen Frankreich an der Seite Russlands entschloss. Das Unternehmen begann mit herben Niederlagen. Erst als Schweden, England, Österreich und Bayern der Koalition beitraten, wendete sich das Blatt. Gemeinsam besiegten die Verbündeten die napoleonischen Truppen in der Völkerschlacht bei Leipzig im Oktober 1813. Ein Jahr später besetzten die Alliierten Paris und zwangen Napoleon zum Rücktritt und schufen auf dem Wiener Kongress 1815 eine neue Nachkriegsordnung. Es begann eine lange Friedensperiode. Doch der Preis war hoch: Die Reformen versandeten und die Restauration gewann die Oberhand.

Publicandum

betreffend die,

durch das sub dato Memel den 9. October 1807,

ergangene Edikt,

erfolgte

Auflösung der persönlichen

Erbunterthänigkeit

in der

Provinz Schlesien und in der Grafschaft Glatz.

De Dato Königsberg den 8ten April 1809.

Breslau,
gedruckt bey Wilhelm Gottlieb Korn.

Das Edikt über die Auflösung der persönlichen Erbuntertänigkeit vom 9. Oktober 1807 befreite die Bauern aus der Abhängigkeit von den adeligen Gutsherren und war eines der Kernstücke der Stein-Hardenbergschen Reformen.

Wilhelm von Humboldt, ein Freund Schillers und Goethes, verschaffte durch seine Reform der Berliner Universität Weltgeltung.

Der Philosoph Johann Gottlieb Fichte hatte schon zu Beginn der Reformzeit mit seinen „Reden an die deutsche Nation" zum Widerstand gegen Napoleon aufgerufen. Als es dann so weit war, reihte er sich 1813 in den Berliner Landsturm ein. Zeichnung von Carl Friedrich Zimmermann.

Nach dem Tode Scharnhorsts im Jahre 1813 übernahm August Wilhelm Anton Graf Neidhardt von Gneisenau die Leitung des preußischen Generalstabs in den Befreiungskriegen. Zeitgenössisches Porträt von M. von Clausewitz.

Königin Luise von Preußen wurde zum Symbol des Widerstandes gegen Napoleon. Die Frau Friedrich Wilhelms III. starb 1810. Das Gemälde von Karl Wilhelm Wach aus dem Jahre 1812 stellt sie als Hebe, der Göttin der Jugend und Gemahlin des Herakles, dar.

Die Befreiung Preußens von der französischen Besatzung ging vom Volk aus. Während der König noch zögerte, rief der preußische General Yorck von Wartenburg am 5. Februar 1813 die ostpreußischen Stände in Königsberg zum Kampf gegen Napoleon auf.

Die Völkerschlacht bei Leipzig vom 16. bis 19. Oktober 1813 besiegelte die Niederlage Napoleons. Das Gemälde von Ernst Wilhelm Straßberger zeigt den Kampf vor dem Grimmaischen Tor. Preußische Truppen erstürmen eine französische Stellung.

Im März 1815 kehrte Napoleon nach Frankreich zurück und begann einen neuen Krieg. In der Schlacht bei Waterloo am 18. Juni 1815 beendeten preußische und englische Truppen den Spuk nach nur hundert Tagen. Das Gemälde von Adolph Menzel aus dem Jahre 1858 zeigt die Begegnung der Generäle Blücher und Wellington nach der gewonnenen Schlacht.

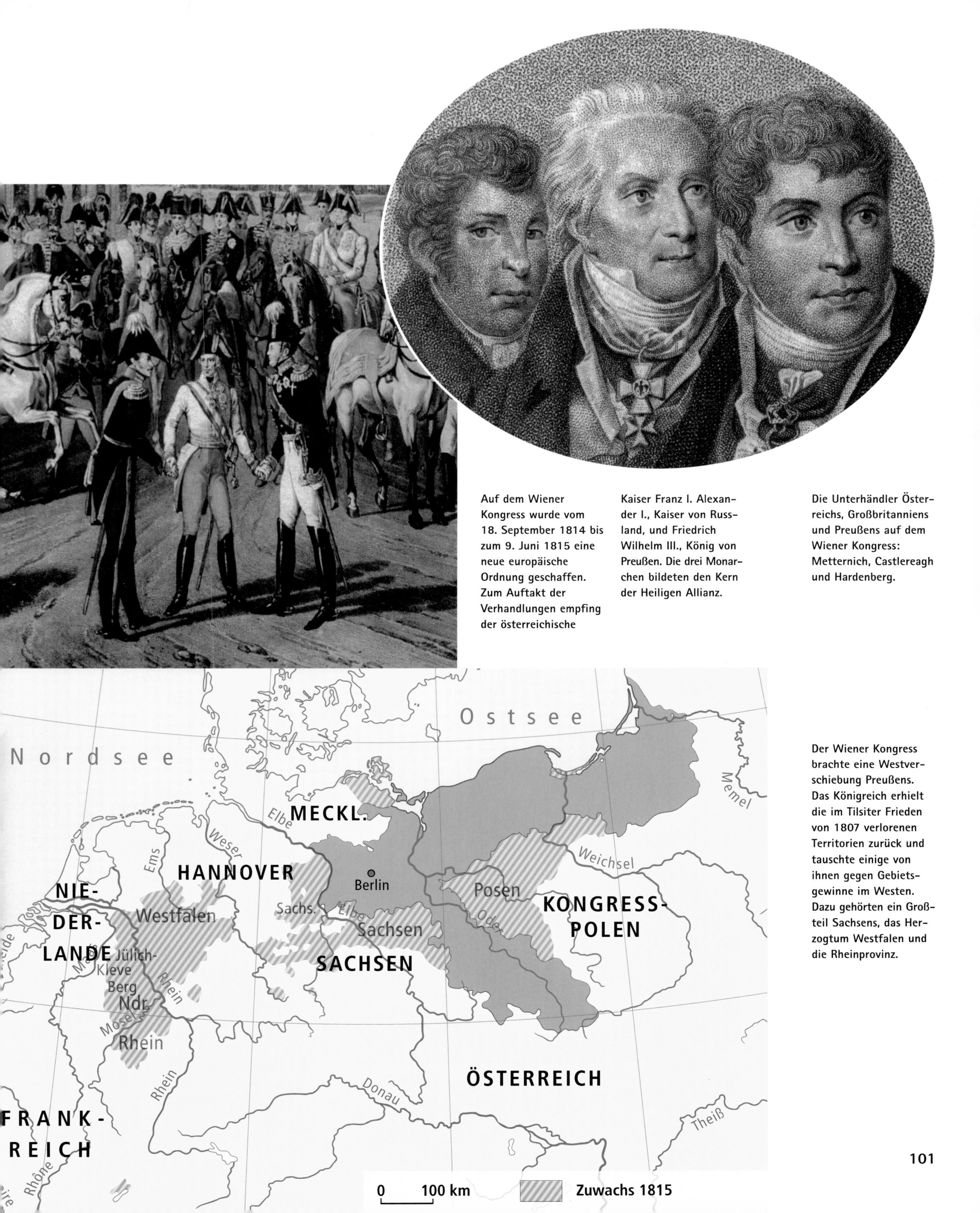

Auf dem Wiener Kongress wurde vom 18. September 1814 bis zum 9. Juni 1815 eine neue europäische Ordnung geschaffen. Zum Auftakt der Verhandlungen empfing der österreichische

Kaiser Franz I. Alexander I., Kaiser von Russland, und Friedrich Wilhelm III., König von Preußen. Die drei Monarchen bildeten den Kern der Heiligen Allianz.

Die Unterhändler Österreichs, Großbritanniens und Preußens auf dem Wiener Kongress: Metternich, Castlereagh und Hardenberg.

Der Wiener Kongress brachte eine Westverschiebung Preußens. Das Königreich erhielt die im Tilsiter Frieden von 1807 verlorenen Territorien zurück und tauschte einige von ihnen gegen Gebietsgewinne im Westen. Dazu gehörten ein Großteil Sachsens, das Herzogtum Westfalen und die Rheinprovinz.

KARL SCHLÖGEL

Preußen und Russland

Russland war die Rettung Preußens. Nach der Niederlage gegen Frankreich 1806/7 bildete das Bündnis, das der preußische König Friedrich Wilhelm III. und der russische Kaiser Alexander I. 1813 schlossen, die Grundlage für den Wiederaufstieg Preußens im 19. Jahrhundert.

Der russische Historiker Nikolaj Karamsin schrieb 1790 in seinen „Briefe(n) eines russischen Reisenden", er habe sich nach dem kaum merklichen Grenzübertritt nach Ostpreußen wie zu Hause gefühlt. Und über eben dieses Ostpreußen heißt es in einer 1945 herausgegebenen sowjetischen Broschüre: „Ostpreußen ist stets ein Hort des Faschismus und der Reaktion, ein Vorposten des räuberischen deutschen Imperialismus im Osten und im Krieg gegen die Sowjetunion der strategische Aufmarschplatz zu Wasser und zu Lande gewesen." Die zwei Urteile könnten gegensätzlicher nicht sein. Und dies liegt sicher nicht nur an ideologischer Verblendung oder propagandistischer Absicht. Es liegt eher daran, dass die preußisch-russischen und dann auch die deutsch-russischen Beziehungen in diesem östlichsten Teils Preußens, dann des Deutschen Reiches ihre gegensätzlichste Ausprägung erfahren haben.

Russland steht am Anfang Preußens: es gab ihm Rückendeckung bei der Umwandlung in ein Königreich, bei der Krönung des brandenburgischen Kurfürsten zum „König in Preußen" am 18. Januar 1701 in Königsberg. Und es steht am Ende, zu dem die sowjetischen Nachkriegsplanungen unter Außenminister Wjatscheslaw Molotow gewiss einen entscheidenden Beitrag geleistet haben. Sie mündeten bekanntlich in der Auflösung des Staates Preußen, seiner Zentralregierung und aller nachgeordneten Behörden durch das alliierte Kontrollratsgesetz Nr. 46 vom 25. Februar

1947. Die zweieinhalb Jahrhunderte dazwischen waren erfüllt von langen Perioden fruchtbarer Zusammenarbeit und von kurzen Schüben zerstörerischer Konflikte und Kriege. Dies wirkte sich auf allen Feldern aus: von der hohen Politik bis ins Alltagsleben von Millionen Menschen hinein.
Es kommen einem Bilder in den Sinn, die beides belegen – glückliches Gelingen und Unglück. Für beides findet man bis heute Spuren: die Siedlung Alexandrowka in Potsdam, eine Hinterlassenschaft aus der „Waffenbrüderschaft" im Kampf gegen Napoleon, die Kirche in Nikolskoje hoch über der Havel, errichtet anlässlich der Heirat der Hohenzollern-Prinzessin Charlotte mit dem damaligen Großfürsten und künftigen Zaren Nikolaj I. im Juli 1817; der Alexanderplatz in Berlin, der niemandem anderen gewidmet ist als Alexander I., dem Preußen Beistand in einer der düstersten Augenblicke seiner Geschichte verdankte; die russisch-orthodoxe Kirche und der Friedhof in Berlin-Tegel; die einst prächtige Botschaft unter den Linden, zu deren Einweihung russische Erde über Tausende von Kilometern herangeschafft worden war – und von der nach Schließung 1941 und nach den Bombentreffern praktisch nichts geblieben war.
Auch andere Bilder kommen einem in den Sinn: „Land Oberost", wie der im Ersten Weltkrieg besetzte Westen des Russischen Reichs genannt wurde, und später die Wehrmacht, die von den Sowjetbürgern in der Regel mit dem „preußischen Militarismus" gleichgesetzt wurde. Die Gewalttätigkeiten im 20. Jahrhundert haben dafür gesorgt, dass Preußen in russischen Ohren einen negativen Klang bekam und mit dem Faschismus identifiziert wurde. So lautet eine der typischen Charakterisierungen aus der Zeit des Großen Vaterländischen Krieges: „Der Aufstieg des preußischen Staates mit seinem Kadavergehorsam, seinen Zuchthäusern und räuberischen Junkern, der wie ein Krebsgeschwür alle Kräfte der Nation aufgesogen hat, ist zu einem nationalen Unglück für Deutschland geworden." „Prussatschestwo" –

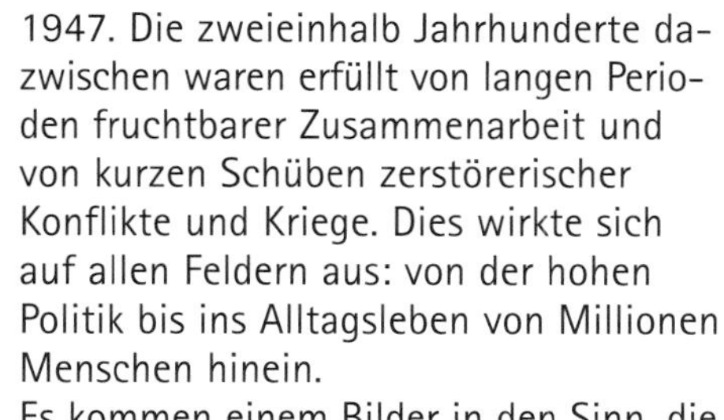

Katharina II. von Russland, Joseph II. von Österreich und Friedrich II. von Preußen (von links nach rechts) teilen Polen, während König Stanislaus II. August von Polen sie an die göttliche Gerechtigkeit mahnt. Der ersten polnischen Teilung von 1772 folgten zwei weitere 1793 und 1795. Am Ende war Polen von der europäischen Landkarte verschwunden. Zeitgenössischer Kupferstich von Johann Esaias Nilson.

Die Hohenzollern und die Romanows waren eng verbunden. Die Frau Nikolaus I., Alexandra Feodorowna, war eine gebürtige Prinzessin von Preußen.

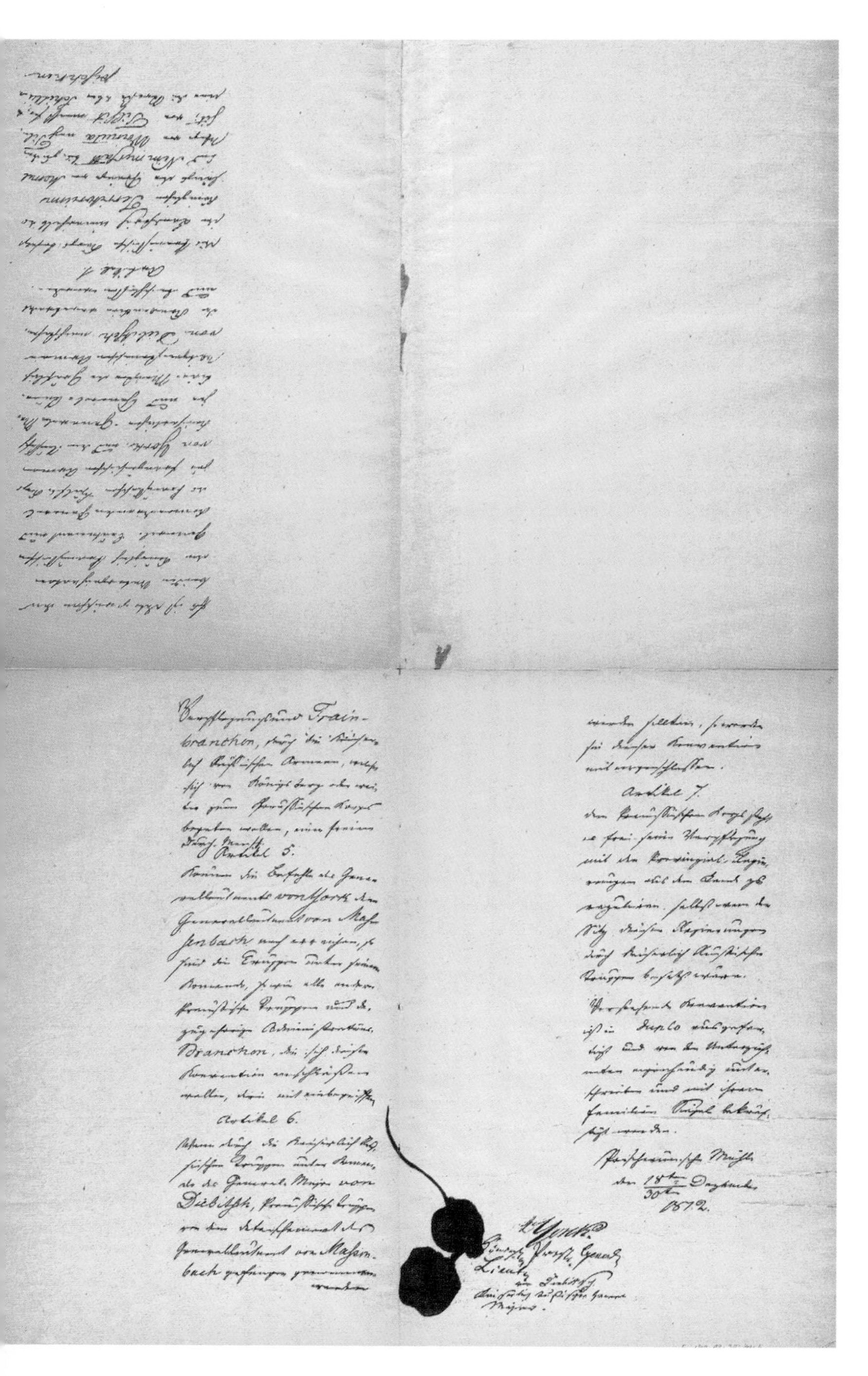

Die Konvention von Tauroggen war der Ausgangspunkt des Bündnisses zwischen Preußen und Russland im Kampf gegen Napoleon. Der preußische General Yorck von Wartenburg hatte sie mit dem russischen Befehlshaber Johann von Diebitsch ausgehandelt und am 30. Dezember 1812 unterzeichnet. Faksimiledruck der Originalhandschrift.

das wurde im russisch-sowjetischen Sprachgebrauch ein Synonym für stupiden Gehorsam und gedankenlose Subalternität. Was „prusskij" vorher und vor allem bedeutet hatte, war durch die Geschehnisse nach dem 22. Juni 1941, als Hitler-Deutschland die Sowjetunion überfiel, gelöscht worden: der Gedanke von einem wohl eingerichteten Staat, von Rechtsstaatlichkeit, Strenge des Gesetzes, Bildung und Kultur.
Dabei gibt es schon semantisch eine große Nähe zwischen Rossija und Prussija, zwischen russkij und prusskij. Freilich ist auch das Russland-Bild, das sich in Preußen und im Deutschen Reich herausgebildet hat, nicht weniger widersprüchlich: es umfasst die Idylle vom „schönen Wilden" ebenso wie die Dämonisierung. Aber dass es eine so spannungsreiche und intensive Beziehung gab und diese wohl auch noch fortwirkt, scheint auf ein Sonderverhältnis hinzudeuten, das in den Augen vieler Zeitgenossen anfänglich sogar nach einer „Erbfreundschaft" aussah.
Es ist kein Zufall, dass die glücklichsten und die deprimierendsten Momente dieser Begegnung mit Ostpreußen verbunden sind. 1697 machte hier Peter der Große mit seiner Großen Gesandtschaft auf dem Weg nach Westen Station; Zar und Kurfürst schworen sich „feste und ewige Freundschaft". Dies war am Vorabend des Großen Nordischen Krieges, in dem die Karten in Nordosteuropa neu gemischt und über den Aufstieg Russlands zu einer europäischen Großmacht entschieden wurde, und am Vorabend der Königswahlen in Polen, das den Aufsteigermächten Russland und Preußen im Weg stand. Noch vor der Krönung in Königsberg also zeichnete sich eine Konstellation ab, die das preußisch-russische Verhältnis über zwei Jahrhunderte auf fatale Weise bestimmen wird: dass Russland und Preußen europäische Großmächte auf Kosten Polens sein werden. Gute preußisch-russische Beziehungen sind von nun an in der Regel und fatalerweise identisch mit „negativer Polenpolitik" (Klaus Zernack). Von der ersten Teilung Polens 1772 bis zur Wiederherstellung Polens nach dem Zusammenbruch der Teilungsmächte haben Preußen und Russland (und Österreich-Ungarn) gemeinsame Grenzen – Teilungsgrenzen – und sind unmittelbare Nachbarn.
Der Status Preußens als neue Großmacht wurde in den folgenden Jahrzehnten mehrmals auf dramatische Weise in Frage gestellt. Und jedes Mal spielte die Haltung des Russischen Kaiserreiches eine wesentliche, vielleicht ausschlaggebende Rolle. Nach den Niederlagen im Siebenjährigen Krieg 1756–1763, besonders nach der Schlacht von Kunersdorf 1759, schien der Zusammenbruch Preußens besiegelt zu sein. Die russischen Truppen hatten in Königsberg so gehaust, dass sich die deutsche Propaganda zu Beginn des Ersten Weltkriegs noch des damals entstandenen Feindbildes bedienen konnte, Kosakeneinheiten waren 1760 für kurze Zeit in Berlin einmarschiert (1945 wird es eine Broschüre mit dem Titel geben: „Wir waren schon einmal in Berlin!").
Aber es kam zu dem, was die Geschichtsschreibung das „Mirakel des Hauses Brandenburg" nennt: die russische Kaiserin Elisabeth, eine energische Gegenspielerin Friedrichs des Großen, war gestorben, und ihr Nachfolger auf dem Kaiserthron, Peter III., ein Verehrer des preußischen Königs, zog 1762 seine Trup-

pen aus den eroberten Gebieten zurück und machte so den Weg frei zum Frieden von Hubertusburg 1763, der Preußen als Großmacht in Europa bestätigte. In einer zweiten, die Existenz des Staates Preußen zutiefst betreffenden Krise verband sich das preußische mit dem russischen Schicksal.
Napoleon hatte die preußischen Truppen 1806 bei Jena und Auerstedt vernichtend geschlagen, König und Königin waren nach Memel geflohen. Ein Jahr darauf musste es, praktisch seiner Souveränität beraubt, den demütigenden und verlustreichen Diktatfrieden von Tilsit unterzeichnen. Die Wende und der Beginn der Wiedergeburt Preußens kamen mit der vernichtenden Niederlage der Grande Armée in Russland im Herbst 1812. Mit der von den Generälen Yorck von Wartenburg und Diebitsch am 30. Dezember 1812 geschlossenen Konvention von Tauroggen schied Preußen aus dem Zwangsbündnis mit Frankreich aus und bereitete das preußisch-russisch-österreichische Bündnis vor, das im Frühjahr 1813 Napoleon bei Leipzig schlagen sollte. So wurde der russische Zar Alexander I., an dessen Hof so prominente Reformer wie Freiherr vom Stein Zuflucht gefunden hatten, zum Patron der preußischen Renaissance.

Wahrscheinlich muss man auch eine dritte wichtige Zäsur erwähnen: die durch Russlands wohlwollende Neutralität im französisch-preußischen Krieg mit ermöglichte Proklamation des Deutschen Kaiserreiches und Einigung der Deutschen unter Führung Preußens, genauer Bismarcks, der zwischen 1859 und 1862 Gesandter am Petersburger Hof war und etwas von russischen Angelegenheiten verstand. Jedenfalls wäre ohne die Zustimmung Russlands die Reichseinigung nicht so einfach über die Bühne gegangen. Die Konstellation blieb nicht immer reibungs- und konfliktlos. Nicht einmal Bismarck gelang es auf Dauer, die wachsende Entfremdung zwischen dem Russischen und dem Deutschen Reich aufzuhalten und den Weg, der in die militärische Konfrontation des Ersten Weltkrieges einmündete, zu verhindern.
Dieses fast bruchlose Zusammenspiel hat auch eine dunkle Seite: die Kollaboration der beiden großen Reiche auf Kosten Polens. Sie hat sich immer wieder 'bewährt'. Bei der Niederschlagung des polnischen Novemberaufstandes 1830/31 und bei der Unterdrückung des Januaraufstandes 1863, die mit dem Namen der Alvenslebenschen Konvention verbunden ist. Die Zeitgenossen haben diese dunkle Seite durchaus gesehen. Der russische radikale Demokrat und Sozialist Alexander Herzen, der die meiste Zeit seines Lebens im Exil verbracht hat, sprach 1863 vom „preußischen Kettenhund", der den „Kosaken die Stiefel leckt". Und weiter schrieb er: „Nein, Preußen, du sollst nicht an der Spitze der deutschen Nationalbewegung stehen, nein, du wirst selbst zerfallen, ein Staat ohne Volk ist etwas Militärisch-Sinnloses, geschaffen von Friedrich dem Enzyklopädisten. Du bleibst das Kriegsseminar des Menschengeschlechts, das Exerzierhaus der Philosophie und der Vorposten der Petersburger Polizeiverwaltung." Das 20. Jahrhundert hält Steigerungen bereit – darunter so makabre Allianzen wie die von Roter Armee und Reichswehr oder die nächtliche Szenerie der Unterzeichnung des Molotow-Ribbentrop-Vertrages im August 1939, mit dem der Zweite Weltkrieg möglich wurde, bevor die Sowjetunion dann selbst überfallen wurde.
Ist also die Bilanz dieser Beziehung nur eine negative? Zum Kriegsbeginn 1914 hat ein russischer Philosoph – Nikolai Ern – eine direkte Linie „Von Kant zu Krupp" gezogen, wie sein Aufsatz überschrieben war. Es wäre eine optische Täuschung, die Geschichte von 300 Jah-

Bismarck war von 1859 bis 1862 preußischer Gesandter in Petersburg. Als Reichskanzler verstand er es, Russland in sein Bündnissystem einzubinden.

Das Verhältnis zwischen dem deutschen Kaiser Wilhelm II. und seinem Cousin, dem russischen Zaren Nikolaus II., war freundschaftlich. Das Foto zeigt beide im Gespräch (rechts) auf der kaiserlichen Jacht „Hohenzollern" während eines Treffens in Björkö 1905.

ren nur nach diesen Exzessen zu beurteilen. Diese Geschichte geht nicht auf in den Jahresdaten 1914 und 1941. Waren die Beziehungen zwischen Brandenburg-Preußen und dem Großfürstentum Moskau vor 1700 nur sporadisch und punktuell, so änderte sich das mit dem Jahre 1697, als Peter der Große zum ersten Mal in Königsberg erschienen war. Damit begannen Beziehungen auf den verschiedensten Ebenen: zwischen den Höfen, zwischen den miteinander verwandten Dynastien der Hohenzollern und Romanows, die trotz wachsender politischer Entfremdung bis zuletzt – etwa bei dem Treffen Wilhelms II. und Nikolajs II. in Björkö 1905 – von großer Familiarität und Intimität geprägt waren. Mit Peters Gesandtschaft begannen eindrucksvolle wissenschaftliche und kulturelle Beziehungen, die nicht nur die Spitzenleistungen betrafen, sondern vor allem eine breite und solide Basis. Künstler und Gelehrte wechselten zwischen den kaiserlichen Residenzen, den neu gegründeten Kunstkammern und wissenschaftlichen Akademien. Was bis heute so beeindruckend ist, ist die Dichte: Gelehrte, Professoren, Handwerker aller Zweige, Schullehrer, Hauslehrer, Offiziere und anderes Militärpersonal, Kaufleute, Fabrikanten, Ingenieure, Beamte aller Art, die es zu Erfolg und in der Regel auch zu Wohlstand brachten. Preußen wurde – wie auch andere fortgeschrittene Staaten – zum Lieferanten von Spezialisten und Experten jeder Art. Der Modernisierungsbedarf Russlands wuchs vor allem nach den Großen Reformen in den 1860er Jahren. Die Spuren dieser Verflechtung mit Preußen und dem Deutschen Reich sind bis ins 20. Jahrhundert hinein, teilweise bis heute zu sehen: in den zahlreichen deutschen Namen in Offizierskorps und Reichsverwaltung, bei den Mitgliedern der Kaiserlichen Akademie der Wissenschaften, in der Anwesenheit bedeutender Baumeister und Architekten in Sankt Petersburg und größeren Gouvernementsstädten, in zahllosen Germanismen der russischen Sprache. Im vornationalistischen Zeitalter bereitete es für preußische Untertanen keine Schwierigkeiten, in allerhöchsten Stellen des Russischen Reiches Dienst zu tun. Dieser Austauch und diese Verstetigung der Beziehungen zu Routine und Gewohnheit ist das wichtigste Resultat der preußisch-russischen Koexistenz und Kooperation.

Die Oktoberrevolution hätte ohne deutsche Hilfe vielleicht nicht stattgefunden. Lenin kam 1917 in einem plombierten Zug der deutschen Armee nach Russland. Das Ziel der Deutschen war die Schwächung des Zarenreiches im Ersten Weltkrieg.

Möglicherweise ist dies ein viel wichtigerer Hinweis auf die Fruchtbarkeit der Beziehungen als der Verweis auf Andreas Schlüters und Gottfried Wilhelm Leibniz' genialische Pläne für Sankt Petersburg oder die Reisen Alexander von Humboldts und Baron von Haxthausens durch das Russische Reich. Die charakteristische Figur der intakten Beziehungen ist eher der deutsche Apotheker, der Hauslehrer, der Ingenieur, der Bergbauspezialist, der Kaufmann. Was sich in Russland an Achtung und Vertrauen gegenüber Deutschen – freilich nicht nur aus Preußen – entwickelt hat, basiert vor allem auf der Tätigkeit dieser Gruppe, und keineswegs nur in den Hauptstädten. Jemand wie Lenin war tief durchdrungen von diesem Respekt für Fleiß, Zuverlässigkeit, Genauigkeit. Später, insbesondere nach dem Ingangkommen der Reformen, nahm die Bewegung auch in die umgekehrte Richtung zu: von Studierenden aus dem Russischen Reich, die an die Technische Hochschule von Charlottenburg gingen, an die Friedrich-Wilhelms-Universität, wo vor der Revolution nicht wenige später bedeutende Vertreter des russischen Geisteslebens promoviert worden sind. Man braucht hier nur an die russischen Hörer der Hegelschen Vorlesungen zu denken oder an die russischen Besucher der Kollegs von Friedrich Karl von Savigny, Friedrich von Raumer, Leopold von Ranke oder Theodor Mommsen.

So ambivalent wie die Beziehungen zwischen dem Königreich Preußen und dem Russischen Kaiserreich waren, so ambivalent war auch das russische Preußenbild. Preußen war für die einen ein Vorbild, dem Russland folgen sollte, auf dem Weg in effiziente und gerechte

Der Königsberger Dom, im Zweiten Weltkrieg schwer beschädigt, wurde in den 90er Jahren wieder aufgebaut.

Der Philosoph Immanuel Kant genießt bis heute in Russland hohes Ansehen.

Verwaltung, Schaffung von Bedingungen für eine blühende Industrie, Gewerbewesen, für die Gestaltung des Bildungswesens. Das preußische Modell war attraktiv, und häufig kritisierten russische Reformer das reformunwillige und immobile Russland unter Berufung auf das kleine, aber dynamische Preußen, das Wunder zu vollbringen in der Lage schien. Dies war anfangs vor allem bei der aufgeklärten Aristokratie so, die oft eine eigene Anschauung von Preußen und seinen Leistungen hatte, später immer mehr bei den Angehörigen der Intelligenzija. Dem stand aber auch ein anderes Preußenbild gegenüber, das letztlich die Oberhand gewann. Die Slavophilen fanden den Gedanken unerträglich, dass ausgerechnet Preußen zum Vorbild für das orthodoxe Russland werden sollte; und für radikale Linke wie Alexander Herzen und Michail Bakunin waren Preußen und Russland einerlei – der Hort der Reaktion auf dem Kontinent. Stalins Diktum von 1945 erscheint vor dem Hintergrund des Geschehenen nicht so überraschend. Dass man alles tun müsse, um „Deutschland und vor allem Preußen daran zu hindern, den Frieden nochmals zu stören und die Völker nochmals in ein blutiges Gemetzel zu stürzen". Oder bei dem sowjetischen Historiker Eugen Tarlé, der 1945 meinte: „Die Sicherheit Russlands verlangt unbedingt, Preußen unschädlich zu machen, sonst ist ein Ende der Versuche neuer Aggressionen von Seiten Deutschlands undenkbar."
Er verlangte „die Abtrennung Ostpreußens von Preußen ... auf keinen Fall kann Ostpreußen ein Vorposten gegen Russland bleiben". Und doch muss man daran erinnern, dass mitten im Krieg noch einmal Preußen im Positiven erschien – etwa in der Propaganda des Bundes Deutscher Offiziere und des National-Komitees Freies Deutschland, die den Mythos von Tauroggen beschworen.
Das glückliche Ende des 20. Jahrhunderts hat die Diskussionslage noch einmal radikal verändert. Preußen gibt es nicht mehr, auch nicht das Russische Reich, und nicht einmal die Sowjetunion, die in vielem die Nachfolge des Reiches angetreten hatte. „Negative Polenpolitik" ist einfach sinnlos geworden. Stattdessen gibt es ein unabsehbar weites Feld für Kultivierungs- und Modernisierungsanstrengungen, die nur gemeinsam getragen werden können. Die schönsten Früchte aus der preußisch-russischen Zusammenarbeit sind da gerade gut genug als Ansporn auf den verschiedensten Gebieten. Ansatzpunkte gibt es mehr als genug. Vielleicht könnte Preußen, genauer: Ostpreußen/Kaliningradskaja Oblast, wo alles seinen Ausgang genommen hat, sogar ein Ort der Inspiration werden. Die von den Nachfahren Preußens und Russlands in gleicher Weise fraglos und unangefochten geehrte Persönlichkeit ist die Immanuel Kants, dessen Grabmal den Krieg überdauert hat und dessen pure Existenz darüber gewacht hat, dass dem Königsberger Dom nicht das Schicksal des Ordensschlosses widerfahren ist: die Sprengung. Wenn auch die Kontroversen über das russische Preußenbild noch eine Weile weitergehen dürften – das Preußenbild ist ja selbst in Deutschland umstritten –, so dürfen wir in einem doch uneingeschränkt propreußisch sein: in der Verehrung für Kant, ob nun im nachimperialen Russland oder im nachpreußischen Deutschland.

URSULA RÖPER

Preußen und die Frauen

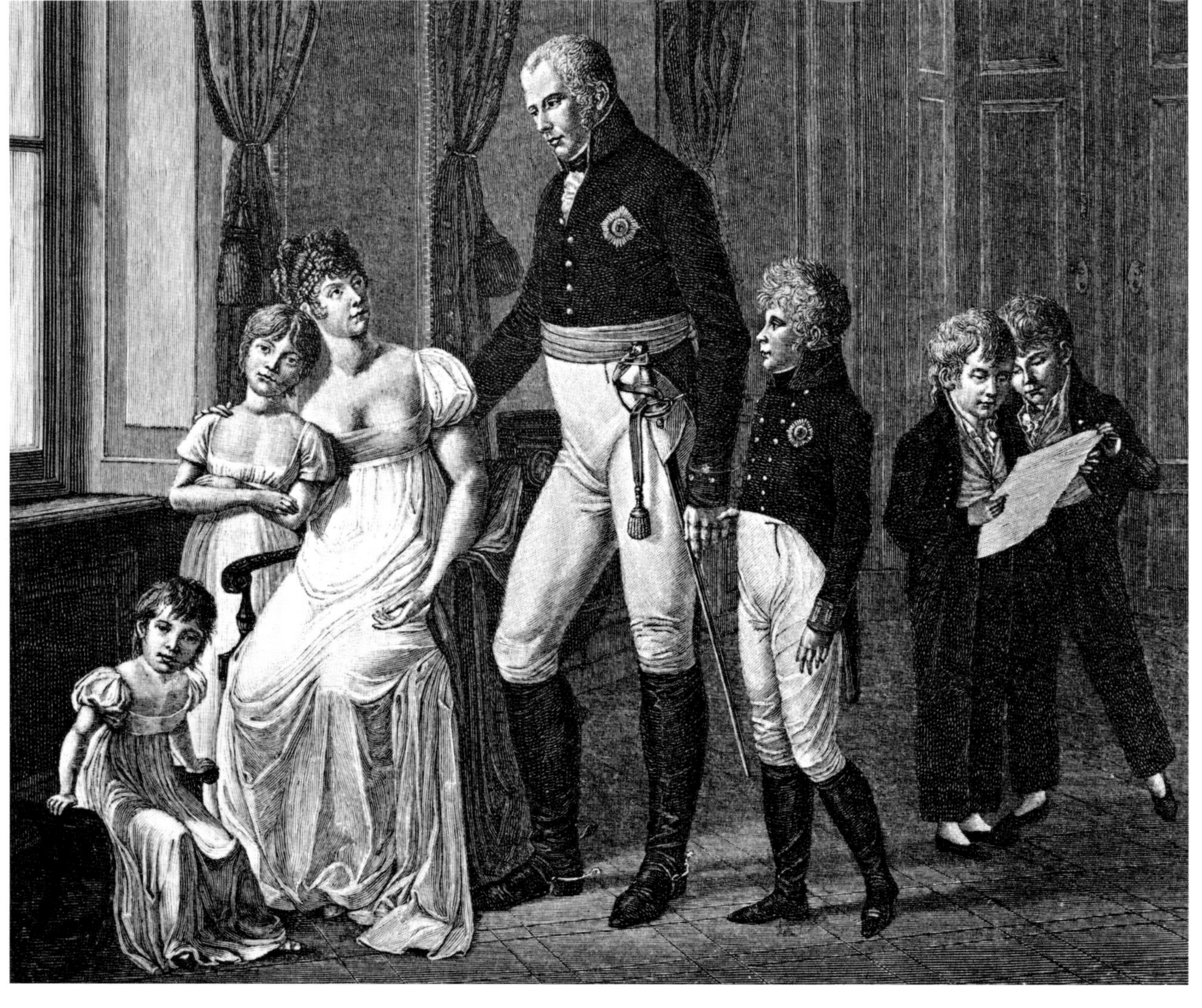

Luise von Preußen im Kreise ihrer Familie. Von links nach rechts: Prinzessin Alexandrine, Prinzessin Charlotte, König Friedrich Wilhelm III., Kronprinz Friedrich Wilhelm, Prinzessin Luise, Prinz Albrecht.

Am 23. März 1813 wurde in der „Königlich privilegierten Berlinischen Zeitung von Staats- und gelehrten Sachen" ein „Aufruf an die Frauen im Preußischen Staate" abgedruckt, unterzeichnet von Marie Anne, Prinzessin Wilhelm von Preußen (1785–1846) und acht anderen Prinzessinnen, so u. a. Wilhelmine, Prinzessin von Oranien, und Auguste, Kurprinzessin von Hessen. Sie riefen die Frauen Preußens dazu auf, „Frauen-Vereine zum Wohl des Vaterlandes" zu gründen, deren Zweck es sei, die Männer und Jünglinge bei ihrem Kampf für das Vaterland zu unterstützen. Die „edelmüthigen Frauen und Töchter jeden Standes" sollten Geld, aber auch „die glänzende Verzierung des Ohrs", „jede entbehrliche wertvolle Kleinigkeit", gesponnene Wolle oder Garn opfern, und „wenn die reiche Wohltätigkeit der Frauen uns in den Stand setzt, noch mehr zu thun, dann sollen die Verwundten gepflegt, geheilt" werden.

Das patriotische Handeln der Prinzessinnen hatte sich sein Vorbild genommen an Königin Luise von Preußen aus dem Hause Mecklenburg-Strelitz (1776–1810), die durch ihr charismatisches Auftreten im Rahmen der Friedensverhandlungen von Tilsit 1807 Napoleon zu einem Umdenken hatte bewegen wollen, um Preußen vor einer endgültigen Niederlage zu bewahren. Bereits vor diesem ungewöhnlichen politischen Eingreifen der Königin war sie in der Bevölkerung beliebt durch ihre familiär geführte Ehe. Patriotisch geprägte Mutterliebe, verbunden mit Schönheit, Sanftmut und Keuschheit bildeten den Kern der unzähligen Mythen, die im 19. Jahrhundert Königin Luise überhöhten. Die Königinnen in Preußen wurden im Gegensatz zu den Frauen anderer europäischer Herrscherhäuser niemals als Regentinnen gekrönt. Ihre politische Bedeutung lag in dem Einfluss, den sie mehr oder weniger auf ihre Männer ausübten. Preußens Luise wurde im Verlauf des 19. Jahrhunderts umso legendärer, je mehr die Frauenfrage die Sozial- und Innenpolitik beschäftigte. Forderungen nach adäquaten Ausbildungs- und Berufsmöglichkeiten, vor allem für allein stehende Frauen, die in den Kleinfamilien der bürgerlichen Gesellschaft nicht mehr mitversorgt werden konnten, wurden immer lauter. Auch die prekäre Lebenssituation von Lohnarbeiterinnen und Dienstmädchen wurde angeprangert ebenso wie die hohe Zahl an Prostituier-

„Denke edel, handle hilfreich". Das erwartete man(n) im 19. Jahrhundert von den Frauen. Vorbild war die Königin Luise von Preußen. Das Handtuch mit ihrem Bildnis entstand um 1900.

ten in den Städten. Im gesellschaftlichen Diskurs wurde die Frauenfrage jedoch vornehmlich als ein Problem der Sittlichkeit, der weiblichen Tugend und Ehre verhandelt. „Die Bedeutung der Frau liegt hauptsächlich in der sittlichen und geschlechtlichen Reinheit, und mit dem Verlust derselben ist die Würde des Weibes, so wie der eheliche und häusliche Friede vernichtet, die Erziehung der Kinder preisgegeben." Der preußische Justizminister Friedrich Karl von Savigny (1779 –1861) beispielsweise begründete 1845 auf diese Weise, warum der Ehebruch einer Frau härter zu bestrafen sei als der eines Mannes, und votierte damit zugleich für eine Verschärfung des liberalen Scheidungsrechtes, mit dem Preußen im ausgehenden 18. Jahrhundert im Rahmen des Allgemeinen Landrechtes eine europäische Vorreiterrolle eingenommen hatte.
Theodor Fontanes Romane erhalten ihren Reiz und ihre Spannung dadurch, dass sie die Auswirkungen des Ehrdiskurses auf die Frauen in Preußen vorführen.
Die Romanfigur Effi Briest, deren Schicksal dem realen Erleben der Elisabeth Freiin von Plotho, verheiratete von Ardenne, nachgebildet wurde, ist dafür zum Synonym geworden. Standesgemäß erzogen, fügt Effi sich scheinbar ohne großen Zwang in die gesellschaftliche Ordnung, die sie früh durch die Ehe an einen preußischen Landrat bindet, doch sie scheitert an dem durch Ehre und Tugend festgefügten Lebenskonzept der verbürgerlichten Adelsgesellschaft. Effi zerbricht nicht an der üblichen Bestrafung, nämlich dem Ausschluss aus der eigenen Familie und der Gesellschaft, nachdem ihre außereheliche Liebesgeschichte offenbar geworden ist. Diese Spielregeln der Ehre, denen sie ihr individuelles Glück unterordnen muss, nimmt sie ziemlich klaglos hin. Sie zerbricht vielmehr an dem Widerspruch zwischen ihren mütterlichen Gefühlen und den Normen, nach denen ihr geschiedener Mann die Tochter Annie erzieht. Da Effi das Sorgerecht entzogen worden ist, gelingt es ihr erst nach mehreren Jahren mit Hilfe der Gattin eines Ministers, ihre Tochter wieder zu sehen. Das artige Kind, das außer „O gewiss, wenn ich darf" nichts auf die Fragen der ungeduldigen Mutter zu antworten weiß, provoziert Effis Ausbruch: „O, du Gott im Himmel, vergib mir, was ich getan; ich war ein Kind ... Aber nein, nein, ich war kein Kind, ich war alt genug, um zu wissen, was ich tat. (...) aber das ist zu viel. (...) Ehre, Ehre, Ehre ... und dann hat er den armen Kerl totgeschossen, den ich nicht einmal liebte (...) Und ich schuld. Und nun schickt er mir das Kind, weil er einer Ministerin nichts abschlagen kann, und ehe er das Kind schickt, richtet er's ab wie einen Papagei und bringt ihm die Phrase bei: ‚Wenn ich darf'. Mich ekelt was ich getan; aber was mich noch mehr ekelt, das ist eure Tugend."
Königin Luise und Effi Briest – zwei weibliche preußische Ikonen des 19. Jahrhunderts, die gegensätzlicher nicht sein könnten, und doch bilden sie in ihrem Kern den gleichen Sachverhalt ab. Zu fragen ist also, wie sich die jeweils zeitgenössische Interpretation der weiblichen Ehre und Tugenden in diejenige der preußischen Tugenden wie Gehorsam, Pflicht und Toleranz einfügt, oder anders: Wird in der Debatte um die preußischen Tugenden die „querelle des sexes" mitgedacht?

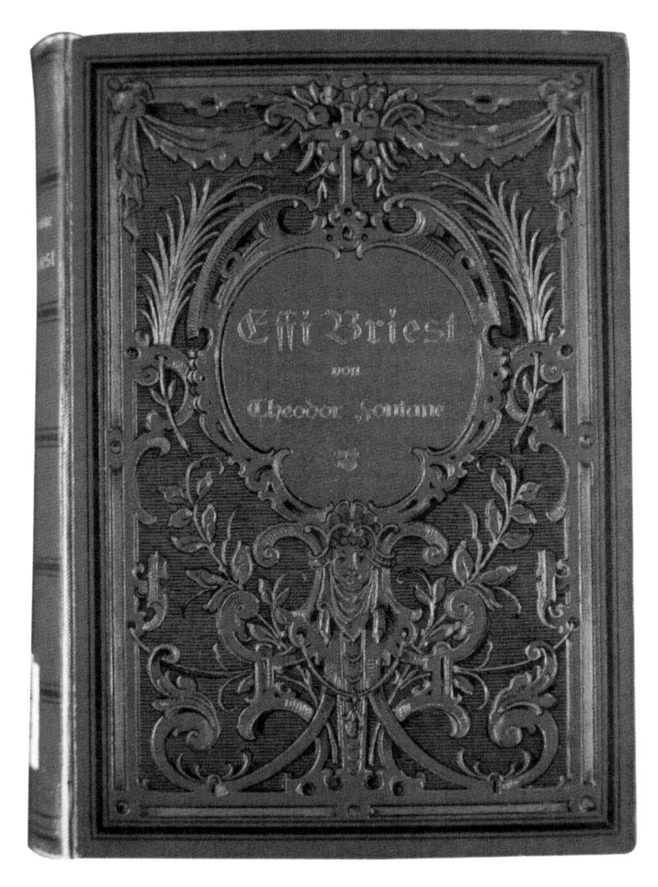

„Effi Briest", Erstausgabe, Verlagseinband der Firma F. Fontane & Co. Theodor Fontanes 1895 erschienener Roman „Effi Briest" ist eines der erfolgreichsten Werke des preußischen Dichters. Im Leiden seiner Hauptfigur spiegeln sich die sozialen Zwänge, denen Frauen in Preußen am Ende des 19. Jahrhunderts ausgesetzt waren.

Sophie Charlotte war die erste Königin von Preußen. Die gebürtige Hannoveranerin förderte nicht nur die Künste und Wissenschaften in Brandenburg-Preußen. Sie war auch die hoch geschätzte Gesprächspartnerin führender Geister ihrer Zeit. Leibniz widmete ihr eines seiner philosophischen Hauptwerke, die „Theodizee".

Ein Blick auf die Gemahlinnen der preußischen Könige kann uns heute ein Bild der Tugendinterpretationen vermitteln, wie sie in Preußen galten. Als erste Frauen im Staat waren die Fürstinnen – wie in anderen europäischen Staaten – nicht nur Individuen, sondern sie spiegelten das weibliche Rollenbild wider, das jeweils politisch erwünscht war. Für die Zeit der preußischen Könige und Kaiser lässt sich eine eindrückliche Linie ziehen von der ersten preußischen Königin Sophie Charlotte von Hannover (1668–1705), der Gemahlin König Friedrichs I. in Preußen, die im Schloss in Lietzenburg (heute Schloss Charlottenburg, Berlin) ihren eigenständigen Musenhof führte, mit Leibniz und anderen Philosophen disputierte und die Akademie der Wissenschaften und Künste förderte, bis zu Auguste Viktoria von Schleswig-Holstein (1858–1921), der gläubigen Gemahlin des letzten Kaisers Wilhelm II., die im Gedächtnis der Bevölkerung vor allem durch ihr wohltätiges Engagement und ihr Patronat für Kirchenbauten und Kindergärten verankert ist. Obwohl für alle Königinnen zuallererst die unabdingbare Pflicht galt, für die Thronfolge Sorge zu tragen, wird ein Unterschied zwischen der ersten preußischen Königin und der letzten deutschen Kaiserin deutlich, der sich nicht allein durch den Wandel der Vorstellungen von höfischem Leben, Pracht und Zeremoniell erklären lässt. Die Eigenständigkeit des weiblichen Hofes um Kurfürstin und Königin Sophie Charlotte verweist auch auf das Geschlechterverständnis der Standesgesellschaft der frühen Neuzeit. Demnach war die Ehefrau der rechtlichen Obhut ihres Mannes untergeordnet, das gemeinsame Haus konnte gleichwohl nur durch ein Zusammenwirken beider Ehepartner repräsentiert werden. Ehefrau und Ehemann waren für jeweils klar definierte Bereiche verantwortlich, wobei die Frauen durch ihre Keuschheit zusätzlich die sittliche Ehre des Hauses zu bewahren hatten. Aus einem solchen Geschlechterverständnis heraus war es vorstellbar, Frauen an Herrschaft beziehungsweise Macht zu beteiligen, wie dies in einigen europäischen Fürstenhäusern, so beispielsweise in Österreich oder in Sachsen, im 18. Jahrhundert der Fall war. Auch Friedrich Wilhelm I. betraute während einer schweren Krankheit 1720 seine Gemahlin Sophie Dorothea von Hannover (1687–1757) für kurze Zeit mit Regierungsgeschäften.

Friedrich II. (1712–1786) hatte wiederum mit Herrscherinnen wie der Erzherzogin von Österreich Maria Theresia (1717–1780) oder der Zarin Katharina II. zu verhandeln, während er seine eigene, ihm vom Vater aufgezwungene Gemahlin Elisabeth Christine von Braunschweig-Bevern (1715–1797) nach Schloss Schönhausen verbannte. Sie durfte niemals Schloss Sanssouci betreten. Trotz aller Pflicht, der Entscheidung ihres Mannes zu gehorchen, gestaltete sie ihren weiblichen Hof unabhängig und eigenständig.

In der Erziehungsliteratur der Aufklärung wurde die Frage nach dem Wesen der Frau anders beantwortet und damit die geschlechtsspezifische Aufgabenteilung der bürgerlichen Gesellschaft vorbereitet. In der Deutschen Enzyklopädie von 1785 ist die Argumentationslinie dieser Debatte nachzulesen: „Der Mann hat mehr Thätigkeit und Feuer als das Weib, er ist kühn und stark und schickt sich zu einem Beschützer, da im Gegentheil die Frau, welche zart und furchtsam ist, eines Schutzes bedarf. Der Mann, seiner Stärke sich bewußt, wird von Natur zum Regieren getrieben, da hingegen die Frau, welche ihre Schwäche kennt, zum Gehorsam geneigt ist." Diese Auffassung wurde 1894 in Meyers Konversations-Lexikon bestätigt: „Dem Manne der Staat, der Frau die Familie." Die bürgerliche Gesellschaft des 19. Jahrhunderts hatte den Frauen die sittliche Pflege des privaten Familienlebens zugeteilt und die Beteiligung am öffentlichen und politischen Leben moralisch sanktioniert. Privates Handeln wurde zugleich dem politischen Handeln in seiner gesellschaftlichen Bewertung untergeordnet.

Preußens Luise markierte den Paradigmenwechsel, und auch ihre Nachfolgerin, die vom Katholizismus zum Protestantismus konvertierte Elisabeth von Bayern, Gemahlin Friedrich Wilhelms IV.,

Die deutsche Kaiserin und preußische Königin Augusta, eine gebürtige Prinzessin von Sachsen-Weimar, formulierte durchaus auch in politischen Fragen ihre eigene Meinung.

repräsentierte dieses Frauenbild. Die pietistisch geprägte Frömmigkeit des preußischen Königshauses im 19. Jahrhundert erwartete von den Frauen demütige Hingabe, Nächstenliebe zu den Armen und sozial Notleidenden, Pflichterfüllung und Gehorsam gegenüber dem Vater/Ehemann, der Obrigkeit und Gott. Augusta v. Sachsen-Weimar (1811–1890), die Gemahlin von Wilhelm I., wollte sich, wie viele Frauen ihrer Zeit, nicht in ein solch frommes Frauenbild einfügen. Sie hatte in ihrer Jugendzeit in Weimar noch Goethe kennen gelernt und opponierte u. a. massiv gegen Bismarck. Sie schien an weibliche Lebensentwürfe aus dem 18. Jahrhundert anknüpfen zu wollen, konnte sich im Gedächtnis der Bevölkerung damit jedoch nicht behaupten. Die gläubige Kaiserin Auguste Viktoria hingegen beeindruckte das Volk als fürsorgliche, wohltätige Landesmutter und kirchlich engagierte Frau. Sie pflegte dieses Bild und erfüllte damit die politischen Erwartungen, obwohl es beispielsweise mit Maria Theresia und den Zarinnen von Russland im 18. Jahrhundert oder mit Königin Viktoria I. von England (1837–1901) einige historische und zeitgenössische Beispiele von Frauen gegeben hatte, die Herrschaft und Macht ausgeübt hatten.

Ein vergleichender Blick auf die europäischen Kaiserinnen des 18. und 19. Jahrhunderts wirft daher die Frage auf, warum eine politische Beteiligung der Frauen an der Macht in Preußen nicht denkbar war. Zur Beantwortung ist sicherlich auch das Geschlechterverständnis des Protestantismus zu bedenken, denn dieser hatte die heilige Maria entthront. Den preußischen Frauen und Männern des 19. Jahrhunderts blieb allerdings der Kunstgriff, sich eine eigene Madonna zu erschaffen, die sie in Königin Luise zu finden glaubten, wie jüngst Günther de Bruyn wieder konstatierte. Doch die preußisch-protestantische Interpretation jener weiblichen Kultfigur ließ viele Wünsche der Frauen auf ein selbstbestimmtes Leben unerfüllt. Und so blieb den Frauen nichts anderes übrig, als sich selbstbewusst für ihre Rechte stark zu machen, gemäß dem Aphorismus Marie von Ebner-Eschenbachs: Für das Können gibt es nur einen Beweis: das Tun.

Kaiserin Auguste Viktoria, die Frau Wilhelms II., engagierte sich im sozialen und kirchlichen Bereich. Unter anderem förderte sie die Frauenhilfe, indem sie die Schirmherrschaft wie bei der „Frauen-Hülfe des Evangelisch-Kirchlichen Hülfsvereins" in Soest übernahm. Die abgebildete Mitgliedskarte stammt aus der Zeit um 1900.

HANS-JOACHIM GIERSBERG

Preußische Schlösser und Gärten

Pflege und Bewahrung – eine kulturelle Aufgabe unserer Zeit

Das königliche Schloss in Berlin mit der Kurfürstenbrücke. Das Gemälde von Maximilian von Roch entstand um 1840.

Die preußischen Schlösser und Gärten in Berlin und Brandenburg sind Denkmale unserer Kultur und unserer Geschichte. Ihr unschätzbarer Wert liegt darin – und das haben sie mit vielen Denkmalen, Kunstwerken und anderen Zeugnissen der Geschichte gemein – dass sie die materielle und ideelle Basis unserer historischen Identität bilden.
Das in den Kulturdenkmalen gespeicherte Wissen und Können schlägt eine Brücke in die Gegenwart und weiter in die Zukunft. Deshalb gilt es, sie zu pflegen und für spätere Generationen zu bewahren.
In den vergangenen mehr als drei Jahrhunderten schufen Künstler, Architekten und Gartengestalter im Auftrag der brandenburgisch-preußischen Kurfürsten, Könige und Kaiser in Berlin und Potsdam Architektur- und Gartenensembles, die heute weltweiten Ruhm genießen. Die preußischen Gärten und Schlösser bilden eine Kulturlandschaft, die vom späten 17. bis über die Mitte des 19. Jahrhunderts hinaus kontinuierlich gewachsen ist. Während die bevorzugte Winterresidenz der brandenburgischen Kurfürsten und späteren preußischen Könige das große Berliner Stadtschloss war, legten sie in der Havellandschaft um Potsdam Gärten und Schlösser für den sommerlichen Aufenthalt an.
Ausgangspunkt war das im 17. Jahrhundert unter Kurfürst Friedrich Wilhelm, dem „Großen Kurfürsten", errichtete und zwischen 1744 und 1752 von Georg Wenzelslaus von Knobelsdorff umgebaute Potsdamer Stadtschloss. Die Wurzeln dieser Entwicklung liegen bei dem brandenburgischen Kurfürsten Joachim II., der 1542 mit dem Jagdschloss Grunewald das älteste heute in Berlin und Brandenburg erhaltene Hohenzollernschloss errichten ließ. Jeder der folgenden Herrscher fügte dem Gesamtensemble, das zwischen Berlin und Potsdam entstand, eine oder mehrere Schloss- und Gartenanlagen hinzu.
Kurfürst Friedrich III., seit seiner Selbstkrönung im Jahre 1701 König Friedrich I. in Preußen, und seine Gemahlin Sophie Charlotte ließen nach 1695 in Lietzenburg ein Schloss bauen. Nach dem frühen Tod Sophie Charlottes wurde es ihr zu Ehren ab 1705 Charlottenburg genannt. Der ursprüngliche Bau entstand nach Plänen Arnold Nehrings, wurde aber bereits 1702 von Eosander von Göthe erweitert. Bis in das 19. Jahrhundert hinein wurde die Schlossanlage in der Folge von so berühmten Architekten wie Georg Wenzelslaus Knobelsdorff, Carl Gotthart Langhans oder Karl Friedrich Schinkel erweitert und umgebaut. Die besondere geschichtliche und kunstgeschichtliche Bedeutung dieses Schlosses resultiert daraus, dass in Charlottenburg nahezu alle preußischen Könige wohnten und ihre künstlerischen Spuren hinterließen.
In Potsdam legte Friedrich der Große seit 1744 den Park Sanssouci mit seinem berühmten Weinbergschloss an. Der Park wurde unter seinen Nachfolgern von herausragenden Gartenkünstlern bis ins 19. Jahrhundert hinein ständig dem jeweiligen Zeitgeist entsprechend weiterentwickelt. So reicht heute das Spektrum vom barocken Parterre unterhalb Sanssoucis bis zum englischen Landschaftsgarten im Bereich des Schlosses Charlottenhof.
Daneben wurde auf Veranlassung des Nachfolgers Friedrich des Großen, Friedrich Wilhelms II., seit 1787 der Neue Garten angelegt. Darin bilden das Marmorpalais und das 1912 bis 1916 erbaute Schloss Cecilienhof – die letzte große Schlossanlage der Hohenzollern – die architektonischen Höhepunkte.
Ab 1833 entstand der von Peter Joseph Lenné, vor allem aber von dem Fürsten Pückler gestaltete Park Babelsberg mit dem nach den Entwürfen Karl Friedrich Schinkels und Ludwig Persius errichteten neogotischen Schlossbau. Ergänzt und ausgebaut wurde das Potsdamer Gartenreich schließlich mit kleineren oder peripheren Parkanlagen wie Schloss und Park Lindstedt, dem Pfingstberg und der heute zu Berlin gehörenden Pfaueninsel sowie Glienicke und Sacrow. Außerhalb der Stadt wurden Lustschlösser wie Caputh oder Paretz errichtet bzw. ausgebaut.
Am 12. Dezember 1990 wurde das großartige Gesamtkunstwerk der Potsdam-Berliner Kulturlandschaft, mit ihren zahlreichen Schlössern, historischen Gebäuden, Parks und Gärten in die UNESCO-Liste des Weltkulturerbes eingetragen. Damit wurde ihre herausragende Bedeutung als Kulturdenkmal der Menschheit dokumentiert und gewürdigt. Zugleich

Linke Seite: Schloss Sanssouci war das Refugium Friedrichs II. Gemälde von Carl Blechen aus den Jahren 1843/45.

Schloss Charlottenburg, benannt nach der Gemahlin Friedrichs I., Sophie Charlotte, entstand durch eine Reihe von Erweiterungsbauten des Landsitzes Lietzenburg.

war dies ein bedeutsamer Schritt für die Erhaltung des Ensembles aus Schlössern, Gärten und Werken der bildenden und angewandten Kunst für spätere Generationen. 1999 wurde dieses Ensemble durch die Aufnahme mehrerer Bauten und Parkbereiche noch erweitert.
Die einzigartige Ausstrahlung dieses außergewöhnlichen Kulturdenkmals erwächst aus seinem Ensemblecharakter und der Synthese von Schöpfungen der Kunst und Architektur sowie der Landschaftsgestaltung mehrerer Jahrhunderte und Epochen. Kilometerlange Sichtachsen, so von der Berliner Pfaueninsel bis zum Neuen Garten in Potsdam oder von Schloss Glienicke zum Park Babelsberg, sowie harmonisch in die Parks und Gärten eingebettete Schlossanlagen verschmelzen zu einem wunderbaren Gemälde, in dem sich Natur und Kunst miteinander harmonisch verbinden.
Zu den großen Kulturstätten der Menschheit zu gehören bedeutet sowohl Ehre als auch Verpflichtung. Die Welterbekonvention stellt dabei „Erfassung, Schutz und Erhaltung in Bestand und Wertigkeit" des Kulturerbes, sowie „seine Weitergabe an künftige Generationen zu sichern", in den Mittelpunkt der Verpflichtungen für die Denkmale der UNESCO-Welterbeliste. Den Auftrag, dieses Erbe zu pflegen, zu restaurieren, zu erforschen und der Öffentlichkeit zugänglich zu machen, erhielt die durch den Bund sowie die Länder Berlin und Brandenburg 1995 gegründete Stiftung Preußische Schlösser und Gärten Berlin-Brandenburg, zu der der überwiegende Teil der Potsdam-Berliner Kulturlandschaft gehört.
Die besonderen natürlichen Gegebenheiten der Potsdamer Landschaften mit dem leicht hügeligen Gelände sowie dem Wasser- und Waldreichtum wurden durch die Gestaltungskraft der preußischen Hofgärtner, vor allem Peter Josef Lennés im 19. Jahrhundert, zu einem einmaligen künstlerischen Ensemble von durch mannigfache Sichtbeziehungen verbundenen Parkanlagen geformt.
Die durch die Natur gegebene Vergänglichkeit der Pflanze, ob Gras, Blume, Strauch oder Baum, dem neben Weg, Wasser und Hügel prägendsten Element des Gartens, erfordert eine ständige Pflege, um das vom Schöpfer geplante

Das Jagdschloss Grunewald wurde 1542 im Auftrag des brandenburgischen Kurfürsten Joachim II. errichtet und später immer wieder umgebaut. Die Radierung von Johann Friedrich Henning zeigt das Schloss um 1800.

Bereits der Große Kurfürst hatte im 17. Jahrhundert ein Stadtschloss in Potsdam errichten lassen, das von seinen Nachfolgern immer wieder umgebaut und erweitert wurde. Seine klassische Gestalt erhielt das Schloss unter Friedrich II. Der Stahlstich entstand um 1860.

Peter Joseph Lenné war seit 1824 Generaldirektor der königlich-preußischen Gärten und gestaltete u.a. den Tiergarten und den Schlosspark Charlottenburg. Das Porträt von Carl Begas entstand um 1850.

künstlerische Bild zu erhalten. Ist dies schon bei einer in sich geschlossenen Parkanlage nicht einfach, so wird es um so komplizierter, je stärker die einzelnen Anlagen durch Sichtbeziehungen verknüpft sind und durch den Menschen genutzt werden. Gerade dies ist ein besonderes Kriterium der Potsdam-Berliner Kulturlandschaft. Dieses Kriterium war und ist dabei besonderen Gefahren ausgesetzt. Die ersten Vorboten dieser Gefahren zeigten sich bereits Ende des 19. Jahrhunderts als mit neuen Bauten in den Potsdamer Vorstädten die Sichtbeziehungen zwischen den einzelnen Elementen der Kulturlandschaft zunehmend blockiert wurden. Nach 1961 erhielt diese Tendenz durch die Errichtung neuer Wohnbereiche mit Hochhäusern in der durch den Krieg stark zerstörten Potsdamer Innenstadt sowie in städtischen Randgebieten, die sich aus der Ferne zu Wänden zusammenschieben, eine neue Dimension. Schließlich führte nach 1990 die Bebauung am so genannten Glienicker Horn vis à vis des Parks Babelsberg und des in seiner gelagerten Massivität alle bisherigen Bauvolumina in Potsdam sprengenden so genannten Potsdam-Centers zu einer ernsthaften Gefährdung des Status als Welterbestätte. Die sich daraus ergebende Gefahr, dass die Potsdam-Berliner Kulturlandschaft auf die Rote Liste der UNESCO gesetzt werden würde, ist zwar in letzter Minute gebannt worden, zeigt aber die Notwendigkeit eines weit reichenden Umgebungsschutzes.

In den vergangenen zehn Jahren wurden durch die Stiftung Preußische Schlösser und Gärten Berlin-Brandenburg viel-

Lageplan der Pfaueninsel aus dem Jahre 1829, nach der Umgestaltung durch Peter Joseph Lenné.

Das Belvedere auf dem Pfingstberg, in der zweiten Hälfte des 19. Jahrhunderts erbaut, bot einen weiten Blick über die Potsdamer Garten- und Architekturlandschaft.

fältige Anstrengungen zur Pflege, Wiederherstellung und Restaurierung der preußischen Schlösser und Gärten unternommen. Dabei bildete die Finanzierung durch den Bund und die beiden Länder Berlin und Brandenburg sowie das ideelle und materielle Engagement vielfältiger Spender, Mäzene und Sponsoren die Grundlage für die Pflege und Erhaltung der Schlösser und Gärten. Natürlich wurde dabei den Bereichen des Weltkulturerbes besondere Aufmerksamkeit geschenkt.

Ein erstes großes Projekt nach 1990 war die Wiederherstellung der durch die Berliner Mauer stark in Mitleidenschaft gezogenen Potsdamer Parkbereiche im Neuen Garten und im Park Babelsberg. Im Jahre 1993 konnte die Restaurierung des Chinesischen Hauses in Sanssouci, des Flatowturms in Babelsberg und des ersten Bauwerks Schinkels auf dem Pfingstberg, dem Pomona-Tempel, abgeschlossen werden. Zum 250-jährigen Jubiläum von Sanssouci 1994 präsentierte sich die Kleine Galerie des Schlosses Sanssouci wieder in ihrer alten Schönheit. Seit diesem Jahr konnte auch das nun eingerichtete Schloss Glienicke wieder besichtigt werden. Ein Jahr später waren die privaten Wohnräume des Kronprinzenpaares im Schloss Cecilienhof restauriert und den Besuchern zugänglich gemacht.

Nach dreijähriger umfänglicher Restaurierung wurde 1996 die Bildergalerie von Sanssouci wieder eröffnet. Damit war der erste selbstständige deutsche Museumsbau nicht nur in seinem Inneren wiederhergestellt, sondern die ausgestellten Werke, vornehmlich des flämischen und italienischen Barocks, konnten auch unter wesentlich verbesserten konservatorischen Bedingungen präsentiert werden. Aus Anlass des 200. Todestags Friedrich Wilhelms II., dessen Sommerresidenz das Schloss einst war, wurde 1997 das Marmorpalais im Neuen Garten eröffnet. Dem waren jahrelange Sanierungs- und Restaurierungsarbeiten vorausgegangen. Nachdem anfangs nur die Räume des Südflügels und einige Räume des Hauptbaus gezeigt wurden, konnten in den folgenden Jahren weitere Räume, dazu gehören der Obere Saal und das Orientalische Kabinett, fertig gestellt werden. 1997 wurde, dank einer großzügigen Spende des Landes Berlin, die wiedererrichtete Gotische Bibliothek am Heiligen See eingeweiht.

Zur Zeit wird intensiv am Wiederaufbau des durch die Kriegszerstörungen ruinösen Normannischen Turms auf dem Rui-

Die Bildergalerie ließ Friedrich II. während des Siebenjährigen Krieges östlich von Schloss Sanssouci errichten. Der Kupferstich von Johann Friedrich Schleuen entstand um 1770.

nenberg nördlich des Schlosses Sanssouci und dem ersten Abschnitt des Belvederes auf dem Pfingstberg gearbeitet. Beide Türme werden im Jahr 2001 die Möglichkeit bieten, sowohl die historischen Gartenanlagen des 18. und 19. Jahrhunderts, aber auch die in diesem Jahr stattfindende Bundesgartenschau aus erhöhter Perspektive zu besichtigen.
In den Berliner Teilen der Potsdam-Berliner Kulturlandschaft wurden seit 1978 intensive garten- und baudenkmalpflegerische Wiederherstellungsmaßnahmen eingeleitet. Im Ergebnis wurden u.a. die Klein-Glienicker Parkanlage mit dem Pleasureground und der Jagdschlosspark am Böttcherberg mit der Loggia Alexandra wieder hergestellt.
Die hier genannten Arbeiten sind nur die wichtigsten der vielfältigen Maßnahmen des vergangenen Jahrzehnts zur Erhaltung des Weltkulturerbes.

Ein wichtiger Aspekt der Erhaltung und Pflege der Schlösser- und Parkensembles besteht in der Sensibilisierung der Öffentlichkeit für den Wert der preußischen Schlösser und Gärten als historische Kunst- und Kulturdenkmale. Dies ist jedoch nur möglich, wenn es einen übergreifenden Konsens für die Erhaltung und den Wert der Anlagen gibt. Von vielen Seiten und Interessengruppen werden ständig neue Ansprüche an das Weltkulturerbe formuliert. Nicht selten stehen dabei individuelle Interessen im Vordergrund. Es muss klar werden, dass nicht alle Nutzungsansprüche mit den Anforderungen eines Denkmales, insbesondere mit denen an das Weltkulturerbe vereinbar sind und zuweilen auch eine Gefährdung darstellen.
Die preußischen Schlösser und Gärten sind nicht allein Stein gewordene oder in die Landschaft komponierte Zeugen der Geschichte. Dieser Teil des preußischen Erbes ist viel mehr. Er gehört zu unserem kulturellen Gedächtnis. Und er legt Zeugnis ab von menschlicher Kulturleistung.
Die Schlösser und Gärten in Potsdam, Berlin und im Land Brandenburg sind stützende Pfeiler in einer Zeit, deren gesellschaftliche und kulturelle Dynamik nicht nur Positives mit sich bringt, sondern zuweilen durchaus auch mit zerstörerischer Kraft unsere Kultur begleitet. Allein aus diesem Grunde lohnt es sich, diese Gesamtkunstwerke zu pflegen und für spätere Generationen zu bewahren, denn „nichts gedeiht ohne Pflege; und die vortrefflichsten Dinge verlieren durch unzweckmäßige Behandlung ihren Wert", wie Peter Joseph Lenné treffend und vorausschauend feststellte.

Der Flatowturm im Park Babelsberg wurde 1853 nach dem Vorbild des Eschenheimer Tores in Frankfurt am Main errichtet. Aquarell von Carl Graeb aus der Zeit um 1860.

Zwischen Restauration und Revolution

Preußens Entwicklung 1815 bis 1848

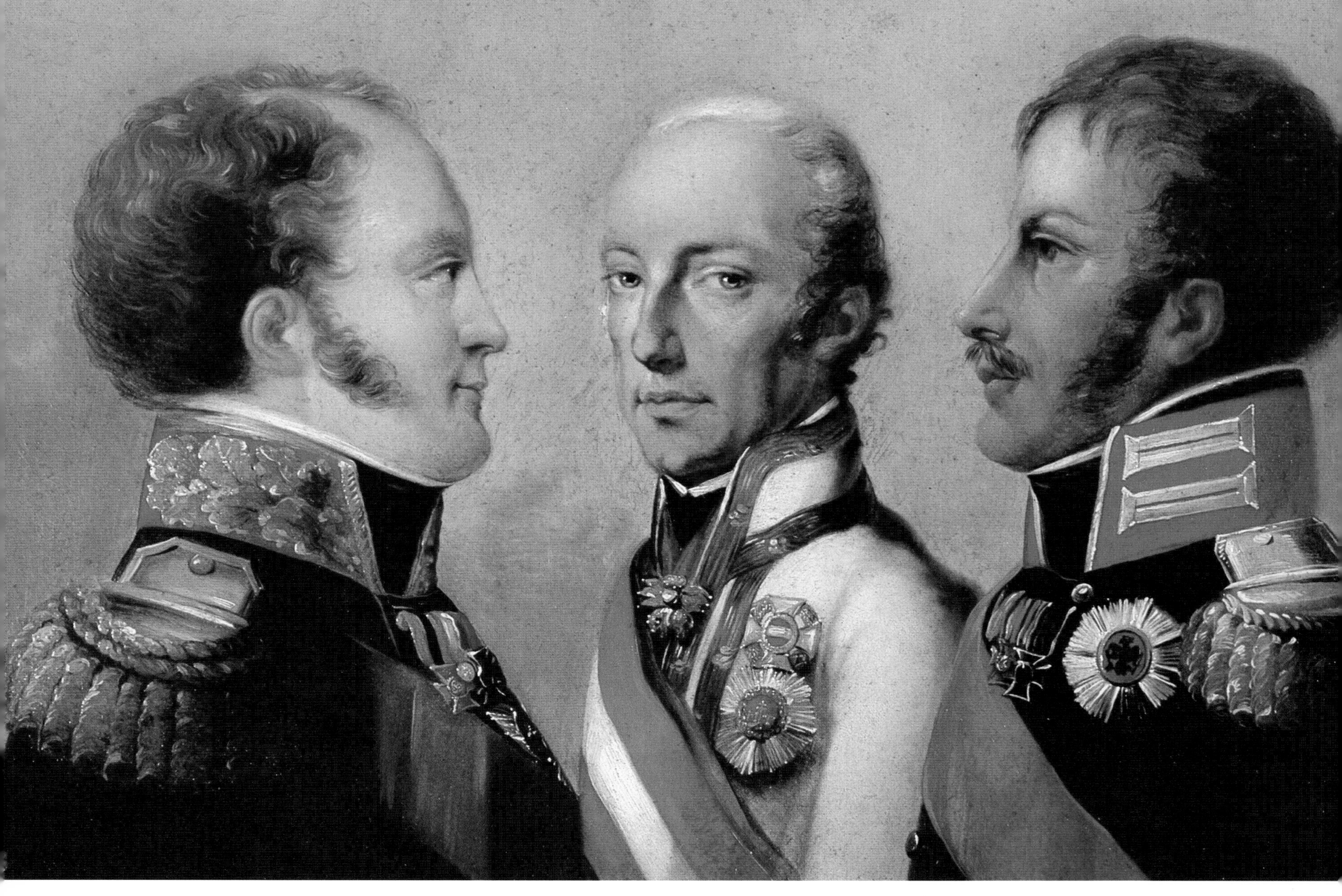

Der Rückzug ins Private und in den geschützten Innenraum der Familie war typisch für die Zeit des Biedermeier. Gemälde von Georg Friedrich Kersting aus dem Jahre 1817.

Die Befreiungskriege hatten die Bevölkerung Preußens und anderer deutscher Staaten mobilisiert und eine Nationalbewegung ins Leben gerufen, die neben der Einheit Deutschlands auch politische Freiheit und rechtliche Gleichheit forderte. Doch die deutschen Fürsten waren nicht bereit, ihre Macht zu teilen. Forderungen nach einer liberalen Verfassung blieben ungehört und auch die deutsche Einheit war nicht in Sicht. Der 1815 gegründete Deutsche Bund diente allein den Interessen der einzelnen Länder.
Eine Phase der Restauration begann, bei der Preußen eine Vorreiterrolle spielte. Zwar hatte Friedrich Wilhelm III. seinen Untertanen eine Volksvertretung und Verfassung versprochen, doch machte er nach 1815 nur einige wenige Zugeständnisse an den liberalen Zeitgeist und ließ das Projekt schon bald in der Versenkung verschwinden. Schon die Gründung der Heiligen Allianz mit Russland und Österreich im September 1815 deutete auf eine Trendwende hin. Die Karlsbader Beschlüsse vom 20. September 1819 verschärften die restaurativen Tendenzen. Vertreter der liberalen und nationalen Bewegungen wurden verfolgt und die Pressefreiheit eingeschränkt.
Im Gegensatz zu dieser rückwärts gewandten Politik entwickelte sich die Wirtschaft in Preußen in einem rasanten Tempo. Die ersten modernen Fabriken entstanden im Rheinland, in Westfalen und Schlesien sowie im Berliner Raum. Vor allem Stahl wurde gebraucht und hergestellt, was wiederum zur Steigerung der Kohleförderung führte. Aber auch so traditionelle Wirtschaftszweige wie die Tuchherstellung wurden durch den Einsatz von Maschinen revolutioniert. Gefördert wurde der Aufschwung durch die von Preußen betriebene Gründung des Deutschen Zollvereins 1833/34, der den Handel von den Schranken der deutschen Kleinstaaterei befreite. Wenige Jahre später, 1838, entstand die erste Eisenbahnstrecke in Preußen, die von Berlin nach Potsdam führte. Der rasche Ausbau des Schienennetzes in den folgenden Jahren beschleunigte das wirtschaftliche Wachstum. Die Kehrseite der Industrialisierung war die Verelendung ganzer Bevölkerungsteile. Die Lohnarbeiter waren abhängig von den Fabrikbesitzern, die sie und ihre Familien schamlos ausbeuteten. Besonders hart waren die schlesischen Weber von den Veränderungen betroffen. Sie waren nicht nur von einem Fabrikanten abhängig, sondern auch der Konkurrenz der mechanischen Webstühle ausgesetzt. Als ihre Forderungen nach Lohnerhöhung im Sommer 1844 abgelehnt wurden, stürmten sie die Häuser der Fabrikanten und zerstörten Einrichtungen und Maschinen. Ihre Revolte wurde innerhalb weniger Tage vom preußischen Militär blutig niedergeschlagen.
Der Weberaufstand war nur der Vorbote größerer Ereignisse. Die unerträgliche Situation der Arbeiter und Unterschichten führte zu Hungerrevolten. Das Bürgertum forderte eine Beteiligung an der Macht. Friedrich Wilhelm IV., der 1840 preußischer König wurde, erfüllte die in ihn gesetzten Hoffnungen nicht. Der „Romantiker auf dem Königsthron" förderte zwar die kulturelle Entwicklung des Landes, eine Liberalisierung der Verfassung aber verweigerte er. Im März 1848 entlud sich die aufgestaute Wut. Die Februar-Revolution in Frankreich war der Funke, der die Explosion auslöste. In Berlin wurden Barrikaden gebaut und Bürger kämpften Seite an Seite mit Handwerkern und Arbeitern gegen das preußische Militär für politische Freiheit und nationale Einheit. Zunächst schien die Revolution siegreich. Eine preußische Nationalversammlung trat im Mai 1848 in Berlin und eine deutsche in Frankfurt am Main zusammen. Doch schon ein halbes Jahr später löste Friedrich Wilhelm IV. die Nationalversammlung in seinem Land auf und erließ eine Verfassung, die zwar Presse- und Versammlungsfreiheit sowie Gleichheit vor dem Gesetz gewährte, zugleich jedoch das erbliche Königtum sicherte und ein Dreiklassenwahlrecht einführte. Die deutsche Kaiserkrone, die ihm im April 1849 von der Deutschen Nationalversammlung angetragen wurde, lehnte der Preußen-König ab. Preußische Truppen waren in den folgenden Monaten an der Niederschlagung der Revolution in ganz Deutschland beteiligt. Die konservativen Kräfte hatten gewonnen. Die Forderungen der deutschen Nationalbewegung nach Einheit und Freiheit blieben unerfüllt. Innenpolitisch begann eine Zeit der Reaktion.

Linke Seite: Am Anfang war die Heilige Allianz. Das zwischen dem preußischen König Friedrich Wilhelm III., dem österreichischen Kaiser Franz I. und dem russischen Zaren Alexander I. (von rechts nach links) am 26. September 1815 geschlossene Bündnis leitete eine Phase der Restauration in Europa ein.

Die Stimmung des Biedermeier machte sich auch unter den Romantikern breit. So wandte sich der Schriftsteller Ludwig Tieck in den 20er Jahren einem neuen, bürgerlichen Realismus zu. Auf dem Gemälde von Carl Christian Vogel von Vogelstein aus dem Jahre 1834 sitzt der Dichter dem Bildhauer David d'Angers Modell.

Viele sahen in ihm den preußischen Staatsphilosophen: Georg Friedrich Wilhelm Hegel. Der Schwabe wurde 1818 an die Berliner Universität berufen. Seine These von der Vernünftigkeit des Wirklichen wurde als Rechtfertigung des preußischen Staates begriffen.

Bettina von Arnim verfasste nicht nur romantische Werke, sondern wies auch früh auf das soziale Elend in Preußen hin. Sie beschrieb die Armenquartiere vor den Toren Berlins und die Not der schlesischen Weber.

Karl Friedrich Schinkels klassizistische Bauten prägten die aufstrebende Hauptstadt Berlin. Die Bauakademie am Werderschen Markt entstand zwischen 1831 und 1836. Gemälde von Carl-Daniel Freydank aus dem Jahre 1838.

Großzügige klassizistische Gebäude, wie hier in der Klosterstraße, entstanden zu Beginn des 19. Jahrhunderts überall in Berlin und veränderten das Stadtbild. Gemälde von Eduard Gaertner aus dem Jahre 1830.

Die Industrialisierung hatte eines ihrer Zentren im Westen Preußens. Im Rheinland und im Ruhrgebiet entstanden die ersten modernen Fabriken. Das um 1834 geschaffene Gemälde von Alfred Rethel zeigt die Hartkortsche Fabrik auf Burg Wetter an der Ruhr. Hier stand der erste Hochofen und das erste Puddel- und Walzwerk Preußens.

Auch in und um Berlin entstanden in der ersten Hälfte des 19. Jahrhunderts moderne Industrieanlagen, wie die Borsigwerke am Oranienburger Tor. Aquarell von Eduard Biermann aus dem Jahre 1847.

Die schlesischen Weber arbeiteten für einen Hungerlohn. Der Fabrikant, der sie beauftragte, konnte das gelieferte Tuch jederzeit zurückweisen. Für die Weber hatte das katastrophale Folgen und führte schließlich 1844 zum Aufstand.

Die Industrialisierung erzeugte nicht nur Reichtum, sondern auch Armut. In den Jahren 1845 bis 1847 kam es immer wieder zu Hungerrevolten. Das Gemälde von Philipp Hoyoll entstand 1846.

Friedrich Wilhelm IV. bestieg 1840 den preußischen Thron. Die Hoffnungen des Bürgertums, dass er eine liberalere Politik als sein Vater verfolgen würde, erfüllten sich nicht.

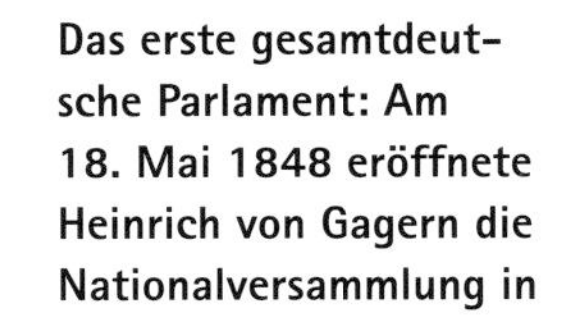

Das erste gesamtdeutsche Parlament: Am 18. Mai 1848 eröffnete Heinrich von Gagern die Nationalversammlung in der Frankfurter Paulskirche. Sie sollte die Grundlagen für ein freies und vereintes Deutschland schaffen.

Am 18. März 1848 gingen die Berliner Bürger auf die Barrikaden. Sie kämpften wie die anderen Revolutionäre in Deutschland für politische Freiheit und nationale Einheit. Ihr Symbol war die schwarz-rot-goldene Fahne. Die zeitgenössische Kreidelithografie zeigt die Barrikadenkämpfe in der Breiten Straße.

Ein nutzloser Versuch: Am 3. April 1849 bot eine Abordnung der Frankfurter Nationalversammlung Friedrich Wilhelm IV. die deutsche Kaiserkrone an. Doch der preußische König wollte kein Herrscher von Volkes Gnaden sein und lehnte ab.

Im Sommer 1849 war die Revolution in Europa gescheitert. Die zeitgenössische Karikatur von Ferdinand Schröder zeigt den großen Kehraus nach dem Sieg der Reaktion. In den deutschen Ländern sorgt das preußische Militär für Ordnung.

Carl Schurz – Ein Zeitzeuge berichtet

Das Jahr der Revolution 1848

Der im preußischen Rheinland 1829 geborene Carl Schurz war einer der führenden Demokraten in der Revolution von 1848/49. Nach deren Niederschlagung emigrierte er in die USA und machte dort Karriere als Politiker und Publizist.

Eines Morgens gegen Ende Februar 1848 – wenn ich mich recht erinnere, war es ein Sonntagmorgen – saß ich ruhig in meinem Dachzimmer, am Ulrich von Hutten arbeitend, als plötzlich einer meiner Freunde fast atemlos zu mir hereinstürzte und rief: „Da sitzest du! Weißt du denn noch nicht?" „Nun, was denn?" „Die Franzosen haben den Louis Phillip fortgejagt und die Republik proklamiert!" Ich warf die Feder hin – und der Ulrich von Hutten ist seitdem nie wieder berührt worden. Wir sprangen die Treppe hinunter, auf die Straße. Wohin nun? [...] Auf dem Marktplatz wimmelte es von Studenten, alle, wie es schien, von demselben Instinkt getrieben. Sie standen in Gruppen zusammen und sprachen eifrig. [...] In diesen Gesprächen arbeiteten sich nun bald auch die Schlagworte durch, die den allgemeinen Drang des Volksgeistes ausdrückten. Jetzt sei der Tag gekommen, die „deutsche Einheit" zu gewinnen und ein großes, mächtiges „deutsches Nationalreich" zu gründen. In erster Linie die Berufung eines Nationalparlaments. Dann kam die Forderung der bürgerlichen Rechte und Freiheiten, freie Rede, freie Presse, freies Versammlungsrecht, Freizügigkeit, Gleichheit vor dem Gesetz, frei gewählte Volksvertretung mit gesetzgebender Gewalt, Minister-Verantwortlichkeit, Selbstverwaltung der Gemeinden, Bewaffnung des Volkes, Bürgerwehr mit selbst gewählten Offizieren usw. – kurz das, was man ein „konstitutionelles Regierungswesen auf breiter demokratischer Grundlage" nannte. Republikanische Ideen wurden zuerst nur spärlich laut. Man schwärmte vielmehr für das deutsche Kaisertum mit

„Die 1848er": Aus allen Ecken Deutschlands und Europas kamen Nachrichten über Erhebungen im Namen der Freiheit. Die Zeitungslektüre gehörte deswegen zur ersten Pflicht eines jeden Revolutionärs. Am Tisch sitzend von links nach rechts: Karl Mittermeier, Georg Gottfried Gervinus, Lorenz Brentano, Karl Mathy und Robert Blum.

all seinem Nimbus von Kyffhäuserpoesie. Aber das Wort Demokratie war bald vielen Zungen geläufig, und ebenso hielten viele es für selbstverständlich, dass wenn die Fürsten versuchen sollten, dem Volke die geforderten Rechte und Freiheiten vorzuenthalten, Gewalt an die Stelle der Petition treten müsse. Freilich sollte die politische Regeneration des Vaterlandes zuerst auf friedlichem Wege erstrebt werden. [...]
Von allen Seiten kamen aufregende Nachrichten. In Köln herrschte drohende Gärung. In den Wirtshäusern und auf den Straßen erklang die Marseillaise, die damals noch in ganz Europa als die allgemeine Freiheitshymne galt. Auf dem Domhof und dem Altermarkt wurden große Versammlungen gehalten, um die Forderungen des Volkes zu beraten. [...]
In Koblenz, Düsseldorf, Aachen, Krefeld, Kleve und anderen rheinischen Städten fanden ähnliche Demonstrationen statt. In Süddeutschland – Baden, Rheinhessen, Nassau, Württemberg, Bayern – flammte der Geist der neuen Zeit wie ein Lauffeuer auf. In Baden bewilligte der Großherzog schon Anfang März alles Verlangte. In Württemberg, Nassau und Hessen-Darmstadt erlangte man dieselben Zusicherungen fast ebenso schnell. In Bayern, wo schon vor der französischen Februarrevolution die berüchtigte Lola Montez dem Zorn des Volkes hatte weichen müssen, folgte nun ein Auflauf dem andern, um den König Ludwig zu liberalen Zugeständnissen zu treiben. Der Kurfürst von Hessen-Kassel gab nach, als das Volk sich bewaffnet hatte und zur Empörung sich bereit zeigte. Die Gießener Studenten sagten bereitwillig den aufständischen Hessen ihre Hilfe zu. In Sachsen erzwang die trotzige Haltung der Bürgerschaft von Leipzig unter Blums Führung das Nachgeben des Königs. Von Wien kam große Kunde. Die Studenten der Universität waren es dort, die den Kaiser von Österreich zuerst mit freiheitlichen Forderungen bestürmten. Blut floss, und der Sturz Metternichs war die Folge. Die Studenten organisierten sich als die bewaffnete Garde der Volksrechte. In den großen Städten Preußens war eine gewaltige Regung. Nicht allein Köln, Koblenz und Trier, sondern auch Breslau, Königsberg und Frankfurt a. O. sandten Deputationen nach Berlin, um den König zu bestürmen. In der preußischen Hauptstadt wogte das Volk auf den Straßen und man sah entscheidungsvollen Ereignissen entgegen.
Während all diese Nachrichten wie ein gewaltiger, von allen Seiten zugleich

Die Revolution begann friedlich. ‚Unter den Zelten' fanden im Berliner Tiergarten große Volksversammlungen statt, auf denen die Parolen Freiheit und Einheit begeisterte Zustimmung fanden.

Preußische Truppen attackierten am 18. März 1848 eine unbewaffnete Volksmenge, die vor dem Berliner Schloss eine Ansprache des Preußen-Königs Friedrich Wilhelms IV. hören wollte. Der Angriff wirkte wie ein Fanal. Noch in der Nacht entstanden die ersten Barrikaden, wurde Gewalt mit Gewalt beantwortet.

brausender Sturm über uns hereinbrachen, war man in der kleinen Universitätsstadt Bonn auch eifrig damit beschäftigt, Adressen an den König abzufassen, sie zahlreich zu unterzeichnen und nach Berlin zu schicken. Am 18. März hatten auch wir unsere Waffendemonstration. Eine große Volksmenge sammelte sich zu einem feierlichen Zuge durch die Straßen der Stadt. Die angesehensten Bürger, nicht wenige Professoren, eine Menge Studenten und eine große Zahl von Handwerkern und anderen Arbeitern marschierten in Reih und Glied.
An der Spitze des Zuges trug Kinkel eine schwarz-rot-goldene Fahne. Auf dem Marktplatz angekommen, bestieg er die Freitreppe des Rathauses und sprach zu der versammelten Menge. Er sprach mit wunderbarer Beredsamkeit in den vollsten Orgeltönen seiner Stimme von der wieder erstehenden deutschen Einheit und Größe und von der Freiheit und den Rechten des deutschen Volkes, die von den Fürsten bewilligt oder vom Volke erkämpft werden müssten. Und als er zuletzt die schwarz-rot-goldene Fahne schwang und der freien deutschen Nation eine herrliche Zukunft voraussagte, da brach eine Begeisterung aus, die keine Grenzen kannte. Man klatschte in die Hände, man schrie, man umarmte sich, man weinte. Im Nu war die Stadt mit schwarz-rot-goldenen Fahnen bedeckt, und nicht nur die Burschenschaften, sondern fast jedermann trug bald die schwarz-rot-goldene Kokarde an Mütze oder Hut.
Während wir an jenem 18. März durch die Straßen marschierten, flogen plötzlich unheimliche Gerüchte von Mund zu Mund. Es war berichtet worden, dass der König von Preußen nach langem Zaudern sich entschlossen habe, gleich den anderen deutschen Fürsten die von allen Seiten einstürmenden Forderungen des Volkes zu bewilligen. Nun aber flüsterte man sich zu, das Militär habe plötzlich aufs Volk geschossen und es wüte ein blutiger Kampf in den Straßen von Berlin. Dies stellte sich später insofern als begründet heraus, als der Kampf in Berlin wirklich stattfand; aber sonderbarerweise war das Gerücht zu uns an den Rhein gekommen, ehe in Berlin der Kampf begonnen hatte.
Auf den Rausch des Enthusiasmus folgte nun eine kurze Zeit banger Erwartung. Man fühlte, dass ein Konflikt zwischen Volk und Heer große Entscheidungen bringen müsse. Endlich kam die volle Kunde von den Ereignissen in der Hauptstadt. Der König von Preußen, Friedrich Wilhelm IV., hatte die Petitionen, die auf ihn einströmten, zuerst mit verdrießlichem Schweigen empfangen. Er hatte seinen unumstößlichen Entschluss, niemals eine konstitutionelle Beschränkung seiner Königsgewalt zuzulassen, noch vor kurzem so ausdrücklich, ja so herausfordernd kundgegeben, dass der Gedanke, einer drängenden Volkslaune Zugeständnisse zu machen, die seiner Meinung nach nur der Ausfluss eines durchaus freien Königswillens sein sollten, ihm schier unfasslich war. Aber von Tag zu Tag gestaltete sich die Lage drohender. Nicht nur wuchs das Ungestüm der Forderungen, die von Deputationen aus allen Teilen des Landes dem König überbracht wurden, sondern man begann auch in Berlin, „Unter den Zelten", Volksversammlungen zu halten, denen viele Tausende zuströmten, um die Stichworte der liberalen Richtung, von feurigen Rednern ausgesprochen, mit brausendem Beifall zu begrüßen. Auch die Berliner Stadtverordneten, von der steigenden Strömung ergriffen, nahten dem Thron mit einer Adresse, die der König, wie es hieß, „gnädig" aufnahm; aber seine Antwort war immer noch zu ausweichend und unbestimmt, als

dass sie die Bittsteller hätte beruhigen können. Mittlerweile gab es blutige Zusammenstöße zwischen dem Volk, das in Massen auf den Straßen und öffentlichen Plätzen wogte, und dem Militär, das zur Verstärkung der Polizeimacht herangezogen war. Ein Kaufmann und ein Student wurden in einem solchen Getümmel von Soldaten getötet, und mehrere Personen, darunter einige Frauen, verwundet. Die durch diese Vorfälle erregte bittere Stimmung wurde einigermaßen beschwichtigt durch das Gerücht, dass sich der König endlich zu wichtigen Zugeständnissen entschlossen habe, die am 18. März öffentlich verkündigt werden sollten. Er hatte sich in der Tat zu einem Erlass verstanden, durch den die Pressezensur als abgeschafft erklärt und die Aussicht auf weitere liberale Reformen und auf eine der nationalen Einheit günstige Regierungspolitik eröffnet werden sollte.
Am Nachmittage des verhängnisvollen 18. März versammelte sich eine ungeheure Volksmasse auf dem freien Platz vor dem königlichen Schloss, um die glückliche Verkündigung zu hören. Der König erschien auf dem Balkon und wurde mit begeisterten Zurufen begrüßt. Er versuchte zur Menge zu sprechen, konnte aber nicht gehört werden. Doch da man allgemein glaubte, dass alle Forderungen des Volks bewilligt seien, so war man bereit zu einem Jubelfest. Da erhob sich ein Ruf, die Entfernung der Truppen fordernd, die um das Schloss her aufgestellt waren und den König von seinem Volk zu trennen schienen. Offenbar erwarteten die Versammelten, dass auch dieses Verlangen gewährt werden würde, denn mit großer Anstrengung wurde ein Durchgang für die Truppen durch die dicht gedrängte Menge eröffnet. Da erscholl ein Trommelwirbel, der jedoch zuerst für ein Signal zum Abzug der Truppen gehalten wurde. Aber statt abzuziehen, drangen nun Linien von Kavallerie und Infanterie auf die Menge ein, offenbar zu dem Zweck, den Platz vor dem Schlosse zu säubern. Dann krachten zwei Schüsse von der Infanterie her, und nun wechselte die Szene plötzlich und furchtbar wie mit Zauberschlag.
Mit dem wilden Schrei: „Verrat! Verrat!" stob die Volksmasse, die noch einen Augenblick vorher dem König zugejubelt hatte, auseinander, sich in die nächsten Straßen stürzend, und allenthalben erscholl der zornige Ruf: „Zu den Waffen! Zu den Waffen!" Bald waren in allen Richtungen die Straßen mit Barrikaden gesperrt. Die Pflastersteine schienen von selbst aus dem Boden zu springen und sich zu Brustwehren aufzubauen, auf denen dann schwarz-rot-goldene Fahnen flatterten – und hinter ihnen Bürger aus allen Klassen, Studenten, Kaufleute, Künstler, Arbeiter, Doktoren, Advokaten – hastig bewaffnet mit dem, was eben zur Hand war – Kugelbuchsen, Jagdflinten, Pistolen, Spießen, Säbeln, Äxten, Hämmern usw. Es war ein Aufstand ohne Vorbereitung, ohne Plan, ohne System. Jeder schien nur dem allgemeinen Instinkt zu folgen. Dann wurden die Truppen zum Angriff befohlen. Wenn sie nach heißem Kampf eine Barrikade genommen hatten, so starrte ihnen eine andere entgegen – und wieder eine und noch eine. Und hinter den Barrikaden waren die Frauen geschäftig, den Verwundeten beizustehen und die Kämpfenden mit Speise und Trank zu stärken, während kleine Knaben eifrig dabei waren, Kugeln zu gießen oder Gewehre zu laden. Die ganze schreckliche Nacht hindurch donnerten die Kanonen und knatterte das Gewehrfeuer in den Straßen der Stadt.
Der König schien zuerst entschlossen zu sein, den Aufstand um jeden Preis niederzuschlagen. Aber als die Straßenschlacht nicht enden wollte, kam ihm ihre furchtbare Bedeutung peinlich zum Bewusstsein. Mit jedem einlaufenden Bericht stieg seine qualvolle Aufregung. In einem Augenblick gab er Befehl, den Kampf abzubrechen, im nächsten, ihn fortzusetzen. Endlich, kurz nach Mitternacht, schrieb er mit eigener Hand eine Proklamation „An meine lieben Berliner". Er sagte darin, dass das Abfeuern der beiden Schüsse, das die Aufregung hervorgerufen habe, ein bloßer Zufall gewesen sei, dass aber „eine Rotte von Bösewichtern, meist aus Fremden bestehend", durch trügerische Entstellung dieses Vorfalles gute Bürger getäuscht und zu diesem entsetzlichen Kampf verführt hätte. Dann versprach er, die Truppen zurückzuziehen, sobald die Aufständischen die Barrikaden fortgeräumt haben würden, und schloss mit diesen Sätzen: „Hört die vä-

Überall in Berlin kam es zu Straßenschlachten. In der Breiten Straße verteidigten Bürger und Arbeiter am 18. März gemeinsam die Barrikade gegen die königlichen Garden. Nach zwei Tagen gab es 200 Tote auf beiden Seiten.

terliche Stimme Eures Königs, Bewohner Meines treuen und schönen Berlins, und vergesst das Geschehene, wie Ich es vergessen will und werde in Meinem Herzen, um der großen Zukunft willen, die unter dem Friedenssegen Gottes für Preußen, und durch Preußen für Deutschland anbrechen wird. Eure liebreiche Königin und wahrhaft treue Mutter und Freundin, die sehr leidend darniederliegt, vereint ihre innigen tränenreichen Bitten mit den Meinen. Friedrich Wilhelm."
Aber die Proklamation verfehlte ihren Zweck. Sie war von Kanonendonner und Musketenfeuer begleitet, und die kämpfenden Bürger nahmen es übel, vom König eine „Rotte von Bösewichtern oder deren leichtgläubige Opfer" genannt zu werden.
Endlich, am Nachmittage von Sonntag, den 19. März, als General Möllendorf von den Aufständischen gefangen genommen worden war, wurde der Rückzug der Truppen angeordnet. Es wurde Friede gemacht mit dem Verständnis, dass die Armee Berlin verlassen und dass Preußen Pressefreiheit und eine Konstitution haben solle auf breiter demokratischer Grundlage. Nachdem das Militär aus Berlin abmarschiert war, geschah etwas, das an wuchtigem dramatischen Interesse wohl niemals in der Geschichte der Revolution übertroffen worden ist. Stille, feierliche Züge von Männern, Frauen und Kindern bewegten sich dem königlichen Schlosse zu. Die Männer trugen auf ihren Schultern Bahren mit den Leichen der in der Straßenschlacht getöteten Volkskämpfer – die verzerrten Züge und die klaffenden Wunden der Gefallenen unbedeckt, aber mit Lorbeer, Immortellen und Blumen umkränzt. So marschierten diese Züge langsam und schweigend in den inneren Schlosshof, wo man die Bahren in Reihen stellte – eine grausige Leichenparade –, und dazwischen die Männer, teils noch mit zerrissenen Kleidern und pulvergeschwärzten und blutbefleckten Gesichtern, und in den Händen die Waffen, mit denen sie auf den Barrikaden gekämpft; und bei ihnen Weiber und Kinder, die ihre Toten beweinten. Auf den dumpfen Ruf der Menge erschien Friedrich Wilhelm IV. in einer oberen Galerie, blass und verstört, an seiner Seite die weinende Königin. „Hut ab!", hieß es, und der König entblößte sein Haupt vor den Leichen da unten. Da erklang aus der Volksmasse heraus eine tiefe Stimme und begann den Choral „Jesus meine Zuversicht", und alles stimmte ein in den Gesang. Als er beendigt war, trat der König mit der Königin still zurück, und die Leichenträger mit ihrem Gefolge schritten in grimmer Feierlichkeit langsam davon.
Dies war in der Tat für den König eine furchtbare Strafe; aber zugleich eine schlagende Antwort auf den Satz in seiner Proklamation an die „lieben Berliner", in dem er die Volkskämpfer „eine Rotte von Bösewichtern" oder deren verführte Opfer genannt hatte. Wären wirklich solche „Bösewichter" oder „Anarchisten" in der jetzigen Bedeutung des Wortes in jener Menge gewesen, so würde Friedrich Wilhelm IV. schwerlich die schreckliche Stunde überlebt haben, als er allein und schutzlos dastand und vor ihm die Volkskämpfer, frisch vom Schlachtfelde, mit dem vom Anblick ihrer Toten geweckten Groll im Herzen und mit Waffen in ihren Händen. Aber ihr Ruf in jenem Augenblick war nicht: „Tod dem Könige", sondern „Jesus meine Zuversicht" [...]
Der Prinz von Preußen, derselbe Prinz von Preußen, der später im Laufe der Ereignisse als Kaiser Wilhelm I. der populärste Monarch seiner Zeit wurde, musste unmittelbar nach dem Straßenkampf vor dem Zorn des Volkes fliehen. Ob mit Recht oder Unrecht, das Gerücht bezeichnete ihn als den Mann, der den Truppen den Befehl gegeben habe, auf das Volk zu feuern. Er verließ Berlin während der Nacht und eilte nach England. Ein aufgeregter Haufen sammelte sich vor seinem Palais „Unter den Linden". Das Gebäude hatte keinerlei Wache zu seinem Schutz. Ein Student, wie erzählt wird, malte das Wort „Nationaleigentum" auf die Front des Hauses, und eine weitere Bewachung war nicht vonnöten. Aus dem Zeughaus wurden Waffen unter das Volk verteilt. Der König erklärte, er habe sich überzeugt, dass der Friede und die Sicherheit der Stadt nicht besser beschützt werden könnten als durch die Bürger selbst. Am 21. März erschien Friedrich Wilhelm IV. wieder unter dem Volke, zu Pferde, mit einer schwarz-rot-goldenen Binde um den Arm und einer schwarz-rot-goldenen Fahne folgend, die man auf sein Verlangen vor ihm hertrug, während ein gewaltiges schwarz-rot-goldenes Banner im selben Augenblick auf der Kuppel des Königsschlosses erschien. Er sprach mit freier Ungebundenheit zu den Bürgern. Er erklärte, „er wolle sich an die Spitze der Bewegung für ein einiges Deutschland stellen"; „Preußen solle in dem freien Deutschland aufgehn". Er beteuerte, „dass er nichts im Auge habe als ein konstitutionelles und geeinigtes Deutschland". An der Universität wendete er sich zu den versammelten Studenten und sagte: „Ich danke Ihnen für den glorreichen Geist, den sie in diesen Tagen bewiesen haben. Ich bin stolz darauf, dass Deutschland solche Söhne besitzt." Es war allgemein verstanden, dass ein neues und verantwortliches Ministerium gebildet worden sei, bestehend aus Mitgliedern der liberalen Opposition; dass eine preußische Nationalversammlung berufen werden sollte, eine frei gewählte, um dem Königreich Preußen eine Verfassung zu geben, und dass von dem Volke aller deutschen Staaten ein deutsches Nationalparlament gewählt werden und sich in Frankfurt versammeln sollte, um das ganze Deutschland unter einer konstitutionellen Nationalregierung zu vereinigen. Das Volk von Berlin war außer sich vor Freude. Nur eine Stimme des Misstrauens wurde laut, die eines unbekann-

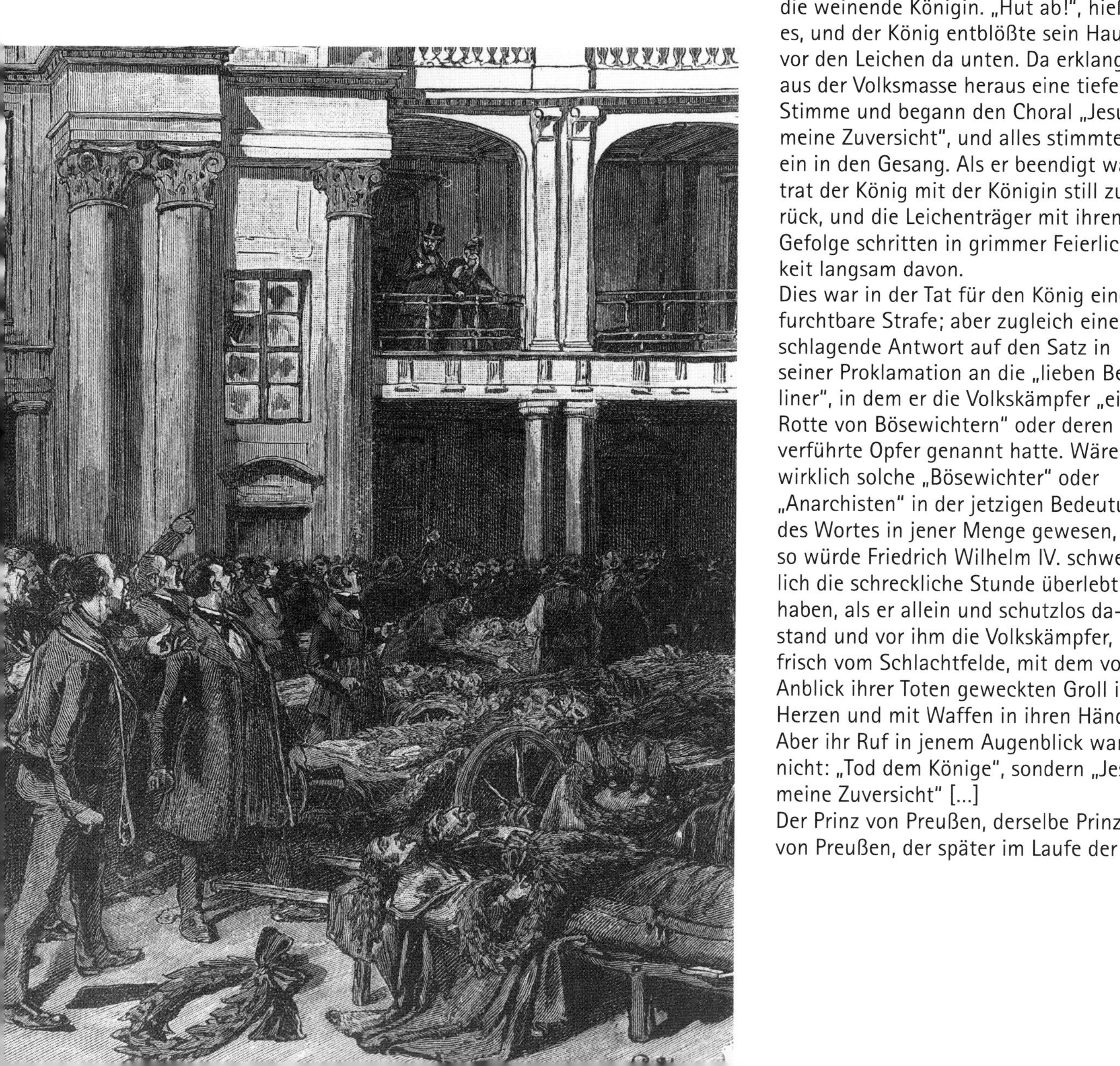

Aufbahrung der gefallenen Barrikadenkämpfer am 19. März im Innenhof des Berliner Schlosses. Die Menge fordert Friedrich Wilhelm IV. auf, die Toten zu ehren.

ten Mannes, der, nachdem der König gesprochen, aus der Menge hervor ausrief: „Glaubt ihm nicht, Brüder! Er lügt! Er hat immer gelogen!" Einige Bürgerwehrleute schützten den unglücklichen Rufer vor dem Zorn der Umstehenden und brachten ihn rasch zu der nächsten Polizeiwache, wo er bald als Verrückter entlassen wurde. „Die Helden, die für die große Sache der politischen und sozialen Freiheit gestritten und sie uns durch ihre todesmutige Hingebung erkämpft haben", wie der Magistrat von Berlin in einer Proklamation die im Straßenkampf Gefallenen nannte, wurden von 20 000 Bürgern im feierlichen Zuge zum Begräbnis im Friedrichshain begleitet, und der König stand auf dem Balkon mit entblößtem Haupt, als die Särge das Königsschloss passierten.
Dies war die große Kunde, die von Berlin aus über das ganze Land ging. So schien die Sache der bürgerlichen Freiheit einen entschiedenen Sieg gewonnen zu haben. Die Könige und Fürsten, zuvorderst der König von Preußen, hatten feierlich gelobt, dieser Sache zu dienen. Der Jubel des Volkes kannte keine Grenzen. [...] In Deutschland hat man sich vielfach daran gewöhnt, das Jahr 1848 das „tolle Jahr" zu nennen und die „Gedankenlosigkeit" zu verspotten, mit welcher damals großartige Programme entworfen, umfassende Forderungen gestellt, weitausschauende Bewegungen ins Werk gesetzt und dann grausamen Enttäuschungen und Katastrophen entgegengeführt wurden. Verdient das deutsche Volk von 1848 solchen Spott? Wahr ist, dass die Repräsentanten des Volksgeistes jener Zeit nicht verstanden, mit den bestehenden Verhältnissen zu rechnen und eine siegreich und hoff-

Friedrich Wilhelm IV. hörte auf die Stimme des Volkes. Am 21. März forderte der preußische König die Einheit Deutschlands. Um seine Entschlossenheit zu demonstrieren, folgte er bei einem Umzug in den Straßen von Berlin der schwarz-rot-goldenen Fahne der deutschen Nationalbewegung.

An mein Volk und an die Deutsche Nation.

Mit Vertrauen sprach der König vor fünf und dreißig Jahren in den Tagen hoher Gefahr zu seinem Volke, und sein Vertrauen ward nicht zu Schanden; der König mit seinem Volke vereint, rettete Preußen und Deutschland von Schmach und Erniedrigung.

Mit Vertrauen spreche Ich heute, im Augenblicke, wo das Vaterland in höchster Gefahr schwebt, zu der Deutschen Nation, unter dessen edelste Stämme Mein Volk sich mit Stolz rechnen darf. Deutschland ist von innerer Gährung ergriffen und kann durch äußere Gefahr von mehr als einer Seite bedroht werden. Rettung aus dieser doppelten dringenden Gefahr kann nur aus der innigsten Vereinigung der Deutschen Fürsten und Völker unter einer Leitung hervorgehen.

Ich übernehme heute diese Leitung für die Tage der Gefahr. Mein Volk, das die Gefahr nicht scheut, wird Mich nicht verlassen und Deutschland wird sich Mir mit Vertrauen anschließen. Ich habe heute die alten Deutschen Farben angenommen und Mich und Mein Volk unter das ehrwürdige Banner des Deutschen Reiches gestellt. Preußen geht fortan in Deutschland auf.

Als Mittel und gesetzliches Organ, um im Vereine mit Meinem Volke zur Rettung und Beruhigung Deutschlands voranzugehen, bietet sich der auf den 2. April bereits einberufene Landtag dar. Ich beabsichtige in einer unverzüglich näher zu erwägenden Form den Fürsten und Ständen Deutschlands die Gelegenheit zu eröffnen, mit Organen dieses Landtages zu einer gemeinschaftlichen Versammlung zusammenzutreten.

Die auf diese Weise zeitweilig sich bildende Deutsche Stände-Versammlung wird in gemeinsamer freier Berathung das Erforderliche in der gemeinsamen inneren und äußeren Gefahr ohne Verzug vorkehren.

Was heute vor Allem Noth thut, ist

1. Aufstellung eines allgemeinen Deutschen volksthümlichen Bundesheeres,
2. bewaffnete Neutralitäts-Erklärung.

Solche vaterländische Rüstung und Erklärung werden Europa Achtung einflößen vor der Heiligkeit und Unverletzlichkeit des Gebietes Deutscher Zunge und Deutschen Namens. Nur Eintracht und Stärke vermögen heute den Frieden in unserem schönen durch Handel und Gewerbe blühenden Gesammt-Vaterlande zu erhalten.

Gleichzeitig mit den Maßregeln zur Abwendung der augenblicklichen Gefahr wird die Deutsche Stände-Versammlung über die Wiedergeburt und Gründung eines neuen Deutschlands berathen, eines einigen, nicht einförmigen Deutschlands, einer Einheit in der Verschiedenheit, einer Einheit mit Freiheit.

Allgemeine Einführung wahrer, constitutioneller Verfassungen, mit Verantwortlichkeit der Minister, in allen Einzelstaaten, öffentliche und mündliche Rechtspflege, in Strafsachen auf Geschwornengerichte gestützt, gleiche politische und bürgerliche Rechte für alle religiöse Glaubens-Bekenntnisse und eine wahrhaft volksthümliche, freisinnige Verwaltung werden allein solche höhere und innere Einheit zu bewirken und zu befestigen im Stande sein.

Berlin, den 21. März 1848.

Friedrich Wilhelm.

Graf Arnim. von Rohr. Graf Schwerin.
Bornemann. Arnim. Kühne.

Gedruckt in der Deckerschen Geheimen Ober-Hofbuchdruckerei.

Aufruf Friedrich Wilhelms IV. vom 21. März 1848: „An mein Volk und an die Deutsche Nation". Der König versprach darin u. a. das Aufgehen Preußens in einem freien Deutschland.

Die Märzgefallenen wurden als Helden verehrt und mit einer feierlichen Zeremonie am 22. März vor dem Deutschen Dom auf dem Gendarmenmarkt aufgebahrt.

nungsvoll begonnene Bewegung zu dem gewünschten Ende zu führen. Ebenso wahr ist es, dass dadurch jene Bewegung zerfahren und in manchen Dingen fantastisch erschien. Aber wen sollte das jetzt noch, im Rückblick gesehen, wundernehmen? Hier war ein Volk, das, obgleich in Wissenschaft, Philosophie, Literatur und Kunst hoch entwickelt, in politischen Dingen unter strenger Vormundschaft gelebt hatte. Dieses Volk hatte nur aus der Ferne beobachten können, wie andere Nationen ihr Selbstbestimmungsrecht oder ihren tätigen Anteil an der Regierung ausübten, und diese fremden Nationen hatte es bewundern und vielleicht beneiden lernen. Es hatte das Wirken freier Institutionen in Büchern studiert und in Zeitungsberichten verfolgt, sich nach dem Besitz solcher Institutionen gesehnt und nach ihren Einführungen im eigenen Lande gestrebt. Aber bei all diesem Beobachten, Lernen, Sehnen und Streben hatte das herrschende Bevormundungssystem es von aller Erfahrung in der Ausübung des politischen Selbstbestimmungsrechts ausgeschlossen. Es hatte nicht praktisch lernen dürfen, was die politische Freiheit tatsächlich sei. Es hatte die Lehren, welche aus dem Gefühl der Verantwortlichkeit im politischen Handeln entspringen, nie empfangen. Freie Staatseinrichtungen lagen außerhalb seiner Lebensgewohnheiten; sie waren ihm nur abstrakte Begriffe, über die der Gebildete und ernsthaft Denkende politisch-philosophische Spekulationen anstellte, während sie dem Ungebildeten oder Oberflächlichen nur politische Stichworte lieferten, in deren Gebrauch sich die Unzufriedenheit mit dem Bestehenden gefiel.

Plötzlich, nach langer innerer Gärung einem fremden Anstoß folgend, erhob sich dieses Volk. Seine Fürsten gestanden ihm alles zu, was sie ihm früher verweigert, und es sah sich im vollen Besitz einer ungewohnten Macht. Ist es zu verwundern, dass die überraschende Wandlung manchen verworrenen Wunsch und manche ziellose Bestrebung hervorbrachte? Wäre es nicht wunderbarer gewesen, hätte das Volk, bestimmter erreichbarer Zwecke sich wohl bewusst, zu deren Erfüllung mit sicherem Blick die richtigen Mittel gefunden und zugleich eine weise Wertschätzung dessen gezeigt, was es in den bestehenden Verhältnissen Gutes gab? Erwarten wir, dass der Bettler, der plötzlich zum Millionär wird, sogleich von seinem ungewohnten Reichtum den besten Gebrauch zu machen verstehe? Und doch kann nicht von der großen Mehrheit des deutschen Volkes gesagt werden, dass sie, wie allgemein auch die Unklarheit ihrer politischen Begriffe gewesen sein mag, in der revolutionären Bewegung des Jah-

Das Ende der Revolution in Berlin. Preußische Truppen unter der Führung Generals von Wrangel besetzten am 10. November 1848 die Stadt und lösten die im Schauspielhaus tagende preußische Nationalversammlung auf.

res 1848 der Hauptsache nach etwas Unvernünftiges oder Unerreichbares verlangt hätte. Vieles von dem, was damals angestrebt wurde, ist ja seither verwirklicht worden. Die im Jahre 1848 begangenen Irrtümer betrafen mehr die angewendeten Mittel als die vorgesteckten Ziele. Und die größten dieser Irrtümer entsprangen aus der kindlichen Vertrauensseligkeit, mit der man die vollständige Erfüllung all der den Königen und Fürsten, besonders dem König von Preußen, mit Gewalt abgerungenen Versprechen erwartete. Es ist müßig, sich in Spekulationen zu ergehen über das, was hätte sein können, wenn das, was war, anders gewesen wäre. Aber eins ist doch gewiss: Hätten die Fürsten, unbeirrt von den Umtrieben der reaktionären Parteien auf der einen und von gelegentlichen Exzessen auf der anderen Seite, mit unentwegter Treue und mit Aufbietung all ihrer Macht das getan, was sie dem Volke in den Märztagen Ursache gegeben hatten, von ihnen zu erwarten, so würden die wesentlichsten der im Jahre 1848 angestrebten Ziele sich als damals schon durchaus erreichbar erwiesen haben. Dass man im Vollgenuss des „Völkerfrühlings", welchem sich das Volk mit solcher Gefühlswollust hingab, dieses Vertrauen hegte, statt sich gegen die Reaktion, die vorauszusehen war, die nötigen Garantien zu sichern, war wohl nicht klug, aber diese Unklugheit entsprang keiner unedlen Quelle. Sicherlich tut man dem deutschen Volke unrecht, wenn man die Misserfolge der Jahre 1848 und '49 hauptsächlich auf seiner Führer Rechnung schreibt. […]

Am Ende triumphierte die Monarchie über die Freiheitsbewegung. Friedrich Wilhelm IV. ging in den 50er Jahren zu einer reaktionären Politik in Preußen über. Das Porträt zeigt ihn im Jahre 1855.

„Das deutsche Volk, vorgeführt von seinem Dresseur Knutowski und geritten von 29 Landesvätern". Karikatur auf die Reaktionszeit nach der Niederschlagung der Revolution. Das deutsche Volk als Esel, angetrieben von dem peitschenschwingenden Friedrich Wilhelm IV.

LAURENZ DEMPS

Innere Kolonisation und Manufakturen

Die wirtschaftliche Entwicklung bis zur industriellen Revolution

Die Mark Brandenburg, spöttisch einst auch die „Streusand-Büchse des Heiligen Römischen Reichs" genannt, verfügte über keine Bodenschätze wie Gold, Silber, Kupfer und anderen Erzen, besaß keinen ausgeprägten fruchtbaren Boden und war und ist auch sonst nicht von Lieblichkeit der Landschaft geprägt. „Acht Monate Winter und vier Monate keinen Sommer, und das nennen die Deutschen Vaterland", soll Napoleon einst über Norddeutschland gesagt haben. Nur Landwirtschaft war in diesem Raum möglich, und diese war im Vergleich mit anderen Territorien nicht sehr einträglich. Weite Teile des Raumes waren dünn besiedelt. Sümpfe, Sandschollen, feuchte Wiesen und Moore wechselten sich ab. Die Erträge gestatten zwar einen Export von Getreide, Holz und Vieh, aber großer Reichtum war damit nicht zu gewinnen.

Ein Trumpf war der Verlauf der großen Handelsstraßen des Ost-West-Verkehrs sowie die Elbe, die nach Hamburg führte, und die Oder, die im pommerschen Hafen Stettin mündete. Beide Häfen waren aber nicht Bestandteil der brandenburgischen Landesherrschaft. Hier sah man schon am Ende des Mittelalters einen Ansatzpunkt, der, zunächst kraftlos betrieben, darauf zielte, Stettin zu gewinnen und einen Handelskrieg mit dem starken Hamburg zu führen.

Die öffentliche Darstellung der Entwicklung Brandenburg/Preußens leidet gegenwärtig unter der Tatsache, dass die wirtschaftliche Basis dieses Staates und

Gedenkmünze (links Vorderseite, rechts Rückseite) auf die erste brandenburgische Expedition nach Guinea 1680/81. An der Westküste Afrikas, dem heutigen Ghana, gründete der Große Kurfürst 1683 die Festung Groß-Friedrichsburg, die als Stützpunkt für den Sklaven- und Warenhandel diente.

deren Vorankommen stiefmütterlich behandelt wird. Alle Projekte, wie Zuwanderung, die Toleranzpolitik, aber auch die wenigen Kriege, die Preußen bis zum Ende des 18. Jahrhunderts führte, kosteten Geld, und das musste beschafft werden.
Die Landesherren von Brandenburg und dann von Preußen nutzten die geistigen Entwicklungen nach der Reformation. Sie sahen in der Zeit einer vertieften Frömmigkeit im Glauben einen Antrieb für die Entwicklung der eigenen Position. Im Jahre 1613, am Weihnachtstag, versammelten sich in der Berliner Domkirche 35 Personen zu einem Gottesdienst. Der Kurfürst Johann Sigismund, seine Räte, Hofbeamten und höheren Gefolgsleute traten zum reformierten Glauben über, ein unpopulärer und provozierender Schritt, dessen macht- und wirtschaftspolitische Bedeutung heute wenig verstanden wird. Dieser Schritt, der Übergang zu einer modern empfundenen Glaubensrichtung, sollte eine damals modernere Auffassung vom Glauben durchsetzen, der, aktiviert und modernisiert, das Alltagsleben umkrempelt und es bestimmt. „Den Platz, den du im Leben erringst, ist der Platz, den du einst im Himmel erhältst", so die Grundaussage. Ein Aufbruchsgedanke, der geradezu provozieren musste. Das war ein Credo, das sich in den Niederlanden im „Goldenen Zeitalter" wirtschaftspolitisch hervorragend bewährt hatte.
Die Wurzeln wirtschaftlicher Entwicklung Brandenburg/Preußens lagen – zu einer Zeit, in der es noch keine Theorie wirtschaftlicher Vorgänge gab – in der Bibel. Nur die Bibel zeigte den Weg. Streng religiös orientiert, fanden die Angehörigen des reformierten Glaubens ihren „Weg" in dem damals grundlegenden Werk der Welterklärung, denn man wollte ja in die ewige Glückseligkeit. Den Weg dahin vermittelte nur das Studium der Schrift, deren Lehren von Leistung man in den Alltag umzusetzen hatte. Da die „Handelnden" aktive Persönlichkeiten waren, ging es um die Umsetzung von Glaubenslehren in den Alltag mit dem Ziel, ein von göttlichen Prinzipien der Arbeit geprägtes Reich auf Erden zu schaffen, in dem jeder zu arbeiten, zu essen und zu beten hatte. Die Arbeit verrichtete man zum Ruhme Gottes. Sie war von Gott gewollt und ihre Ableistung war wie ein Gebet. „Im Schweiße des Angesichts sollst du dein Brot essen !"; ein den Alltag bestimmendes Motto.
Friedrich Wilhelm – der Große Kurfürst – holte nach seinem Regierungsantritt 1640 vor allem Holländer in die neu aufzubauende Verwaltung. Kurfürst Friedrich Wilhelm hatte seine Erziehung in Holland, an der Universität Leiden erhalten. Er hatte das Beispiel vor Augen und sah die Erfolge. Persönliche Bande werden die Motivstruktur noch verstärkt haben. Nach holländischem Vorbild wurde der Staat unstrukturiert. Alles, was dort Erfolg hatte, wurde nach Brandenburg übernommen: Aufbau einer Flotte (einschließlich Beteiligung am Sklavenhandel), Landeskultivierung und Ausbau eines Binnenverkehrsnetzes auf dem Wasser. Es zeigte sich aber bald, das vieles nicht zu kopieren war, denn Brandenburg hatte keinen Hafen, und die Schiffsbauwerft in Berlin, später Havelberg, baute zwar hochseetüchtige Schiffe, aber diese hatten keine Basis, keine Häfen im Lande. Der neu aufzubauende Verwaltungsapparat hatte einen Mehrbedarf an gut ausgebildeten Kräften, sodass in Brandenburg echte Karrierechancen auch für einen Personenkreis bestanden, der – ohne wirtschaftlichen Rückhalt – nur über die eigene Leistung einen Aufstieg erlangen konnte. Dahinter stand auch eine wirtschaftliche Komponente, denn man war zum Erfolg verurteilt. Hier wurden dann Anhänger der reformierten oder ihr verwandten Glaubensrichtung bevorzugt, hatten diese doch eine zu vergleichende Motivstruktur. Das machte den Staat anziehend für diesen Personenkreis und zeigte eine gewisse Dynamik. Den Holländern folgten bald Schweizer und dann (1671) fünfzig jüdische Familien aus Wien. Sie kamen aus dem Mittelpunkt der Kulturwelt an den „Rand" der Kultur. Mit den evangelischen Hugenotten erhielten insbesondere das Militär-

Linke Seite: Johann Sigismund war von 1608 bis 1619 Kurfürst von Brandenburg. 1613 trat er zum reformierten Glauben, dem Calvinismus, über. Der Kurfürst schloss sich damit einer Glaubensrichtung an, die in den Niederlanden ein mächtiges und wohlhabendes Staatswesen hervorgebracht hatte.

Brandenburg lebte von der Landwirtschaft, die ihre Erträge einem kargen Boden abringen musste. Die Kultivierung des Landes und damit die Steigerung der Agrarproduktion hatten sich alle brandenburgischen Herrscher auf ihre Fahnen geschrieben.

wesen und die Wirtschaftsverwaltung einen gut ausgebildeten, hoch motivierten und mit den neuesten Erkenntnissen gerüsteten Personenkreis; eine Basis der weiteren Entwicklung. Das traf ebenso für die Manufakturentwicklung zu. Der Zuzug von Juden aus Wien löste einen Impuls im Wirtschafts- und Bankwesen aus. Aus dem süddeutschen, bayrischen Raum kamen juristisch gebildete Personen, die insbesondere in der Verwaltung und der sich ausbildenden Bürokratie ihren Platz fanden. Der Zustrom weiterer ausländischer Kreise, die zunächst vor allem wegen der religiösen Verfolgung ihre Heimat verlassen hatten, drückte Berlin den Stempel eines nationalen und sozialen Schmelztiegels auf. Vergessen darf man dabei nicht, dass dieser Staat am Ende des Dreißigjährigen Krieges in einer schweren Existenzkrise war und nur rigorose Maßnahmen diese Krise überwinden konnten.

Das holländische Vorbild, die Kopie eines glänzenden Aufstiegs, der im Innern durch Landgewinnung und im Äußeren durch intensiven Seehandel geprägt war, konnte nicht durchgehalten werden. Intensiv beibehalten bis zum Ende des 18. Jahrhunderts wurde nur die Kultivierung des Bodens, der durch Melioration und Wasserbau eine Steigerung der Erträge zur Folge hatte. Aber nicht nur für die Eliten wurde der Staat Anziehungspunkt, sondern auch für religiös Verfolgte evangelischen Glaubens aus zahlreichen europäischen Ländern. Obwohl die Landschaft nichts Anziehendes hatte, hier konnte man frei seinem reformierten Glauben nachgehen, seinen Lebensunterhalt verdienen und „kolonisieren". Darunter verstand man zu diesem Zeitpunkt, das Land zu kultivieren. „Preuße wird man nicht, es sei denn aus Not!", hieß es am Ende des 17. Jahrhunderts. Der Vers schloss „... und ist man es geworden, Dankt man Gott!" Von den so gewonnenen neuen Kräften ging eine Innovationskraft aus, die von der Verbesserung des persönlichen und des religiösen Status getragen wurde. Das machte im 18. Jahrhundert das Besondere der wirtschaftlichen Entwicklung aus. Und auch im 19. Jahrhundert war der Drang zur Innovation, wenn nun auch nicht mehr in dem Maße religiös motiviert, eine der wichtigen Grundlagen der wirtschaftlichen Entwicklung in Preußen.

Dem holländischen Vorbild folgte die Anlehnung an das französische Beispiel, die Übernahme des merkantilen Wirtschaftsdenkens, das sich im Aufbau von Manufakturen manifestierte. Hier war es insbesondere die Maxime des französischen Ministers Jean-Baptiste Colbert, der gesagt hatte: „In selben Maße, als wir das Bargeld vermehren, erhöhen wir auch die Macht, Größe und Überfluss des Staates". Daraus leitete sich der Grundsatz des preußischen Merkantilismus ab: „Menschen sind der größte Reichtum des Staates." Menschen als Steuerzahler wurden wichtig, denn es kam darauf an, kontinuierliche Einnahmen zu sichern, um die Mittel für Armee, Hofhaltung und Bürokratie zu haben. Da Brandenburg und dann Preußen am Überseehandel zunächst nicht teilnehmen konnte und wenig Möglichkeiten hatte, andere lukrative Zweige der Wirtschaft wie z. B. den Sklavenhandel zu betreiben, musste die innere Entwicklung des Gewerbes gefördert werden. Der Übergang von der handwerklichen Produktion zur Manufaktur hatte sich zu vollziehen. Und das war mit zwei Schwierigkeiten verbunden: a) die mangelnde gewerbliche Tradition und b) einen Kreis von Abnehmern der Produkte zu entwickeln. Zwei sehr moderne Fragestellungen.

Die mangelnde gewerbliche Tradition konnte man über die genannte Zuwanderung organisieren, d. h. zuerst sporadisch, dann gezielt wurden im Ausland Arbeitskräfte und Unternehmer angeworben und nach Preußen geholt. Die Fachkräfte, die den Mut hatten, Unternehmer zu werden, erhielten Vergünstigungen – damals Privilegien genannt – in Form von kostenlosen Grundstücken, kostenlos übergebenen Fabrikationsräumen und günstigen Krediten. Die Zuwanderung der Hugenotten als Kräfte, die aus einer Region kamen, in der das Manufakturwesen blühte, war dabei ebenso wichtig wie die Zuwanderung von Arbeitskräften aus Böhmen, die als Weber und dergleichen Erfahrungen im Fertigungsprozess hatten. Auch dieser Personenkreis erhielt Vergünstigungen, die u. a. darin bestanden, dass sie kostenlos ein Kolonistenhäuschen erhielten sowie zeitweise von den Steuern befreit waren. So entstanden nach und nach Manufakturen. Deren bedeutendste in Berlin war das Königliche Lagerhaus, eine Zeugmanufaktur, in der im Jahre 1777 231 Tuch- und Webstühle standen. Im selben Jahr gab es in Berlin 5646 Webstühle unterschiedlichster Art, an denen im gleichen Jahr 5805 Arbeitskräfte tätig waren.

Schwieriger war das Problem der Abnehmer zu lösen. Zum Einen zielten viele Aktivitäten auf den Export in nichtpreußisches Gebiet. Hier gab es zahlreiche Hemmnisse. Die Produkte waren z. B. im Vergleich zu Sachsen teurer produziert und zeigten anfänglich auch große Qualitätsmängel. Der Staat half, indem er eine rigide Schutzzollpolitik betrieb. Nach und nach gelang es Abnehmer, ja sogar Großabnehmer im Ausland zu finden. So verschaffte sich die russische Armee Uniformtuche aus Preußen, am Ende des 18. Jahrhun-

Einzug der französischen Steuerbeamten in Berlin. Friedrich II. hatte die etwa 200 Beamten in Frankreich angeworben, um nach französischem Vorbild eine zentrale Steuerbehörde aufzubauen, die so genannte Regie. Die Profis in Sachen Steuereintreibung waren bei der Bevölkerung verhasst und ließen einen guten Teil des Geldes in die eigenen Taschen fließen. Radierung von Daniel Chodowiecki aus dem Jahre 1771.

Die Tuchherstellung war einer der wichtigsten Wirtschaftszweige Preußens. Friedrich II. kontrollierte ihre Entwicklung persönlich und besuchte immer wieder eine der vielen Webereien. Das Bild entstand um 1753.

derts kam die amerikanische Armee als Abnehmer hinzu. Zu diesem Zeitpunkt ging etwa die Hälfte der in Preußen produzierten Waren in das Ausland. Schwieriger war der Markt im Inland. Hier versuchte der Staat zu helfen, konnte es aber nicht. Die Mehrheit der Bevölkerung lebte noch auf dem Lande und benötigte kaum Manufakturwaren. Seine Kleidung webte man selbst und ließ sie vom Dorfschneider anfertigen. Eine Änderung der Verhaltensweisen war kaum zu erreichen. So verbot König Friedrich Wilhelm I. am 7. Dezember 1726 in der Mark Brandenburg das Tragen von „höltzernen Schuhe(n) und Pantoffeln" und stellte deren Gebrauch unter Strafe. Damit wollte der König den Betreibern von Stiefelmanufakturen sowie den Schuhmachern helfen. Aber deren Produkte waren teuer und für die Arbeit im Stall und auf dem Felde nicht so haltbar wie die selbst Gefertigten. Letztlich scheiterten derartige Aktivitäten. Eine intensive merkantilistische Wirtschaftspolitik setzte ein, d. h. der Auf- und Ausbau einer staatlichen Wirtschaftspolitik, die insbesondere den Außenhandel begünstigte. Der Staat organisierte durch seine Verwaltung den Aufbau der Wirtschaft, den er nach seinen Wünschen gestalten wollte. Dabei gab es Grenzen, denn auch die Allmacht eines absolutistischen Herrschers konnte Gesetze und Regeln der Ökonomie nicht „unterlaufen". Grenzen wurden gesetzt durch die ökonomische Vormachtstellung der Landwirtschaft, die auch der größte König nicht antasten konnte, und durch die privilegierte Stellung des Adels, die ein König nicht grundsätzlich in Frage stellen konnte. Produkte der Land-, Wald- und Weidewirtschaft, die aus Ostpreußen, vor allem aber aus dem Königreich Polen kamen, fanden in England reißenden Absatz, denn die dort vorgenommene Veränderung der Wirtschaftsform zuungunsten der Landwirtschaft bot diesen Produkten einen aufnahmefähigen Markt.
Abnehmer aber gab es in den Städten sowie bei der Armee. Die Bewohner der Städte fertigten ihre Kleidungsstücke und Gebrauchsgegenstände nicht mehr selbst. Und es gab bei ihnen, insbesondere in den großen Städten wie Berlin und Breslau, in den Oberschichten ein Bedürfnis nach Luxus, d. h. es in der Kleidung dem Adel gleichzutun. Ein Teil der Bewohner der Städte und der Adel waren also potentielle Abnehmer von Manufakturwaren. Hier ist einer der vielen Gründe zu suchen, andere lagen z. B. im Steuersystem, dass der preußische Staat am Ausbau der Städte interessiert war. Der andere Abnehmer von Manufakturwaren war die Armee, die ständig gleich bleibende Forderung an die Textilmanufakturen, weniger an die Gewehrmanufakturen stellte. So haben wir den Zustand zu verzeichnen, dass die entstehenden gewerblichen Einrichtungen auf das Luxusbedürfnis und das Militär ausgerichtet waren. Ein Zustand, der oft beklagt wird, aber es gab noch keine anderen Möglichkeiten, „neue Märkte" zu erschließen.
Die Stellung des Landes in der europäischen Geschichte begann sich zu verändern, was sich auch aus dem Aufstieg Preußens zur europäischen Großmacht nach den drei schlesischen Kriegen ergab. Das wurde von Berlin aus organisiert und veränderte die Stellung der Stadt. Berlin erhielt in dieser Phase sowohl einen repräsentativen Charakter als auch eine mobilisierende Funktion. Nach dem Regierungsantritt des Kurfürsten Friedrich III. – ab 1701 König Friedrich I. – wandelte sich dies erneut und Berlin erhielt Züge einer nach französischem Vorbild strukturierten Residenz, ohne mit dieser verglichen zu werden. Geldmangel verhinderte die weitere Ausprägung. Die Entwicklung des Manufakturwesens wurde – wie gesagt – von der „Inneren Kolonisation", d. h. von einer weiteren, nun großflächigen Urbarmachung ganzer Landstriche und der Ansiedlung von Bauern und Gärtnern begleitet. Das führte zu einer weiteren Steigerung der wirtschaftlichen Leistungskraft, und die Zahl der Steuerzahler nahm zu. Lebten im Jahre 1740 im Königreich Preußen etwa 2 240 000 Menschen, waren es 1756 bereits 4 100 000. Allerdings wird hier die Eroberung Schlesiens den Ausschlag gegeben haben. Aber 1786, nach über 20 Friedensjahren, waren etwa fünf Millionen Menschen Einwohner im Königreich Preußen. Insgesamt war die wirtschaftliche Entwicklung des Landes erfolgreich. Preußen war kein „Gottesreich auf Erden" geworden, sondern der Staat des kleinen Mannes, der sich in den Gegebenheiten zurechtfinden musste, es auch konnte. Die Entwicklung des 17. und 18. Jahrhunderts schuf einen modernen Staat mit einer leistungsfähigen, merkantilen Wirtschaft, deren Nachteile sich gegen Ende des Jahrhunderts zunehmend zeigten. Die Kräfte, die man gerufen und entwickelt hatte, begannen sich ihrer eigenen Fähigkeiten zu besinnen, wurden aber seit den achtziger Jahren des 18. Jahrhunderts zunehmend durch die Fesseln eben jener Wirtschaftspolitik, die sie hervorgebracht hatten, gehindert.

Preußens „deutsche Sendung“ Die Einigungskriege 1864, 1866 und 1870/71

Die Gründung des Deutschen Reiches 1871 beruhte auf den militärischen Erfolgen Preußens in drei Kriegen. In der zeitgenössischen Allegorie hebt die bewaffnete Germania nach dem Sieg über Frankreich schützend ihren Schild über die annektierten Länder Elsass und Lothringen. Bewundernd schaut die Muse der Geschichtsschreibung, Clio, zu ihr auf.

Nach der Niederschlagung der Revolution von 1848/49 setzte Preußen in den 50er Jahren auf eine reaktionäre Politik im Inneren. Die Pressefreiheit wurde eingeschränkt, die Vorherrschaft des Adels gestärkt und eine Sicherheitspolizei aufgebaut. Im preußischen Abgeordnetenhaus kämpfte die liberale Partei gegen eine starke konservative Fraktion. In dieser Zeit erlebte Preußen einen enormen wirtschaftlichen Aufschwung, der aber nicht den Massen zugute kam. Die Bevölkerung wuchs ständig und mit ihr die soziale Not. In Teilen des Bürgertums wurde die Forderung nach einer Einigung Deutschlands unter preußischer Führung laut. Propagandist dieser ‚kleindeutschen' Lösung, die im Unterschied zur ‚großdeutschen' Österreich ausschloss, war die so genannte borussische Geschichtsschreibung. Sie erhoffte sich von der Gründung eines deutschen Nationalstaates größere innenpolitische Freiheiten. Diese Wünsche schienen in Erfüllung zu gehen, als der Bruder des schwer kranken Königs Friedrich Wilhelm IV., Prinz Wilhelm, im Oktober 1858 die Regentschaft übernahm und mit der Bildung eines liberalkonservativen Kabinetts eine „Neue Ära" begann. Doch die hoch gesteckten Erwartungen des liberalen Bürgertums wurden schnell enttäuscht. Die von Kriegsminister Albrecht von Roon entwickelte Heeresreform stärkte den Einfluss der Krone und der konservativen Kräfte. Dagegen wandte sich die liberale Mehrheit des preußischen Abgeordnetenhauses 1860 und verweigerte die Bewilligung der nötigen Gelder. Der Streit um die Heeresreform eskalierte schnell zu einem Verfassungskonflikt. Wilhelm I., der sich nach dem Tod seines Bruders 1861 selbst zum König gekrönt hatte, löste das unbotmäßige Parlament auf. Doch entgegen den Erwartungen ging die liberale Opposition gestärkt aus den Neuwahlen hervor. In dieser Situation berief der König Otto von Bismarck zum preußischen Ministerpräsidenten. Der Junker ging sofort in die Offensive und erklärte vor der Budgetkommission des Abgeordnetenhauses am 30. September 1862, die Fragen der Zeit würden nicht durch Reden und Mehrheitsbeschlüsse, sondern durch „Blut und Eisen" entschieden. Damit war der Grundton der neuen Realpolitik angestimmt.

Bismarck lehnte die Forderung des Bürgertums nach einer Liberalisierung der Verfassung ab, machte aber die Einigung Deutschlands zum Ziel der preußischen Politik. Dabei ging es ihm in erster Linie um Preußen und seine Stellung unter den europäischen Mächten. Gegen den Widerstand der liberalen Partei setzte Bismarck die Heeresreform durch. Außenpolitisch fand eine Annäherung Preußens an Russland statt, während das Verhältnis zu Österreich immer stärker abkühlte. Ein letztes Mal schlossen sich die beiden Vormächte des Deutschen Bundes zusammen, als Dänemark im November 1863 Ansprüche auf Schleswig erhob, und besetzten 1864 Schleswig und Holstein. In Preußen löste diese Aktion ein Welle nationaler Begeisterung aus.
Doch Bismarck ging es um mehr. Er wollte die Vorherrschaft in Deutschland, und dabei stand ihm der Konkurrent Österreich im Weg. Im Juni 1866 rückten preußische Truppen unter einem Vorwand in das von Österreich verwaltete Holstein ein und provozierten damit einen militärischen Konflikt. Im so genannten Deutschen Krieg besiegte Preußen die Bundesarmee unter Führung Österreichs, das in der Schlacht von Königgrätz am 3. Juli eine vernichtende Niederlage erlitt. Der Deutsche Bund wurde aufgelöst. An seine Stelle trat 1867 der von Preußen beherrschte Norddeutsche Bund. Die Verwirklichung der deutschen Einheit schien greifbar nah. In Preußen spaltete sich die liberale Partei. Ihr nationalliberaler Flügel unterstützte nun gemeinsam mit den Konservativen die Politik Bismarcks. Nachträglich billigte das Abgeordnetenhaus die Finanzierung der Heeresreform und entlastete Bismarck damit vom Vorwurf des Verfassungsbruchs. Doch die Einigung Deutschlands war noch nicht vollbracht. Die süddeutschen Staaten zögerten noch. Zudem machte der französische Kaiser Napoleon III. deutlich, dass er die Bildung eines deutschen Nationalstaates nicht zulassen werde. Nach einer gezielten Provokation Bismarcks erklärte Frankreich Preußen am 19. Juni 1870 den Krieg. Die süddeutschen Staaten waren durch ein Bündnis gezwungen, an der Seite Preußens zu kämpfen. Jubelnd zogen die deutschen Truppen ins Feld. Das Ganze dauerte keine anderthalb Monate, dann waren die Franzosen geschlagen. Bismarck nutzte die Gunst der Stunde und drängte die deutschen Fürsten zur Gründung des ersten deutschen Nationalstaates. Am 18. Januar 1871, genau 170 Jahre nach der Gründung des preußischen Königreiches, fand im Spiegelsaal von Versailles die Erhebung Wilhelms I. zum deutschen Kaiser statt.

Das Ministerium Bismarck im Jahre 1862. Der Ministerpräsident Otto von Bismarck sitzt rechts am Kopfende des Tisches, neben ihm steht Kriegsminister Albrecht von Roon. Ganz links steht der für auswärtige Angelegenheiten zuständige Diplomat Albrecht von Bernstorff.

Wilhelm I. folgte seinem Bruder Friedrich Wilhelm IV. 1861 auf dem Königsthron. Er galt als Muster von Pflichtgefühl und Gewissenhaftigkeit. Die Leidenschaft des ‚Kardätschenprinzen', der bei der Niederschlagung der Revolution von 1848/49 eine unrühmliche Rolle spielte, war das Militär. Das Porträt von Franz Küger stammt aus dem Jahr 1855.

Der Streit um die Heeresreform eskalierte zu einem Verfassungskonflikt. Bei den heftigen Debatten im preußischen Abgeordnetenhaus heizte Bismarck durch seine scharfen Reden die Stimmung immer wieder an.

Der Sieg über Dänemark 1864 wurde von der Bevölkerung enthusiastisch gefeiert. Einzug der preußischen Truppen durch das Brandenburger Tor am 7. Dezember 1864.

In der Schlacht bei Königgrätz am 3. Juli 1866 besiegte die preußische Armee unter Helmuth von Moltke die Österreicher. Die schnellfeuernden Zündnadelgewehre der Preußen führten zu hohen Verlusten unter den österreichischen Soldaten.

Durch den Sieg von 1866 gewann Preußen nicht nur Schleswig, Holstein und Lauenburg im Norden. Es annektierte auch Hannover, Kurhessen, Nassau und Frankfurt, die auf der Seite Österreichs gekämpft hatten. So entstand erstmals ein zusammenhängendes preußisches Staatsgebiet, das von der Maas bis zur Memel reichte.

In den liberaleren süddeutschen Staaten gab es Widerstand gegen den Führungsanspruch Preußens. Auf der 1867 gemalten Schützenscheibe aus Schwäbisch Hall sieht man einen Bürger mit Freiheitsmütze, der einen preußischen Offizier erhängt.

Das ganze Deutschland soll es seyn!

Nach dem Sieg über Österreich wurde das Ziel der preußischen Expansionspolitik deutlich: die Einheit Deutschlands unter Preußens Führung. Die Karikatur aus dem Jahre 1866 zeigt die deutschen Fürsten hinter Wilhelm I. unter der Pickelhaube, während Österreich beleidigt daneben steht.

Handschriftliche Fassung der von Bismarck gekürzten Emser Depesche vom 13. Juli 1870. Bismarcks Eingriffe machten aus dem harmlosen Telegramm Wilhelms I., in dem er von seinen Verhandlungen mit dem französischen Botschafter über die spanische Thronfolge berichtete, eine Provokation für Frankreich. Um sein Gesicht zu wahren, erklärte Napoleon III. Preußen den Krieg.

Die Reise König Wilhelms I. zu seiner Armee war ein Triumphzug. Überall wurde der König von der Bevölkerung gefeiert. Das Gemälde aus dem Jahre 1871 zeigt die Abreise in Berlin am 31. Juli 1870.

Schnell rückten die preußischen Truppen bis Paris vor. Der König (Bildmitte) war immer dabei, begleitet von seinem Sohn, dem Kronprinzen Friedrich Wilhelm (rechts), Helmuth von Moltke (links) und Bismarck (im Hintergrund rechts).

Nach dem Sieg der Preußen bei Sedan am 1. September 1870 gab sich Napoleon III. geschlagen. Das Gemälde von Wilhelm Camphausen aus dem Jahre 1878 zeigt den kranken König neben Bismarck sitzend.

Preußen hatte mit der Gründung des Deutschen Reiches im Gefolge des deutsch-französischen Krieges seine Sendung erfüllt. Wilhelm I., König von Preußen und deutscher Kaiser, wurde zum Erlöser des deutschen Volkes stilisiert. Das Gemälde „Apotheose Kaiser Wilhelms" von Ferdinand Werner entstand im Jahre 1871.

CHRISTIAN GRAF VON KROCKOW

Preußens Glanz und Gloria

Friedrich Wilhelm I., auch der Soldatenkönig genannt, schuf die Grundlagen für den Aufstieg Preußens zur europäischen Großmacht im 18. Jahrhundert. Das Porträt aus dem Jahre 1737 stammt von Knobelsdorff.

Nach dem Triumph von Sedan über den „Erbfeind" Frankreich, 1870, und der Reichsgründung von 1871 hat der Baseler Beobachter Jacob Burckhardt sarkastisch erklärt: Die deutschen Kollegen würden nun wohl keine Ruhe geben, bis die Weltgeschichte „von Adam an siegesdeutsch angestrichen" sei. Das traf leider zu, und vor allem haben viele Historiker eine Art von siegespreußischer Vorsehung oder Berufung konstruiert: Es sei diesem Staat bei seiner Geburt oder Taufe von einer guten Fee in die Wiege gelegt worden, die deutsche Einheit zu schaffen.

Nichts hätte abwegiger sein können. Als der brandenburgische Kurfürst Friedrich sich am 18. Januar 1701 im ostpreußischen Königsberg zum „König in Preußen" krönte, regierte er ein armseliges, rückständiges und zerrissenes Land, von dem niemand viel erwartete. Der Prachtaufwand, den das Königspielen erforderte, führte außerdem tief in die Schulden hinein. Im Übrigen besagte der kurlose Titel, dass er nur außerhalb der alten Reichsgrenzen gelten sollte, also nicht etwa in Berlin oder in Potsdam.

Gegen alle Wahrscheinlichkeit haben dann zwei große Könige Preußen zu einem Staat von geschichtlichem Rang gemacht, zunächst Friedrich Wilhelm I. mit dem Beinamen der „Soldatenkönig". Er schuf die Grundlagen, fegte all den Prunk oder Plunder barocker Hofhaltung beiseite und erwies sich als Pfennigfuchser; eine seiner ersten Neuerungen bestand in der Einrichtung einer General-Rechen-Kammer, von der aus ein gerader Weg zum Bundesrechnungshof unserer Tage führt. Mit unerhörter Anstrengung schuf er ein modernes Beamtentum und eine moderne Armee.

Vor allem war er ein Erzieher; er prägte seinen Untertanen die Tugenden ein, die wir seither als typisch preußisch oder von Preußens Reichsgründung her als typisch deutsch ansehen: Sparsamkeit, Ordnungssinn, Fleiß, Leistungsbereitschaft und Pflichterfüllung. Doch das alles musste gegen Gleichgültigkeit, Schlendrian und Korruption erst einmal durchgesetzt werden. Darum schrieb der König: „Parol' auf dieser Welt ist nichts als Müh' und Arbeit." Man könnte das ein preußisches Staatsmotto nennen, passend ergänzt durch den Berliner Volksmund: „Preuße zu sein ist eine Ehre – aber kein Vergnügen." Auf dem Fundament, das der Vater schuf, hat der Sohn, Friedrich II., den schon seine Zeitgenossen den Großen nannten, Preußen zu einer europäischen Großmacht emporgekämpft – und zwar gegen Kaiser und Reich. Dieses Preußen war dann kein Stammesland mehr, wie etwa Sachsen, aber auch und erst recht kein Nationalstaat. Umso bereitwilliger konnte es Menschen aus der Fremde aufnehmen, angefangen bei den Glaubensflüchtigen aus Frankreich, den Hugenotten. Katholiken waren ebenso willkommen wie Protestanten und Polen wie Deutsche. „Und wenn Türken und Heiden kämen und wollten das Land peuplieren (besiedeln), so wollen wir ihnen Moscheen und Kirchen bauen", schrieb Friedrich. „Ein jeder kann bei mir glauben, was er will, wenn er nur ehrlich ist." (Inzwischen sind die Türken da, und es ist die Frage, ob wir dem preußischen Maßstab genügen.)

Übrigens war Friedrich ein Aufklärer, der Voltaire verehrte, Französisch sprach und Deutsch nur „wie ein Kutscher". Als er – natürlich französisch – eine Schrift über die deutsche Literatur verfasste, zeigte er damit, dass er von Goethe und Konsorten wenig verstand und noch weniger hielt. Wahrlich: von deutscher „Leitkultur" keine Spur.

Das friderizianische Preußen brach im napoleonischen Ansturm zusammen. Im Zeitalter der Reformen und Befreiungskriege hat sich erstmals ein Nationalbewusstsein entwickelt, das mehr wollte als den alten Obrigkeitsstaat. Leute wie Ernst Moritz Arndt oder der „Turnvater" Ludwig Jahn forderten, dass Preußen Deutschland einigen und in dieser Einheit aufgehen sollte.

Aber gegen solche Zumutungen hat sich Preußen nach Kräften zur Wehr gesetzt und die nationale Bewegung unterdrückt, soweit das denn möglich war.

Die Borussia, die Adolph Menzel 1868 malte, war das Sinnbild Preußens, dessen Einwohner auch Borussen genannt wurden.

Ernst Moritz Arndt war ein gefeierter Dichter und einflussreicher politischer Schriftsteller, der für die Einheit Deutschlands ins Gefängnis ging.

Rechts: Turnvater Friedrich Ludwig Jahn begründete 1811 auf der Hasenheide vor Berlin die deutsche Turnbewegung. Damals diente die körperliche Ertüchtigung der Jugend dem nationalen Engagement.

Das galt auch für die Revolution von 1848. Nach dem ersten Schrecken hieß da das Motto: „Gegen Demokraten helfen nur Soldaten"; und Friedrich Wilhelm IV. wies die Kaiserkrone zurück, die die Nationalversammlung der Frankfurter Paulskirche ihm antrug.
Es war dann der eigentlich konservative Bismarck, der erkannte, dass man dem Zeitgeist auf Dauer nicht widerstehen konnte und der in einer Art von Flucht nach vorn erst Österreich aus Deutschland abdrängte und danach im kunstvoll inszenierten Krieg gegen Frankreich den Nationalstaat schuf.
Einer freilich war damit ganz und gar nicht einverstanden: der preußische König Wilhelm I. Nach Kräften setzte er sich gegen die „Beförderung" zum Kaiser zur Wehr. Noch am Vorabend der Kaiserproklamation vom 18. Januar 1871 erklärte er seinem Kanzler unter Tränen: „Morgen ist der unglücklichste Tag meines Lebens. Da tragen wir das preußische Königtum zu Grabe."
Bismarck hat den Vorgang im Glanz seiner Sprache beschrieben: „Diese Kaisergeburt war eine schwere. Könige haben in solchen Zeiten die wunderlichsten Gelüste, wie Frauen, bevor sie der Welt hergeben, was sie doch nicht behalten können. Ich hatte als Accoucheur (Geburtshelfer) mehrmals das dringende Bedürfnis, eine Bombe zu sein und zu platzen, dass der ganze Bau in Trümmer gegangen wäre."
In anderem Zusammenhang hat Bismarck von Wilhelm I. gesagt: „Wenn die Majestät über ihn kommt, weissagt er." Und das war hier tatsächlich der Fall. Preußen vererbte dem Reich die Leistungstüchtigkeit seiner Verwaltung und die Schlagkraft der Armee. Es gab auch eine Symbiose: Der Reichskanzler war durchweg zugleich Ministerpräsident von Preußen, und ohne preußische Zuarbeit wären die dürftig ausgestatteten Reichsbehörden kaum arbeitsfähig gewesen. Aber Preußen verschwand gleichsam hinter seiner eigenen Gründung. Die politische Schicksalseinheit war fortan das Deutsche Reich, und schon Wilhelm II. war im Bewusstsein der Zeitgenossen kurzweg „der Kaiser" und kaum noch König von Preußen.
Was folgte, ist uns nicht zum Heil, sondern zum Unheil geraten: Der alte Obrigkeitsstaat erfuhr durch Bismarcks Geniestreich eine nachhaltige Wiederaufwertung, und nur zu bereitwillig

Die große Verehrung für den ersten preußisch-deutschen Kaiser, Wilhelm I., war auch knapp zehn Jahre nach seinem Tod im Jahre 1888 ungebrochen. Auf dem Erinnerungsband zu seinem 100. Geburtstag 1897 sind Kaiserkrone und Hohenzollernwappen friedlich vereint.

ordnete sich das Bürgertum dem alten ostelbischen Eifer unter. Andererseits entwickelte sich ein seltsamer Minderwertigkeitskomplex: Man musste das Große noch überbieten, das schon unter preußischen Vorzeichen getan worden war. So entstand der Wahn von der Weltmacht, die man erkämpfen wollte, und der schließlich in die Katastrophe mündete.
Wenn wir heute, in unserem Nationalstaat, fragen, was uns von Preußen bleibt, dann geht es um das Unsichtbare, die preußischen Tugenden, besonders die Pflichterfüllung, von der Sebastian Haffner gesagt hat: „Mit diesem Religionsersatz ließe sich leben, und sogar ordentlich und anständig leben, solange der Staat, dem man diente, ordentlich und anständig blieb. Die Grenzen und Gefahren der preußischen Pflichtreligion haben sich erst unter Hitler gezeigt."
Doch da war es natürlich zu spät. Das Verhängnis war, dass es sich um so genannte Sekundärtugenden handelte. Denn die Leistungsbereitschaft sagt nicht, wofür sie eingesetzt wird, die Pflichterfüllung nicht, wem sie dient: ob dem König von Preußen oder Adolf Hitler. Die Frage nach den vorrangigen Werten, nach den Zielen muss daher stets gestellt und beantwortet werden. Inzwischen allerdings hat es manchmal den Anschein, als seien wir ins andere Extrem geraten. Was nützen denn „Grundwerte", was Menschenwürde oder die Toleranz, was Freiheit, Frieden und alles Übrige, diese vollmundige Selbstgerechtigkeit des Guten – wenn niemand sich davon in die Pflicht nehmen lässt?
Da so vieles anders geworden ist, als es einmal war, müssten wir uns eigentlich vor der Erinnerung an Preußen nicht mehr fürchten; ohnehin verstehen wir unsere neuere Geschichte nicht ohne diesen Staat. Und weil eben ganz ohne Leistungsbereitschaft und Pflichterfüllung kaum etwas gelingen kann, sollten wir uns womöglich sogar freuen, falls das künftige Deutschland um ein Weniges nur, um ein Gran preußischer geriete als die Republik, die wir bisher gekannt haben.

Der preußische Obrigkeitsstaat saß in den Köpfen der Menschen. Szene aus dem Film „Der Untertan" von Wolfgang Staudte, nach dem gleichnamigen Roman von Heinrich Mann. Auch ein Platzregen kann den Bürger Diederich Heßling nicht davon abhalten, vor einem Reiterstandbild Wilhelms I. strammzustehen.

OTTO VON HABSBURG

Habsburg und Preußen

Die enge Verbundenheit der Hohenzollern mit dem Haus Habsburg demonstrierte der deutsche Kaiser Wilhelm II. 1908. An der Spitze der deutschen Bundesfürsten (Bildmitte) gratulierte er als König von Preußen dem österreichischen Kaiser Franz Joseph I. (links) zum 60. Jahrestag seines Regierungsantritts. Gemälde von Franz von Matsch.

Wenn man als Österreicher über Preußen schreibt, dann ist das so eine Sache. Man muss sich nur die Grundprinzipien anschauen, die auf beiden Seiten prägend waren. Auf der einen Seite eine harte, eben „preußische" Disziplin, eine klare Einstellung und ein bedingungsloser Befehlsgehorsam. Auf der anderen Seite Flexibilität, der „österreichische", oft sehr gewundene und biegsame Weg, gepaart mit einer gewissen Liberalität und Gemütlichkeit. Bei einer genaueren und distanzierten Betrachtungsweise müssen wir feststellen, dass diese scheinbaren Gegensätze zweifellos historisch die Kongenialität im deutschsprachigen Raum des Heiligen Römischen Reiches ausgemacht hat und dass wahrscheinlich die größte Tragödie für Preußen – und damit für Deutschland – der Bruch mit Österreich war.

Die Beziehungen zwischen Österreich und Preußen bilden zweifellos ein zentrales Element in der Geschichte Europas der letzten 300 Jahre. Die Spannung, die sich über Jahrhunderte hinweg aus einem zwischen Partnerschaft und Gegnerschaft, zwischen Miteinander und Gegeneinander, zwischen religiösen und politischen Gegensätzen und gemeinsamen Interessen pendelnden Verhältnis aufgebaut hat, hat nicht nur Vorteile und Aversionen (die es zweifellos gab und leider manchmal noch gibt) hervorgebracht, sondern war auch fruchtbarer Nährboden für viele Weichenstellungen kultur- und geistesgeschichtlicher Art.

Die Rolle dieser beiden Gebiete war in gewisser Weise gleich. Beide Gebiete liegen geographisch ähnlich, nur dass das eine, nämlich Preußen, im Norden, und das andere, Österreich, im Süden des deutschen Raumes gelegen war. Der deutsche Raum hat sich dadurch charakterisiert, dass er keine natürlichen Grenzen hat, dass es außerdem an seinen Grenzen etwas gegeben hat, was man Osmosen nennen könnte, d. h. er ist langsam in den slawischen Raum übergegangen und langsam in den lateinischen Raum übergegangen. Es war also eine ganz eigenartige Struktur, die sonst

kein anderes Volk hat. Ein Unterschied war, dass die Österreicher beispielsweise die Grenze mit Ungarn gehabt haben, die kein slawisches Volk sind, später erst sind die slawischen Völker dazugekommen. Österreich war daher von Anfang an ein multinationaler Staat mit 12, 13 Nationalitäten gewesen, was vieles wesentlich erleichtert hat. Preußen allerdings ist nur auf die Slawen gestoßen, was zuerst gewisse Konflikte hervorgerufen hat, die unvermeidlich waren und von Preußen mit einer ziemlich harten Linie beantwortet wurden. Es wäre auch anders gegangen, was die Rolle der Österreicher in Schlesien gezeigt hat, die ja immer noch lebendig ist.

Österreich war seit jeher ein Kreuzungspunkt der vier großen europäischen Völkerfamilien, der Germanen, Slawen, Romanen und Magyaren, entscheidend bereichert durch starke jüdische Elemente, wodurch die Habsburger Monarchie bedeutende Impulse intellektueller, kultureller und wirtschaftlicher Art gewonnen hat.

Aber wenn man den deutschsprachigen Raum mit einem Flugzeug vergleicht, waren die beiden Flügel Preußen und Österreich. Und darum kann man immer wieder betonen, dass der eigentliche Verlierer 1866 Preußen und nicht Österreich war. Die eigenartige Struktur des Deutschtums in Preußen hat dazu geführt, dass Österreich aus dem Deutschen Bund ausgeschlossen wurde. Dadurch wurde ein Flügel abgeschlagen und zu einer anderen Orientierung gebracht. Und ein Flugzeug mit nur einem Flügel kann bekanntlich nicht fliegen. Und darum ist es ja auch so, dass das Bismarckreich wesentlich weniger lang gedauert hat wie unsere derzeitige Bundesrepublik oder die Europäische Union, in der die einst Österreich tragende Idee wieder neu entsteht und Leben gewinnt. Königgrätz war ein traumatisches Erlebnis für Österreich und ein tragisches für Deutschland, doch das Trauma haben die Österreicher irgendwie überwunden, das Tragische hat sich erst in unserer Zeit voll ausgewirkt.

Dennoch hat Preußen immer wieder große Persönlichkeiten hervorgebracht. Eine davon war Bismarck. Lange Zeit war ich selbst natürlich von der österreichischen Geschichtsversion überzeugt, durch die ich sehr negativ zu ihm eingestellt war, bis ich dann gezwungen wurde, mich mit seinem Leben zu befassen wegen verschiedener Vorträge, die ich über ihn halten sollte. Er war ein großer Staatsmann. Eine beeindruckende Tatsache ist einmal, dass er den preußischen König gehindert hat, nach der Schlacht von Königgrätz nach Wien zu marschieren, um dort den Frieden zu diktieren. Weiterhin ist sehr beeindruckend, dass er nach 1870 nicht dafür war, Elsass und Lothringen aus Frankreich auszugliedern und in das Deutsche Reich zu integrieren. Er hat sogar ernstlich gedroht, denn er hat genau gesehen, dass das ein Fehler sein würde, weil die Elsässer und Lothringer sich schon lange in Frankreich eingelebt hatten, und dass es daher sehr klug gewesen wäre, sie in Frankreich zu belassen, oder ihnen zumindest – was damals natürlich kaum dem Zeitgeist entsprach – ein Selbstbestimmungsrecht bzw. eine Autonomie zu geben.

Die immer wieder zitierte Rivalität zwischen Preußen und Österreich, die beiden geschadet hat, war sicherlich auch ein Phänomen der Zeit. Im 19. Jahrhundert hätte man sie wahrscheinlich gar nicht überwinden können, weil Preußen dem nationalistischen Zeitgeist entsprach und ganz auf der Welle des Nationalismus gesegelt ist. Österreich, dessen Konzept genau das Gegenteil davon war, musste hier natürlich Widerstand leisten, es wäre unmöglich gewesen, es anders zu machen.

Man neigt heutzutage dazu, Preußen immer wieder schlechte Eigenschaften anzudichten. Das kommt daher, weil man aus der Perspektive von heute etwas beurteilt, was sich vor mehr als 100 Jahren abgespielt hat. So hält sich beispielsweise konsequent die

Otto von Bismarck drängte Österreich-Ungarn 1866 aus dem Deutschen Bund und sicherte Preußen damit die Vormachtstellung in Deutschland. Doch nach der Reichseinigung tat er alles, um den Nachbarn als Bündnispartner zu gewinnen. Porträt von Franz von Lenbach aus dem Jahre 1878.

Mär, Preußen sei das Muster des Militarismus gewesen. Es ist an der Zeit, diese Urteile endlich zurechtzurücken. Wenn wir uns das Frankreich jener Tage ansehen, werden wir feststellen, dass es nicht weniger militaristisch war als auch gewisse andere Staaten im übrigen Europa. Ebenfalls auf der Strecke bleiben leider auch viele der preußischen Tugenden, die landläufig das Klischee bestimmen, wie Disziplin, Pünktlichkeit und Ordnung. Natürlich wurden sie in Preußen härter gehandhabt als in Österreich, wo sie mit einem gewissen Humor, einer gewissen Menschlichkeit und Liberalität durchgesetzt wurden, nicht zuletzt auf Grund der verschiedenen Nationalitäten, mit denen die Preußen überhaupt keinen Kontakt gehabt haben, wie z.B. den Ungarn, den Kroaten und den Slowenen. Generell sollten wir endlich verstehen, und zwar von beiden Seiten, dass es in der Geschichte weder Schwarz noch Weiß gibt, sondern nur verschiedene Schattierungen von Grau. Fehler wird ein jeder machen, aber man kann die Geschichte zu einem zukunftsträchtigen Ausgangspunkt machen, was ja die Aufgabe jeder Geschichtsforschung sein sollte. Geschichte soll so gesehen werden, wie sie wirklich war, und man kann daraus erkennen, dass die Geschichte wesentlich mehr zur Aussöhnung beitragen kann als zur Trennung.

Das Verhältnis zwischen Hohenzollern und Habsburgern bewegte sich schon im 18. Jahrhundert zwischen Extremen. Die österreichische Kaiserin Maria Theresia war seit dem Raub Schlesiens eine erklärte Gegnerin Preußens und nannte Friedrich II. den „bösen Mann in Berlin". Ihr Sohn Joseph II. hingegen bewunderte im Preußen-König den aufgeklärten Herrscher.

Das Zeitalter Bismarcks

Der Urpreuße als Reichskanzler

Bismarck war preußischer Junker mit Leib und Seele. Die bürgerlich geprägte deutsche Nationalbewegung hat er stets abgelehnt. Wenn er dennoch alles tat, um ein Deutsches Reich zu schaffen, dann deswegen, weil er die Zeichen der Zeit erkannt hatte. Preußen konnte seine Stellung im Konzert der großen Mächte nur im Verbund mit den anderen deutschen Staaten behaupten. Entscheidend war, dass Preußen auch in dem neuen Staatsgebilde seine Führungsrolle wahren konnte. Das Deutsche Reich war dementsprechend organisiert. Der preußische König war in Personalunion deutscher Kaiser. Er konnte sein Veto gegen jede Verfassungsänderung einlegen, war Oberbefehlshaber der Armee und entschied allein über Krieg und Frieden. Die zentrale Figur des neuen Reiches aber war der Kanzler, der zugleich das Amt des preußischen Ministerpräsidenten bekleidete. Er war gegenüber dem Reichstag unabhängig und musste alle Anordnungen des Kaisers gegenzeichnen. Bei ihm lag die Verantwortung für die Reichspolitik. Ein Amt, das Bismarck auf den Leib geschneidert war. Nimmt man hinzu, dass der Bundesrat von Preußen dominiert wurde, die Reichsbürokratie nur auf der Basis der preußischen Verwaltung funktionierte und die Armee preußisch organisiert und geführt war, dann kann man zu Recht von einer ‚Verpreußung' Deutschlands sprechen. Doch umgekehrt fand auch eine ‚Germanisierung' Preußens statt, ging das Land allmählich im Deutschen Reich auf.

Die Bismarckzeit war geprägt durch die Spannung zwischen dem rasanten wirtschaftlichen Fortschritt und dem damit verbundenen Wandel der Gesellschaft auf der einen und einer konservativen

Er war schon zu Lebzeiten eine Legende: Otto von Bismarck. Der „eiserne Kanzler" entstammte einem traditionsreichen Adelsgeschlecht der Altmark und wurde aus Gründen der preußischen Staatsräson zum „Baumeister" des Deutschen Reiches. Das Gemälde von Franz von Lenbach entstand 1888.

Politik der Bewahrung auf der anderen Seite. Während im Ruhrgebiet und im Rheinland moderne Industriegebiete entstanden, konnten die ostelbischen Agrarier ihre Privilegien ausbauen. Bismarck spielte die verschiedenen Interessen gegeneinander aus, indem er im Reichstag wechselnde Bündnisse einging. Zudem versuchte er, bestimmte Gruppen auszugrenzen, indem er sie als „Reichsfeinde" brandmarkte. Diese aggressive Politik traf zunächst die katholische Kirche, deren Einfluss Bismarck im so genannten Kulturkampf vergeblich zu brechen versuchte. 1878 entdeckte der „eiserne Kanzler" einen neuen Feind im Inneren: die Sozialisten. Die fortschreitende Industrialisierung hatte zur Bildung einer starken Arbeiterpartei geführt. Deren Aktivitäten ließ Bismarck durch das so genannte Sozialistengesetz weitgehend verbieten und unter Strafe stellen. Neben der Peitsche gab es aber auch Zuckerbrot. Durch die Einführung der Kranken-, Unfallsowie Invaliditäts- und Altersversicherung in den 80er Jahren besaß das Deutsche Reich die fortschrittlichste Sozialversicherung in Europa.

Das eigentliche Feld Bismarcks aber war die Außenpolitik. Die Gründung des Deutschen Reiches hatte die anderen europäischen Großmächte alarmiert, war doch ein neues Kraftzentrum in der Mitte Europas entstanden. Bismarck betonte deswegen stets, dass Deutschland ein „saturierter" Staat sei, der keine weiteren Gebietsgewinne anstrebe und von dem keine Gefahr für das europäische Kräftegleichgewicht ausgehe. Die größte Bedrohung ging nach Überzeugung Bismarcks von Frankreich aus. Die deutsche Politik versuchte deswegen, den Nachbarn im Westen außenpolitisch zu isolieren. Der größte Albtraum Bismarcks war eine Koalition zwischen Frankreich und Russland. Seine Außenpolitik war ganz darauf ausgerichtet, dies zu verhindern und das Zarenreich an Deutschland zu binden. Die Hauptachse des kunstvollen bismarckschen Bündnissystems war der Dreikaiservertrag zwischen dem Deutschen Reich, Russland und Österreich. Die Beziehungen zu Großbritannien waren freundlich, kühlten sich aber ab, als Bismarck sich Mitte der 80er Jahre in kolonialpolitische Abenteuer stürzte. Am Ende war das Spiel mit den „fünf Bällen", das Bismarck virtuos beherrschte, so kompliziert, dass die Nachfolger des Reichsgründers es nicht mehr fortsetzen konnten. Bismarck selbst bemerkte die Grenzen seiner Politik, war jedoch nicht bereit, freiwillig aus dem Amt zu scheiden. Als 1888 Wilhelm I. starb, verlor Bismarck seine wichtigste Stütze. Der neue Kaiser, Friedrich III., starb schon nach wenigen Monaten. Ihm folgte mit Wilhelm II. eine Generation auf den Thron, die im Kaiserreich groß geworden war und zu der Bismarck keinen Draht besaß. Die Differenzen zwischen dem jungen Kaiser und dem alten Kanzler wuchsen sich zum Konflikt aus. Am 20. März 1890 entließ Wilhelm II. Bismarck, der sich verbittert auf sein Gut Friedrichsruh zurückzog, wo er 1898 verstarb.

Links: „Morgen ist der unglücklichste Tag meines Lebens! Da tragen wir das preußische Königtum zu Grabe." Noch einen Tag vor der Kaiserproklamation zögerte Wilhelm I., den Titel eines deutschen Kaisers anzunehmen.

Die Fürsten der deutschen Staaten riefen am 18. Januar 1871 im Spiegelsaal von Versailles den preußischen König Wilhelm I. zum deutschen Kaiser aus. In der Bildmitte in weißer Uniform Bismarck, erhöht links von ihm Wilhelm I.

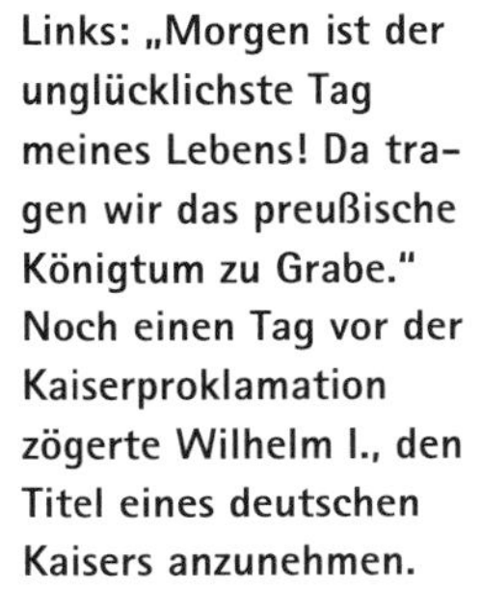

Die erste Sitzung des Deutschen Reichstages am 21. März 1871 fand im Gebäude des preußischen Herrenhauses statt. Neben dem Rednerpult ist Bismarck zu sehen, im Gang Helmuth von Moltke.

Bismarcks Gegenspieler im „Kulturkampf" war Papst Pius IX. Der Papst: „Ich habe noch einen sehr schönen Zug in petto." Bismarck: „Das wird auch der letzte sein, und dann sind Sie in wenigen Zügen matt, wenigstens für Deutschland." Karikatur des Kladderadatsch aus dem Jahre 1875.

Der wirtschaftliche Aufschwung Preußens und des Deutschen Reiches verdankte sich vor allem der Schwerindustrie. Das Gemälde „Eisenwalzwerk" von Adolph Menzel entstand 1875.

Das Kaiserreich feierte sich selbst und seinen Wohlstand in rauschenden Festen. „Das Ballsouper", ein Gemälde von Adolph Menzel aus dem Jahre 1878.

Wilhelm I. und Bismarck bildeten die Achse der deutschen Reichspolitik. Das Aquarell von Konrad Siemenroth aus dem Jahre 1887 zeigt den Reichskanzler beim Vortrag im historischen Eckzimmer des königlichen Palais.

Mit der Industrie wuchs auch das Proletariat und mit ihm die sozialistische Bewegung. Bismarck bekämpfte diese Entwicklung durch das Sozialistengesetz von 1878. Die Punch-Karikatur zeigt den Reichskanzler, wie er versucht, den sozialistischen Springteufel in die Kiste zurückzudrücken.

Die Achse der bismarckschen Außenpolitik war das Bündnis des Deutschen Reiches mit Österreich-Ungarn und Russland. Der Punch sah ihn als Strippenzieher. Karikatur auf die Verlängerung des Dreikaiservertrages im Jahre 1884.

Bismarck auf dem Höhepunkt seines internationalen Ansehens. Als „ehrlicher Makler" moderierte er 1878 auf dem Berliner Kongress die Verhandlungen der europäischen Mächte und verhinderte einen drohenden Krieg auf dem Balkan. Ausschnitt aus einem Gemälde von Anton von Werner aus dem Jahre 1881.

Links: Friedrich III., der Sohn Wilhelms I., war schwer krank, als er 1888 den Kaiserthron bestieg. Die Hoffnung der Liberalen starb nur drei Monate nach der Krönung. Gemälde von Anton von Werner aus dem Jahre 1889.

Das Dreikaiserjahr 1888: Durch den Tod Wilhelms I. (oben) am 9. März 1888 und Friedrichs III. (links) am 15. Juni desselben Jahres ging die Kaiserkrone innerhalb von wenigen Monaten auf Wilhelm II. (rechts) über.

Das Ende einer Ära: Am 20. März 1890 entließ Wilhelm II. Bismarck. Der greise Reichskanzler stand dem Wunsch des jungen Kaisers, ein „persönliches Regiment" zu führen, im Wege. Karikatur des Punch: „Dropping the Pilot" („Der Lotse geht von Bord").

Im Alter von 29 Jahren bestieg Wilhelm II. 1888 den deutschen Kaiserthron. Mit ihm begann eine neue Zeit, die als „Wilhelminismus" in die Geschichtsbücher eingegangen ist. Gemälde von Max Koner aus dem Jahre 1891.

RUDOLF MORSEY

Kulturkampf der Bismarck

In der zweiten Hälfte des 19. Jahrhunderts kam es vielerorts in Europa zu „Kulturkämpfen". Dabei ging es den selbstbewussten Nationalstaaten darum, sich von der Kirche zu emanzipieren. Besonders folgenreich waren diese Auseinandersetzungen im neuen Deutschen Reich und dessen größtem Bundesstaat: Preußen. Dort sah Bismarck die Konsolidierung seiner Reichsschöpfung durch das neue Zentrum und die katholische Kirche bedroht und suchte deswegen das katholische Volksdrittel („Reichsfeinde") auszugrenzen. Das Schlagwort Kulturkampf prägte der Abgeordnete der linksliberalen Fortschrittspartei, Rudolf Virchow. Gemeint war: Kampf für den „Fortschritt" von moderner Kultur und Wissenschaft zur Durchsetzung eines weltanschaulich untermauerten Monopolanspruchs. Dem nationalliberal gestimmten Zeitgeist galten Kirche und „ultramontan" eingestellte Katholiken als „rückständig" und inferior im Vergleich zum Protestantismus. Vornehmlich drei Ursachen führten zum Kulturkampf: Die Gründung des Zentrums, die Auswirkungen des Unfehlbarkeitsdogmas und Bismarcks Sorge vor einer „katholischen Revanche-Koalition".

Seit dem Spätjahr 1870 bestand im Preußischen Abgeordnetenhaus eine Fraktion „Zentrum" zur Verteidigung bedrohter kirchlicher Freiheitsrechte und zur Sicherung der bundesstaatlichen Verfassungsgrundlage. Auch die im März 1871 im ersten Reichstag gebildete Zentrumsfraktion mit 57 katholischen Abgeordneten ließ sich nicht in Bismarcks antiparlamentarisches Konzept einpassen. Der zweite Grund für den Ausbruch des Kulturkampfs waren Auseinandersetzungen im Gefolge des Unfehlbarkeitsdogmas von 1870. Katholische Geistliche im Staatsdienst, die daraufhin zum Altkatholizismus übertraten, wurden kirchlich gemaßregelt, von der Regierung jedoch im Dienst belassen. Der dritte Grund war Bismarcks Sorge vor einer Verständigung zwischen den geschlagenen Nachbarstaaten von 1866 und 1871: Österreich und Frankreich. Er befürchtete, dass sich eine von ihnen angeführte „katholische Revanche-Koalition" gegen das Reich bilden und dann im oppositionellen Zentrum einen Verbündeten finden würde. Bei seinem Kampf gegen die neue Partei blieb den nationalliberalen Mitstreitern Bismarcks dessen weiteres Ziel verborgen, die Stabilisierung seines antiparlamentarischen Kurses.

Rudolf Virchow war einer der einflussreichsten Mediziner seiner Zeit. Er prägte das Schlagwort vom Kulturkampf in einer Rede vom 17. Januar 1873. Das Gemälde von Hugo Vogel entstand 1896.

Bismarcks Absicht, die Kirche vom Staat zu trennen und aus Schule und Gesellschaft zu verdrängen, suchte er mit Hilfe von Gesetzen des Reiches und, in der Mehrzahl, Preußens zu erreichen. Ende 1871 wurde in das Strafgesetzbuch ein Kanzelparagraph eingefügt, der den Geistlichen einen Maulkorb verpasste. Ein preußisches Schulaufsichtsgesetz von 1872 verschaffte dem Staat die Aufsicht auch über den Religionsunterricht. Etwa 1 000 Angehörige von Orden und Kongregationen wurden aus dem Schuldienst entfernt. Durch ein Jesuitengesetz wurden alle Mitglieder der Societas Jesu aus dem Reich ausgewiesen und ihre Niederlassungen aufgelöst, im Oktober 1872 einem Bischof die staatlichen Bezüge gesperrt (Temporaliensperre), im März 1873 die katholische Feldpropstei aufgehoben. Neue Kampfmaßnahmen (Maigesetze) unterwarfen die Kirche einem geschlossenen

Bismarcks Innenpolitik brauchte Feindbilder. Bis 1878 waren dies die Katholiken. Die kolorierte Fotografie stammt aus dem Jahre 1886.

Die Unfehlbarkeit des Papstes ist ein relativ junges Dogma der katholischen Kirche. Pius IX. ließ es am 18. Juli 1870 in Rom verkünden.

Der Führer des katholischen Zentrums, Ludwig Windthorst, war der bedeutendste parlamentarische Gegner Bismarcks im so genannten Kulturkampf. Die Porträtaufnahme stammt aus dem Jahre 1885.

System staatlicher Aufsicht. Die Bischöfe mussten für jede Besetzung eines geistlichen Amtes (Anzeigepflicht) die Erlaubnis einholen. Ein Königlicher Gerichtshof für kirchliche Angelegenheiten erhielt weitgehende Vollmachten, die kirchliche Disziplinargewalt über Geistliche wurde aufgehoben. Ein preußisches Gesetz vom März 1874 schrieb die Zivilehe vor – ein Reichsgesetz folgte 1875. Ein (Reichs-) Expatriierungsgesetz vom Mai 1874 schränkte das Freizügigkeits- und Staatsbürgerrecht für Geistliche ein. Ein staatlicher Kommissar übernahm die Verwaltung erledigter katholischer Bistümer. Ein eigenes Gesetz verfügte die Einstellung der Staatsmittel an renitente Geistliche (Brotkorbgesetz). Weitere Kampfmaßnahmen waren die Aufhebung der Kirchenartikel der Preußischen Verfassung (Juni 1875) und die Vermögensverwaltung der Pfarreien durch Laien. Da Bischöfe und Priester gegen die Kampfmaßnahmen zivilen Ungehorsam praktizierten, wurden Hunderte von ihnen bestraft, Staatszuschüsse gesperrt und kirchliche Anstalten geschlossen. Wenn Geldstrafen nicht einkamen, erfolgten Pfändungen und Versteigerungen von Mobiliar, wurden Freiheitsstrafen vollstreckt – alleine fünf Bischöfe in Haft genommen – und Geistliche ihres Amtes enthoben. Insgesamt wurden 296 Ordensniederlassungen mit 1181 männlichen und 2776 weiblichen Mitgliedern aufgehoben, die emigrieren mussten, Versammlungsredner und Redakteure zu Geldstrafen verurteilt oder verhaftet, katholische Beamte entlassen. Zahllosen Geistlichen war jahrelang das Gehalt gesperrt. 1878 amtierten in Preußen von den zwölf Bischöfen nur noch drei. Die Priesterseminare waren geschlossen, schließlich ein Viertel aller Pfarreien nicht besetzt.

Dennoch verfehlte Bismarck sein Ziel. Eine neue Geschlossenheit von Episkopat, Klerus und Kirchenvolk wurde sichtbar im Aufschwung der katholischen Presse sowie dem des Vereins- und Verbandswesens und vor allem in der Entscheidung zugunsten der Zentrumspartei. Sie erreichte seit 1874 bei den Reichstagswahlen zeitweise mehr als 80 Prozent der von Katholiken abgegebenen Stimmen. Ende der siebziger Jahre erkannte Bismarck, dass er das Ziel des Kampfes nicht erreichen würde. Auch evangelisch-konservative Kreise beklagten längst das Schwinden des inneren Friedens und des Rechtsgefühls. Zudem wuchs die Gefahr des revolutionären Sozialismus. Schließlich suchte der Reichskanzler, nach seinem Bruch von 1877 mit den Nationalliberalen, eine neue Mehrheit für eine konservative Schutzzoll- und Sozialpolitik. Dazu benötigte er das Zentrum. In dieser Situation erfolgte im Februar 1878 ein Wechsel auf dem Päpstlichen Stuhl. Der neue Papst, Leo XIII., signalisierte Bereitschaft zur Verständigung und hoffte auf ein Einlenken des konservativen Staatsmanns zur Stabilisierung des monarchischen Systems in Europa. Dabei gedachte Leo XIII. die Beilegung des Kulturkampfs durch Verhandlungen mit Berlin zu erreichen. Diese Absicht

kam Bismarck entgegen. Er rechnete für den Abbau von Kampfmaßnahmen mit Konzessionen der Kurie, um mit deren Hilfe dann das Zentrum parlamentarisch auszuschalten. Durch diese Veränderung der politischen „Großwetterlage" geriet die Konfessionspartei in eine prekäre Situation. Ihre Parlamentarier mussten auch Konzessionen der Kurie zustimmen, die ihnen zu weit gingen. Dazu zählte im Februar 1880 ein unerwarteter Schritt des Papstes, der zur Wende im Kulturkampf führte: Leo XIII. konzedierte die Anzeigepflicht für die Besetzung von Pfarreien – zum Erstaunen der Bischöfe und zum Entsetzen des Zentrumspolitikers Windthorst, des bedeutendsten parlamentarischen Gegenspielers Bismarcks.
Im Juli 1880 setzte die preußische Regierung ein erstes Milderungsgesetz durch. Danach war es möglich, Bischöfe ohne Eidesleistung zuzulassen und die staatliche Vermögensverwaltung einzustellen. Wenig später konnten vakante Bischofssitze wieder besetzt werden. Mit einem zweiten Milderungsgesetz vom Mai 1882 verzichtete die Regierung auf die Möglichkeit, „entlassene" Bischöfe zu begnadigen. Ein drittes Milderungsgesetz (1883) machte dann alle kirchlichen Weihe- und Amtshandlungen straffrei. Weitere Bischöfe konnten aus der Emigration zurückkehren, 280 ausgewiesene Geistliche wurden begnadigt und das Sperrgesetz gelockert. Im Herbst 1886 hob ein erstes Friedensgesetz vom Mai 1886 den staatlichen Gerichtshof für kirchliche Angelegenheiten auf. Die Regierung gestattete die Wiedereröffnung von bischöflichen Anstalten und verzichtete auf den Bischofseid von 1873. Dafür war der Papst bereit, vakante Bischofsstühle mit staatsloyalen Kandidaten zu besetzen.

Der Friedensschluss erfolgte dann durch das zweite Friedensgesetz vom April 1887. Es beschränkte die Anzeigepflicht auf den Fall der dauernden Übertragung eines geistlichen Amtes, gestattete die Niederlassung von Orden und die Rückgabe beschlagnahmten Vermögens. Hingegen blieben die staatliche Schulaufsicht und die Zivilehe erhalten, auch die Aufhebung der kirchlichen Freiheitsrechte der Preußischen Verfassung. Bestehen blieb ferner das Jesuitengesetz. Dennoch erklärte Leo XIII. im Mai 1887, dass der Friedenszustand in einem Kampfe wiederhergestellt sei, „der die Kirche belastet und auch dem Staat geschadet hat".
Der 1887 erreichte Ausgleich war ein akzeptabler Kompromiss. Die Wunden im katholischen Volksteil vernarbten allerdings nur langsam. Bismarck hatte durch seine Kampfpolitik das Zentrum zu einem „Turm" zusammengeschweißt. Die bleibende Leistung seiner führenden Persönlichkeiten – allen voran Windthorst – lag darin, dass sie konsequent für freiheitliche und rechtsstaatliche Forderungen eingetreten sind und sich nicht in eine Fundamentalopposition hatten abdrängen lassen. Für Bismarck war der Kulturkampf ein schwerer Fehler, für die Liberalen, die dabei ihre Prinzipien preisgaben, wurde er zum Verhängnis. Dem Staat gelang es, seinen Einfluss in den Bereich der Kirche und der Gesellschaft hinein auszuweiten. Die mit Hilfe von Ausnahmegesetzen eingeschränkten Bürgerrechte und -freiheiten schufen für künftige Maßnahmen des Staates einen Präzedenzfall.

Papst Leo XIII. beendete die Auseinandersetzung der katholischen Kirche mit dem Deutschen Reich. Seine Enzyklika „Rerum novarum" rückte die soziale Frage in den Mittelpunkt der kirchlichen Arbeit.

HERMANN E. J. KALINNA

Thron und Altar

Der letzte Hochmeister des Deutschen Ordens, Albrecht von Brandenburg-Ansbach, schloss sich 1525 der Reformation an und verwandelte den Ordensstaat in das weltliche Herzogtum Preußen. Porträt von Lucas Cranach dem Älteren aus dem Jahre 1528.

Die Metapher „Thron und Altar" ist eine nicht sehr präzise Formel, um eine mehr oder weniger enge Zusammenarbeit bzw. ein dauerhaft enges Verhältnis zwischen Kirche und Staat zu kennzeichnen. Der Begriff „Staatskirchentum" bezeichnet einen ähnlichen Sachverhalt. Im Kernland des späteren Preußen, der Mark Brandenburg, war es den Markgrafen vor der Reformation nur gelungen, dem Ziel eines landesherrlichen Kirchenregimentes nahe zu kommen. Als Neumark und Kurmark sich der schon vordringenden Reformation öffneten, sah man sich bei der ersten Visitation alsbald großen Problemen gegenüber: So waren z. B. in der Kurmark nur noch ein Viertel bis ein Drittel der Pfarrstellen besetzt. Wie sollte hier Abhilfe geschaffen werden, wenn nicht mit Hilfe des Landesherrn? Dieser übte im Übrigen sein Amt als „Notbischof", das bald als Summepiskopat bezeichnet wurde, nicht direkt aus, sondern durch den Generalsuperintendenten und das mit Theologen und Juristen paritätisch besetzte Konsistorium.
Noch vor Ende des 16. Jahrhunderts wurden die ersten niederländischen reformierten Glaubensflüchtlinge aufgenommen – lange vor dem Übertritt des Kurfürsten Johann Sigismund (1608-1619) zum Calvinismus (1613). Dieser Schritt, zwar auch aus politischen, aber eben doch auch aus Glaubensüberzeugung vollzogen, provozierte den Wider-

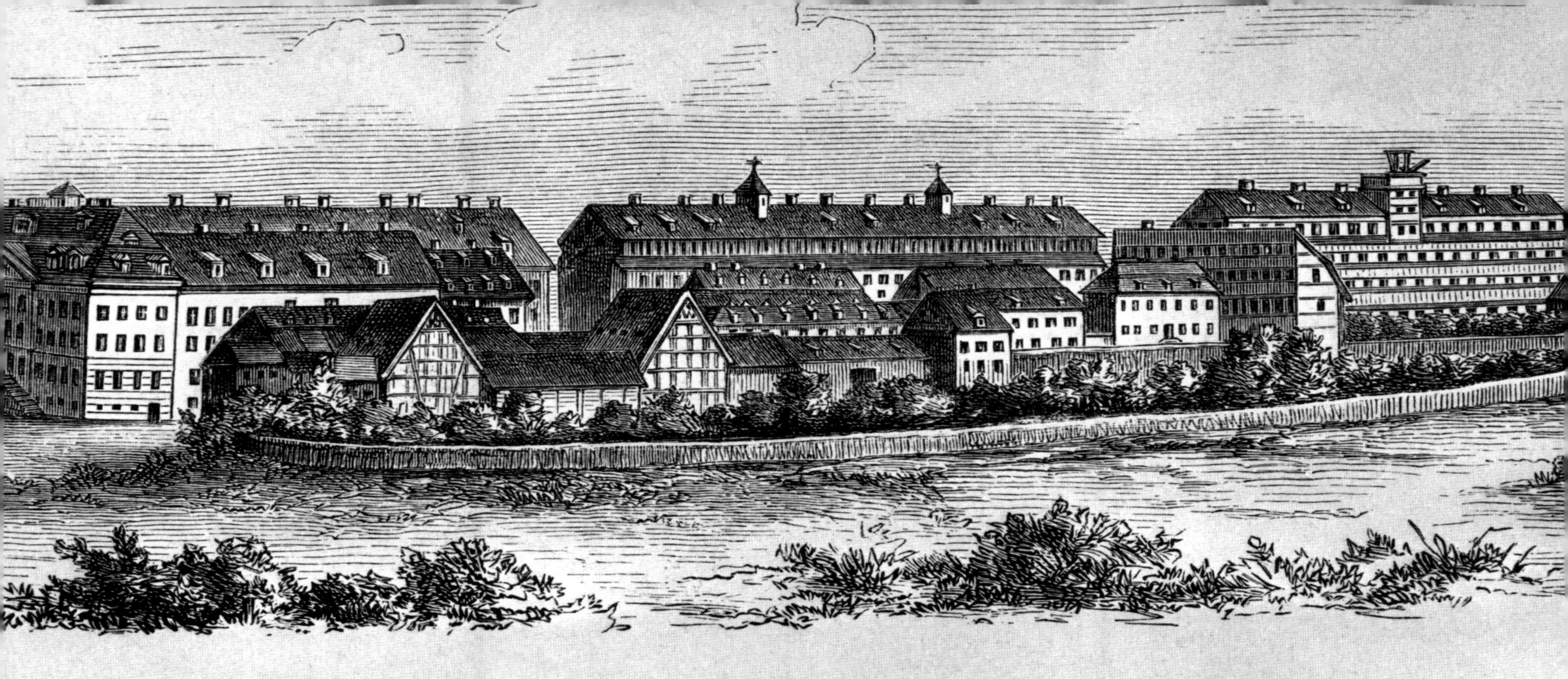
Die Franckeschen Stiftungen gegen Mitte des 18. Jahrhunderts.

stand der lutherischen Pfarrerschaft und Bevölkerung. Der Kurfürst war gezwungen, das lutherische Bekenntnis als erstes Landesbekenntnis bestehen zu lassen. Die fast geschlossen votierende, angeblich so obrigkeitshörige lutherische Orthodoxie und die Stände verweigerten dem Kurfürsten Gottesdienstreformen, Religionsgespräche und die Mitarbeit an den Grundlagen einer Union. Seit 1615 galt in Brandenburg als erstem Staat „Cuius regio, eius religio" („Wessen Land, dessen Religion") nicht mehr.
Nachdem durch Erbschaft Kleve, Mark und Ravensberg 1614 zu Brandenburg gekommen waren mit einer stark reformierten Bevölkerung, fiel 1618 das seit 1525 lutherische Ostpreußen als polnisches Lehen an den brandenburgischen Kurfürsten. Der politischen Aufgabe, die verschiedenen Landesteile einer einheitlichen Leitung zu unterstellen, entsprach das Bemühen, auch kirchlich eine gemeinsame Ordnung herzustellen. Hierzu war hilfreich, dass der Summepiskopat des Landesherrn für alle Untertanen galt.
Die weitere Geschichte ist bestimmt von einer merkwürdigen Doppelheit: Einerseits wurde schon 150 Jahre vor dem Freigeist Friedrich dem Großen bereits 1616 in einer Instruktion die brandenburgische Gewissensfreiheit festgelegt: „Niemanden seines Glaubens und seiner Religion wegen in einerlei Wege beunruhigen zu lassen." (Freilich fährt der Text fort: „Alle schädliche und verdammte Ketzereien und Sekten, als da sind alte und neue Arianer, alte und neue Fotinaner und dergleichen abzuwehren.")
Auf der anderen Seite gab es eine bevorzugte Behandlung der Reformierten. Diese Tendenz wurde verstärkt durch die Aufnahme der aus Frankreich vertriebenen bzw. geflohenen Hugenotten, von denen durch das Edikt von Potsdam 1685 20 000 nach Brandenburg kamen. Es mindert nicht den Charakter der brandenburgischen Toleranz, wenn man darauf hinweist, dass abgesehen von ihrem Gewerbefleiß und ihrer Bildung die Reformierten, zumal die Hugenotten, auch aus einem staatspolitischen Grunde willkommen waren: Die Reformierten waren nicht verbandelt mit der eingesessenen lutherischen ständischen Bevölkerung, die immer zur Opposition dem Landesherrn gegenüber bereit war. Sie waren dagegen aufgeschlossen für gesamtstaatliche, ja „absolutistische" Tendenzen. Dazu kam bei den Hugenotten eine doppelte emotional-politische Bindung an das Haus Hohenzollern: Dankbarkeit für die großzügige Aufnahme und die Erfahrung, dass die Opposition dem Fürstenhause (sprich König von Frankreich) gegenüber zu einer schmerzlichen Niederlage geführt hatte. Es wundert daher nicht, dass die Landesherren sie bevorzugt in Positionen brachten, in denen sie für den aufstrebenden Staat verlässliche Stützen sein konnten.
Dieser „Hofcalvinismus", der sich u. a. in den reformierten Hofpredigern darstellte, die durchaus nicht nur in Berlin, sondern in zahlreichen wichtigen Städten des Landes installiert wurden und zunächst meistens aus nichthohenzollerischen Ländern berufen wurden, übte großen Einfluss aus, u. a. durch ihre Mitglieder im „Geheimen Rat", der seit 1604 die Aufsicht über das Kirchenregiment führte, in dem sie die kurfürstliche Kirchenpolitik durchsetzten, die nicht zuletzt darauf zielte, das konfessionelle Luthertum zurückzudrängen.
Der zunehmenden Verstärkung der Rolle des Staates im „Absolutismus" entsprach kirchlicherseits die Entwicklung von der trotz aller Abhängigkeiten noch eigenständigen Landeskirche zur Staatskirche, ein gesamteuropäischer Prozess, der in Brandenburg freilich mit besonderer Hilfe der Reformierten vorangetrieben wurde. Das zeigte sich nicht nur in der Förderung für Reformierten-Kinder durch Stipendien und Bevorzugung bei Ämterbesetzungen von fremden Reformierten gegenüber einheimischen Lutheranern; vor allem kamen jetzt bisher unvorstellbare Eingriffe ins innerkirchliche Leben vor. Der Große Kurfürst beschränkte (im Namen der Toleranz!) die Lehrfreiheit

Der Pietist August Hermann Francke gründete 1695 in seinem Pfarrhaus eine Armenschule, aus der später die Franckeschen Stiftungen hervorgingen.

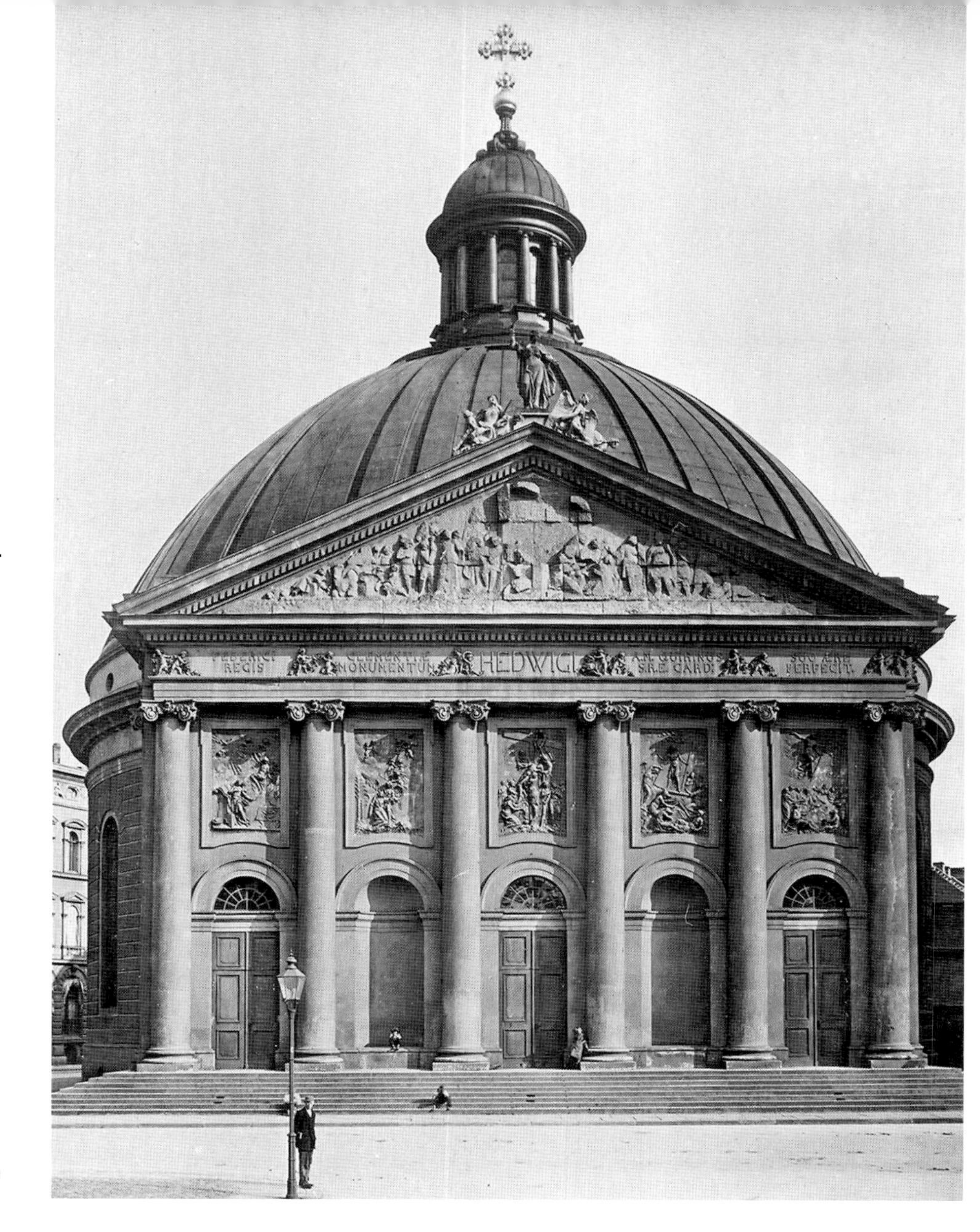

Nach der Eroberung Schlesiens ließ Friedrich II. für seine katholischen Untertanen in Berlin eine repräsentative Kirche bauen: die St.-Hedwigs-Kathedrale. Den Entwurf dazu fertigte der König selbst an.

der Lutheraner, die durch Revers sich verpflichten sollten, sich jeder Polemik gegen die Reformierten zu enthalten. Dies provozierte erneut lutherischen Widerstand. Der bekannteste Fall ist der des bedeutendsten Liederdichters nicht nur dieser Zeit, Paul Gerhardt, der wegen Verweigerung der Unterschrift seine Pfarrstelle an St. Nikolai in Berlin verlor. Anlässlich der Krönung des Kurfürsten Friedrich III. zum König Friedrich I. in Preußen weigerten sich die ostpreußischen Lutheraner sogar, den Dom zur Verfügung zu stellen, sodass der Hof in die reformierte Schlosskapelle ausweichen musste. Unter Friedrich Wilhelm I. (1713–1740) verstärkten sich die Maßnahmen gegen die Lutheraner u. a. dadurch, dass die lutherischen liturgischen Traditionen den reformierten angepasst wurden.

Ein neuer religiöser Faktor für die Entwicklung Preußens war das Aufkommen des Pietismus, insbesondere in der Gestalt, die er seit der Gründung der Universität Halle 1694 und durch die Berufung August Hermann Frankes zum dortigen Theologie-Professor annahm. Die „Franckeschen Anstalten" (später: Stiftungen), bald „Inbegriff eines neuen Verständnisses von christlicher Bildung und Sozialarbeit" (R. v. Thadden) wirkten zwar weit über die Landesgrenzen hinaus, hatten aber in Preußen den stärksten gesellschaftlichen Einfluss, nicht zuletzt kraft des Engagements Friedrich Wilhelms I., der die „Reformenergien" des Halleschen Pietismus für den Auf- und Ausbau seines Staatswesens nutzte, u. a. im Schulwesen (allgemeine Schulpflicht 1734). Der Pietismus führte zur weiteren Einebnung der konfessionellen Gegensätze zwischen Lutheranern und Reformierten; seine sozialreformerischen Antriebe förderten ständekritische Einstellungen. Dass beides auch die Position des Landesherrn stärkte, ist nur eine Seite der Medaille. Bei aller auch notwendigen Kritik handelte es sich um Entwicklungen, die in die Zukunft wiesen.

Ein weiterer Schritt auf dem brandenburgischen Toleranzwege war die Entscheidung Friedrichs des Großen, nach der Eroberung Schlesiens die Gewinne der Gegenreformation nach dem Dreißigjährigen Krieg nicht rückgängig zu machen – wozu er berechtigt gewesen wäre –, sondern statt der Rückgabe der

Preußen war ein Zufluchtsort für die verfolgten Anhänger der Reformation in Europa. Als 1731 die Salzburger Protestanten vom Erzbischof vertrieben wurden, erließ Friedrich Wilhelm I. ein Einwanderungspatent und entsandte Kommissare, die die Flüchtlinge nach Preußen geleiteten.

Napoleon I. galt vielen als Inkarnation des Bösen. Die Karikatur aus dem Jahre 1814 zeigt ihn auf den Schädeln seiner Opfer thronend. Über ihm kreisen die Blitze schleudernden Adler seiner verbündeten Gegner: Russland, Preußen und Österreich.

zwangsweise rekatholisierten Kirchen den Neubau von protestantischen Kirchen zu fördern, gleichzeitig aber den Katholiken in Berlin eine Kathedrale mit dem Namen der schlesischen Schutzheiligen St. Hedwig zu bauen – im eindrucksvollen Kontrast zur Entscheidung des Erzbischofs Firmian von Salzburg wenige Jahre zuvor (1731), die Protestanten (21 000) aus seinem Lande zu vertreiben. Das „Allgemeine Landrecht für die preußischen Staaten" (1794) kodifizierte diese Entwicklung zu Toleranz und Religionsfreiheit sowie rechtlicher Parität der Konfessionen, wenn auch unter staatlicher Kirchenhoheit. Kein Wunder, dass der Gang der Dinge allmählich zum Entstehen eines preußischen Staatspatriotismus führte, dem alle Bekenntnisse schließlich anhingen. Nur derjenige kann das beklagen, der diese Entwicklung nicht im Gesamtzusammenhang der Geschichte des 18. Jahrhunderts sieht, sondern von einer vermeintlich in ihr schon angelegten Tendenz zu den Katastrophen des 20. Jahrhunderts ausgeht.
Vor diesen ereignete sich jedoch eine andere Katastrophe: Napoleons Welteroberungsversuch im Gefolge der Französischen Revolution. Die Verbrechen Hitlers und des Nationalsozialismus haben, da sie alle vorausgegangenen Katastrophen in den Schatten stellen, für das Geschichtsbewusstsein vieler Menschen die Wirkung gehabt, dass es ihnen schwer fällt, sich zu vergegenwärtigen, wie frühere Generationen von politischen und gesellschaftlichen Katastrophen betroffen wurden und welche Folgen solche Ereignisse auf Generationen hinaus im emotionalen und geistigen Haushalt von ganzen Bevölkerungsgruppen und Völkern gehabt haben.
Wer sich nicht gründlich mit dem Dreißigjährigen Krieg befasst hat, begreift nicht, dass die deutsche, insbesondere brandenburgische Sehnsucht nach Recht und Ordnung (inklusive militärischen Schutz) ihren Ursprung vor allem in den Verheerungen eines in jeder Hinsicht gräulichen Krieges hatte, der die meisten Teile Deutschlands so verwüstete, dass es um ein halbes Jahrhundert hinter die westeuropäischen Entwicklungen zurückgeworfen wurde, und nicht in der angeblich von Luther stammenden Lehre von der staatlichen Obrigkeit. Diese ist bekanntlich gemeinchristliches Gut. Und wer sich nicht um das Verständnis der Epoche der napoleonischen- und Befreiungskriege bemüht, kann die weitere Geschichte in Preußen/Deutschland schwerlich verstehen. Für spätere nationalistische Verirrungen kann man jedoch die Generation der Befreiungskriege nicht verantwortlich machen.
Vor allem vier Faktoren bewirkten einen neuen Schub für das Verständnis von

Einsegnung des Lützowschen Freikorps in der Dorfkirche zu Rogau März 1813. Der Kampf der preußischen Freiwilligenverbände gegen die französische Armee in den so genannten Befreiungskriegen war von einem religiös geprägten Glauben an die Gerechtigkeit der eigenen Sache getragen.

Der berühmteste Orden Preußens: das Eiserne Kreuz. Gestiftet wurde er von Friedrich Wilhelm III. am 10. März 1813. Entworfen hat ihn Karl Friedrich Schinkel.

„Thron und Altar": 1. Für ganz Europa galt: „Zeitgenössisches Empfinden wurde mit diesem Mann (Napoleon) nicht fertig. Die Konsequenzen waren Bewunderung oder im anderen Fall, dass man ihn als Inkarnation des Bösen betrachtete. Er war einfach das Widernatürliche in Gottes Ordnung. Nichts war ihm heilig: Religion, angestammte Herrscherhäuser, ganze Staaten, das Schicksal von Millionen Menschen – alles opferte er dem Kalkül seiner despotischen Pläne. Er handelte nicht nur ohne Gott. Was er tat, geschah unter dem Vorzeichen einer aggressiven Gottlosigkeit [...] Mit normalem Maß war Napoleon nicht zu messen, und indem seine Taten auf gigantische Weise Gott widersprachen, musste er selbst widergöttlich sein [...] Es handelte sich (bei dem Kampf gegen Napoleon) eben nicht um einen Streit innerhalb der christlichen Völkerfamilie, sondern schlechthin um einen Kampf ‚für das Reich Gottes – gegen das Reich der Finsternis'." (G. Graf).

2. Im Unterschied zu allen vorausgegangenen Kriegen war es ein Volkskrieg – zunächst vor allem in Preußen, da außer den beiden Mecklenburg die anderen deutschen Staaten mit ihren Kontingenten an der Seite Napoleons kämpften bzw. kämpfen mussten. Durch die Gründung von Landsturm und Landwehr und die Opfer der Bevölkerung für deren Ausrüstung wurde auch die Zivilbevölkerung, die früher nur passive Opfer unter den Kriegshandlungen erbracht hatte, aktiv an dem Kriegsgeschehen beteiligt.

3. Das russische Zarenreich war für Preußen nicht nur der wichtigste potenzielle Verbündete gegen Napoleon, sondern übte einen tief greifenden mentalen Einfluss aus, der sich nicht nur auf die Gestaltung der Uniformen und Regimentsfahnen erstreckte. Die russische religiöse Interpretation des Krieges beeinflusste zunächst die preußische, dann die übrigen deutschen Länder in ihrer Sicht des Krieges. Dies fand zunächst darin seinen Ausdruck, dass der Formel „Für König und Vaterland" hinzugefügt wurde: „Mit Gott". „Mit Gott für König und Vaterland": Das ging hinaus über den der Obrigkeit geschuldeten, aber vor Gott zu verantwortenden Gehorsam herkömmlicher „alt"-preußischer Art. Die neue Formel war der Reflex auf den Untergang der Armee Napoleons in Moskau und seinen verlustreichen Rückzug, der zunächst von den Russen, dann auch von den europäischen Völkern nur als Wunder Gottes begriffen werden konnte. Deshalb war man auch überzeugt, den endgültigen Sieg nur mit Gottes Hilfe erringen zu können. Dieses Empfinden bestimmte die Argumentation der russischen Heerführung, ja, wenn man so will, ihre Propaganda. Für deutsche Ohren war dies eine durchaus ungewohnte Sprache. Sie breitete sich aber mit dem Vorrücken der russischen Armee schnell aus, stellte sie doch für das am Boden liegende Volk eine Theologie der Befreiung bereit. Dabei darf nicht übersehen werden, dass zwischen Gott und den Siegen der Verbündeten kein magischer Zusammenhang hergestellt wurde. Verkürzt: „Gott mit uns" galt nur, wenn sich das Volk „fromm" im altertümlichen Sinne, also als gottesfürchtig und moralisch verantwortungs-

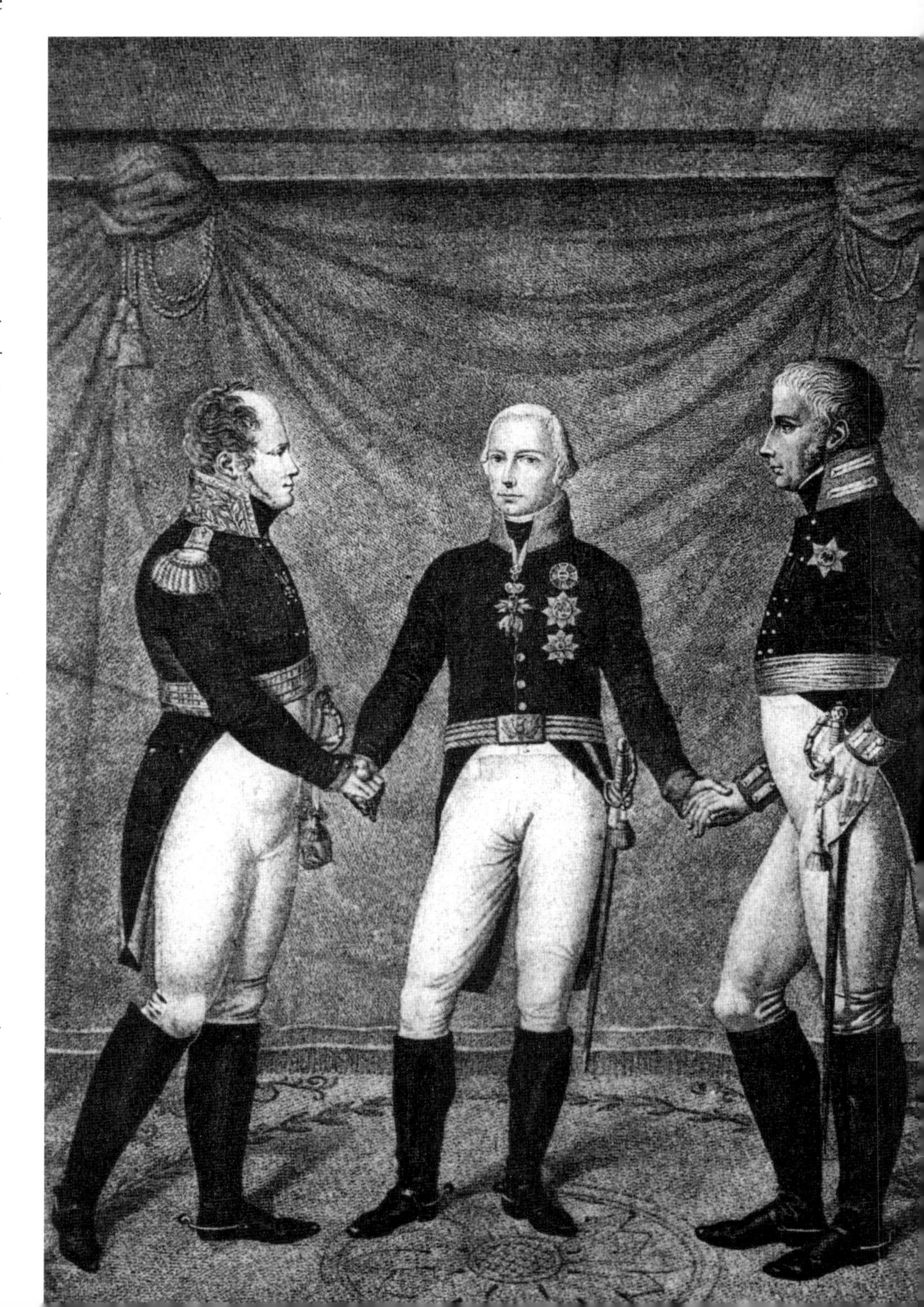

Die Heilige Allianz zwischen dem russischen Zaren Alexander I. (links), dem österreichischen Kaiser Franz I. (Mitte) und dem preußischen König Friedrich Wilhelm III. wollte die Politik den christlichen Moralvorstellungen unterordnen. Die Monarchen bekannten sich zum Gottesgnadentum und versicherten sich wechselseitig ihrer Solidarität.

voll verhielt. Dazu wurde das Ziel des Kampfes klar definiert: Es ging um die heiligsten Güter jeder (!) Nation, für Freiheit, gegen Unterdrückung.
Diese Interpretation der Ereignisse bestimmte auch die Symbolsprache: Die Landwehr erhielt, nur unterschieden in der Farbe, das russische Landwehrkreuz, an die Stelle der Inschrift „Für Glaube und Zar" trat: „Mit Gott für König und Vaterland". Die Stiftung des Ordens des Eisernen Kreuzes, der erstmals an jedermann im militärischen und zivilen Bereich verliehen werden konnte, auch an Frauen, war ein Programm, das die Menschen auf ihren Glauben ansprechen und zur Nachfolge unter das Kreuz rufen sollte. Alle deutschen Länder – außer Bayern – folgten dem preußischen Muster. In den großen Zapfenstreich wurde, ebenfalls nach russischem Vorbild, das Gebet („Ich bete an die Macht der Liebe, die sich in Jesus offenbart") aufgenommen (seit 1822 mit der Melodie von Bortnjansky, Leiter der Hofsängerkapelle in St. Petersburg). Nach russischem Vorbild wurde es allgemein üblich, dass bei Feldgottesdiensten vom Monarchen bis zum letzten Trainknecht alles kniete. In der gehobenen politischen Sprache wurde Gott ein fester Platz im politischen Geschehen zugewiesen.
4. Eine letzte, wie sich bald zeigen sollte sehr zweischneidige Auswirkung des russischen Einflusses war die Stiftung der Heiligen Allianz am 26. 9.1815 durch Alexander I. von Russland, Franz I. von Österreich und Friedrich Wilhelm III. von Preußen zur Erhaltung des Friedens in Europa. Zur Mitarbeit waren nicht bereit England (wegen der Verquickung von Religion und Politik?), der Sultan wegen des christlichen Charakters und der Papst wegen der Interkonfessionalität. Sie scheiterte aber vor allem an der Instrumentalisierung durch Metternich, der sie als Mittel zur rigiden Wahrung der neuen bzw. restaurierten politischen bzw. dynastischen Strukturen benutzte.
In dieser Zeit kehren die verunsicherten Fürsten in neuer Weise ihr „Gottesgnadentum" hervor und der Begriff „Thron und Altar" wird auch auf Preußen und andere protestantische Länder übertragen, auf die er eigentlich nicht passte, da man hier von „Thron und Kanzel" hätte reden müssen. Dabei verliert der Begriff weiter an begrifflicher Klarheit, gewinnt aber an diffuser Schlagwortqualität.
Die deutsche Geschichte bietet vermutlich im Hinblick auf Opferbereitschaft und Gemeinsinn in den Befreiungskriegen kaum Vergleichbares. Gerade darum haben spätere Epochen diese Zeit in unguter Weise instrumentalisiert. Das gilt für 1870/71 wie 1914/18: Beide Kriege lassen sich jedoch nicht in den Kategorien von 1813/15 erfassen. Vom Zweiten Weltkriege ganz zu schweigen. Das „Gott mit uns" verkam zu einer magischen Beschwörungsformel, weder gedeckt durch Frömmigkeit des Einzelnen noch durch ethische staatliche Zielvorgaben. Besonders deutlich sind für uns die ideologischen Gefahren einer jeden Befreiungstheologie. Es ist wohl am sachgemäßesten, die Befreiungskriege voller Respekt in ihrer historischen Einmaligkeit stehen zu lassen und sie nicht zum Modell zu stilisieren für Konfliktlösungen einer völlig anderen Zeit. Das Gleiche gilt auch für den Versuch einer theologischen Wertung.
Es scheint paradox: Die einmalige Nähe von christlichem Glauben und staatlichem Handeln während der Befreiungskriege, deren mentalitätsgeschichtliche Auswirkungen groß waren, führte dennoch nicht zu einer Vertiefung oder Verfestigung der Beziehung von Staat und Kirche in Preußen.
In den Jahrzehnten nach dem Wiener Kongress löste sich die evangelische Kirche in Preußen mehr und mehr aus der „absolutistischen" Verklammerung, wenn auch der Fortschritt gelegentlich nach dem Muster der Echternacher Springprozession vor sich ging. Der führende protestantische Theologe Schleiermacher verfolgte seit 1814 das Ziel einer freien Synodalverfassung.

Friedrich Daniel Schleiermacher war einer der bedeutendsten deutschen Theologen und Philosophen. Die Skulptur von Christian Daniel Rauch entstand 1829.

Thron und Altar

Unmittelbar nach Gründung des Deutschen Reiches 1871 sagte Bismarck dem Katholizismus den Kampf an. Die Jahre der friedlichen Koexistenz der Religionen in Preußen waren vorbei. Die zeitgenössische Karikatur zeigt Bismarck, wie er das Tischtuch zwischen sich und Papst Pius IX. zerschneidet.

Die vom König verordnete Union der beiden evangelischen Bekenntnisse 1817 und die Einführung einer einheitlichen Agende 1822 mobilisierten innerkirchlichen Widerstand bis zur Auswanderung nach Australien, vor allem aus Schlesien. Hans Ernst von Kottwitz wandte sich an den König mit den Worten: „Juden, Katholiken und Mennoniten finden Duldung in Preußen; die Lutheraner bitten nur um die Gewährung einer gleichen Wohltat." (Hinweis von J. Wallmann)
Mit dem Regierungsantritt Friedrich Wilhelms IV. begann die Abkehr von der bürokratischen Herrschaftsweise Friedrich Wilhelms III. Nachdem der rheinische und der westfälische Landesteil schon 1835 eine Synodalverfassung erstritten hatten, folgten 1873 die östlichen Landesteile. Noch bevor im weltlichen Bereich Ähnliches gelang, folgte 1846/1876 die Bildung einer gesamtstaatlichen Generalsynode. 1850 wurde als neue zentrale Kirchenbehörde der Preußische Oberkirchenrat eingerichtet. In den 1866 annektierten Territorien verzichtete Preußen auf die Eingliederung der dortigen Landeskirchen.
Seit der Reichsgründung, die man ebenso als ein Aufgehen Deutschlands in Preu-

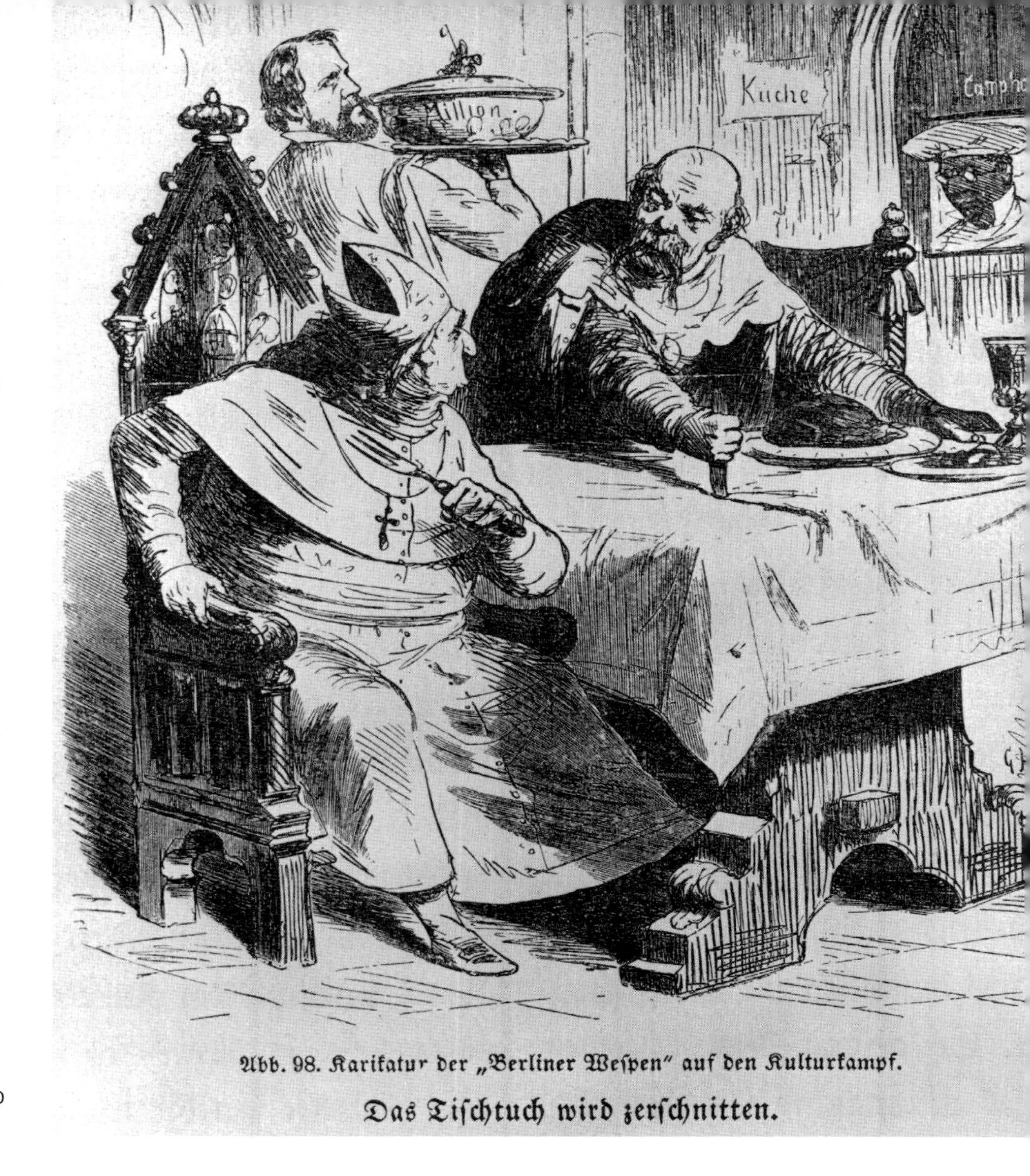

Abb. 98. Karikatur der „Berliner Wespen" auf den Kulturkampf.
Das Tischtuch wird zerschnitten.

Das Wilhelminische Deutschland war geprägt von einer engen Verbindung von Kaisertum, Kirche und Kommiss. Das Foto hält die Neueinweihung der Fahnen am 1. Januar 1900 im Lichthof des Berliner Zeughauses fest.

ßen wie die Preußens in Deutschland interpretiert hat, verflechten sich die geschichtlichen Stränge. Das gilt auch für den unmittelbar nach der Reichsgründung ausbrechenden Kulturkampf, der hier nicht im Detail referiert werden kann. Anlass war jedenfalls ein innerkatholischer Streit über die Unfehlbarkeit und vor allem das Universalepiskopat des Papstes, mit konkreten politischen Folgen für Deutschland: Das Problem war, wie man mit dissentierenden oder gar exkommunizierten Priestern im Staatsdienst und der Altkatholischen Kirche umgehen sollte. Bismarck ergriff freilich die Gelegenheit und weitete den Streit aus. Geblieben ist von dieser Auseinandersetzung eine weitere Entflechtung von Kirche und Staat, z. B. durch das Schulaufsichtsgesetz (1872) und die Einführung der Zivilehe (1874/75). Dies widersprach nicht nur der Lehre Papst Pius IX., der im Syllabus von 1864 die schon 1852 erfolgte Verwerfung der Lehre von der Trennung von Kirche und Staat feierlich erneuert hatte. Auch viele Protestanten waren über die neue Lage erbost und konservative Protestanten zogen ebenfalls gegen sie zu Felde.
Am Ende des Jahrhunderts hatte in der evangelischen Kirche „ein Geflecht von Konsistorial-, Synodal- und Presbyteralverfassung" Geltung „unter immer weiter gehender Zurückdrängung staatlicher Einflussmöglichkeiten" (Joachim Rogge). Als die Weimarer Verfassung in Art. 137 lapidar feststellte: „Es besteht keine Staatskirche", war die „Evangelische Kirche der altpreußischen Union" so weit gefestigt, dass der Wegfall des Summepiskopates des preußischen Königs nicht zum Erlöschen der alten kirchlichen Organisationsform führte. Institutionell bedeutete das „Ende von Thron und Altar" in Preußen also keinen tief greifenden Bruch. Auf einem anderen Blatt steht, dass es sich bei der „Revolution von 1918" für den Protestantismus „geistig um nichts weniger als eine Katastrophe" handelte (Klaus Scholder). Mentalitätsgeschichtlich taten sich die Protestanten in Preußen (und in den meisten deutschen Staaten) mit der Trennung von „ihrer" Monarchie sehr schwer. Ein Blick auf Frankreich zeigt jedoch, dass nicht geringe Teile des französischen Katholizismus über 200 Jahre brauchten, um sich einigermaßen mit der französischen Republik auszusöhnen. Mit dem Ende des Summepiskopates 1918 (und der Auflösung des preußischen Staates, ein „Dorn im Auge" Hitlers, am 7. April 1933, 14 Jahre bevor die Alliierten den „Totenschein" (R. v. Thadden) ausstellten) beginnt die Nachgeschichte von „Thron und Altar in Preußen", die hier nicht dargestellt werden kann. Erwähnenswert ist, dass der folgende „Kirchenkampf" in Deutschland seinen Schwerpunkt in der angeblich so staatstreuen preußischen Kirche hatte. Das Thema, für das die Metapher „Thron und Altar" steht, bleibt auf der Tagesordnung. Politiker streben danach, für ihre meist recht kurzfristigen Problemlösungsversuche sich stabilerer Kräfte zu versichern, als es vergängliche politische Gruppierungen und Konstellationen sind. Und Kirchenleute, die sich sehr oft ihrer auf das „Wort" begrenzten Wirkungsmöglichkeiten schmerzlich bewusst sind, sind stets der Versuchung ausgesetzt, ihren Einfluss durch Rekurs auf politische Mächte zu stärken. Für die im Wandel der Zeiten je neu zu findenden Problembewältigungen in dieser spannungsvollen Beziehung zwischen Distanz und Kooperation lohnt es, sich mit der Geschichte dieser Beziehungen und ihrer in unterschiedlichem Gewande wiederkehrenden Probleme vertraut zu machen. Zwar wiederholt sich Geschichte nicht, aber Kenntnis der Geschichte schärft den Blick für den Wandel – und seine je neuen Gefahren. In diesem Sinne ist die preußische Geschichte von „Thron und Altar" besonders lehrreich.

Auch Hitler suchte die Nähe zur Kirche. Unterstützt wurde er von Reichsbischof Ludwig Müller, dem Oberhaupt der so genannten Deutschen Christen. Das Foto zeigt eine Begegnung der beiden auf dem 6. Reichsparteitag der NSDAP in Nürnberg am 6. September 1934.

Der evangelische Theologe Dietrich Bonhoeffer wandte sich gegen die Staatshörigkeit der ‚Deutschen Christen' und den Rassismus der Nationalsozialisten. Als Mitglied der Bekennenden Kirche bekämpfte er Hitler und wurde als einer der führenden Vertreter des deutschen Widerstandes kurz vor Kriegsende im KZ Flossenbürg hingerichtet.

HANS-JOCHEN VOGEL

Preußen und die Sozialdemokratie

Der Publizist Ferdinand Lassalle war einer der Gründer der sozialdemokratischen Bewegung in Deutschland. Seine Gespräche mit dem preußischen Ministerpräsidenten Otto von Bismarck nährten die Hoffnung auf eine demokratische Reform Preußens.

In Gotha vereinigte sich im Mai 1875 die Sozialdemokratische Arbeiterpartei mit dem Allgemeinen Deutschen Arbeiterverein zur Sozialistischen Arbeiterpartei Deutschlands. Das Gedenkblatt zeigt die Delegierten des Vereinigungskongresses. In der Mitte sind Karl Marx (links) und Ferdinand Lassalle (rechts) zu sehen.

Die Sozialdemokratische Bewegung ist nicht in Preußen entstanden. Sie griff aber rasch auf Preußen über und hat schon vor der Reichsgründung von 1871 an manchen Plätzen des damaligen Königreichs Fuß gefasst. Bald nachdem Lassalle 1863 an die Spitze des „Allgemeinen deutschen Arbeitervereins" getreten war, kam es zwischen ihm und Bismarck zu Gesprächen und zu einem Briefwechsel. Lassalle strebte eine Verbesserung der Lebensverhältnisse der Arbeiter an, ihre gerechte Beteiligung am Wohlstand und an der Macht, allerdings nicht auf revolutionärem Weg, sondern auf dem Weg der Reform. Das entscheidende Instrument für Lassalle war das allgemeine, geheime, gleiche und unmittelbare Wahlrecht. Auch der Gedanke der staatlich geförderten und geschützten Produktionseinrichtungen spielte in seinen Vorstellungen eine wichtige Rolle. Denn anders als Karl Marx, der den Klassenkampf, die Revolution und die Diktatur des Proletariats als geschichtliche Notwendigkeit erachtete und den Staat als Unterdrückungsinstrument der herrschenden Klasse charakterisierte, der im weiteren Verlauf der Entwicklung absterben werde, sah Lassalle im Staat – und das war zu seiner Zeit eben der preußische Staat – ein „Vestafeuer der Zivilisation". Und er glaubte, dass er sich – von den Arbeitern angetrieben – zu einem sozialen Staat wandeln werde, der in der Lage sei, „die großen Kulturfortschritte der Menschheit zu erleichtern und zu vermitteln". Bismarck hingegen wollte soziale Reformen als Gunst und Gnadenerweise der Krone verstanden wissen.
Die Kontakte zwischen Lassalle und Bismarck blieben deshalb – auch von Lassalles baldigem Tod ganz abgesehen – folgenlos. Für Bismarck hatten sie wohl überhaupt eher taktische Bedeutung, weil er sich davon – zumindest vorübergehend – eine Stärkung in seinem damaligen Konflikt mit den Nationalliberalen erwartete.
In der Folgezeit war das Verhältnis zwischen der seit dem Gothaer Parteitag von 1875 vereinigten Sozialdemokratie und dem preußischen Staat für nahezu ein halbes Jahrhundert von Konfrontation und von nachdrücklicher Ablehnung auf der einen und von staatlicher Repression auf der anderen Seite gekennzeichnet. Das hat das sozialdemokratische Preußenbild bis heute wesentlich beeinflusst. Auch die positiven Aspekte preußischer Traditionen, die es ja bei allem Bedenklichen und bei aller Überbetonung militärischer Formen und Inhalte auch gab, traten dahinter lange zurück. So etwa die Tatsache, dass sich rechtsstaatliche Prinzipien in Preußen früh zu entfalten begannen. Oder auch der Umstand, dass Friedrich der Große als Freund der Aufklärung Toleranz schon in einer Zeit empfahl, in der das alles andere als selbstverständlich war. Immerhin stammen von ihm die bekannten Aussprüche, es solle jeder „nach seiner Facon selig" und es sollten die Gazetten „nicht genieret" werden.
In der Realität lernten die Sozialdemokraten Preußen spätestens von der Reichsgründung an als einen Obrigkeitsstaat kennen, der sie schärfer zu unterdrücken suchte, als das in den meisten anderen Staaten des Kaiserreichs geschah. Das gipfelte nach zwei missglückten Attentaten auf Kaiser Wilhelm I., mit denen die Sozialdemokratie nichts zu tun hatte, in dem so genannten Sozialistengesetz, das die Partei von 1878 bis 1890 unter Ausnahmerecht stellte und in Preußen besonders nachdrücklich vollzogen wurde. Bismarck, der hier wie im Kulturkampf gegen die katholische Kirche nicht nur als Reichskanzler, sondern gerade auch als preußischer Ministerpräsident agierte, nutzte die aus den Attentaten erwachsene Erregung, um im Reichstag im zweiten Anlauf – gegen die Stimmen des Zentrums, des Fortschritts, der Sozialdemokraten und der Polen – das „Gesetz gegen

Reichs-Gesetzblatt.

№ 34.

Inhalt: Gesetz gegen die gemeingefährlichen Bestrebungen der Sozialdemokratie. S. 351.

(Nr. 1271.) Gesetz gegen die gemeingefährlichen Bestrebungen der Sozialdemokratie. Vom 21. Oktober 1878.

Wir Wilhelm, von Gottes Gnaden Deutscher Kaiser, König von Preußen rc.

verordnen im Namen des Reichs, nach erfolgter Zustimmung des Bundesraths und des Reichstags, was folgt:

§. 1.

Vereine, welche durch sozialdemokratische, sozialistische oder kommunistische Bestrebungen den Umsturz der bestehenden Staats- oder Gesellschaftsordnung bezwecken, sind zu verbieten.

Dasselbe gilt von Vereinen, in welchen sozialdemokratische, sozialistische oder kommunistische auf den Umsturz der bestehenden Staats- oder Gesellschaftsordnung gerichtete Bestrebungen in einer den öffentlichen Frieden, insbesondere die Eintracht der Bevölkerungsklassen gefährdenden Weise zu Tage treten.

Den Vereinen stehen gleich Verbindungen jeder Art.

§. 2.

Auf eingetragene Genossenschaften findet im Falle des §. 1 Abs. 2 der §. 35 des Gesetzes vom 4. Juli 1868, betreffend die privatrechtliche Stellung der Erwerbs- und Wirthschaftsgenossenschaften, (Bundes-Gesetzbl. S. 415 ff.) Anwendung.

Auf eingeschriebene Hülfskassen findet im gleichen Falle der §. 29 des Gesetzes über die eingeschriebenen Hülfskassen vom 7. April 1876 (Reichs-Gesetzbl. S. 125 ff.) Anwendung.

§. 3.

Selbständige Kassenvereine (nicht eingeschriebene), welche nach ihren Statuten die gegenseitige Unterstützung ihrer Mitglieder bezwecken, sind im Falle des

Reichs-Gesetzbl. 1878. 67

Ausgegeben zu Berlin den 22. Oktober 1878.

Mit dem „Gesetz gegen die gemeingefährlichen Bestrebungen der Sozialdemokratie" vom 21. Oktober 1878, dem so genannten Sozialistengesetz, begann die Verfolgung der Sozialdemokraten im Deutschen Reich. Erst 1890, nach der Entlassung Bismarcks, wurde das Gesetz vom Reichstag nicht mehr verlängert.

die gemeingefährlichen Bestrebungen der Sozialdemokratie" durchzubringen. Parteiorganisationen, Versammlungen und Druckschriften wurden verboten, vielfältige Repressalien und Verhaftungen und teilweise sogar die Verhängung des Belagerungszustandes, der unter anderem die Ausweisung von Sozialdemokraten aus ihren Heimatorten erlaubte, waren die Folgen.

Bismarck wollte das weitere Anwachsen „der bedrohlichen Räuberbande, mit der wir gemeinsam unsere Städte bewohnen" verhindern. Mit seinem Vorgehen offenbarte er, dass er trotz seiner unbestrittenen Genialität im außenpolitischen Bereich innenpolitisch ein Mann des frühen 19. Jahrhunderts, wenn nicht sogar des späten 18. Jahrhunderts geblieben war. Bismarcks Vorstellungswelt war bestimmt vom ostelbischen Junkertum. Soziale Bewegungen und eine Demokratisierung der Gesellschaft hätten seines Erachtens die monarchische Ordnung gefährdet. Bismarck war in diesem Punkte ein Mann der Vergangenheit, geprägt von Erfahrungen aus der Revolution 1848/49, als bekanntlich „gegen Demokraten nur Soldaten" halfen; ein Mann auch, der nicht die Phantasie hatte um zu erkennen, dass etwa die englische Entwicklung, die damals schon weiter fortgeschritten war, oder gar die amerikanische dem Deutschen Reich Orientierung hätten geben können. Aber auch nach Bismarcks Sturz 1890 und dem Auslaufen des Sozialistengesetzes kam man unter Wilhelm II. über schwache, bald wieder erloschene Ansätze zu einem „sozialen Königtum" – beispielsweise der Einberufung der 1. Internationalen Arbeiterschutzkonferenz – nicht hinaus. Bezeichnenderweise blieben bis zum Ende der Monarchie 1918 sowohl das Dreiklassenwahlrecht in Preußen als auch die preußische Gesindeordnung in Kraft. Preußen bildete in dieser Hinsicht, von den beiden Mecklenburg einmal abgesehen, bis zum Ende des Kaiserreichs das reaktionäre Schlusslicht.

Umso interessanter ist daher die Frage, warum gerade Bismarck die Sozialversicherung auf den Weg brachte, und dies gerade während der Geltung des Sozialistengesetzes. Nach seinem eigenen Bekunden sah er darin eine Art „Weiterentwicklung der Form, welche der staatlichen Armutspflege zugrunde liegt". Sein tieferer Beweggrund war aber wohl die Absicht, den Sozialdemokraten auf diese

„Wer wiegt mehr?" Karikatur auf das Dreiklassenwahlrecht in Preußen, das die Junker bevorzugte.

Die ersten Sozialversicherungen verbesserten die Lage vieler alter und bedürftiger Menschen. Doch Bismarck dienten die von ihm initiierten Reformen in erster Linie dazu, weiter gehende Maßnahmen, wie sie die Sozialdemokratie forderte, zu verhindern.

August Bebel war einer der Mitbegründer der Sozialistischen Arbeiterpartei Deutschlands, aus der später die SPD hervorging. Das Porträtgemälde von Georg Tronnier entstand um 1905.

Weise das Wasser abzugraben. So kam 1883 die Krankenversicherung, im Jahr darauf die Unfallversicherung und 1889 die Alters- und Invaliditätsversicherung zustande. Bezeichnenderweise konstatierte er dabei im November 1884 in einer Reichstagsrede: „Wenn es keine Sozialdemokratie gäbe und wenn nicht eine Menge Leute sich vor ihr fürchteten, würden die mäßigen Fortschritte, die wir überhaupt in der Sozialreform bisher gemacht haben, auch noch nicht existieren." Und er fügte hinzu: „Insofern ist die Furcht vor der Sozialdemokratie in Bezug auf denjenigen, der sonst kein Herz für seine armen Mitbürger hat, ein ganz nützliches Element."

Sein Ziel, die Arbeiterschaft der Sozialdemokratie zu entfremden, erreichte Bismarck jedoch nicht. Im Gegenteil: die Sozialdemokratie gewann von Wahl zu Wahl an Stimmen hinzu – und das besonders in Preußen. Immerhin schloss das Sozialistengesetz nicht von den Wahlen aus, sodass sozialdemokratische Abgeordnete in den Reichstag gewählt werden konnten. Fast könnte man darin ein exemplarisches Beispiel für die von Hegel beschriebene Erkenntnis sehen, dass sich die Vernunft gelegentlich der List bedient.

Das Verhältnis gegenseitiger Ablehnung blieb jedenfalls auch nach 1890 bestehen. Die fortwährende Diffamierung der Sozialdemokraten als „vaterlandslose Gesellen" unter ihrem Vorsitzenden August Bebel verhinderte das alles nicht. Dieser hatte übrigens den Patriotismus der Sozialdemokraten schon früh einmal so umschrieben: „Wir bekämpfen Patriotismus nur insofern, als

Gratis! Extra-Ausgabe. Gratis!

Nr. 210a. 31. Jahrg.

Vorwärts

Berliner Volksblatt.

Zentralorgan der sozialdemokratischen Partei Deutschlands.

Redaktion: SW. 68, Lindenstrasse 69. Fernsprecher: Amt Moritzplatz, Nr. 1983. | Dienstag, den 4. August 1914. | Expedition: SW. 68, Lindenstrasse 69. Fernsprecher: Amt Moritzplatz, Nr. 1984.

Die Sozialdemokratie und der Krieg!

Die sozialdemokratische Reichstagsfraktion bewilligte in der heutigen Sitzung des Reichstages die von der Regierung geforderten Kriegskredite. Gleichzeitig gab sie nachfolgende Erklärung über ihre Stellung ab:

Wir stehen vor einer Schicksalsstunde. Die Folgen der imperialistischen Politik, durch die eine Aera des Wettrüstens herbeigeführt wurde und die Gegensätze zwischen den Völkern sich verschärften, sind wie eine Sturmflut über Europa hereingebrochen. Die Verantwortung hierfür fällt den Trägern dieser Politik zu, die wir ablehnen.

Die Sozialdemokratie hat diese verhängnisvolle Entwicklung mit allen Kräften bekämpft und noch bis in die letzten Stunden hinein hat sie durch machtvolle Kundgebungen in allen Ländern, namentlich im innigen Einvernehmen mit den französischen Brüdern, für die Aufrechterhaltung des Friedens gewirkt. Ihre Anstrengungen sind vergeblich gewesen.

Jetzt stehen wir vor der ehernen Tatsache des Krieges. Uns drohen die Schrecknisse feindlicher Invasionen. Nicht für oder gegen den Krieg haben wir heute zu entscheiden, sondern über die Frage der für die Verteidigung des Landes erforderlichen Mittel.

Nun haben wir zu denken an die Millionen Volksgenossen, die ohne ihre Schuld in dieses Verhängnis hineingerissen sind. Sie werden von den Verheerungen des Krieges am schwersten getroffen. Unsere heißen Wünsche begleiten unsere zu den Fahnen gerufenen Brüder ohne Unterschied der Partei.

Wir denken auch an die Mütter, die ihre Söhne hergeben müssen, an die Frauen und Kinder die ihres Ernährers beraubt sind, denen zu der Angst um ihre Lieben die Schrecken des Hungers drohen. Zu ihnen werden sich bald zehntausende verwundeter und verstümmelter Kämpfer gesellen.

Ihnen allen beizustehen, ihr Schicksal zu erleichtern, diese unermeßliche Not zu lindern, erachten wir als zwingende Pflicht.

Für unser Volk und seine freiheitliche Zukunft steht bei einem Sieg des russischen Despotismus, der sich mit dem Blute der Besten des eigenen Volkes befleckt hat, viel, wenn nicht alles auf dem Spiel. Es gilt, diese Gefahr abzuwehren, die Kultur und die Unabhängigkeit unseres eigenen Landes sicherzustellen. Da machen wir wahr, was wir immer betont haben: Wir lassen in der Stunde der Gefahr das Vaterland nicht im Stich. Wir fühlen uns dabei im Einklang mit der Internationale, die das Recht jedes Volkes auf nationale Selbständigkeit und Selbstverteidigung jederzeit anerkannt hat, wie wir in Uebereinstimmung mit ihr jeden Eroberungskrieg verurteilen.

Wir hoffen, daß die grausame Schule der Kriegsleiden in neuen Millionen den Abscheu vor dem Kriege wecken und sie für das Ideal des Sozialismus und des Völkerfriedens gewinnen wird.

Wir fordern, daß dem Kriege, sobald das Ziel der Sicherung erreicht ist, und die Gegner zum Frieden geneigt sind, ein Ende gemacht wird durch einen Frieden, der die Freundschaft mit den Nachbarvölkern ermöglicht. Wir fordern dies im Interesse nicht nur der von uns stets verfochtenen internationalen Solidarität, sondern auch in dem Interesse des deutschen Volkes.

Von diesen Grundsätzen geleitet bewilligen wir die geforderten Kredite.

Am 4. August 1914 stimmten die Sozialdemokraten im Reichstag den Kriegskrediten in Höhe von fünf Milliarden Mark zu. Das sozialdemokratische Blatt „Vorwärts" meldete die Sensation noch am selben Tag in einer Extraausgabe.

dieser als Hetzmittel gegen fremde Nationalitäten dient; als er dazu benutzt wird, den Nationalhass und die Nationaleitelkeit großzuziehen, um mithilfe dieser beliebige Kriege entzünden zu können. Der Patriotismus, der in der Liebe zu dem Lande besteht, wo man geboren wird, in dessen Sitte und Sprache man erzogen ist, das mit einem Wort den Boden bildet, in dem unser Sein wurzelt und sich entfaltet – dieser Patriotismus wird von Sozialdemokraten nicht verworfen." Als er 1913 starb, zählte die SPD eine Million Mitglieder, bei den Reichstagswahlen im Jahr zuvor hatte sie 34,8 % der Stimmen erhalten und war mit 110 Abgeordneten zur stärksten Fraktion geworden. Trotz des Dreiklassenwahlrechts war sie seit 1908 auch im preußischen Landtag vertreten: allerdings bei einem Stimmenanteil von 28,4 % nur mit ganzen zehn von insgesamt 423 Sitzen.

Vor diesem Hintergrund erstaunt es auch heute noch, dass die SPD knapp zwei Jahre später im August 1914 dem Aufruf Wilhelms II. zum „Burgfrieden" folgte und den Kriegskrediten im Reichstag zustimmte. Wenn man sich die historische Situation Ende Juli, Anfang August 1914 vor Augen führt, stellt man fest, dass das Volk in jenen Tagen geradezu von einem Rausch erfasst worden war. Noch kurz zuvor hatten Sozialdemokraten am 25. und 26. Juli, sogar unter Beteiligung von französischen Rednern, Kundgebungen für den Frieden und gegen den Krieg veranstaltet. Aber innerhalb von zwei oder drei Tagen schlug die Stimmung völlig um. Das zaristische Russland wurde jetzt als Angreifer gesehen. Und wenn es gegen den Zarismus gehe, so hatte August Bebel einst verkündet, werde auch er als alter Mann noch einmal eine Knarre auf den Buckel nehmen. Diese Stimmung hatte nun weite Teile der Sozialdemokratie erfasst. Hugo Haase, der in der Fraktionssitzung vom 3. August zu den 14 Abgeordneten gehört hatte, die die Bewilligung der Kredite ablehnten, musste am Tag darauf vor dem Plenum des Reichstages die einheitliche Stimmabgabe der SPD für die Bewilligung der Kriegskredite begründen. Damit war zugleich der Keim zu der folgenschweren Spaltung der deutschen Arbeiterbewegung gelegt.

Man kann bis heute darüber streiten, ob es damals eine Alternative gegeben und ob sie bessere Folgen gehabt hätte. Dabei sollte man allerdings eines nicht übersehen: Von allen Parlamenten der damals am Krieg beteiligten Staaten, in denen Sozialdemokraten vertreten waren, gab es nur ein Einziges, in dem sie gegen die Kredite gestimmt haben. Das war übrigens das serbische!

Nach der Revolution von 1918 und dem Kriegsende hat sich das Verhältnis der Sozialdemokratie zum real existierenden Staat allmählich gewandelt. Zum Reich, aber insbesondere auch zu Preußen. Männern wie Friedrich Ebert verdankte das Reich seinen Fortbestand und den Übergang zur Demokratie. Ohne die Sozialdemokratie wäre auch die Weimarer Verfassung so nicht zustande gekommen. Zuletzt waren sie es fast allein, die die Demokratie gegen das heraufziehende Unheil verteidigten.

In Preußen regierten die Sozialdemokraten von 1918 bis 1932 mit kurzen Unterbrechungen in einer Koalition zusammen mit dem Zentrum und den Demokraten. Zwölf Jahre lang war Otto Braun preußischer Ministerpräsident. In dieser Zeit gab es konstruktive Ansätze zu demokratischen und sozialen Reformen, die allerdings mit Beginn der Weltwirtschaftskrise zum Stehen kamen. Beachtlich waren auch die Bemühungen um eine Reform des Hochschul- und des Bildungswesens. Nicht weit genug gedieh indes die Erneuerung der aus der Monarchie überkommenen personellen Strukturen, und das vor allem im Bereich der Justiz. Dennoch war Preußen auch in der Endphase der Weimarer Republik noch eine Bastion gegen die Feinde der Demokratie. Es bedurfte des so genannten Preußenschlages des Herrn von Papen, bei dem es sich in Wahrheit um einen Staatsstreich handelte, um die Sozialdemokratie ihrer letzten Machtbasis und die Demokratie dieses wichtigen Bollwerks zu berauben. Damit war der Versuch, ein demokratisches Preußen zu schaffen, und das Schicksal dieses Staates lange vor dem Tag besiegelt, an dem die Alliierten ihn durch ein Kontrollratsgesetz förmlich auflösten.

Bei der preußischen Landtagswahl von 1932 ging es ums Ganze. Die SPD bekämpfte auf ihren Wahlplakaten vehement die immer stärker werdenden Nationalsozialisten. Am Ende verlor die von ihr geführte Koalition die Mehrheit und Otto Braun konnte nur noch als geschäftsführender Ministerpräsident regieren.

Eine Überlegung mag in diesem Zusammenhang noch ihren Platz finden. Sie knüpft daran an, dass es, anders als beispielsweise in Frankreich, wo der Sturm auf die Bastille zum Symbol für den engen Zusammenhang von Demokratie und nationaler Einheit wurde, in unserem Volk nicht zur Ausbildung einer solchen Tradition gekommen ist. Die Möglichkeit einer Demokratisierung, die sich nach der Revolution von 1848/49 eröffnete, ist vor allem in Preußen, ist an dem preußischen König Friedrich Wilhelm IV. gescheitert. Als die Delegation der Paulskirche ihm die Kaiserkrone antrug, lehnte er sie ab. Die Parlamentskrone „aus Dreck und Letten“, wie Friedrich Wilhelm spottete, das „Hundehalsband“, mit dem man ihn an die Revolution ketten wolle, wies er weit von sich. Er trage seine Krone von Gottes Gnaden.
Damit war eine große Chance vertan, die nationale Einheit zusammen mit der Demokratisierung zu erreichen. So wurde nicht der 18. März 1848 – als „Tag der Barrikadenkämpfe“ in Berlin – zu einem nationalen Feiertag, sondern der 2. September 1870, der „Sedanstag“, der die Erinnerung an den Sieg über Frankreich perpetuieren sollte. Der militärische Sieg über einen Nachbarn und nicht der Durchbruch zur Demokratie wurde fortan gefeiert – eine für das weitere Schicksal unseres Volkes folgenschwere Weichenstellung. Es lohnt, ein wenig darüber nachzudenken, wie sich die deutsche und die preußische Geschichte hätte entwickeln können, und was uns wohl erspart geblieben wäre, wenn die Demokratie in unserem Lande schon 1848 und nicht erst 1949 begonnen hätte.

Der Sozialdemokrat Friedrich Ebert war der erste Reichspräsident der Weimarer Republik. Er setzte auf Reformen und versuchte, die konservativen Kräfte mit der Demokratie zu versöhnen. Das Foto von 1919 zeigt Ebert im Schloss zu Weimar, wohin sich die Nationalversammlung wegen der Unruhen in Berlin zurückgezogen hatte.

HANNA DELF VON WOLZOGEN

Fontane und Preußen

„Der moderne Roman wurde für Deutschland erfunden, verwirklicht, auch gleich vollendet von einem Preußen, Mitglied der französischen Kolonie, Theodor Fontane. [....] Er war, in Skepsis wie in Festigkeit, der wahre Romancier, zu seinen Tagen der Einzige seines Ranges." Heinrich Mann urteilte so über Fontane, den er so sehr bewunderte, dass er noch im amerikanischen Exil sein Arbeitszimmer mit dem Liebermannschen Fontane-Porträt schmückte. Für seine Generation, die schon eine nachpreußische war, wurde Fontane zum unbestrittenen Vorbild, ganz gleich, ob sie ihn dem vergangenen Jahrhundert zurechneten, wie Kurt Tucholsky, Alfred Döblin oder Gottfried Benn, oder für wegweisend hielten wie Heinrich und Thomas Mann.
Fontane, so Heinrich Mann, habe bewiesen, dass ein Roman ein bleibendes und gültiges Dokument seines Zeitalters sei, dass Fontane Leben und Gegenwart seiner Zeit auch in die Zukunft hinein vermitteln konnte. Die derzeitige Beliebtheit, die Romane wie „Effi Briest" oder „Der Stechlin", aber vor allem die „Wanderungen durch die Mark Brandenburg" genießen, geben Heinrich Mann Recht.
Kurz vor der Jahrhundertwende, im Jahre 1898 gestorben, war Fontane fast so alt wie sein Jahrhundert. Prädesti-

Theodor Fontane, 1819 in Neuruppin geboren, entstammte einer hugenottischen Familie und verbrachte den größten Teil seines Lebens in Berlin, wo er 1898 starb. Die Porträtzeichnung von Max Liebermann entstand 1896.

Die Helden der preußischen Geschichte, wie den 1806 bei Saalfeld gefallenen Prinz Louis Ferdinand, ließ Fontane in seinen populären Balladen lebendig werden. Das Gedicht erschien 1860 in der Zeitschrift des Tunnelkreises „Argo". Die Farblithografie stammt von Oskar Wisniewski.

niert, so Hans Blumenberg, ein Klassiker zu werden wie Goethe, war die Zeitspanne seines Lebens fast identisch mit diesem Jahrhundert, das ein Jahrhundert der Revolutionen, der politischen und der industriellen, geworden ist und das seine großen Fragen, die soziale, die nationale, die Frauen- und die so genannte Judenfrage nur unzulänglich oder gar nicht bewältigen konnte. Fontanes Jahrhundert ist auch das letzte Jahrhundert Preußens, des Staates, der durch Selbstkrönung des brandenburgischen Kurfürsten Friedrich III. zum König in die Welt kam, bis dahin einen glorreichen Aufschwung genommen hatte und nun im 19. Jahrhundert die Niederlage gegenüber Napoleon zu verwinden hatte, um nach zwei misslungenen Revolutionen schließlich die Vorreiterrolle der nationalen Einigung zu übernehmen.
Theodor Fontane hatte sich zu alldem als Bürger Preußens und wacher Zeitgenosse ins Benehmen zu setzen. Er erlebte die politischen Wandlungen und die sie begleitenden sozialen und mentalen Veränderungen hautnah mit. Zunächst als radikaldemokratischer Sympathisant der Achtundvierziger, dem die Schaffung eines demokratischen deutschen Staates mehr galt als der Fortbestand Preußens. Im Geist des Vormärz, inspiriert durch Herweghs politische Lyrik, war auch der junge Fontane politisch erwachsen geworden und verdiente sich mit ersten Artikeln in der Dresdner Zeitschrift „Die Eisenbahn", im Chor für Freiheit und Einheit aller Deutschen, die ersten journalistischen Sporen und hängte 1849 den Apothekerberuf ganz an den Nagel, um sich als Journalist und freier Schriftsteller durchzusetzen. Auch als er längst schon im Lager der konservativen Presse sein Unterkommen gefunden hatte, blieb er ein politischer Zeitgenosse, der die Veränderungen im Staate Preußen mit wachem, manchmal sogar leidenschaftlichem Interesse kommentierte. Schon 1850 finden wir den Sympathisanten der Revolutionäre im Dienste des regierungsamtlichen Literarischen Kabinetts. Obgleich Geldnot diese Entscheidung mit gefördert haben mag, so wäre die konservative Option ohne jene altpreußische Loyalität nicht von so langer Dauer gewesen, die schon in der im gleichen Jahr erschienenen, überaus populären Balladensammlung „Männer und Helden" (preußische Helden wie Derfflinger, Zieten und Schwerin werden da aus der Perspektive des Volkes besungen) tonangebend ist, die ihm fortan die liebste sein wird. Auch in seinem Artikel „Die Teilung Preußens" vom Oktober 1848 siegt die preußische Loyalität über den revolutionären Geist, wenn die Erneuerung der deutschen Kaiserwürde der Hohenzollern zugunsten des alten Preußen abgelehnt wird. Gleichwohl erwies sich Fontane auch als konservativer Journalist zumeist als unideologischer Geist und eigentlich politischer Kopf, der sein Urteil zuvörderst auf eigene Wahrnehmungen und konkrete Eindrücke gründete. Nicht selten hat ihm das den Vorwurf der Ambivalenz und Inkonsequenz eingebracht. Über zwei Jahrzehnte stand

Auf seinen Wanderungen durch die Mark Brandenburg besuchte Fontane auch Schloss Friedersdorf, den Sitz der Familie von der Marwitz. Das „Herrenhaus ist so recht das, was unsere Phantasie sich auszumalen liebt, wenn wir von ‚alten Schlössern' reden", heißt es in den „Wanderungen": „Alles ist charaktervoll und pittoresk."

Das triumphale Auftreten Preußen-Deutschlands nach den Einigungskriegen war Fontane suspekt. Die Ölskizze von Robert Warthmüller zeigt Kaiser Wilhelm I. und Otto von Bismarck (in weißer Uniform) bei der Enthüllung der Siegessäule am 2. September 1873.

er im Dienste des konservativen Preußentums, zunächst als Presseagent im Auftrage der reaktionären Regierung Manteuffel (so als Korrespondent im Auftrage des „preußischen Gouvernements" in London, ab 1858 als Korrespondent der preußischen Gesandtschaft), dann als Presseagent für verschiedene Blätter und schließlich als so genannter unechter Korrespondent bei der Neuen Preußischen (Kreuz-)Zeitung, ohne je ganz diese Distanz vermissen zu lassen, was vielleicht auch damit zusammenhängen mag, dass er zeitlebens ein Journalist blieb, der ein Schriftsteller sein wollte, bis er sich als gut Sechziger diesen Wunsch erfüllte.

Immerhin, Fontane war, wie im Übrigen auch Bismarck, mit dem Ausgang der Revolution für Preußen nicht zufrieden. Zwar entsprach die Verfassung, die Friedrich Wilhelm IV. erließ, weitgehend den Forderungen des liberalen Bürgertums, doch war noch der alte Fontane überzeugt, dass die Sache der Freiheit nicht auf dem Wege des obrigkeitlichen Dekrets erfochten werden konnte. Die Erfahrung von 1848 blieb, denn es gibt „Welt-Errungenschaften", die sich nicht mehr in Frage stellen ließen (Ende November 1849). An England, wo er seit 1852 lebte, faszinierten ihn die allgemeine Liberalität, die ihm die Enge des vormärzlichen Preußen erst recht zu Bewusstsein brachte, und, bei allem Vorbehalt gegen den überall spürbaren englischen „Kattun"-(sprich: Kaufmanns-)Geist, die große Reformfähigkeit der englischen Gesellschaft, die Revolutionen letztlich überflüssig mache.

Die bekannten Romane und Erzählungen Fontanes waren Alterswerke: „Schach von Wuthenow" (1883), „Irrungen, Wirrungen" (1888), „Frau Jenny Treibel" (1892), „Effi Briest" (1895) und der postum erschienene „Stechlin" (1899).

Die englische Reiseliteratur war ihm auch Vorbild für sein größtes, der altpreußischen Idee gewidmetes Projekt, die „Wanderungen durch die Mark Brandenburg". Die vertrauten Landstriche der Mark sollten mit den Augen des Fremden betrachtet werden; eine romantisierende Hommage an den märkischen Adel, der allerdings, wie Fontane verschiedentlich feststellen musste, nicht immer damit zufrieden war. Reisen zu den Kriegsschauplätzen von Schleswig-Holstein und Dänemark, das Schreiben der Kriegsbücher unterbrechen das Wanderungen-Projekt, das sich zu einem über zwanzig Jahre hinziehendes „work in progress" gemausert hatte. In seinem Roman „Unwiederbringlich" wird Fontane die „schleswig-holsteinische Frage" verarbeiten, jetzt schon, der Roman erschien 1891, also kurz nach dem Rücktritt Bismarcks, unter der Perspektive des Nationalismus. Im preußischen Verfassungsstreit von 1862, der sich an der von Wilhelm I. geplanten Heeresreform entzündet und König und Parlament entzweit hatte, bezog auch Fontane Position. Er ließ sich, jetzt schon für den ‚englischen Artikel' der Kreuzzeitung zuständig, als Wahlmann der Konservativen aufstellen, nunmehr überzeugt, die alte bürgerliche Forderung nach Einheit und Machtteilhabe ließe sich doch ‚von oben' lösen. Bekanntlich war das die Stunde Bismarcks, der dem preußischen Staat ein machtstaatliches Gepräge geben sollte. Fontane war ein Anhänger Bismarcks in diesen Jahren. Als

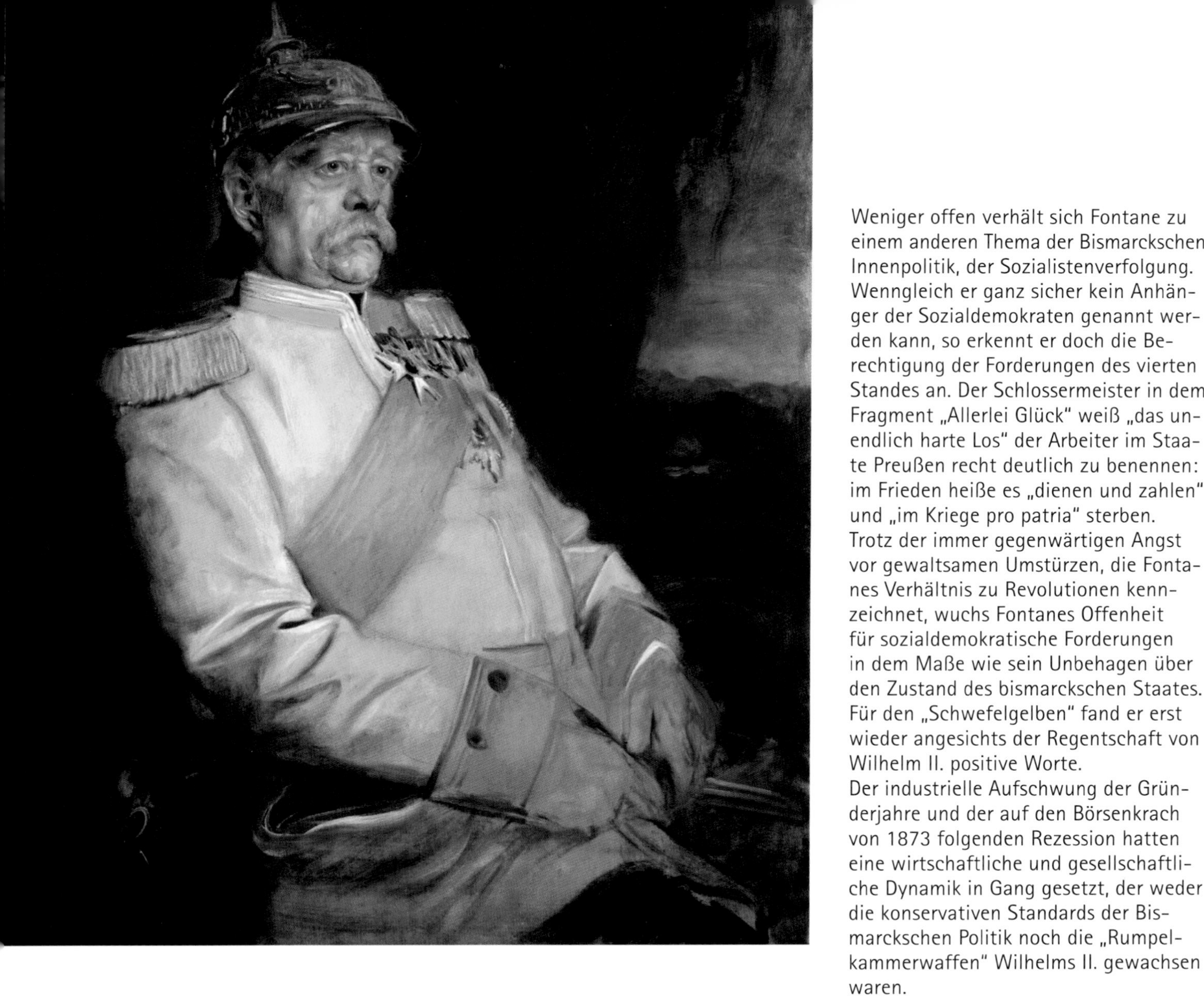

Für Fontane war er der „Schwefelgelbe“: der preußische Ministerpräsident und deutsche Reichskanzler Otto von Bismarck. Porträt von Franz von Lenbach aus dem Jahre 1890.

Kriegsberichterstatter bereiste er auch die böhmischen und französischen Schlachtfelder. Der Autor der Kriegsbücher ist zweifellos ein glühender Preuße, was auch mit patriotischen Versen anlässlich des Einzugs der siegreichen Truppen durchs Brandenburger Tor bekundet wird, wenngleich, und hier bewährt sich vermutlich der fremde Blick der englischen Erfahrung, der Autor der Kriegsbücher kein Nationalchauvinist ist. Seine Darstellung der Franzosen in seinem autobiographischen Bericht „Kriegsgefangen“ wurde als franzosenfreundlich kritisiert. Schon den Sieg bei Königgrätz vermochte Fontane nicht mehr vorbehaltlos zu bejubeln, erst recht war ihm die vermeintliche „Überlegenheit“, die „rechthaberische Ausgesprochenheit“ der Preußen, die sich angesichts der Bismarckschen Erfolge allenthalben breit machte und die noch Pater Feßler in dem Roman „Graf Petöfy“ geißeln wird, suspekt. Von der Kaiserkrönung Wilhelms I. in Versailles berichtet sein Kriegsbuch sehr sachlich, nicht ohne anzumerken, dass der Kaiser „unter einem den französischen Absolutismus verherrlichenden Bild“ Aufstellung genommen habe.

Das Bismarckreich wird die Schauplätze liefern für seine Romane, auch da noch, wo Preußens Niederlage gegen Napoleon den Hintergrund bildet, wie in „Schach von Wuthenow“, oder wo es um die nationale Verheißung der Befreiungskriege geht, wie in „Vor dem Sturm“, oder aber, wo historische Stoffe zugrunde gelegt sind, wie in „Ellernklipp“ oder „Grete Minde“, werden Tagesfragen transportiert. Den Kulturkampf zum Beispiel, Bismarcks Kampagne gegen die Zentrumspartei und die katholische Kirche, lehnte Fontane ab. In seinen Romanen sind es durchweg schrill überzeichnete Figuren, die Bismarcks Kulturkampf unterstützen, so in dem Roman „Cécile“ General von Rossow, der Gewissens- und Pressefreiheit schlichtweg für „Ballast“ erklärt, und Geheimrat Hedemeyer, der sogar zum Marsch gegen Rom aufruft, und erst recht die petrefakte Domina von Kloster Wutz im „Stechlin“, die den Katholizismus schlichtweg für „Götzendienst“ erklärt. Rettend und heilsam wirkt dagegen die Rolle der Nonnen von Arendsee in „Grete Minde“ und der Roswitha in „Effi Briest“, nicht zufällig, dass die weltoffene Gräfin Melusine sich mit einer katholischen Dame umgibt.

Weniger offen verhält sich Fontane zu einem anderen Thema der Bismarckschen Innenpolitik, der Sozialistenverfolgung. Wenngleich er ganz sicher kein Anhänger der Sozialdemokraten genannt werden kann, so erkennt er doch die Berechtigung der Forderungen des vierten Standes an. Der Schlossermeister in dem Fragment „Allerlei Glück“ weiß „das unendlich harte Los“ der Arbeiter im Staate Preußen recht deutlich zu benennen: im Frieden heiße es „dienen und zahlen“ und „im Kriege pro patria“ sterben.
Trotz der immer gegenwärtigen Angst vor gewaltsamen Umstürzen, die Fontanes Verhältnis zu Revolutionen kennzeichnet, wuchs Fontanes Offenheit für sozialdemokratische Forderungen in dem Maße wie sein Unbehagen über den Zustand des bismarckschen Staates. Für den „Schwefelgelben“ fand er erst wieder angesichts der Regentschaft von Wilhelm II. positive Worte.
Der industrielle Aufschwung der Gründerjahre und der auf den Börsenkrach von 1873 folgenden Rezession hatten eine wirtschaftliche und gesellschaftliche Dynamik in Gang gesetzt, der weder die konservativen Standards der Bismarckschen Politik noch die „Rumpelkammerwaffen“ Wilhelms II. gewachsen waren.
Allenthalben wurden die Anzeichen des Neuen spürbar. Gerade dem oft zitierten „alten Fontane“ ist das nicht entgangen. Nicht nur, dass „des Zeitgeists gewaltige Rauchröhren“ sich auch in die Topographien seiner Romane drängen, wie etwa die Rauchschwaden der Eisenhütte und Maschinenfabrik, die die Harzer Sommerfrische im Hotel Zehnpfund verdüstert, oder die Globsower Glashütte, die ihre Schatten bis nach Stechlin wirft, sondern auch, dass Tugenden ihre Glaubwürdigkeit verlieren, Verhältnisse nicht mehr sind, was sie unlängst noch waren, kurzerhand, wie die Domina von Kloster Wutz ihren Gästen prophezeit, allenthalben und überall umgewertet wird. Wie und ob Fontane sich die Zukunft Preußens vorstellte, wissen wir nicht. „Der Stechlin“, sein letzter Roman, gibt manche Hinweise. In der Dialektik des Alten und Neuen kommen die prophetischen Töne da von einer Frau, der bemerkenswerten Gräfin Melusine, die nicht nur von Torpedobooten, Tunneln unter dem Meere und Luftballons zu träumen vermag, sondern auch das letzte Wort im Roman behält.

Der Sturz des Ikarus

Preußen-Deutschland unter Wilhelm II.

Symbol des preußisch-deutschen Militarismus: die Pickelhaube. Unter Wilhelm II. wuchsen Einfluss und Ansehen der Armee. Militärisches Denken prägte nicht nur die große Politik, sondern auch das alltägliche Leben.

Persönliche Differenzen und die Überzeugung Wilhelms II., dass Bismarck nicht in der Lage sei, die Herausforderungen einer neuen Zeit zu meistern, hatten 1890 zum Bruch zwischen dem Kaiser und seinem Kanzler geführt. Der junge Monarch war wild entschlossen, die Zügel selbst in die Hand zu nehmen und ein „persönliches Regiment" zu führen. Damit überschätzte er aber nicht nur seine Fähigkeiten, sondern auch den Spielraum monarchischer Herrschaft im Zeitalter der Hochindustrialisierung und Massenmobilisierung. Doch Wilhelms großspuriges Auftreten und seine überzogenen Pläne waren mehr als eine Marotte: Sie brachten das Selbstbewusstsein einer Generation zum Ausdruck, die das alte Preußen nicht mehr kannte und die mit dem scheinbar unaufhaltsamen Aufstieg Preußen-Deutschlands zur führenden Wirtschafts- und politischen Vormacht des europäischen Kontinents groß geworden war. Dieser Generation war das Sicherheitsdenken Bismarcks ein Gräuel. Sie wollten zu neuen Ufern aufbrechen und dem Deutschen Reich die ihm gebührende Weltgeltung verschaffen. Expansion war der Schlachtruf der Zeit. Deutschlands politische und wirtschaftliche Zukunft schien im Erwerb neuer Kolonien zu liegen. Der Staatssekretär des Auswärtigen Amtes Bernhard von Bülow brachte diese Stimmung mit seiner Forderung nach einem „Platz an der Sonne" zum Ausdruck. Doch der schnelle Aufstieg Preußen-Deutschlands führte zum tiefen Fall und dem jähen Ende der Hohenzollern-Herrschaft.

In der Person Wilhelms II. verbanden sich wirtschaftlich-technische Modernität und politisch-soziale Rückständigkeit zu einem spannungsreichen Verhältnis, das für das Deutsche Reich im Ganzen kennzeichnend war. Der Kaiser begeisterte sich für die technischen Fortschritte seiner Zeit und förderte die Modernisierung des Verkehrswesens ebenso wie die der Bildung und der Wissenschaft. In seiner Regierungszeit erzielten deutsche Wissenschaftler glänzende Erfolge und verschafften Deutschland in der Medizin, der Physik und der Chemie eine führende Stellung in der Welt. Die deutsche Ingenieurskunst wurde allenthalben gerühmt und die Produkte ‚Made in Germany' erwarben sich einen legendären Ruf. Doch diesem von Wilhelm II. begrüßten und geförderten Fortschritt stand die Weigerung des Kaisers gegenüber, dem gesellschaftlichen Wandel Rechnung zu tragen. Die soziale Frage blieb ungelöst, und den Aufstieg der Sozialdemokratie bekämpfte Wilhelm II. mit scharfen Unterdrückungsmaßnahmen. Unter seinem Schutz konnten die ostelbischen Großagrarier

gegen den Trend der Zeit ihre Privilegien und damit ihr vorindustrielles Wirtschaften behaupten. In Preußen galt weiterhin das Dreiklassenwahlrecht und im Reich war eine echte Beteiligung der Bürger an der politischen Macht nicht in Sicht. Obrigkeitshörigkeit machte sich breit und eine Militarisierung der Gesellschaft setzte ein. Nur wer ‚gedient' hatte, galt etwas in der Wilhelminischen Gesellschaft.
Fortschritt, Rückständigkeit und militaristischer Geist verbanden sich in der Außenpolitik des Deutschen Reiches zu einer brisanten Mischung. Das alte Bündnissystem Bismarcks wurde aufgegeben, ohne ein neues aufzubauen. Das Reich setzte ganz auf seine militärische Stärke und beschleunigte den Ausbau der Armee. Besonders die Aufrüstung der Flotte lag Wilhelm II. am Herzen. Sein Ziel war es, Deutschland zu einer See- und Kolonialmacht ersten Ranges zu machen. Diese Politik brachte das Reich schnell in Konkurrenz zu Großbritannien. Versuche, eine Verständigung herbeizuführen, scheiterten. Zu Beginn des 20. Jahrhunderts war das Deutsche Reich außenpolitisch weitgehend isoliert. Der einzige Bündnispartner von Gewicht, Österreich-Ungarn, war eher eine Belastung als eine Stärkung. Der Kaiser tat ein Übriges, um die außenpolitische Lage des Deutschen Reiches zu verschlechtern und schürte durch unbedachte Äußerungen und martialisches Auftreten immer wieder das Misstrauen der europäischen Mächte. Einer der vielen Balkankonflikte brachte dann 1914 das Fass zum Überlaufen. Das Deutsche Reich sah sich in einen Zweifrontenkrieg gegen Frankreich, England und Russland verwickelt, der Albtraum Bismarcks. Schnell war klar, dass das Reich diesen Krieg nicht gewinnen konnte. Doch die preußische Militärführung unter Paul von Hindenburg und Erich Ludendorff wollte einen „Sieg"- und keinen „Verzichtsfrieden". Am Ende verlor das Deutsche Reich den Krieg und die Hohenzollern die deutsche Kaiser- und die preußische Königskrone.

Wilhelm II. war die Symbolfigur eines neuen Zeitgeistes. Großspurig und wenig taktvoll drängte er nach Weltgeltung des Deutschen Reiches.

Aus der Sicht Wilhelms II. war der Reichstag ein Geschenk des Kaisers an sein Volk. Dementsprechend wenig Einfluss hatte das Parlament im Deutschen Reich. Das Gebäude wurde zwischen 1884 und 1894 nach einem Entwurf von Paul Wallot erbaut.

Das Neue war das Schlechte: Preußische Landjunker waren die Bannerträger der Reaktion im Kaiserreich. Sie bekämpften jede fortschrittliche Reformpolitik und sicherten sich bis zuletzt ihre angestammten Privilegien.

Trotz des wirtschaftlichen Booms wuchs das soziale Elend. Die einfachen Arbeiter und Unterschichten lebten in beengten und armseligen Verhältnissen. Berliner Wohnung im Jahre 1903.

Rasant wuchs die deutsche Wirtschaft um 1900 und mit ihr die Fabriken. Berlin war eines der industriellen Zentren des Kaiserreiches. Das Foto zeigt einen Fabrikhof der Firma Siemens in der Markgrafenstraße.

Zu Weltruhm gelangte die deutsche Wissenschaft um 1900. Das verdankte sie Pionieren wie dem Mediziner Robert Koch. Der Begründer der modernen Bakteriologie entdeckte den Tuberkelvirus und den Choleraerreger. Gemälde von Max Pietschmann aus dem Jahre 1896.

Mit ihm kam das sozialkritische Drama auf die Bühnen Berlins: Gerhart Hauptmann. Den Hauptvertreter des so genannten Naturalismus porträtierte der Impressionist Max Liebermann 1912.

Die Flotten- und Kolonialpolitik war das Steckenpferd Wilhelms II. Propagandistische Unterstützung erhielt er dabei durch den 1898 gegründeten Deutschen Flottenverein. Das Plakat von 1901 zeigt die Yacht ‚Seiner Majestät', die „Die Hohenzollern".

Auf der Suche nach einem ‚Platz an der Sonne' besetzte das Deutsche Reich Kiautschou und pachtete es 1898 für 99 Jahre von China. Der Bruder des Kaisers, Prinz Heinrich, wurde sogleich in die neue Kolonie entsandt. Im Hintergrund ist das Flaggschiff Deutschland zu sehen.

Er war die treibende Kraft hinter der Aufrüstung der deutschen Flotte: der Vertraute des Kaisers, Großadmiral Alfred von Tirpitz. Die Porträtaufnahme entstand um 1910.

„Ich kenne keine Parteien mehr, kenne nur noch Deutsche!" Der pathetische Appell Wilhelms II. an die Einheit der Nation vom 1. August 1914, dem Tag der deutschen Kriegserklärung an Russland, fand breiten Widerhall in der Bevölkerung.

Coblenz. 26/VIII. 1914.

Der Kaiser auf der Flucht: Nach dem Eingeständnis der Niederlage und dem Ausbruch der Revolution verließ Wilhelm II. am 28. Oktober 1918 überstürzt Berlin und begab sich am 10. November 1918 ins niederländische Exil. Damit endete die Herrschaft der Hohenzollern in Preußen und Deutschland.

Der oberste Kriegsherr Wilhelm II. im Großen Hauptquartier 1917. Das eigentliche Sagen aber hatten die beiden „Dioskuren", Generalfeldmarschall Paul von Hindenburg (links) und General Erich Ludendorff (rechts).

DAVID FRASER

Vom „Festlandsdegen“ zum Rivalen

England und Preußen

Das Herzogtum Preußen wurde 1701 zum Königreich erhoben. Zwischen 1701 und 1918 durchlief das Verhältnis dieses Königreichs mit England unterschiedliche Phasen, deren erste durch besonders starke familiäre und dynastische Bande geprägt war. Zur Zeit der Erhebung in den Rang eines Königreichs war der erste König in Preußen, Friedrich I., mit Prinzessin Sophie von Hannover verheiratet, deren Bruder, der Kurfürst von Hannover, 1714 als Georg I. König von Großbritannien und Irland wurde. Der Sohn des Kurfürsten wurde in der folgenden Generation Georg II. von Großbritannien und Irland, während seine Schwester Sophie Dorothea ihren Vetter Friedrich Wilhelm I. von Preußen ehelichte und Mutter Friedrichs des Großen wurde. Die Verschwisterung der beiden Häuser setzte sich über viele Generationen fort. Das ehrgeizigste Projekt allerdings, die 1728 beabsichtigte Doppelhochzeit des Prinzen von Wales als britischem Thronfolger mit Wilhelmine von Preußen und des Kronprinzen Friedrich von Preußen mit Amelia von England, schlug vor allem deshalb fehl, weil man befürchtete, sie würde am Kaiserhof in Wien ungnädig aufgenommen. Dennoch dauerten die – in monarchischer Zeit politisch so wichtigen – Familienbande bis in die Herrschaft von Königin Viktoria von Großbritannien fort; ihre älteste (Lieblings-)Tochter heiratete den preußischen Kronprinzen und späteren Kaiser Friedrich, ihr dritter Sohn nahm eine preußische Prinzessin zur Frau.

Verwandtschaftliche Bande waren zwar hilfreich, garantierten aber nicht notwendigerweise gute diplomatische

Die Frau des ersten Preußen-Königs, Sophie Charlotte, war eine gebürtige Hannoveranerin. Die Verbindung der beiden Häuser erwies sich als zukunftsträchtig. Denn nur wenige Jahre, nachdem die Brandenburger den preußischen Königstitel erworben hatten, wurde der Bruder Sophie Charlottes als Georg I. zum König von Großbritannien gekrönt.

Beziehungen. Im 18. Jahrhundert beeinflusste das Verhältnis zwischen England und Preußen in erster Linie die jeweilige Position im Spiel der europäischen Mächte. Zwar gab es in diesem Spiel immer wieder Schwankungen, aber die herzlichen Beziehungen als solche schienen kaum gefährdet. Das erst vor kurzem geeinte Großbritannien war im Wesentlichen eine Seemacht mit gewissen inneren religiösen und dynastischen Problemen, die Preußen nicht unmittelbar berührten. Überdies war England eine Kolonialmacht. Sein Hauptrivale auf den Weltmeeren und fernen Kontinenten war Frankreich, und England vermied es nach Kräften, sich ohne Not in kontinentale Angelegenheiten (und Kosten) zu stürzen. Die einzige Ausnahme bildete die neue Verbindung zwischen England und Hannover, der viele britische Staatsmänner reserviert gegenüberstanden, weil sie befürchteten, durch die familiären Bindungen in Dinge hineingezogen zu werden, die dem britischen Nationalinteresse fern lagen. Preußen seinerseits war eine kleine Landmacht und befand sich in unerfreulicher Nähe des von Wien gelenkten Kaiserreichs und der größten europäischen Einheitsmacht Frankreich. Hinzu kam, dass Frankreich unter Ludwig XIV. der Bannerträger der Gegenreformation in Europa war, während England 1688 einen protestantischen Staatsstreich erlebt hatte, der es (und seinen Souverän) auf die antikatholische Sache verpflichtete.

Aus dem Widerstreit der Interessen war der große spanische Erbfolgekrieg entstanden, in dem sich England und das Reich verbündeten und aus dem sie zu guter Letzt in Gestalt von Marlborough und Prinz Eugen siegreich hervorgingen. Dieser Krieg brachte für England großen Zugewinn an Macht und Besitztümern und festigte in englischen Augen vollends das Bild von einem unversöhnlich feindseligen und bedrohlichen Frankreich und einem potenziell freundschaftlich gesinnten und zur Unterstützung bereiten, wenn auch katholischen Österreich.

Preußen andererseits war klein, verwundbar, wirtschaftlich schwach und hatte schwer zu verteidigende Grenzen. Immerhin besaß es eine bewährt schlagkräftige Armee, und als der neue König von Preußen, Friedrich II., 1740 den Thron bestieg, war er vom ersten Tage an entschlossen, die Lage seines Königreiches zu verbessern. Sofort besetzte er Schlesien, auf den die preußische Krone einen nicht unbestrittenen Anspruch erheben konnte, und vergrößerte damit Umfang und Reichtum (und Bevölkerung) seines Königreichs beträchtlich. Damit setzte Friedrich eine Ereignisfolge (den Ersten und Zweiten Schlesischen Krieg) in Gang, die den endgül-

Am Ende der engen familiären Bande des Hauses Hohenzollern mit dem Haus Hannover stand die Heirat des preußischen Kronprinzen Friedrich mit der Lieblingstochter der englischen Königin, Victoria. Die Hochzeit fand am 25. Januar 1858 im St. James Palast statt.

Im Siebenjährigen Krieg war Großbritannien der wichtigste Bundesgenosse Preußens. Ohne die englischen Gelder hätte Friedrich II. gegen die Übermacht seiner Gegner nicht bestehen können. Aber auch die englischen Hilfstruppen waren eine große Hilfe, wie beim Sieg über die Franzosen in der Schlacht bei Minden 1759.

Preußen war lange Zeit der „Festlandsdegen" Großbritanniens. Gemeinsam besiegten preußische und englische Truppen die Franzosen unter Napoleon I. in der Schlacht bei Waterloo am 18. Juni 1815. Die Radierung von Gottfried Arnold Lehmann zeigt die beiden siegreichen Heerführer Blücher und Wellington nach der Schlacht.

Als die englische Königin Victoria im August 1858 Preußen besuchte, war das Verhältnis zwischen Berlin und London noch ungetrübt. Stolz präsentierte man dem hohen Gast vor dem Potsdamer Stadtschloss die Disziplin der preußischen Truppen. Aquarell von George Housman Thomas.

tigen Bruch zwischen Wien und Berlin besiegelte.
Damit verschärften sich die Spannungen in dem ohnehin zerbrechlichen europäischen Gefüge, und Preußen stand in Europa praktisch isoliert da.
Der österreichische Staatsmann Fürst Kaunitz arbeitete unermüdlich (und letztlich erfolgreich) am Zustandekommen einer großen Koalition mit dem Ziel der Vernichtung des Königs von Preußen. Dabei gelang Kaunitz die Aussöhnung zwischen Österreich und Frankreich und der Eintritt beider in ein preußenfeindliches Bündnis. Trotz der vorherigen guten Beziehungen zu Österreich sah sich England 1756 aufgrund dieser Umkehr der Allianzen auf der österreichfeindlichen (und mithin frankreichfeindlichen) Seite in den „Siebenjährigen Krieg" verwickelt.
England konnte sich Frankreich zur See widersetzen und tat es auch – mit großen Kolonialgewinnen. Doch zu Lande, auf dem europäischen Festland, oblag die Leitung des Kampfes weitgehend dem Preußen des nunmehr „der Große" genannten Friedrich, dem England finanziell unter die Arme griff. Diese – vom britischen Chefminister William Pitt dem Älteren, Graf von Chatham, eifrig geförderte – Finanzhilfe wurde in England als Mittel angesehen, Englands wirksamsten Verbündeten Preußen im Krieg gegen Frankreich zu halten.
In Preußen betrachtete man sie als wesentliches Element im preußischen

Kampf gegen Österreich. Die territoriale Integrität Preußens wurde nicht nur von Frankreich und Österreich, sondern auch von Russland bedroht.
Als der Krieg 1763 zu Ende ging, war aus Preußen trotz des Verlustes von rund einem Zehntel seiner Bevölkerung eine (wenngleich kleine) europäische Macht ersten Ranges geworden, und das überseeische britische Empire hatte sich erheblich vergrößert. Somit herrschte zu Ende des 18. Jahrhunderts in England und Preußen das Gefühl, das jeweils andere Land sei ein wichtiger Verbündeter, wie man ihn nur selten findet.
Die nächste Phase des Verhältnisses war von den gewaltigen Umwälzungen in Europa geprägt, die mit der Französischen Revolution einsetzten und bis zum endgültigen Untergang des Sterns von Napoleon Bonaparte anhielten.
Während der langen Phase der Napoleonischen Kriege unternahm das

revolutionäre Frankreich unter Führung eines Militärgenies eine Reihe von Feldzügen, dank derer es für eine kurze Glanzperiode zum unangefochtenen Herrn des europäischen Festlands aufstieg. England beschränkte sich weitgehend auf den Seekrieg, wo es bedeutende Siege errang, aber zu Lande trieben die Franzosen alle Welt zu Scharen und besiegten im Dezember 1805 bei Austerlitz die Streitkräfte Österreichs und Russlands. Ein preußischer Versuch im folgenden Jahr, das Schicksal zu wenden und die Franzosen aus Deutschland zu verjagen, endete mit den schweren Niederlagen Preußens in Jena und Auerstedt und der Besetzung Preußens durch Napoleon. Einziger Lichtblick für die antinapoleonischen Kräfte waren die britischen Triumphe auf See sowie die (freilich nicht unmittelbar erkennbare) Tatsache, dass sich die Franzosen mit dem Einfall in Russland von 1812 übernommen hatten.
Der französischen Besetzung Preußens folgte das erzwungene Engagement Preußens auf französischer Seite bei Napoleons Russlandfeldzug. Dies stieß in Preußen auf schwere Ressentiments und hatte zur Folge, dass Preußen beschloss, seine Freiheit wiederzuerringen und sich dem napoleonfeindlichen Lager anzuschließen. Gleichzeitig wurde die preußische Armee, die allzu sehr dem Gepräge Friedrichs des Großen verhaftet geblieben war, grundlegend reformiert. Als die Franzosen schließlich aus Russland abzogen, hatten sie praktisch das ganze, waffenstarrende Europa gegen sich. Der Krieg endete mit dem totalen Sieg der antinapoleonischen Sache.
So begann das 19. Jahrhundert in großer Harmonie zwischen England und Preußen. Nach langer Prüfung hatten beide – zuletzt als Verbündete – einen der größten Kriege der europäischen Geschichte überlebt. Der Sieg der Verbündeten im Juni 1815 bei Waterloo bildete den Höhepunkt einer gemeinsamen englisch-preußischen militärischen Glanzleistung.
Die nächste Phase des Verhältnisses ließ sich erheblich weniger harmonisch an. Inzwischen war England zur gewaltigsten Kolonial- und Seemacht der Welt aufgestiegen. Preußen seinerseits befand sich zu Lande unbestreitbar im Aufstieg, den in der zweiten Jahrhunderthälfte der Sieg von 1866 über Österreich und von 1870 über Frankreich noch verstärkte, wobei Letzterer in der Ausrufung des Deutschen Kaiserreichs unter preußischer Führung gipfelte. Mit diesem Aufstieg gingen weit reichende Militärreformen einher. Das bislang auf den Weltmeeren noch nie besiegte England ging wie selbstverständlich davon aus, ihm obliege die Beherrschung der Seewege. Das Deutsche Reich war aber nicht bereit, einen Herrn über die Meere anzuerkennen. Über die angeblich entscheidende Rolle der Seemacht bei der Besiegung des napoleonischen Frankreich wurde viel diskutiert. Damit stand alles bereit für einen ernsthaften englisch-deutschen Konkurrenzkampf zur See und das daraus erwachsende gegenseitige Ressentiment. Inzwischen war auch das Deutsche Reich zu einer ansehnlichen Kolonialmacht geworden. Solange das Deutsche Reich noch von dem genialen Fürst Bismarck (einem Gegner der kolonialen Expansion und ebenso der Expansion auf den Weltmeeren) geführt wurde, sah es so aus, als mündeten Ressentiment und Misstrauen nicht zwangsläufig in wirklichen Feindseligkeiten, aber die Ereignisse wirkten harmonie- und damit friedensfeindlich. 1914 brach der Sturm los. Nun standen England und Preußen, genauer: England und Deutschland, miteinander im Krieg, einem Krieg, der weitgehend in Westeuropa ausgefochten wurde und für beide Seiten unendliches Leid und grässliche Verluste nach sich zog. Dem Frieden von 1918 folgten eine Wirtschaftskrise, beträchtliches Ressentiment ob der auferzwungenen Friedensbedingungen und schließlich die Machtergreifung durch Adolf Hitler. „Der Rest ist Geschichte“, an der bis heute geschrieben wird.
In allen Phasen des englisch-preußischen Verhältnisses hat es vermutlich Faktoren gegeben, die die gegenseitige Vorstellung nicht minder prägten als die faktischen Ereignisse. Manchmal grundlose, manchmal nicht unbegründete Grundeinstellungen können Karikaturen hervorrufen, und eine Karikatur kann genauso wie ein formeller Vertrag rationale Reaktionen auslösen oder neutralisieren. So gibt es das Bild vom ignoranten und arroganten Engländer, der für die Gefühle von Ausländern kein Gespür hat oder auf sie pfeift. Desgleichen das Bild vom brutalen und genauso arroganten Preußen und Menschenschinder. Keine dieser beiderseitigen stereotypen Vorstellungen lässt auch nur den geringsten Raum für ein Zurkenntnisnehmen des unendlich reichen kulturellen und geistigen Erbguts oder gar des reizvoll Gepflegten des andern. Dennoch haben Unwissenheit, leichtfertiges Geschwätz und die unselige Hinterlassenschaft zweier Weltkriege der Karikatur dort Einlass gewährt, wo einst – zumindest in gebildeten Kreisen – Verständnis und oft genug Bewunderung herrschten.
Denn es gibt britische Tugenden und es gibt preußische Tugenden, und manches Mal sehen sie einander gar nicht so unähnlich. Zu Letzteren würde jeder fair denkende Engländer die Disziplin zählen, die nicht Kadavergehorsam ist, sondern sinnvoll geordnete, beherrschte und wohl organisierte Anstrengung, und derselbe Engländer würde bestimmt seinem preußischen Freund den Primat des Pflichtgefühls zusprechen – nicht im Sinne bloßer Gesetzestreue, sondern im Sinne eines Gewissens, das einen Mann oder eine Frau dazu veranlasst, einer Organisation oder einem Lande zu dienen, weil es so richtig ist. Diese Dinge sind in beiden Ländern nicht zwangsläufig an der Tagesordnung, aber sie sind zweifelsohne wichtig und wirken – weit davon entfernt, Zwist auszulösen – als einigende Kraft.

Die Anfänge der preußisch-deutschen Kolonialpolitik nahmen die Briten noch mit Humor. „The Greedy Boy“, „der gierige Junge“, nannte der Punch seine Karikatur aus dem Jahre 1885. Sie zeigt Bismarck, wie er unter den Augen Englands zwei große Stücke, Neu-Guinea und Angra Pequena, aus dem Kolonial-Kuchen herausschneidet.

HORST LADEMACHER

Die Niederlande und Preußen

Art und Wandel einer Beziehung

Luise Henriette von Nassau und Oranien war die erste Gemahlin des Großen Kurfürsten Friedrich Wilhelm. Das Gemälde von Gerard van Honthorst entstand um 1650.

Zu Weihnachten 1613 trat Johann Sigismund, Kurfürst von Brandenburg, vom lutherischen zum calvinistischen Glauben über – fürwahr, in den Wirren des Konfessionszeitalters auch innerhalb des protestantischen Lagers ein bemerkenswerter Schritt. Der Historiker Otto Hintze schreibt in feinsinniger Deutung dazu, der Kurfürst habe mit diesem Übertritt den Anschluss an eine Religionspartei gewonnen, „die in der freien Luft einer großen Politik atmete; in diesem Lager leuchteten Namen wie der Colignys und Wilhelms von Oranien, hier war ein freierer Weltblick, hier gab es große politische Entwürfe, die in der dumpfen Enge des kleinstaatlichen Luthertums nimmermehr gediehen wären." Schon vor diesem Religionswechsel hatte es bescheidene politische und intellektuelle Kontakte zwischen Brandenburg und den Niederlanden gegeben, wichtiger war freilich, dass die junge Republik als Vorkämpferin des europäischen Protestantismus einen erfolgreichen Aufstand gegen die militärische Übermacht Spaniens führte, mit dem Abschluss des Waffenstillstandes von 1609 europaweite Anerkennung fand und sich noch dazu anschickte, ein weit bis in die überseeischen Gebiete reichendes Handelsimperium aufzubauen. Die nicht zuletzt aus Bewunderung entstandene, gleichsam innerprotestantische Konversion des Kurfürsten war der Ausgangspunkt für den mehrjährigen Aufenthalt des späteren Großen Kurfürsten Friedrich Wilhelm am Hof des niederländischen Statthalters Friedrich Heinrich, Sohn des Wilhelm von Oranien,

der den Aufstand eingeleitet und geführt hatte, und dieser Wechsel war allemal eine wesentliche Voraussetzung für die Heirat des Großen Kurfürsten mit der Oranier-Tochter Luise Henriette.
In seinen frühen Jahren hat der Kurfürst einiges über bürgerliche Kultur und Lebensweise kennen lernen können, und Gerd Oestreich, Historiker und Kenner dieser Periode der niederländischen und brandenburgisch-preußischen Geschichte, stellt sicherlich zu Recht fest: „Das Erlebnis des in seiner vollen militärischen, wirtschaftlichen und kulturellen Kraft stehenden Staatswesens hat ihn sein Leben lang bestimmt." Und er formuliert weiter, der Kurfürst habe die engen persönlichen und wissenschaftlichen Beziehungen weit über den Tod der Luise Henriette hinaus aufrechterhalten. Der Name der Luise Henriette steht für die Vermittlung niederländischer Einflüsse in dem nun dynastisch mit der Republik verflochtenen Kurfürstentum Brandenburg. Wie hätte es auch anders sein können, wird man sich fragen, wenn man die wirtschaftliche Blüte des nicht auf den europäischen Kontinent begrenzten, sondern auf die ganze Welt orientierten kleinen Landes, seinen kulturellen Hochstand in Malerei und Architektur, seine Fortschritte in Technik, Naturwissenschaften und Medizin heranzieht. Von den Niederlanden als dem „Mekka aller am Fortschritt interessierten Menschen in Europa" ist zeitgenössisch schon geschrieben worden, und man geht nicht zu weit, wenn man in Anwendung einer eher modernen Begrifflichkeit von einem west-östlichen Kulturgefälle spricht. Denn diesen in jeder Beziehung florierenden Niederlanden stand die Mark Brandenburg als ein Territorium gegenüber, das sozialökonomisch von der Gutswirtschaft geprägt war und ganz erheblich unter dem Dreißigjährigen Krieg gelitten hatte.
Da war einiges zu tun. Was sich sodann unter Anregung und Leitung der Luise Henriette und ihres Freundeskreises, gleichsam als Ergebnis der dynastischen Verbindung, entwickelte, erfasste das ganze Spektrum einer wirtschaftlichen und kulturellen Aufbauarbeit. Die Niederlande bestimmten für die nächsten Jahrzehnte in hohem Maße den Weg der Mark Brandenburg. Zur Tätigkeit niederländischer Architekten, Wasser- und Agrartechniker, Gartenbauern und Landwirten zählten die Urbarmachung von Land, der Wiederaufbau verwüsteter Landstriche, die Anlage von Kanälen und Schleusen und der Aufbau von Rinder- und Schafzucht und der so genannten Holländereien – landwirtschaftliche Musterbetriebe – ebenso wie die Anlage von Festungen oder die Vermittlung höfischen Glanzes über den Bau von Schlössern und von großzügigen Gartenanlagen. Es war das Nebeneinander von Schönem, Nützlichem und Militärischem, das diesem niederländischen Einfluss das Gepräge gab. Die Niederländer als innovative Kräfte in leitenden Funktionen, aber auch als Handwerker und Bauern, und dort, wo Angehörige deutscher Territorien die Arbeiten leiteten, hatten ihre Erfahrungen und theoreti-

Schloss Köpenick entstand zwischen 1677 und 1682 nach Plänen des Holländers Rutger van Langevelt. Der Barockbau ist dem Stil des holländischen Klassizismus verpflichtet und diente als Residenz des Kurprinzen Friedrich.

Schloss und Garten von Oranienburg entstanden auf Betreiben von Luise Henriette. Die Arbeiten wurden von holländischen Fachleuten durchgeführt. Der Sohn der Kurfürstin, der spätere König Friedrich I., ließ die Anlage während seiner Regierung vielfach umbauen und erweitern. Der Kupferstich von Jean Baptiste Broebes entstand um 1733.

Erst durch das Eingreifen preußischer Truppen konnte der abgesetzte Erbstatthalter der Niederlande, Wilhelm V. von Oranien, am 24. September 1787 wieder in sein Amt zurückkehren. Sein Glück: Er war mit einer Schwester des Preußen-Königs Friedrich Wilhelm II. verheiratet.

schen Kenntnisse in den Niederlanden erworben. Dies alles gilt nicht nur für die Zeit der Luise Henriette, sondern auch für viele Jahrzehnte danach. Es sei in diesem Zusammenhang auf das im 18. Jahrhundert für niederländische Handwerker erbaute Holländer-Viertel in Potsdam hingewiesen, das gegenwärtig noch Zeugnis von der ehemaligen niederländischen Präsenz in Brandenburg-Preußen ablegt.

Christian Graf Krockow hat in seinen Fahrten durch die Mark Brandenburg noch einmal auf den Einfluss der Luise Henriette hingewiesen. Ihre Arbeit aber erfasste nur die Landschaft, betraf Land und Leute, und die von ihr eingeleiteten Unternehmungen fanden Jahrzehnte nach ihrem Tode noch ihre Fortsetzung. Auf dem Feld der großen Politik dagegen war die Beziehung weit davon entfernt, intensiv genannt werden zu können, ja, sie war eher gegenläufig, vielleicht noch nicht so sehr zur Zeit des Großen Kurfürsten, sicher aber schon zur Regierungszeit des ersten preußischen Königs Friedrich. In den Jahren des Großen Kurfürsten konnten die Niederlande noch gewiss sein, dass da im Osten eine Macht sich anschickte aufzusteigen, die sich angesichts der hegemonialen Bestrebungen des katholischen Ludwig XIV. in protestantischer Solidarität an die Seite der niederländischen Republik scharte. Zu Beginn des 18. Jahrhunderts kühlten die Beziehungen merklich ab, und niederländische Politiker schauten mit einiger Besorgnis in Richtung Osten, nicht nur, weil Preußen beim Utrechter Frieden 1713 das niederländische Obergeldern zugeschlagen erhielt, nachdem es zuvor schon nach dem Tode Wilhelms III. von Oranien 1702 die Grafschaften Lingen und Moers erhalten hatte, sondern weil sich der neue König Friedrich Wilhelm I. ganz vornehmlich auf die Ausbildung einer großen und streng disziplinierten Armee konzentrierte. Die Niederländer fanden einen Namen für ihn, sie nannten ihn König Feldwebel. Man wird dies nicht ohne Ironie feststellen müssen, denn diese neue preußische Armee baute auf der Heeresreform des Moritz von Oranien auf, die wesentlich vermittelt über den (süd-)niederländischen Staatsrechtslehrer Justus Lipsius, den Theoretiker des Absolutismus, ins Land kam. Die Zeit der protestantischen Gemeinsamkeit war jedenfalls endgültig vorbei. Der wachsenden niederländischen Unruhe ob des preußischen Machtzuwachses entsprach eine Art Ausgrenzung der Niederlande aus dem politischen Kalkül der preußischen Könige. Friedrich II. ließ angesichts einer auf Neutralität gerichteten niederländischen Außenpolitik dann auch wissen: „Die Republik war eine Macht zweiten Ranges; von ihrer Wesensart her war sie friedliebend, führte Kriege nur noch zufällig und flößte ihren Feinden ebenso wenig Furcht ein, wie sie bei ihren Freunden Hoffnung erwecken konnte." Dass niederländische Protestanten in dem preußischen König dennoch einen Schutzpatron der protestantischen Sache sahen, lag wohl an einer argen Selbsttäuschung über die Religiosität des Königs, der gut zwei Jahrzehnte nach dem Siebenjährigen Krieg dann auch nicht zögerte, 1787 im niederländischen Bürgerkrieg der Patrioten zugunsten des Hauses Oranien zu intervenieren. Die Parteinahme Frankreichs zugunsten der Patrioten ließ das Recht des kleineren Landes, seine Geschicke im Inneren selbst zu bestimmen, keine Rolle mehr spielen.

Was sich im 18. Jahrhundert schon ankündigte, vollendete sich im nachnapoleonischen 19. Jahrhundert. Der Beobachter sieht sich mit Blick auf das preußisch-niederländische Verhältnis einer völlig veränderten Konstellation gegenüber. Der aufstrebenden Großmacht Preußen standen die nunmehr zur Monarchie umgewandelten, in jeder Beziehung machtlosen Niederlande gegenüber. Der Abstieg der ehemaligen Republik und der Aufstieg Preußens nicht nur zu einer deutschen, sondern auch zu einer europäischen Großmacht vollzog sich zum einen im Zeichen des Ab- und Aufbaus militärischer Potenz, zum anderen aber – und das mag als wichtiger noch apostrophiert werden – im Zuge einer überaus raschen Entwicklung von Technik und Wirtschaft. Und da ist von einem hohen Maß an Ungleichzeitigkeit der Entwicklung in den Niederlanden und dem auf dem Wiener Kongress 1815 durch die Provinzen Rheinland und Westfalen ergänzten Preußen zu sprechen. Gerade in den letztgenannten, den Niederlanden unmittelbar benachbarten preußischen Provinzen schritt die Modernisierung der Wirtschaft, die Industrialisierung, mit großen Schritten voran, und hier war die Phase des Hochkapitalismus schon erreicht, als man sich in den Niederlanden noch um die ersten Fabriken mühte. In einer Zeit, in der zugleich die Abgrenzung der Nationen gegeneinander die außenpolitische

Der Kaiser im Exil. Familienfeier der Hohenzollern in Doorn am 6. Juni 1930. In der Mitte hinten Wilhelm II. mit seiner zweiten Frau Hermine.

Wilhelmina, Königin der Niederlande, gewährte aus alter dynastischer Verbundenheit dem deutschen Kaiser Wilhelm II. nach seiner Abdankung im November 1918 in Doorn Asyl.

Szene mitbestimmte, setzte sich das preußisch-niederländische Machtgefälle auf niederländischer Seite in ein Gefühl der permanenten Bedrohung um, in die Angst, schlicht einmal kassiert zu werden. Das zeigte sich schon in der ersten Hälfte des Jahrhunderts und dann vor allem zur Zeit der Bismarckschen Reichseinigungspolitik, und solche Furcht tauchte auch immer wieder nach dem deutsch-französischen Krieg (1870/71) auf. Das Wissen zum einen um den äußerst geringen politischen Handlungsspielraum, zum anderen um den Rückstand in der Industrialisierung und damit um den Kenntnismangel im Bereich des technischen Know-how und schließlich auch die Abhängigkeit der eigenen Agrarwirtschaft vom Markt des preußisch gelenkten Deutschen Reiches haben Argwohn und Misstrauen lebendig gehalten und das Gebot der strikten Neutralität gegenüber allen europäischen Großmächten notwendig erscheinen lassen. Und es konnte in diesem Zusammenhang auch nicht ausbleiben, dass man Bilder vom preußischen (deutschen) Nachbarn entwarf, die mit Inhalten wie Kadavergehorsam, Untertanengeist, Bürokratismus als Selbstzweck und militaristischem Geist als ein Sammelsurium von Untugenden versehen wurden, wie man andererseits die eigene Nation als eine auf freiheitlichen Grundsätzen beruhende und moralisch höherwertige Einheit hochstilisierte. Wichtig ist, dass diese Art des Denkens auch eine Übertragung von Preußen auf ganz Deutschland und damit alle Deutschen erlaubte.

Dabei waren die Niederlande faktisch zu keinem Zeitpunkt ein Eckpunkt preußisch-deutscher expansionistischer oder selbst nur militärstrategischer Kalkulation. Überlegungen, durch Südlimburg im Falle eines Krieges zu marschieren, wie sie noch im ersten Entwurf des Schlieffen-Plans angestellt wurden, verfielen sofort der Ablehnung. Zuvor hatte Bismarck schon völliges Desinteresse an den Niederlanden bezeugt. Der preußische König und deutsche Kaiser Wilhelm II. bemühte sich freilich um die Niederlande – auf die ihm eigene Art. Er half, gleichsam in alter dynastischer Verbundenheit der Häuser Hohenzollern und Oranien, einen Ehemann für die junge niederländische Königin Wilhelmina zu suchen. Zwar wurde er nicht fündig und handelte die Niederländerin nach eigenem Gusto, aber Wilhelm bewies hier doch in seiner Unaufdringlichkeit durchaus Gespür für die Möglichkeiten politischen Handelns.

Die Niederlande blieben im Ersten Weltkrieg unbehelligt. Sie waren neutral, versuchten, es sich weder mit der Entente noch mit den Mittelmächten zu verderben. Das freilich hielt die Königin nicht davon ab, dem Kaiser nach Ausbruch der Novemberrevolution 1918 Asyl in den Niederlanden zu gewähren. Zuerst weilte er auf Schloss Amerongen, dann – bis zu seinem Tod – in Doorn. Es ist schon ein eigenartiges Phänomen, dass die aus dynastischer Verbundenheit handelnde Königin ihn nach diesem Schritt nicht mehr besuchte, das niederländische Kabinett allerdings in den ersten beiden Jahren alle Auslieferungsanträge der Entente-Regierungen trotz der Drohung eines französischen Einmarschs scharf zurückwies.

Das Haus Doorn als Aufenthaltsstätte mit seinen Ausstellungsstücken aus königlich-kaiserlichem Besitz ist recht eigentlich eher ein trauriges als ein zutreffendes Symbol einer Beziehung, die in ihrer frühen Phase von einer politischen, wirtschaftlichen und kulturellen Führungsrolle der Niederlande ausging, im 19. Jahrhundert freilich im Zuge der Modernisierung vor allem der Wirtschaft und der neuen Machtverteilung in Europa Preußen im Vordergrund sah. Es war eine Zeit auch, in der sich die Niederlande trotz aller Furcht bis 1940 niemals mit preußisch-deutschen Drohungen konfrontiert fanden; im Gegenteil, es ist augenfällig, dass diese Niederlande in all diesen Jahrzehnten für Preußen oder Preußen-Deutschland kaum noch ein Feld außenpolitischen, höchstens das eines dynastischen Interesses waren.

Bollwerk der Demokratie

Preußen in der Weimarer Republik

Im November 1918 erreichte die Revolution Berlin. Überall gab es Demonstrationen und Gegendemonstrationen, die ganze Stadt war in Aufruhr.

Die Revolution begann in Wilhelmshaven. Matrosen der Hochseeflotte weigerten sich am 28. Oktober 1918 für Kaiser und Vaterland einen sinnlosen ‚Heldentod' in den letzten Kriegstagen zu sterben. Aus der Meuterei wurde schnell eine Massenbewegung, die sich über das ganze Reich verbreitete. Überall entstanden Arbeiter- und Soldatenräte und verdrängten die alten Eliten von der Macht. Am 9. November erreichte die revolutionäre Welle Berlin und zwang die politischen Parteien zum Handeln. Vom Balkon des Reichstages rief der Sozialdemokrat Philipp Scheidemann die deutsche Republik aus. Nur zwei Stunden später proklamierte der Kommunist Karl Liebknecht eine freie sozialistische Republik. Der Kaiser floh am 10. November nach Holland und dankte wenig später ab. Das Volk hatte gesiegt, doch was sollte aus Deutschland und was aus Preußen werden?

Die radikalen Kräfte unter den Revolutionären forderten den Aufbau eines Rätestaates nach sowjetischem Vorbild. Dagegen wandte sich die Mehrheit der Sozialdemokraten. Sie setzte zusammen mit den anderen demokratischen Parteien und mit Hilfe des Militärs die Gründung einer parlamentarischen Demokratie durch. Eine verfassungsgebende Nationalversammlung wurde im Januar 1919 gewählt, die jedoch wegen der anhaltenden Unruhen nicht in Berlin, sondern in Weimar tagte. Eines der zentralen Themen der Verfassungsdebatte war die Behandlung Preußens, das wegen seiner Größe und seiner Tradition von vielen als ein Hindernis für den Aufbau eines demokratischen Staates angesehen wurde. Gegen die Zerschlagung des Landes sprachen sich jedoch prominente Sozialdemokraten aus und setzten die Erhaltung Preußens durch, das als Freistaat in das neue Deutschland integriert wurde.

Überraschenderweise erwies sich das demokratische Preußen in den folgenden Jahren als Hort der Stabilität. Während in der Republik die Regierungen immer häufiger wechselten, wurde Preußen – abgesehen von zwei kurzen Unterbrechungen – von 1920 bis 1932 von der so genannten Weimarer Koalition der demokratischen Parteien SPD, Deutsche Demokratische Partei und Zentrum regiert. Die Sozialdemokraten Otto Braun und Carl Severing machten aus dem ehemaligen Königreich ein ‚Bollwerk der Demokratie'. Deren Existenz war von Anfang an bedroht. Der Versailler Friedensvertrag belastete die junge Republik nicht nur mit Gebietsverlusten und hohen Reparationszahlungen. Er war auch Wasser auf die Mühlen der nationalistischen Rechten, die die Demokratie für den „Schmachfrieden" verantwortlich machte. Der so genannte Kapp-Putsch im März 1920 konnte nur durch einen Generalstreik unterdrückt werden. Die wirtschaftliche Lage verschlechterte sich rapide und mündete 1923 in eine dramatische Inflation. Erst nach deren Überwindung setzte eine Phase der wirtschaftlichen Erholung und politischen Stabilisierung ein, die von einer Neuausrichtung der Außenpolitik unter Gustav Stresemann und einem Aufschwung des kulturellen Lebens begleitet war. In Literatur, Theater, Film, Musik und Malerei fand eine zweite Revolution statt, und Berlin war ihr Zentrum.

Für die künstlerische Avantgarde der „Goldenen Zwanziger" war Preußen Vergangenheit und lebte nur noch als Sinnbild für alles Reaktionäre fort. Die radikale Rechte hingegen stilisierte das Preußentum zum Wert an sich. Ihr Hoffnungsträger wurde der ehemalige kaiserliche Generalfeldmarschall Paul von Hindenburg. Der legendäre „Sieger von Tannenberg" besaß in breiten Bevölkerungskreisen große Popularität und verkörperte die preußische Tradition par excellence. Seine Wahl zum Nachfolger des ersten Reichspräsidenten Friedrich Ebert im Jahre 1925 war ein Signal. Damit hatten die alten Kräfte im Herzen der Republik Fuß gefasst. Der Reichspräsident besaß weit reichende Befugnisse, die der ostelbische Junker bedenkenlos nutzte, als die Weimarer Republik im Gefolge der Weltwirtschaftskrise von 1929 ins Straucheln geriet. Die Arbeitslosenzahlen stiegen auf über sechs Millionen und mit ihnen die Unzufriedenheit. Radikale Gruppierungen fanden großen Zulauf, darunter auch eine lange Zeit unbedeutende Partei: die NSDAP. Deren Aufstieg machte auch vor dem Freistaat Preußen nicht Halt. Die Regierung Braun bekämpfte die radikalen Kräfte, konnte jedoch nicht verhindern, dass die NSDAP 1932 zur stärksten Fraktion im preußischen Landtag wurde. Das ‚Bollwerk der Demokratie' war geschwächt. Sein Untergang im Sommer 1932 sollte der Anfang vom Ende der Weimarer Republik sein.

2. Extraausgabe Sonnabend, den 9. November 1918.

Vorwärts

Berliner Volksblatt.

Zentralorgan der sozialdemokratischen Partei Deutschlands.

Der Kaiser hat abgedankt!

Der Reichskanzler hat folgenden Erlaß herausgegeben:

Seine Majestät der Kaiser und König haben sich entschlossen, dem Throne zu entsagen.

Der Reichskanzler bleibt noch so lange im Amte, bis die mit der Abdankung Seiner Majestät, dem Thronverzichte Seiner Kaiserlichen und Königlichen Hoheit des Kronprinzen des Deutschen Reichs und von Preußen und der Einsetzung der Regentschaft verbundenen Fragen geregelt sind. Er beabsichtigt, dem Regenten die Ernennung des Abgeordneten Ebert zum Reichskanzler und die Vorlage eines Gesetzentwurfs wegen der Ausschreibung allgemeiner Wahlen für eine verfassungsgebende deutsche Nationalversammlung vorzuschlagen, der es obliegen würde, die künftige Staatsform des deutschen Volk, einschließlich der Volksteile, die ihren Eintritt in die Reichsgrenzen wünschen sollten, endgültig festzustellen.

Berlin, den 9. November 1918. Der Reichskanzler.
Prinz Max von Baden.

Es wird nicht geschossen!

Der Reichskanzler hat angeordnet, daß seitens des Militärs von der Waffe kein Gebrauch gemacht werde.

Parteigenossen! Arbeiter! Soldaten!

Soeben sind das Alexanderregiment und die vierten Jäger geschlossen zum Volke übergegangen. Der sozialdemokratische Reichstagsabgeordnete Wels u. a. haben zu den Truppen gesprochen. Offiziere haben sich den Soldaten angeschlossen.

Der sozialdemokratische Arbeiter- und Soldatenrat.

Am 9. November 1918 überstürzten sich die Ereignisse: Der Reichskanzler Prinz Max von Baden verkündete die Abdankung Wilhelms II. und der Sozialdemokrat Philipp Scheidemann rief vom Balkon des Reichstagsgebäudes die Deutsche Republik aus.

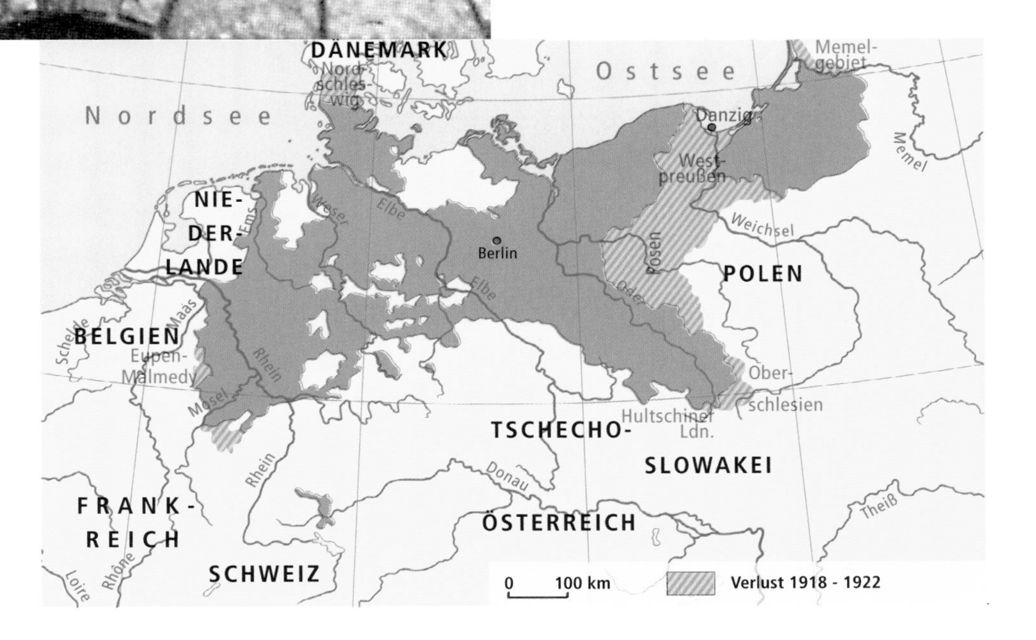

Preußen wurde trotz entsprechender Forderungen nicht zerschlagen, sondern als Freistaat in die Weimarer Republik integriert. Gebietsverluste ergaben sich aus dem Versailler Friedensvertrag. Während große Teile Posens, Westpreußen, Danzig, das Memelgebiet und das Hultschiner Ländchen abgetreten werden mussten und das Saarland unter die Verwaltung des Völkerbundes gestellt wurde, gingen Oberschlesien, Nordschleswig und Eupen-Malmedy erst später nach Abstimmungen verloren.

Die künstlerische Avantgarde der Weimarer Republik stand links. Das Gemälde „Stützen der Gesellschaft", eine Karikatur der alten und neuen Eliten von George Grosz, entstand 1926.

Der Sound der Metropole: Mittelteil des Triptychons „Großstadt" von Otto Dix, das 1927/28 entstand.

Sitzung der Sektion für Dichtkunst an der Preußischen Akademie der Künste in Berlin: Von links nach rechts: Alfred Döblin, Thomas Mann, Ricarda Huch, Bernhard Kellermann, Hermann Stehr, Alfred Mombert, Eduard Stucken. Foto von Erich Salomon aus dem Jahre 1929.

Der Tabubruch hatte Konjunktur in den „wilden Zwanzigern“ und machte auch vor preußischen Heiligtümern nicht Halt. Die Tänzerinnen der „Haller-Revue“ im Berliner Admiralspalast bei einer Darstellung der Quadriga 1926.

Die Revolution des Films fand vor den Toren Berlins, in Babelsberg statt. Dort drehte Fritz Lang 1925/26 in den Studios der Ufa sein Meisterwerk „Metropolis“.

Die Hyper-Inflation von 1923 entwertete die Geldvermögen und stürzte viele in den Ruin. Vor der Reichsbank drängten sich die Menschen, um ihr Erspartes zu retten.

Selbst qualifizierte Arbeitskräfte fanden in der Wirtschaftskrise nach 1929 nur schwer eine Beschäftigung. Die Verzweiflung unter den Arbeitslosen wuchs und damit auch der Wunsch nach einer radikalen Veränderung.

Der Weltkrieg steckte immer noch in den Köpfen der Männer. Der deutschnationale Stahlhelm konnte im Mai 1927 unter dem Banner der alten Reichskriegsflagge Tausende ehemaliger Frontsoldaten zu einem „Heerlager" vor dem Berliner Dom versammeln.

Gustav Stresemann war von 1923 bis 1929 Außenminister. Er führte das nach dem Krieg geächtete Deutschland zurück in den Kreis der Völkerfamilie. Porträtaufnahme aus dem Jahre 1928.

Zwei gegensätzliche Preußen: Der ehemalige Feldmarschall und amtierende Reichspräsident Paul von Hindenburg (links) und der Kölner Oberbürgermeister und Vorsitzende des Preußischen Staatsrates Konrad Adenauer (rechts) im Jahre 1926.

Der Freistaat Preußen war ein Bollwerk der Demokratie. Dafür sorgte die so genannte Weimarer-Koalition (SPD, DDP, Zentrum) unter der Führung des SPD-Politikers Otto Braun (Mitte). Das um 1930 entstandene Foto zeigt ihn zusammen mit dem sozialdemokratischen preußischen Innenminister Carl Severing (links) und dem SPD-Vorsitzenden Otto Wels (rechts).

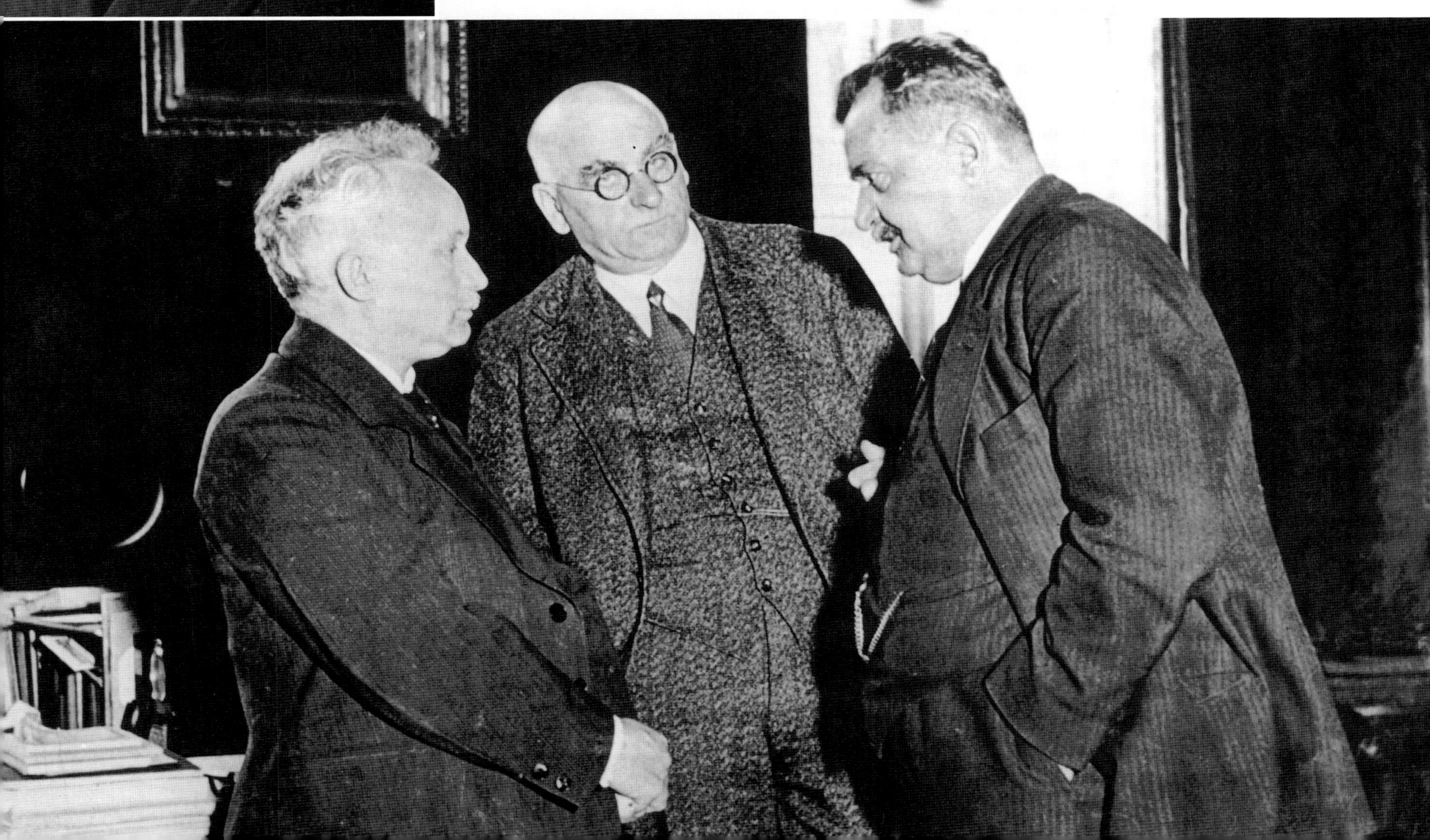

Kurt Tucholskys Buch „Deutschland, Deutschland über alles" von 1929 war eine Kampfansage an die Feinde der Weimarer Republik. Das Titelbild von John Heartfield zeigt den Gegner: den reaktionären Militarismus preußischer Prägung, verbunden mit einem bürgerlichen Nationalismus in kapitalistischer Gestalt.

KARL DIETRICH BRACHER

Preußen und Weimar

Preußen war und ist ein Beispiel für die Schwierigkeit und Vergänglichkeit historischer Urteile. Im Jahre 1847 schließt Leopold von Ranke sein Werk über die „Preußische Geschichte" mit dem geschichtsgewissen Satz: „Nur in Preußen war im Unterschied zu den übrigen deutschen Fürstentümern eine große, zugleich deutsche und europäische Selbstständigkeit gegründet, welche das volle Gefühl der Unabhängigkeit seit Jahrhunderten zum ersten Mal wieder in die Gemüter brachte, durchdrungen von dem Stolze, auch in Bezug auf die Weiterbildung der Welt anderen voranzugehen." Ein bemerkenswertes Fortschritts- und Sendungsbewusstsein – ausgesprochen von dem eher konservativen Historiker –, das auch an westliches und amerikanisches Sendungsbewusstsein erinnert! Genau einhundert Jahre später aber, am 25. Februar 1947, erscheint inmitten eines materiell und politisch zerstörten Deutschland das Alliierte Kontrollratsgesetz Nr. 46, das mit den bekannten Worten beginnt: „Der Staat Preußen, der seit jeher Träger des Militarismus und der Reaktion in Deutschland gewesen ist, hat in Wirklichkeit zu bestehen aufgehört."

Selten in der Geschichte sind Höhepunkte und Verfall eines Staates so eng verflochten, so schwer bestimmbar und so heiß umstritten wie im Fall Preußens. Bei Ranke noch Träger höchster politischer und geistiger Hoffnungen, deutscher wie auch ausdrücklich europäischer, mit einem „auf die Weiterbildung der Welt" gerichteten Stolz, hat diese „größte und eigenartigste politische Schöpfung, die in der Neuzeit auf deutschem Boden entstanden ist" (Carl Hinrichs), ein Jahrhundert später nicht nur zu bestehen aufgehört, wie der Allierte Kontrollrat lakonisch feststellt, sondern ist diesem nur noch als Träger von Militarismus und Reaktion erwähnenswert. Wenig später wiederum cha-

Am 13. März 1919 eröffnete der Abgeordnete Adolf Hoffmann die verfassungsgebende Landesversammlung Preußens.

rakterisiert Friedrich Sieburg gar in seinem zeitkritischen Buch „Die Lust am Untergang" (1954) „die Willfährigkeit, mit der das deutsche Volk oder wenigstens seine gebildeten Schichten sich damals von Preußen getrennt, seine Auflösung gutgeheißen oder gar ignoriert haben", als „eine Art von Geschichtsfeindlichkeit, die zum Wesen des modernen Deutschen gehört".

Mit dem Begriff und der Realität Preußens verbanden sich nach dem Ende des Bismarckreiches die beiden Möglichkeiten deutscher Entwicklung, die gerade dieser bei weitem größte Teilstaat der Weimarer Republik in besonderer Weise symbolisierte: das Preußische galt einerseits, wie vor 1918, weithin als Inbegriff monarchisch-militärischer, autoritäts-staatlicher Werte und Strukturen; aber das republikanische Preußen wurde andererseits dank der dauerhaften Führungsstellung der Weimarer Koalition von SPD, Zentrum und DDP zugleich als eine demokratische Bastion der ersten deutschen Republik betrachtet.

Wie die Weimarer Republik an liberale und soziale Bewegungen vor und nach der Revolution von 1848 anzuknüpfen dachte, so konnte auch der neue demokratische „Freistaat Preußen" beanspruchen, jene starken Elemente eines anderen Preußen zur vollen Entfaltung und Wirksamkeit zu bringen, die schon im Kampf gegen Napoleon und in der Reformzeit hervorgetreten waren. Das Gewicht des bürgerlichen Liberalismus und der Aufstieg einer starken Sozialdemokratie, der ökonomische und industrielle Fortschritt sowie die kulturelle und wissenschaftliche Entwicklung haben diesen Staat seitdem nachhaltig geprägt.

Das Preußen von 1918 hatte nun freilich von Anfang an einen Mehrfrontenkampf zu bestehen. Von drei höchst verschiedenen Seiten wurde die demokratische Neuordnung des preußischen Staates und seine politische Stabilisierung nach der Abdankung der Monarchie, den Wirren der Revolution und den großen Gebietsverlusten des Versailler Vertrags gleichzeitig angefochten und bedroht. Da waren erstens die reaktionären Sachwalter des gestürzten Systems, die den Freistaat Preußen als bloßes Zwischenspiel betrachteten und die Wiedererrichtung der Monarchie betrieben; da waren zweitens die linksradikalen Kräfte, die das Zuwenig der Revolution beklagten und die parlamentarische Demokratie durch eine sozialistische Diktatur zu verdrängen suchten; und da waren drittens jene inneren Strukturprobleme der neuen Republik selbst, die von der ungeklärten Machtspannung zwischen Preußen und dem Reich bis hin zu der Schwäche des demokratischen Parteiensystems und seiner Anfechtung durch radikale Antisystembewegungen von links wie von rechts reichten.

Dieses Mehrfachgesicht Preußens zeigte schon der Verlauf der zwanziger Jahre. An ihrem Anfang stand der Kapp-Putsch vom März 1920, das erste große Ereignis, in dem das Sich-Nicht-Abfinden-Wollen einer militärisch-feudalen Schicht mit Republik und Demokratie blitzartig sichtbar wird – freilich auch sogleich die Stärke und Überzeugungskraft, die anfänglich durchaus noch von der demokratischen Neuordnung ausging: Der Putsch erlag nicht nur den Streiks der Arbeiterschaft, sondern scheiterte auch an der Verweigerung der Beamtenschaft und des liberal-konservativen Bürgertums. Am Ende dieser zwanziger Jahre stand die geistig-kulturelle Bilanz eines fast „goldenen" Zeitalters, in dem Anregungen, Experimente und große Leistungen in verwirrender Fülle sich häuften und einan-

Kapp-Putsch März 1920: Rechtsradikale Truppen besetzen den Potsdamer Platz in Berlin. Ihr Lastwagen und ihre Helme sind mit einem Hakenkreuz gekennzeichnet.

Nach dem niedergeschlagenen Kapp-Putsch wurde der SPD-Politiker Otto Braun (oben) 1920 Ministerpräsident Preußens. Der „rote Zar", der das Land bis 1932 regierte, machte aus Preußen einen demokratischen Freistaat.

Carl Severing war der zweite starke Mann der preußischen SPD. Als preußischer Innenminister demokratisierte er die Verwaltung des Landes und baute eine republiktreue Polizei auf.

der widerstritten, Berlin zu einem Mittelpunkt internationaler Kulturbewegungen wurde und auch die preußischen Akademien und Bildungsinstitutionen der Anerkennung bedeutender Entwicklungen in Kultur und Wissenschaft dienten. Aber das Ende der Dekade fällt auch zusammen mit dem Anbruch der großen Krise, die Wirtschaft und Politik aufs Plötzlichste erfasste und enthüllte, dass die goldenen Jahre eine große Chance im weltstädtischen Berlin, doch auch eine Überforderung selbst der republikanischen Kräfte waren und die allgemeine Wertkrise verstärkten.
Immerhin war es in Preußen rascher und entschiedener als in den meisten anderen deutschen Ländern, zumal in dem revolutions- und reaktionsgeschüttelten Bayern, gelungen, eine parlamentarisch-demokratische Entwicklung zu stabilisieren und zugleich dauerhafte Regierungsverhältnisse zu etablieren. Hierfür boten die Wahlergebnisse in Preußen bis 1932 eine Mehrheitsbasis, wie sie auf Reichsebene nie mehr nach der Nationalversammlung von 1919 existierte. Vor allem gab es in Preußen keine vorzeitigen Parlamentsauflösungen, zwischen 1919 und 1932 amtierten nur vier Landtage; dagegen wurden alle Reichstage, sieben an der Zahl, vorzeitig aufgelöst. Auch der Rückgang der demokratischen Parteien war in Preußen weit weniger empfindlich: Seit 1928 verfügte dort die Weimarer Koalition noch einmal über eine klare absolute Mehrheit. Und am deutlichsten war die Regierungskonstanz: Sieben preußischen Kabinetten standen 21 Reichsregierungen gegenüber, von denen die Mehrzahl überdies Minderheitsregierungen waren.
Vor allem die preußische SPD schließlich zeigte sich durchgängig bereit, die ihr zufallende Regierungsverantwortung auch wahrzunehmen, während sie im Reich, obgleich bis 1932 stärkste Partei, mehrmals die Flucht in die gewohntere Oppositionsrolle antrat: so nach 1920 und 1923, vor allem aber verhängnisvollerweise seit 1930, im Angesicht der großen Krise. Ein so preußisch geprägter Philosoph wie Eduard Spranger konnte geradezu von einer „Affinität der Sozialdemokratie zu dem Preußischen" sprechen, und Otto Braun bekannte stolz: „Preußen ist nie preußischer regiert worden als in meiner Amtszeit." Dass Otto Braun als Ministerpräsident Preußens über zwölf Jahre die klare Führungsverantwortung tragen konnte, wurde freilich auch dadurch begründet, dass er nicht – wie der Reichskanzler – von einem Präsidenten mit autoritären Befugnissen abhing.
Hier zeigte sich die fatale Bedeutung der dualistischen Struktur der Weimarer Reichs-Verfassung, ihr teils parlamentarischer, teils präsidialer Charakter. Während der Reichskanzler zwischen Reichstag und Reichspräsident eingeklemmt war, hat die konsequent parlamentarische Verfassung Preußens für klare Regierungs- und Verantwortungsverhältnisse gesorgt und eine bemerkenswerte Verwaltungsleistung ermöglicht.
So kann man also feststellen, dass trotz des Bruchs von 1918, der für Preußen die größte Umwälzung aller deutschen Länder brachte und es aus der Ära des Dreiklassenwahlrechts plötzlich in die egalitäre Parlaments- und Parteiendemokratie katapultierte, dort die Chancen einer Behauptung und Bewährung der Republik eher besser standen als anderwärts. Freilich: Auch der Gedanke einer Aufteilung Preußens war im Interesse einer gleichmäßigen Reichsreform nicht nur am Beginn der Republik ernsthaft erwogen worden. Und der „Dualismus" zwischen Preußen und Reich – das Nebeneinander von zwei parteipolitisch und in ihrem Verhältnis zur parlamentarischen Demokratie verschiedenen Regierungen in Berlin – verschärfte sich in den Krisenjahren seit 1930 und führte schließlich zum Konflikt. Schon unter dem Zentrumskanzler Heinrich Brüning hielt sich die Reichsregierung auf ihrem Weg in den autoritären Staat als Minderheitsregierung ohne Sozialdemokraten von dem demokratischen Koalitionskurs des preußischen Zentrums distanziert, anstatt die preußische Regierungskontinuität zur Bekämpfung der politischen Krise auf einer viel breiteren Basis auch für die Reichspolitik zu nutzen. Und als Brünings letzte parlamentarisch tolerierte Reichsregierung mittels Hindenburg durch Franz von Papen gestürzt worden war, bildete die schließlich durch Notverordnung erzwungene Gleichschaltung Preußens von rechts im Sommer 1932 zugleich einen Meilenstein im nun raschen Verfallsprozess der Weimarer Demokratie.
Es ist eine tragische Geschichte von Paradoxien, die in den Ereignissen von 1932 und 1933 kulminierte, als fast zuletzt Preußen noch für die Demokra-

tie, das Reich aber bereits für ein autoritäres Regime stand. Denn statt wie befürchtet zum Störfaktor, war Preußen allmählich eher zu einem Rückhalt des „Weimarer Systems" geworden – und dementsprechend von rechts wie von links außen angefeindet. Das zeigt auch die Bekämpfung des anbrandenden politischen Extremismus. Hier ging es um eine Grundfrage der Demokratie, die ja bis heute nichts von ihrer Bedeutung verloren hat. Es war die Frage, wie sich eine freiheitliche Demokratie gegen ihre Feinde verteidigen könne, ohne die Grundrechte und Grundfreiheiten zu verletzen, auf die sich gerade auch die Antidemokraten so emphatisch beriefen. Kommunisten und vor allem Nationalsozialisten haben nie einen Zweifel an ihrer prinzipiellen Gegnerschaft gegen das verfemte „System" gelassen, aber sie haben dies meist mit pseudolegaler Taktik unter Berufung auf die demokratischen Rechte getan. Zahlreiche Legalitätsbeteuerungen von Hitler oder Goebbels zielten mit zynischer Deutlichkeit darauf, eben diese Demokratie mit „demokratischen" Mitteln zu unterminieren, sei es durch Infiltration oder Obstruktion, Demonstration oder Umsturzplanung.

Der Nationalsozialismus selbst aber kam ursprünglich vor allem aus Böhmen, Österreich und Bayern, nicht zuerst aus Preußen; er gelangte dann zunächst auch in Kleinstaaten wie Thüringen (1930) und Braunschweig (1931) in die Regierung. Die preußische Regierung und auch ein guter Teil ihrer Verwaltung taten lange Zeit mehr als das Reich und die meisten deutschen Länderregierungen, um der vom Anfang der Republik an bestehenden Gefahr der Unterwanderung von Staat und Gesellschaft zu begegnen. Gewiss: Auch die Parteien der Weimarer Koalition in Preußen hatten kein einheitliches Konzept einer stabileren „Demokratisierung". Es ging ihnen im Wesentlichen um die Sicherung des parlamentarischen Systems der Staatsordnung. Aber darin waren sie durchaus erfolgreich, bis die große Krise und der autoritäre Eingriff von außen sie verdrängte.

Der populäre Hauptvorwurf an die Republik von Weimar, ihre allzu häufigen Regierungswechsel störten und zerstörten den Staat, konnte also noch am wenigsten auf Preußen zutreffen. Denn dort war seit der Abwehr des Kapp-Putsches 1920 mit dem sozialdemokratischen Ministerpräsidenten Otto Braun, seinem langjährigen Innenminister Carl

Die Landtagswahl vom 24. April 1932 war der Anfang vom Ende des demokratischen Preußen. Während die NSDAP einen enormen Stimmenzuwachs verzeichnen konnte, verlor die von der SPD geführte Regierung Braun die Mehrheit. Das Foto zeigt den Reichspräsidenten Hindenburg beim Verlassen des Wahllokals.

Severing und einer Reihe namhafter Minister aus der Zentrumspartei und der liberalen Deutschen Demokratischen Partei eine Regierungskonstellation gefunden, die sich tatsächlich als Bollwerk der Weimarer Koalition überhaupt, also des tragenden Regierungsbundes der demokratischen Parteien von 1918/19 behauptete. Dabei spielten auch die Fraktionsvorsitzenden Ernst Heilmann (SPD) und Otto Hess (Zentrum) eine wichtige Rolle. Heilmann haben die Nationalsozialisten nach jahrelanger Haft 1940 im KZ Buchenwald umgebracht.

Die Weimarer Koalition hielt länger als in den anderen Ländern und konnte nach Verlust der Mehrheit letztendlich erst durch eine ungerechtfertigte Notverordnung Hindenburg-Papens am 20. Juli 1932 den autoritär-antidemokratischen Entwicklungen im Reich gleichgeschaltet und ausgeliefert werden. Braun und Severing wichen nur der Gewalt, wie sie ausdrücklich betonten. Widerstand konnten sie freilich in wirksamer Form nach den Landtagswahlen vom April 1932, die nun auch in Preußen die Demokraten in die Minderheit einer geschäftsführenden Regierung gebracht hatten, nicht leisten.

Ein kurzes Intermezzo mit Folgen: Der Monarchist Franz von Papen wurde im Juni 1932 Reichskanzler. Mit dem so genannten Preußenschlag vom 20. Juli 1932 leitete er den Untergang des demokratischen Preußens und der Weimarer Republik ein.

Der starke Mann hinter Papen war General Kurt von Schleicher. Er drängte den Reichspräsidenten Hindenburg zu einer reaktionären Politik. Im Dezember 1932 wurde er für 57 Tage der letzte Reichskanzler vor Hitler.

Doch suchte – nach ihrer gewaltsamen Absetzung – die preußische Regierung durch eine Klage vor dem Staatsgerichtshof ihren Anspruch aufrechtzuerhalten, bis dann nach der endgültigen NS-Machtergreifung im Zuge der allgemeinen Gleichschaltung der Länder mit dem Reich Hitler und Göring die geschwächte preußische Festung im Februar 1933 definitiv zu nehmen vermochten, wobei ihnen besonders der Westfalen-Preuße von Papen, nun als Vizekanzler Hitlers, und der Ostpreuße Hindenburg, der 86-jährig und immer wieder überschätzt dem Übergang zur deutschen Diktatur präsidierte, noch ein letztes Mal Hilfestellung leisteten. Und ebenso ließ sich nun auch die „preußisch-deutsche" Reichswehr trotz ihrer betonten Eigenrolle im Staate über die Tragweite einer totalitären Umformung des Staates eher bereitwillig täuschen und zum Mitmachen verführen, sofern nur das Hitlerregime dem Eigeninteresse der Generalität nach Stärkung und Monopol ihrer militärischen Ansprüche Genüge tat.

Schon das rasche Zurückweichen der preußischen Regierung am 20. Juli 1932 war gewiss durch die militärische Aussichtslosigkeit eines bewaffneten Widerstands wie auch die Problematik von Streikaktionen der ohnehin geschwächten Gewerkschaften auf dem Höhepunkt von Weltwirtschaftskrise und Massenarbeitslosigkeit bedingt. Aber unter dem fatalen Eindruck der Resignation und Kapitulation dieses Tages sind die Stabilität und die Leistung des republikanischen Preußen vor der Zerstörung der Weimarer Demokratie durch die NS-Machtergreifung fast überall unterschätzt oder verkannt worden. Dass es allein gegen Preußen eines solchen nur notdürftig legalisierten Gewaltaktes bedurfte, um den Weg zur Beseitigung der Demokratie im Reich endgültig freizumachen, ist jedenfalls ein Beweis für die hohe Einschätzung der Stärke und Bedeutung jenes „republikanischen Bollwerks" Preußen – auch als es schon entscheidend geschwächt war.

377

Reichsgesetzblatt

Teil I

1932	Ausgegeben zu Berlin, den 20. Juli 1932	Nr. 48

Inhalt: Verordnung des Reichspräsidenten, betreffend die Wiederherstellung der öffentlichen Sicherheit und Ordnung im Gebiet des Landes Preußen. Vom 20. Juli 1932 .... S. 377
Verordnung des Reichspräsidenten, betreffend die Wiederherstellung der öffentlichen Sicherheit und Ordnung in Groß-Berlin und Provinz Brandenburg. Vom 20. Juli 1932 .... S. 377

Verordnung des Reichspräsidenten, betreffend die Wiederherstellung der öffentlichen Sicherheit und Ordnung im Gebiet des Landes Preußen. Vom 20. Juli 1932.

Auf Grund des Artikels 48 Abs. 1 und 2 der Reichsverfassung verordne ich zur Wiederherstellung der öffentlichen Sicherheit und Ordnung im Gebiet des Landes Preußen folgendes:

§ 1

Für die Geltungsdauer dieser Verordnung wird der Reichskanzler zum Reichskommissar für das Land Preußen bestellt. Er ist in dieser Eigenschaft ermächtigt, die Mitglieder des Preußischen Staatsministeriums ihres Amtes zu entheben. Er ist weiter ermächtigt, selbst die Dienstgeschäfte des Preußischen Ministerpräsidenten zu übernehmen und andere Personen als Kommissare des Reichs mit der Führung der Preußischen Ministerien zu betrauen.

Dem Reichskanzler stehen alle Befugnisse des Preußischen Ministerpräsidenten, den von ihm mit der Führung der Preußischen Ministerien betrauten Personen innerhalb ihres Geschäftsbereichs alle Befugnisse der Preußischen Staatsminister zu. Der Reichskanzler und die von ihm mit der Führung der Preußischen Ministerien betrauten Personen üben die Befugnisse des Preußischen Staatsministeriums aus.

§ 2

Diese Verordnung tritt mit dem Tage ihrer Verkündung in Kraft.

Neudeck und Berlin, den 20. Juli 1932.

Der Reichspräsident
von Hindenburg

Der Reichskanzler
von Papen

Verordnung des Reichspräsidenten, betreffend die Wiederherstellung der öffentlichen Sicherheit und Ordnung in Groß-Berlin und Provinz Brandenburg. Vom 20. Juli 1932.

Auf Grund des Artikels 48 Abs. 2 der Reichsverfassung verordne ich zur Wiederherstellung der öffentlichen Sicherheit und Ordnung in Groß-Berlin und Provinz Brandenburg folgendes:

§ 1

Die Artikel 114, 115, 117, 118, 123, 124 und 153 der Verfassung des Deutschen Reiches werden bis auf weiteres außer Kraft gesetzt. Es sind daher Beschränkungen der persönlichen Freiheit, des Rechts der freien Meinungsäußerung einschließlich der Pressefreiheit, des Vereins- und Versammlungsrechts, Eingriffe in das Brief-, Post-, Telegraphen- und Fernsprechgeheimnis, Anordnungen von Haussuchungen und von Beschlagnahmen sowie Beschränkungen des Eigentums auch außerhalb der sonst hierfür bestimmten gesetzlichen Grenzen zulässig.

§ 2

Mit der Bekanntmachung dieser Verordnung geht die vollziehende Gewalt auf den Reichswehrminister über, der sie auf Militärbefehlshaber übertragen kann.

Zur Durchführung der zur Wiederherstellung der öffentlichen Sicherheit erforderlichen Maßnahmen wird dem Inhaber der vollziehenden Gewalt die gesamte Schutzpolizei des bezeichneten Gebiets unmittelbar unterstellt.

§ 3

Wer den im Interesse der öffentlichen Sicherheit erlassenen Anordnungen des Reichswehrministers oder des Militärbefehlshabers zuwiderhandelt oder zu solcher Zuwiderhandlung auffordert oder anreizt, wird, sofern nicht die bestehenden Gesetze eine höhere Strafe bestimmen, mit Gefängnis oder Geldstrafe bis zu 15 000 Reichsmark bestraft.

Reichsgesetzbl. 1932 I   104

Das Ende des demokratischen Preußen. Mit der Notverordnung zur „Wiederherstellung der öffentlichen Sicherheit und Ordnung im Gebiet des Landes Preußen" vom 20. Juli 1932 wurde die geschäftsführende Regierung Braun ihres Amtes enthoben und Franz von Papen als Reichskommissar in Preußen eingesetzt.

MARION GRÄFIN DÖNHOFF

Preußen und der 20. Juli

Noch immer fragen sich Beobachter, wie war es möglich, dass so viele Deutsche auf Hitler hereingefallen sind, obgleich Deutschland doch lange Zeit das intellektuelle Laboratorium Europas war: Karl Marx, Sigmund Freud, Albert Einstein, diese drei Männer deutscher Sprache waren es ja, die die Welt verändert haben.

Man muss sich einmal die Situation vergegenwärtigen, die Hilter vorfand, als er die politische Bühne betrat: Der Krieg war verloren, die Sieger hatten dem Land unerträgliche, niederdrückende Reparationen auferlegt, um die Deutschen daran zu hindern, wieder eine Rolle zu spielen. Allumfassend war die Not und groß die Ratlosigkeit. Niemand wusste, wie es weitergehen sollte. Hoffnung hatte keiner, weder die Regierung noch die Parteien und schon gar nicht die Bürger.

Da taucht plötzlich ein Mann auf, der Rettung verspricht und sich als Verkörperung Preußens und seiner Werte vorstellt. Er hatte sich nicht anstecken lassen von der allgemeinen Katastrophenstimmung, sondern prophezeite rasche Besserung; seine sofort einsetzende Tatkraft sowie seine religiös camouflierte Zuversicht ließen seine Prophezeiungen glaubhaft erscheinen. Er wurde als Retter akzeptiert.

Als Hindenburg Hitler zum Kanzler ernannte, schwor dieser: „Ich werde meine Kraft für das Wohl des Volkes einsetzen, die Verfassung und die Gesetze des Reiches wahren, die mir obliegenden Pflichten gewissenhaft erfüllen ..." Das war am 30. Januar 1933. Am 8. Februar 1933 erließ er eine Verordnung, die ein Ver-

Hitler stellte sich anfangs als Sachwalter des preußisch-deutschen Konservatismus dar. Demonstrativ hofierte er dessen Gallionsfigur, den preußischen Adeligen und Reichspräsidenten Paul von Hindenburg.

sammlungs- und Presseverbot ermöglichte. Am 28. Februar, einen Tag nach dem Reichstagsbrand, folgte ein Erlass, mit dessen Hilfe Grundrechte außer Kraft gesetzt und der Bereich der Todesstrafe ausgeweitet werden konnte (4 000 kommunistische Funktionäre wurden sofort verhaftet). Am 24. März folgte das Ermächtigungsgesetz, das die Diktatur legalisierte. Goebbels erklärte noch im selben Monat: „Heute sind wir die Herren Deutschlands, und an dieser Tatsache wird sich auch nichts mehr ändern."

Dass sich daran nichts änderte, das lag an der Kombination von Erfolg und Terror. Erfolge wurden laut verkündet, die Erwähnung von Schandtaten oder auch nur von Kritik wurden mit äußerster Härte verfolgt. Ein katholischer Geistlicher wurde hingerichtet, weil er einen Widerständler, der bei ihm gebeichtet hatte, nicht angezeigt hat. Ein aus dem KZ Entlassener, der über seine Erfahrung sprach, wurde sofort wieder eingeliefert. Im ersten Jahr der Hitler-Herrschaft gab es bereits 30 Konzentrationslager.

Ein anderer Vorwurf an die Deutschen lautet: Warum habt ihr erst, als der Krieg verloren war, an Widerstand gedacht? Das aber war keineswegs so. Die ersten konkreten Pläne im Jahr 1938 waren ja gerade darauf gerichtet, den Krieg zu verhindern.

Der Chef des Generalstabs, Ludwig Beck, hatte im Sommer 1938, als Hitler den

Hitler verstand es, aus der Not der Menschen Kapital zu schlagen. Als die Arbeitslosigkeit zu Beginn der 30er Jahre desaströse Ausmaße annahm, stilisierte er sich zum Retter des deutschen Volkes. Wahlplakat der NSDAP von 1932.

Überfall auf die Tschechoslowakei vorbereitete, versucht, die Generäle zu einem gemeinsamen Schritt zu bewegen und notfalls geschlossen zurückzutreten: „Ihr soldatischer Gehorsam hat dort eine Grenze, wo Ihr Gewissen und Ihre Verantwortung die Ausführung eines Befehls verbietet." Als er nichts erreichte, nahm er im August seinen Abschied mit der Erklärung, er könne die gefährliche Kriegspolitik Hitlers nicht länger verantwortlich mittragen. Ein Chef des Generalstabs, der aus Protest gegen die Regierung zurücktritt, das hatte es noch nicht gegeben.

Auch ein Versuch von Staatssekretär Ernst von Weizsäcker und Oberst Hans Oster von der Abwehr, den englischen Außenminister zu veranlassen, Hitler klarzumachen, dass ein Krieg mit der Tschechoslowakei auch Krieg mit England bedeute, waren vergebens.

Eine solche Aussage der Engländer wäre für den Widerstand von entscheidender Wichtigkeit gewesen, weil angesichts der täglich gerühmten Erfolge der Gedanke an einen Staatsstreich undurchführbar erschien. Genau dies war also die wichtigste Voraussetzung für den Widerstand: bei zu frühem Handeln hätte ein Staatsstreich keine Unterstützung im Volk gefunden, und zu langes Warten musste zu bedingungsloser Kapitulation führen.

Wer jene Hitler-Jahre nicht erlebt hat, vermag nicht, sich die Schwierigkeiten vorzustellen, unter denen der Widerstand des 20. Juli operieren musste: Jahrelang auf der schmalen Bahn zwischen Tod und Leben agierend, keine Möglichkeit, ein Netz von oppositionellen Gruppen aufzubauen, weil das oberste Gebot „absolute Verschwiegenheit" nur erlaubte, einzelne kleinste Zellen miteinander zu verbinden; und diese mussten überdies Schlüsselstellungen der Macht darstellen, denn nur Hitler zu töten, ohne ein System der Machtübernahme bereitzuhalten, hätte zum Chaos geführt – jeder Gauleiter hätte den Bürgerkrieg auslösen können.

Erst die Katastrophe von Stalingrad im Winter 1942/43 schien geeignet, einen Stimmungsumschwung zu bewirken.

Die Herrschaft Hitlers begann mit der Verfolgung seiner politischen Gegner. Wer nicht in den Untergrund ging oder fliehen konnte, wurde inhaftiert. Das Foto vom August 1933 zeigt politische Häftlinge im KZ Oranienburg beim Appell. Von links: Ernst Heilmann, Vorsitzender der preußischen Landtagsfraktion der SPD, Friedrich Ebert jun., Sohn des ersten Reichspräsidenten, ein Führer des sozialdemokratischen Reichsbanners, der Rundfunkreporter Alfred Braun, Ministerialrat Giesecke, Rechtsanwalt Magnus und der Intendant der Rundfunkstunde, Dr. Flesch.

Claus Schenk Graf von Stauffenberg war einer der führenden Köpfe des Widerstandes. Er war es, der am 20. Juli 1944 in seiner Aktentasche eine Bombe in Hitlers Hauptquartier, die „Wolfsschanze" schmuggelte. Hitler entkam dem Attentat nur durch einen Zufall. Stauffenberg wurde noch am selben Tag hingerichtet.

Aber nun begann eine lange Kette von Fehlschlägen: Eine Bombe im Hitler-Flugzeug, sie war fünfmal ausprobiert, zündete beim sechsten Mal nicht; ein minutiös vorbereitetes Attentat bei einer Vorführung neuer militärischer Ausrüstung gelangte nicht zur Ausführung, weil kurz zuvor, am 22.11.43, alle Ausrüstungsgegenstände durch einen Bombenangriff vernichtet wurden. Immer wieder wurden Hitlers Auftritte verändert: er blieb nur zehn Minuten anstatt zwei Stunden, die angesagt waren. Oder er benutzte eine andere Route als vorgesehen. Über ein Dutzend solcher generalstabsmäßig vorbereiteten Attentate wurden durch „die Vorsehung" vereitelt. Dass es sich am 20. Juli nicht um einen sozialen, sondern um einen moralischen Aufstand handelte, wird deutlich, wenn man die Liste der Hingerichteten betrachtet.

Hingerichtet wurden 21 Generäle, 33 Obristen und Oberleutnants, zwei Botschafter, sieben Diplomaten, ein Minister, drei Staatssekretäre, der Chef der Reichskriminalpolizei, mehrere Oberpräsidenten, Polizeipräsidenten und Regierungspräsidenten.

Sie alle waren bereit, ihr Leben zu opfern. Und was war das Ziel, das diese so verschiedenen Menschen, zu denen auch Gewerkschaftsführer und kirchliche Würdenträger gehörten, was war das Ziel, das sie alle vereinte?

Ich hatte 1945, gleich nach Kriegsende, einen Bericht, ein „In Memoriam" für die Hinterbliebenen geschrieben, weil ich meinte, dass bei der strengen Geheimhaltung, die im Kreise der Verschwörer geübt wurde, in einigen Familien vielleicht nicht bekannt sei, was ihre immer wieder als Verräter beschimpften Angehörigen wirklich getan haben. Die Schrift – sie war die erste, die in deutscher Sprache zum Thema 20. Juli erschien – wurde damals in 300 Exemplaren als Privatdruck gedruckt. Ein Exemplar tauchte nach einigen Jahren wieder auf und wurde von der Forschungsgemeinschaft 20. Juli noch einmal vervielfältigt.

Ich möchte daraus zitieren, weil dieser Bericht noch ganz aus dem unmittelbaren, persönlichen Erleben geschrieben ist.

„Die unerbittliche Forderung jener Männer war: Die geistige Wandlung des Menschen, die Absage an den Materialismus und die Überwindung des Nihilismus als Lebensform. Der Mensch sollte wieder hineingestellt werden in eine Welt christlicher Ordnung, die im Metaphysischen ihre Wurzeln hat; er sollte wieder atmen können in der ganzen Weite des Raumes, die zwischen

Die „Wolfsschanze", Hitlers Hauptquartier in Ostpreußen, nach dem Bombenattentat vom 20. Juli 1944. Hermann Göring (in heller Uniform) und Martin Bormann (rechts neben ihm) besichtigen den zerstörten Kartenraum.

Himmel und Erde liegt; er sollte befreit werden von der Enge einer Welt, die sich selbst verabsolutiert, weil Blut, Rasse und das Kausalitätsgesetz ihre letzten Weisheiten waren."
Und weiter: „Die geistigen Führer jener Bewegung, von der hier die Rede ist, hatten diese neue Lebensform gefunden – es war keine Philosophie, es war ein anderes Sein, als das 20. Jahrhundert es kannte, und dieses Sein, diese Lebensform, schaffte sich ihren Ausdruck. Ihr entsprach die Zielsetzung auf allen Gebieten, auch auf denen des praktischen Lebens. Dies wird erst deutlich werden, wenn einmal die Zeugnisse dieser Haltung und Denkungsart vorliegen, die das Ergebnis einer jahrelangen Arbeitsgemeinschaft waren und in denen die Gedanken über den Staat, den Aufbau der Verwaltung, die Jugenderziehung, die Wirtschaft zusammengefasst sind. Europäisches Denken und christliches Sein, das waren wohl die beiden wesentlichen Grundzüge und Voraussetzungen, auf denen sich alles aufbaute. Erst die Preußen vom 20. Juli hatten wieder ein europäisches Bewusstsein. In allen ihren Aussagen und Schriften kommt zum Ausdruck, dass sie den Nationalstaat für überholt hielten und dass es in der Nach-Hitler-Zeit darum gehen müsse, gemeinsam Europa zu entwickeln.
Man kann kaum von Grundsätzen oder Prinzipien sprechen, weil dies vielmehr, jenseits von bewusster Forderung, selbstverständliche Haltung und Lebensauffassung war. Man hatte kein Programm im Sinne einer Parteidoktrin, weil man gelernt hatte, dass es kein Rezept zum Regieren gibt und kein System, das zur bürgerlichen Vollkommenheit führt."
Soweit der Bericht „In Memoriam".
Der Alliierte Kontrollrat hatte im Februar 1947 die Auflösung des Preußischen Staates verfügt – der aber existierte schon lange nicht mehr; aber der preußische Geist, der sich mit bürokratischen Verordnungen nicht bannen lässt, der war am 20. Juli 1944 noch einmal in Erscheinung getreten.
Die Alliierten, die der Meinung waren, Preußen sei von jeher ein Hort des Militarismus und der Reaktion gewesen, hatten das durch Hitler pervertierte Preußentum für das Original gehalten. Sie wussten nicht, dass sich in der nächsten Umgebung von Hitler, also unter den Spitzenfunktionären, kein einziger Preuße befand, aber 70 Prozent der im Widerstand Umgekommenen aus Preußen stammten. Sie sind offenbar auf den österreichischen Schwindler ebenso hereingefallen wie viele Deutsche.

Der Sozialdemokrat Julius Leber gehörte zum Widerstandskreis um Carl Friedrich Goerdeler und pflegte enge Kontakte zu Stauffenberg. Er sollte nach dem Sturz Hitlers Reichskanzler werden. Leber wurde vom Volksgerichtshof zum Tode verurteilt und am 5. Januar 1945 hingerichtet.

„Zum Gedenken an den 20. Juli 1944. An dieser Stelle wurden Claus Graf von Stauffenberg, Ludwig Beck, Friedrich Olbricht, Albrecht Mertz von Quirnheim, Werner von Haeften begraben. Dann wurden ihre Leichen an einen unbekannten Ort gebracht." Der Gedenkstein befindet sich auf dem Friedhof der St. Matthäi-Gemeinde in Berlin-Schöneberg.

Preußens Ende

Vom „Preußenschlag" zum Kontrollratsgesetz

Hitler bemächtigte sich der preußischen Tradition, nachdem monarchistisch-konservative Kreise ihm den Weg zur Macht geebnet hatten. Die antifaschistische Karikatur aus dem Jahre 1933 zeigt den Nationalsozialismus in der Maske Friedrichs des Großen.

Nach der Reichstagswahl vom September 1930, die den Nationalsozialisten erhebliche Stimmengewinne brachte, versuchten national-konservative Kräfte, in Preußen eine Neuwahl des Landtages zu erzwingen. Das von ihnen initiierte Volksbegehren scheiterte zwar im Sommer 1931, doch der Druck auf die SPD-geführte Regierung wuchs von Tag zu Tag. Der preußische Ministerpräsident Otto Braun entwickelte angesichts der instabilen Lage einen Notstandsplan, der im Endeffekt das Aufgehen Preußens im Reich bedeutet hätte: preußische und Reichsministerien sollten zusammengelegt werden und der preußische Ministerpräsident als Vizekanzler in die Reichsregierung eintreten. Reichskanzler Heinrich Brüning lehnte diesen Vorstoß jedoch ab. Als dann bei den Landtagswahlen im April 1932 die NSDAP zur stärksten Fraktion wurde, aber aus eigener Kraft keine Regierung bilden konnte, blieb das Kabinett Braun zwar zunächst als geschäftsführende Regierung im Amt, konnte aber keine politischen Initiativen mehr starten.
Die Lage im Reich änderte sich dramatisch, als der westfälische Preuße Franz von Papen am 1. Juni 1932 von Hindenburg zum Reichskanzler ernannt wurde. Sein Ziel war eine Regierung der „nationalen Sammlung" unter Einschluss der NSDAP. Das demokratische Preußen stand dabei im Wege und musste beseitigt werden. Das geschah durch den „Preußenschlag" am 20. Juli. An diesem Tag setzte Reichspräsident Hindenburg per Notverordnung die Regierung Braun ab und Franz von Papen als Reichskommissar ein. Die Antwort der Demokraten auf diesen Staatsstreich war schwach. Man klagte vor dem Staatsgerichtshof,

Der „Tag von Potsdam": Am 21. März 1933 demonstrierten Hitler und Hindenburg den Schulterschluss von Preußentum und Nationalsozialismus.

war aber nicht bereit, einen Generalstreik auszurufen oder die republiktreue Schutzpolizei zu aktivieren, da die Gefahr eines Bürgerkrieges bestand. Die „republikanische Festung Preußen" ergab sich kampflos den Feinden der Demokratie.
Papen ebnete auf diese und andere Weise den Nationalsozialisten den Weg zur Macht. Als Hindenburg Hitler am 30. Januar 1933 zum Reichskanzler ernannte, ernannte dieser sogleich Hermann Göring zum preußischen Innenminister. Damit kontrollierten die Nationalsozialisten die stärkste Polizei des Landes und setzten sie skrupellos bei der Verfolgung ihrer politischen Gegner in den nächsten Monaten ein. Nach den von Terror begleiteten Landtagswahlen am 5. März wurde Göring preußischer Ministerpräsident und begann mit der schrittweisen Integration des preußischen Staatsapparates in das nationalsozialistische Herrschaftssystem. Dieser schleichenden Auflösung Preußens stand seine mythologische Überhöhung durch die NS-Propaganda gegenüber. Hitler köderte die preußisch geprägten konservativen Eliten des Reiches, indem er das nationalsozialistische „Dritte Reich" als Vollendung der preußisch-deutschen Geschichte darstellte. Erster Höhepunkt dieser Kampagne war der von Goebbels inszenierte Staatsakt zur Eröffnung des Reichstages am 21. März 1933 in der Potsdamer Garnisonskirche. Über dem Grab Friedrichs des Großen reichten sich der „Führer" des „neuen Deutschland", Adolf Hitler, und der Statthalter des „alten Preußen", Paul von Hindenburg, die Hand.

Hitlers Preußenpropaganda bewirkte nicht nur bei der konservativen Elite und weiten Teilen der Bevölkerung eine Identifizierung des Nationalsozialismus mit Preußen, sondern auch bei den Gegnern der NS-Politik. Spätestens seit Kriegsbeginn sah man im Ausland die nationalsozialistische Eroberungspolitik als direkte Fortsetzung des preußischen Militarismus. Winston Churchill galt Preußen gar als die „Wurzel allen Übels". Daran änderte auch die Tatsache nichts, dass an dem Attentat auf Hitler vom 20. Juli 1944 eine Gruppe preußischer Offiziere maßgeblich beteiligt war, die sich auf eine ganz andere, freiheitliche und tolerante Tradition Preußens beriefen. Der Untergang des nationalsozialistischen Deutschland riss auch Preußen mit in die Tiefe. Die Auflösung des Staates Preußen, der als „Träger des Militarismus und der Reaktion in Deutschland" gebrandmarkt wurde, war schon bei Kriegsende beschlossene Sache. Auf der Potsdamer Konferenz im Sommer 1945 einigten sich die USA, Großbritannien und die Sowjetunion auf die Aufteilung Deutschlands und damit Preußens in vier Besatzungszonen. Die preußischen Gebiete jenseits von Oder und Neiße wurden unter polnische und sowjetische Verwaltung gestellt. Das alliierte Kontrollratsgesetz Nr. 46 vom 25. Februar 1947 brachte die faktische Auflösung des Staates Preußen dann in eine rechtliche Form.

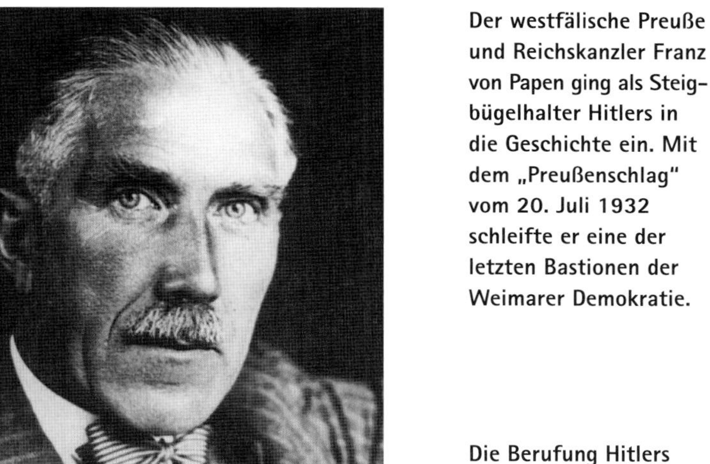

Der westfälische Preuße und Reichskanzler Franz von Papen ging als Steigbügelhalter Hitlers in die Geschichte ein. Mit dem „Preußenschlag" vom 20. Juli 1932 schleifte er eine der letzten Bastionen der Weimarer Demokratie.

Die Berufung Hitlers zum Reichskanzler am 30. Januar 1933 feierten die Nationalsozialisten mit einem Fackelzug durch das Brandenburger Tor, einem der Symbole preußischer Tradition.

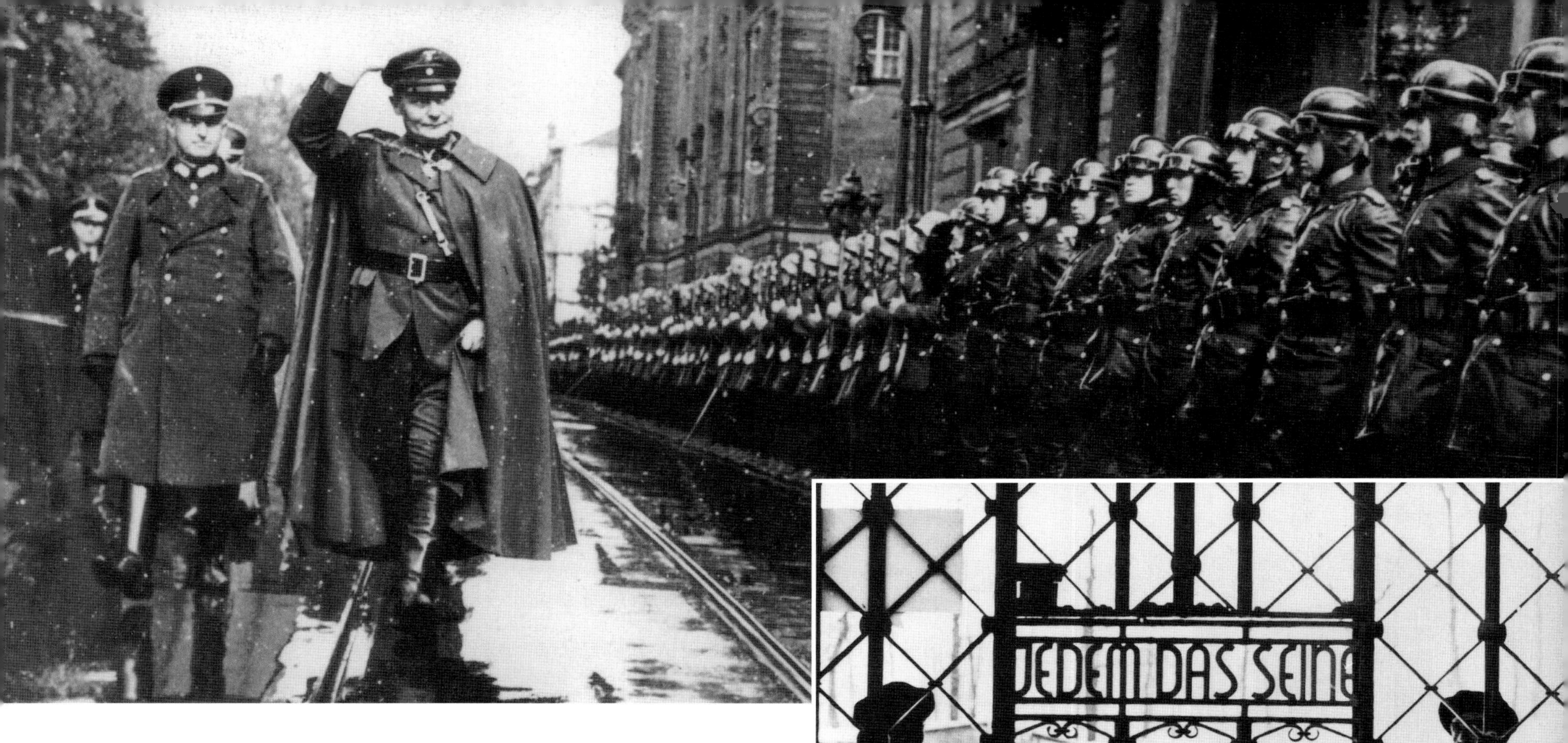

Die Politik der NSDAP setzte von Anfang an auf Gewalt. Um die Abgeordneten vor der Abstimmung über ein preußisches Ermächtigungsgesetz einzuschüchtern, ließ der preußische Ministerpräsident Hermann Göring (rechts) Schutzpolizei und Reichswehr am 18. Mai 1933 vor dem Landtagsgebäude aufmarschieren.

Unten: Der Zweite Weltkrieg begann im Osten: Deutsche Soldaten überschritten am 1. September 1939 die polnische Grenze. Die zuvor zwischen Hitler und Stalin beschlossene Teilung Polens folgte der Tradition preußisch-russischer Beziehungen.

Der Nationalsozialismus pervertierte die preußische Tradition. Auf dem Eingangstor des KZ Buchenwald verhöhnte der Wahlspruch Preußens „Jedem das Seine" die Opfer der Diktatur. Das Foto entstand im April 1945 nach der Befreiung des Lagers durch amerikanische Truppen.

Stalingrad brachte die Wende im Zweiten Weltkrieg. Die Niederlage Deutschlands war nun abzusehen. Das Foto zeigt deutsche Soldaten auf dem Weg in die Gefangenschaft.

Im Verlaufe des Krieges wurden immer mehr preußische Offiziere zu Gegnern Hitlers. Viele von ihnen bezahlten ihren Widerstand mit dem Leben. Das Foto zeigt Graf Yorck von Wartenburg vor dem Volksgerichtshof. Der Urenkel des berühmten preußischen Generals der Freiheitskriege wurde nach dem gescheiterten Attentat vom 20. Juli 1944 hingerichtet.

Oben: Am Ende des Krieges stand der Verlust der preußischen Ostgebiete. Im Winter 1944/45 setzten die Flüchtlingstrecks in Richtung Westen ein.

Mitte: Der Krieg hinterließ ein zerstörtes Berlin. Der Reichstag war nur noch eine ausgebrannte Ruine.

Die Menschen, die nach Kriegsende in die Hauptstadt zurückkehrten, fanden eine Trümmerlandschaft vor.

Die Potsdamer Konferenz besiegelte das Schicksal Preußens: Der englische Premierminister Attlee, US-Präsident Truman und Marschall Stalin (von links, sitzend) stellten Königsberg und die Nordhälfte Ostpreußens unter sowjetische und den Rest des preußischen Ostens bis zur Oder-Neiße-Linie unter polnische Verwaltung.

— 81 —

LOI N° 46

Portant liquidation de l'État de Prusse

L'État de Prusse qui a été depuis les temps anciens le berceau du militarisme et de la réaction en Allemagne a, en fait, cessé d'exister.

Guidé par les intérêts du maintien de la Paix et de la sécurité des peuples, et désireux d'assurer la reconstruction ultérieure de la vie politique de l'Allemagne sur une base démocratique, le Conseil de Contrôle édicte ce qui suit:

ARTICLE I

L'État de Prusse ainsi que son Gouvernement central et tous ses organismes sont abolis.

ARTICLE II

Les territoires qui faisaient partie de l'État de Prusse et qui se trouvent actuellement sous l'Autorité suprême du Conseil de Contrôle, recevront le statut des Länder ou seront intégrés dans des Länder.

Les prescriptions du présent article sont sujettes à telle révision ou à telles autres dispositions que l'Autorité Alliée de Contrôle déciderait ou qui seraient stipulées par la future constitution de l'Allemagne.

ARTICLE III

Les attributions gouvernementales et administratives ainsi que les avoirs et obligations de l'ancien État de Prusse seront dévolus aux Länder intéressés, sous réserve des accords qui pourraient s'avérer nécessaires et seraient conclus par l'Autorité Alliée de Contrôle.

ARTICLE IV

La présente loi entrera en vigueur à compter de la date de sa signature.

Fait à Berlin, le 25 février 1947.

P. KOENIG
Général d'Armée

V. SOKOLOVSKY
Maréchal de l'Union Soviétique

LUCIUS D. CLAY
Lieutenant Général
pour JOSEPH T. McNARNEY
Général

B. H. ROBERTSON
Lieutenant Général
pour SHOLTO DOUGLAS
Maréchal de la Royal Air Force

— 81 —

GESETZ Nr. 46

Auflösung des Staates Preußen

Der Staat Preußen, der seit jeher Träger des Militarismus und der Reaktion in Deutschland gewesen ist, hat in Wirklichkeit zu bestehen aufgehört. Geleitet von dem Interesse an der Aufrechterhaltung des Friedens und der Sicherheit der Völker und erfüllt von dem Wunsche, die weitere Wiederherstellung des politischen Lebens in Deutschland auf demokratischer Grundlage zu sichern, erläßt der Kontrollrat das folgende Gesetz:

ARTIKEL I

Der Staat Preußen, seine Zentralregierung und alle nachgeordneten Behörden werden hiermit aufgelöst.

ARTIKEL II

Die Gebiete, die ein Teil des Staates Preußen waren und die gegenwärtig der Oberhoheit des Kontrollrats unterstehen, sollen die Rechtsstellung von Ländern erhalten oder Ländern einverleibt werden.

Die Bestimmungen dieses Artikels unterliegen jeder Abänderung und anderen Anordnungen, welche die Alliierte Kontrollbehörde verfügen oder die zukünftige Verfassung Deutschlands festsetzen sollte.

ARTIKEL III

Staats- und Verwaltungsfunktionen sowie Vermögen und Verbindlichkeiten des früheren Staates Preußen sollen auf die beteiligten Länder übertragen werden, vorbehaltlich etwaiger Abkommen, die sich als notwendig herausstellen sollten und von der Alliierten Kontrollbehörde getroffen werden.

ARTIKEL IV

Dieses Gesetz tritt mit dem Tage seiner Unterzeichnung in Kraft.

Ausgefertigt in Berlin, den 25. Februar 1947.

(Die in den drei offiziellen Sprachen abgefaßten Originaltexte dieses Gesetzes sind von *P. Koenig*, General der Armee, *V. Sokolowsky*, Marschall der Sowjetunion, *Lucius D. Clay*, Generalleutnant, und *B. H. Robertson*, Generalleutnant, unterzeichnet.)

Amtsblatt des Alliierten Kontrollrats in Deutschland vom 25. Februar 1947.

Die nach dem Ersten Weltkrieg noch verbliebenen preußischen Ostgebiete jenseits von Oder und Neiße kamen nach dem Zweiten Weltkrieg unter polnische bzw. sowjetische Verwaltung. Der Rest Preußens wurde auf die vier Besatzungszonen verteilt.

DÄNEMARK
Kopenhagen
Malmö
Ostsee
UdSSR
Nordsee
Königsberg
unter sowj. Verw.
unter poln. Verwaltung
Memel
Schleswig
Stralsund
Kiel
Lübeck
Danzig
Bremerh.
Hamburg
Stettin
Thorn
Bromberg
am.
Bremen
Weser
Elbe
sowj.
unter
Weichsel
Amsterdam
NIE-
DER-
LANDE
Den Haag
Hannover
Berlin
(Viersektor Stadt)
brit.
Magdeburg
Posen
Warschau
POLEN
Besatzungszone
Neiße
Oder
poln.
Kalisch
Brüssel
Halle
Köln
Kassel
Leipzig
Breslau
Lublin
Schelde
Maas
Aachen
Besatzungszone
Dresden
Verwaltung
Erfurt
BELGIEN
Rhein
Frankfurt
Krakau
Prag
Mosel
Mainz
Teschen
Reimes
amerik.
Nürnberg
TSCHECHO-
SLOWAKEI
Metz
franz.
Saargebiet
Mannheim
Regensburg
Stuttgart
Nancy
Donau
Besatzungszone
Straßburg
Augsburg
Linz
Wien
Preßburg
Theiß
FRANK-
REICH
Besatzungszone
Mülhausen
München
Salzburg
Besancon
Freiburg
ÖSTERREICH
Loire
Rhône
SCHWEIZ
Innsbruck
0 100 km
Grenzen Preußens 1922

PHILIPP VON BISMARCK

Vertreibung – Verzicht – Aussöhnung

„Die Vertriebenen". Das Bild des jüdischen Malers Felix Nussbaum entstand 1941, drei Jahre vor seiner Ermordung in Auschwitz. Es zeigt die Opfer der nationalsozialistischen Vertreibungspolitik, die mit der Machtübernahme 1933 einsetzte und im Krieg zur Deportation und Ermordung von Millionen Menschen führte.

Was konnten und können diese drei historisch schwer belasteten Worte für mich als einen 1913 in Hinterpommern geborenen Preußen bedeuten? Zu welchen Fragestellungen führten sie ihn von 1933 bis 1945 im Widerstand gegen Adolf Hitler? Zu welchem Denken und Handeln führten ihn die sehr besonderen eigenen Erlebnisse im Verlauf der Vertreibung aus seiner pommerschen Heimat? Welchen Rahmen setzte ihm, einem für zwanzig Jahre in die Parlamente Deutschlands und Europas gewählten Abgeordneten, die preußische Herkunft beim Nachdenken über die nach der Hitler-Katastrophe gebotenen Zukunftsziele für Deutschland und Europa?

Ein preußisches Verhalten wesentlich bestimmendes „Hauptwort" war im 18. und 19. Jahrhundert „Dienen" geworden. Ebenso bedeutsam war aber auch das Wort „Wahrheit". Wahrheit erkennen und aussprechen. Aussprechen auch dann, wenn sie nicht gerne gehört wird.

Weniger oft herausgestellt, aber preußisches Verhalten fundamentierend war der christliche Glaube. Der preußische König Friedrich Wilhelm I. formulierte dies einmal mit den folgenden Worten:

„Ich habe einen Sekundanten, der besser ist als Frankreich und England. Unser Herrgott, der lebt auch noch; der hat Preußen groß gemacht; der wird's nicht fallen lassen. Ich verlasse mich auf meinen unüberwindlichen großen Alliierten."

„Vertreibung": Vertreibung war ein Jahrzehnt lang wesentliches politisches Ziel der beiden großen Verbrecher Adolf Hitler und Stalin! Sie raubten über 15 Millionen Deutschen und auch vielen Millionen Polen ihre angestammte Heimat. Über zwei Millionen Deutsche, vor allem Alte, Frauen und Kinder, verloren durch die von Stalin seinen Armeen anbefohlenen Verbrechen ihr Leben.

Vier Jahrzehnte lang wurden dann keine die Staatsgrenzen Deutschlands und Polens endgültig verändernde, völkerrechtlich bindende Entscheidungen getroffen. Die Hoffnung, trotz der seit der Vertreibung vergangenen Jahrzehnte einmal wieder in die angeborene Heimat zurückkehren zu dürfen, blieb daher in vielen heimatvertriebenen Herzen und Köpfen bis zum „2 + 4"-Vertragsabschluss lebendig.

„Verzicht": Die deutschen Vertriebenen verzichteten mit ihrer 1950 formulierten „Charta der Heimatvertriebenen", indem sie sich zu der ihnen gegenüber Gott und den Menschen anvertrauten Verantwortung bekannten, auf Rache und Ver-

Mit dem Siegeszug der Roten Armee begannen Flucht und Vertreibung aus dem Osten. Auf dem Foto aus dem Jahre 1945 sind deutsche Flüchtlinge zu sehen, die ein ostpreußisches Dorf durchqueren.

Willy Brandts Kniefall vor dem Denkmal des Warschauer Gettoaufstandes am 7. Dezember 1970 brachte die moralische Dimension des am selben Tag geschlossenen Warschauer Vertrags zum Ausdruck.

geltung. Sie erfüllten damit die preußische Überzeugung, dass die christlichen Gebote auch für Zielsetzung und Verhalten in der Politik als verbindlich anzusehen seien.
Verzicht aber auch auf die angestammte Heimat? Die Charta der Heimatvertriebenen sagt dazu:
„Wir fühlen uns berufen zu verlangen, dass das Recht auf die Heimat als eines der von Gott geschenkten Grundrechte der Menschheit anerkannt und verwirklicht wird."
Am Schluss fügt sie den bedeutsamen Satz bei: „Die Völker sollen handeln, wie es ihren christlichen Pflichten und ihrem Gewissen entspricht."
„Aussöhnung": Dieses dritte schwerwiegende Wort ist mit preußischer Nüchternheit und mit preußischer Christlichkeit verbunden. Unsere preußischen Lagebeurteilungen zu diesem Thema wesentlich mitbestimmenden Erfahrungen haben uns erkennen lassen, dass man zu beiderseitigem Überwinden langzeitlicher Volksfeindschaften am ehesten durch Herbeiführen und Fundamentierung persönlicher Freundschaften kommen kann. Nur Aussöhnung kann wesentliche Konflikte dauerhaft aus der Welt schaffen. Um sich auf den dahin führenden, oft natürlich auch schwierigen Wegen nicht entmutigen zu lassen, hat sich ein kurzer, preußische Erfahrungen formulierender Spruch bewährt: „Lass dir durch Missgeschick den Weg nicht weisen, dem „Dennoch" folge nach, das bricht dir Eisen."
Zwei von Vertriebenen aufgebaute Institute, die 1988 eröffnete Ostsee-Akademie in Lübeck-Travemünde und die seit 1995 auf polnischem Staatsgebiet in Hinterpommern wirksam gewordene Europäische Akademie Külz-Kulice, haben diesem Erfahrungsspruch folgend der Aussöhnung mit den Völkern Mittel- und Osteuropas bereits weit wirkende Dienste leisten können.
So kann dort heute über die zur Rechtfertigung der Vertreibung der Deutschen relativ lange aufrechterhaltene polnische Fehldarstellung, die „Vertreibungsgebiete seien altes polnisches Staatsgebiet", gesprochen werden.
Ebenso kann jetzt über den im Ausland allgemein zu wenig bekannt gewordenen Widerstand in Deutschland gegen Adolf Hitlers verbrecherische Allmacht glaubwürdig berichtet werden. Es kann darüber gesprochen werden, dass es vor allem auch in preußischer Tradition aufgewachsene Offiziere waren, die sich in zahlreichen Gruppierungen, ihrem Gewissen folgend und ihr Leben riskierend, bemüht haben, Adolf Hitler das Leben zu nehmen, um damit Millionen unschuldiger Menschen vor dem Tode zu bewahren. Auch die Weitergabe dieser Wahrheit kann zu dauerhaft verbreiteter Aussöhnung beitragen. Und schließlich: Wer verlässliche Fundamente politischer Zukunft sichern will, muss die Wahrheiten der Vergangenheit zur Kenntnis nehmen, um positive, aber auch negative Erfahrungen zu realistischer Lagebeurteilung auswerten zu können.
Was lehrt uns nun dazu im Blick auf die uns Deutschen zugefallene besondere Mitverantwortung für die eingeleitete Friedenszukunft Europas die vergangene Geschichte Preußens?
Sie lehrt uns vor allem, dass wir alle – jeder von uns – dieser Zukunft in historisch neuem Ausmaß persönlich dienstverpflichtet worden sind.
Sie lehrt uns ebenso, dass wir dies den Bürgern Deutschlands wie Europas bewusst zu machen haben.
Und der Rückblick auf Preußens Geschichte lehrt uns auch, dass uns der Vollzug dieser Aufgaben Freude und immer neuen Mut machen kann, so dass wir an unserem Lebensende dankbar darauf zurückblicken werden, dass wir Preußen bleiben durften.

HELGE HANSEN

Bundeswehr und preußische Traditionen

Konrad Adenauer besucht 1956 eine der ersten Kompanien der Bundeswehr. Nur zehn Jahre nach Ende des Zweiten Weltkrieges war der Aufbau einer eigenen Armee in Westdeutschland heftig umstritten.

Traditionspflege sollte stets darauf gerichtet sein, durch die Auswahl entsprechender Beispiele aus der Geschichte heute gültige Wertmaßstäbe und Verhaltensnormen zu verdeutlichen und damit deren Vermittlung zu erleichtern. Dies kann sowohl durch die Herausstellung von historischen Ereignissen wie auch durch die besondere Würdigung historischer Persönlichkeiten geschehen. Aus dieser generellen Zielsetzung ergibt sich zweierlei: Traditionspflege wird immer ein Auswahlprozess sein müssen, und Maßstab für die Auswahl sind heute und in der vorhersehbaren Zukunft gültige Wertvorstellungen. Dies bedeutet nicht zwangsläufig, dass durch diesen Auswahlprozess nicht berücksichtigte Ereignisse oder Personen historisch unbedeutend, erinnerungsunwürdig oder aus der Darstellung unserer Geschichte zu tilgen sind. Nur, sie mögen eben nicht der Vermittlung heute gültiger Wertmaßstäbe dienen, im äußersten Falle diesen sogar grundlegend entgegenstehen! In diesem Sinne stand die Traditionspflege in der Bundeswehr von Beginn an vor der nicht leichten Aufgabe, aus unserer Geschichte – und damit auch der preußischen – Ereignisse und Personen auszuwählen, um durch deren besondere Würdigung – in welcher Form auch immer – die grundlegenden Bezugspunkte unserer Streitkräfte beispielhaft zu verdeutlichen: „Der Bundesrepublik Deutschland treu zu dienen und das Recht und die Freiheit des deutschen Volkes tapfer zu verteidigen." Diese Eidesformel der Soldaten der Bundeswehr ist Maßstab für die Traditionsauswahl unserer Streitkräfte, wie er sich aus den Erfahrungen unserer jüngsten Vergangenheit ergeben hat. Der umfassende Missbrauch bester soldatischer Tugenden – wie Tapferkeit, Treue, Gehorsam, Disziplin, Loyalität und vieler anderer mehr – machte es zwingend erforderlich, diese unbedingt bewahrenswerten und für das Funktionieren einer Armee unabdingbaren Tugenden nicht wertneutral zu tradieren, sondern künftig in einen klaren Bezug zu unserem Grundgesetz, das heißt zur Wahrung von Freiheit, Recht und Menschenwürde zu stellen. Diese Aufgabe war auch deswegen nicht einfach, weil die Bundeswehr einerseits als künftige Armee eines Rechtsstaates – mit dem Abstand von zehn Jahren – in der Traditionspflege eine bewusste Diskontinuität zur Wehrmacht des Dritten Reiches herzustellen hatte, zum anderen aber der Aufbau der Bundeswehr maßgeblich durch Soldaten aller Dienstgrade der ehemaligen Wehrmacht und damit in doppelter Hinsicht unmittelbar Betroffener zu erfolgen hatte. Infolgedessen standen bei der Suche geeigneter historischer Beispiele natürlicherweise solche im Vordergrund, die den unmittelbaren Bezug zum Verfassungsauftrag der Streitkräfte, zum Soldatengesetz und zu den sich aus diesen Grundlagen ergebenden ethischen Normen und soldatischen Verhaltensweisen herzustellen besonders geeignet waren. Aus dieser Festlegung ergab sich folgerichtig, dass zwar keine Epoche deutscher Geschichte bei der Traditionssichtung von vornherein ausgenommen wurde, jedoch das Angebot geeigneter Beispiele verständlicherweise begrenzt bleiben musste, und zwar sowohl was die Auswahl geeigneter Persönlichkeiten als auch die historischer Ereignisinhalte betrifft. Vor diesem Hintergrund boten sich bei der Betrachtung der preußisch-deutschen Geschichte die preußischen Reformen zwischen 1807 und 1815 ganz besonders als historischer Traditionsbezug für die Bundeswehr an. Dies galt für die durch den Reichsfreiherrn vom und zum Stein und den Freiherrn von Hardenberg eingeleiteten Staatsreformen in Preußen, in deren Mittelpunkt die

Die 1807 begonnene Heeresreform war Teil einer grundlegenden Modernisierung des preußischen Staates. Hermann von Boyen war einer der führenden Köpfe unter den reformfreudigen Militärs.

Gerhard von Scharnhorst war die treibende Kraft der preußischen Heeresreformen. Er fiel 1813 im Krieg gegen das napoleonische Frankreich.

Verbindung von Staat und Volk sowie die rechtliche Verankerung des Bürgers standen, ebenso für die von Wilhelm von Humboldt betriebene Bildungsreform mit dem Ziel, den geistig unabhängigen, selbstständig denkenden und damit mündigen Bürger heranzubilden. In besonderem Maße aber boten sich die Heeresreformen an, die unter anderem von dem Grundsatz ausgingen „Alle Bewohner des Staates sind geborene Verteidiger desselben [...]"[1]
Die bedeutendsten Träger dieser Reformen waren die Generäle von Scharnhorst, Graf von Gneisenau, von Boyen, von Grolmann und von Clausewitz. Die wesentlichsten Inhalte ihres Reformansatzes – die Einführung der Allgemeinen Wehrpflicht, die Aufstellung einer Landwehr als Grundlage einer Landesverteidigung, die Reform der Militärstrafen, die Offizierauswahl nach Leistung und Begabung – um nur die wichtigsten zu nennen, standen indirekt Pate bei der konzeptionellen Gestaltung der Bundeswehr und finden noch heute ihren sichtbaren Ausdruck in der Allgemeinen Wehrpflicht, im Leitbild des Staatsbürgers in Uniform sowie in der Konzeption der inneren Führung als Grundlage einer zeitgemäßen militärischen Menschenführung in unserem freiheitlich-demokratischen Rechtsstaat. Sowohl die Reformer als Persönlichkeiten wie auch die Ziele ihres Reformansatzes sind wegen ihres unmittelbaren Bezuges zu den verfassten Grundlagen der Bundeswehr zentraler, ja konstitutiver Bestandteil heutiger Traditionspflege und damit ein direkter Beitrag Preußens zum Selbstverständnis unserer Streitkräfte. Daran ändert ebenso wenig die Tatsache etwas, dass die Mehrheit der Genannten von Hause aus nicht „Preußen" waren, wie auch die, dass ihr Reformansatz im Zuge der nach 1815 einsetzenden Restauration zunächst wieder weitgehend zunichte gemacht wurde. Einen ebenso zentralen Platz in der Traditionspflege der Bundeswehr hat der Widerstand gegen das nationalsozialistische Regime und hier insbesondere das Handeln der am militärischen Widerstand beteiligten Soldaten gefunden. Der eklatante Missbrauch militärischen Gehorsams, traditionell begründet im Eid auf das Staatsoberhaupt, durch das nationalsozialistische Regime machte es erforderlich, künftig die Grenzen des militärischen Gehorsams im Soldatengesetz der Bundeswehr rechtlich verbindlich zu verankern. Die Gehorsamspflicht hat für den Soldaten der Bundeswehr dort seine Grenzen, wo Vergehen oder Verbrechen die Folge von unrechtmäßigen Befehlen sind. Im Zweifelsfalle hat der Soldat eine Gewissensentscheidung zu treffen! Es liegt auf der Hand, dass zur Verdeutlichung und damit auch zum Verständnis der Problematik einer solchen Gewissensprüfung das Beispiel der Soldaten des 20. Juli 1944 herausragt. Nimmt man einmal den engeren Kreis der handelnden Soldaten, der nach dem 20. Juli 1944 entweder durch das Regime Hingerichteten oder aber zum Selbstmord Gezwungenen, zum Maßstab, so ergibt sich die Tatsache, dass eine große Zahl der betroffenen Offiziere entweder brandenburg-preußischer oder aber Familien preußischer Provinzen entstammte. Der geistig-moralische Kopf dieser Gruppe, Generalmajor Henning von Tresckow, hatte darüber hinaus seine militärische Heimat und damit auch seine militärisch-sittliche Prägung in einem der ältesten und renommiertesten Regimenter Preußens erfahren, dem „1. Garderegiment zu Fuß", dem späteren Infanterieregiment 9 der Reichswehr. Sowohl durch familiäre wie durch militärische Prägung war Henning von Tresckow „Preuße". Er bezog sein Handeln aus der in ihm lebenden Auffassung vom „wahren Preußentum", dargelegt in seiner Ansprache anlässlich der Konfirmation seiner Söhne, 1943: „Vom wahren Preußentum ist der Begriff der Freiheit niemals zu trennen. Wahres Preußentum heißt Synthese zwischen Bindung und Freiheit [...] zwischen Stolz auf das Eigene und Verständnis für Anderes, zwischen Härte und Mitleid. Ohne diese Verbindung läuft es Gefahr, zu seelenlosem Kommiss und engherziger Rechthaberei herabzusinken." [2] Dieses so verstandene Preußentum aber war es, das Hitlers Widerwillen gegen [...] „das substanziell Preußische"... begründete, nämlich [...] „die ältere preußische Mentalität der Rechtlichkeit und des Festhaltens an Kontinuitäten"...! [3] Vor diesem Hintergrund ist es kein Zufall, dass die drei Väter der Inneren Führung,

„Großen Generalstabs" im Zuge der Schaffung des preußischen Kriegsministeriums 1809. In historischer Gesamtsicht ist die militärische Bedeutung dieses Elementes einer reformierten Führungsstruktur der preußischen Armee überragend, wie die folgenden Feldzüge Preußens zeigen sollten, doch von ebenso großem Gewicht war die in der Folgezeit damit Hand in Hand gehende bewusste Heranbildung einer militärischen Führungselite in der preußischen Armee. Damit eng verbunden war eine charakterliche wie geistige Führungskultur, deren Grundzüge bis in unsere Zeit reichen und die ihre Nachahmung in den Streitkräften aller größeren Streitkräfte Europas und darüber hinaus gefunden hat. Um nicht missverstanden zu werden: Es geht in diesem Zusammenhang nicht um die vorbehaltlose Glorifizierung eines militärischen Führungselementes und seiner Repräsentanten, sei es im Königreich Preußen, sei es in „Preußen-Deutschland", das in seiner Geschichte Höhen und Tiefen hinsichtlich seines Einflusses auf die Geschicke des Staates, ja das Schicksal Europas über die vergangenen 150 Jahre gesehen hat. Vielmehr geht es zunächst um die Würdigung einer militärischen Führungsstruktur und damit der geistigen Führungskonzeption der Bundeswehr, in deren Zentrum das Leitbild des Staatsbürgers in Uniform steht, die zum Teil familiär, zumindest aber von ihrer militärischen Prägung her „Preußen" waren: die Generäle Graf von Baudissin, de Maizière und Graf von Kielmannsegg. Ihr reformerischer Ansatz beim Aufbau der Bundeswehr, zehn Jahre nach dem militärischen wie staatlichen Zusammenbruch des Deutschen Reiches 1945 und vor dem Hintergrund des weit verbreiteten Missbrauchs bester preußischer Traditionen durch den Nationalsozialismus, steht durchaus in der Kontinuität der preußischen Heeresreformen nach 1806/7. Baudissin gehörte dem Regiment von Tresckows an, dem Infanterieregiment 9 in Potsdam! Die Würdigung der Offiziere des Widerstandes gegen Hitler führt jedoch noch zu einer weiteren preußischen Schöpfung aus der Zeit der Heeresreformen, namentlich zu Scharnhorst, und damit zum Aufbau zunächst des „Truppengeneralstabes" und in der Folgezeit des

Carl von Clausewitz war der Stratege und Denker unter den preußischen Heeresreformern. In seinem Buch „Vom Kriege" definierte er den Krieg als Fortsetzung der Politik mit anderen Mitteln.

Henning von Tresckow, Generalstabsoffizier im Zweiten Weltkrieg, sah in Hitler den „Erzfeind Deutschlands und der Welt". Nach dem Scheitern des von ihm mit vorbereiteten Attentats vom 20. Juli 1944 nahm er sich das Leben.

verbunden einer militärischen Führungskultur, die an sich weder Gutes noch Böses bewirkt hat, sondern in Abhängigkeit von den im Geschichtsablauf politisch wie militärisch verantwortlich Handelnden auch hervorragende Persönlichkeiten und militärische Führungsprinzipien hervorgebracht hat, für die sie beispielgebend stehen, Prinzipien, die auch heute in unseren wie in alliierten Streitkräften uneingeschränkte Gültigkeit besitzen. Im Sinne einer bewussten, auf den eingangs für unsere Streitkräfte gesetzten Maßstab bezogenen Auswahl, sind es daher einzelne herausragende Repräsentanten des preußisch-deutschen Generalstabes, die als Persönlichkeiten für tradierungswürdige Inhalte stehen.

Die führenden Generäle des Ersten Weltkriegs, Paul von Hindenburg und Erich Ludendorff, ignorierten den Primat der Politik und stürzten 1917 den Reichskanzler Bethmann Hollweg.

Neben Scharnhorst, dem „spiritus rector" der preußischen Heeresreformen und maßgeblichen Schöpfer des preußischen Generalstabes, nimmt nach dessen frühem Tod Gneisenau, sein Nachfolger, als Chef des preußischen Generalstabs in den Befreiungskriegen eine beispielgebende Bedeutung ein. Nicht nur war er der Typ des „geistvollen, willensstarken und zielbewussten Berater(s)", er hatte ebenso „klare und fest begründete politische Anschauungen. Der Krieg war für (ihn) nur im Rahmen der Gesamtpolitik denkbar, nicht als Selbstzweck". Darüber hinaus hat Gneisenau nicht nur „strategische wie militärpolitische Grundgedanken" [4] entwickelt, sondern die Prinzipien operativer Führung der preußischen Armee nachhaltig beeinflusst, Prinzipien, die in ihrem Wesensgehalt auch heute noch Gültigkeit besitzen. Clausewitz, der jüngste der preußischen Reformer und in seiner Universalität als Generalstabsoffizier und militärischer Philosoph aus diesem Kreis herausragend, hat durch sein Werk „Vom Kriege" praktische militärische Führungskunst mit militärischer Philosophie verbunden und in seinem Werk Maßstäbe militärpolitisch-strategischen Denkens gesetzt, die nicht nur bis heute, sondern gerade heute wieder eine Renaissance in nahezu allen Bereichen militärischen Handelns in den Streitkräften der Allianz feiert! Wilhelm von Schramm sagt in seiner Clausewitz-Biographie: „Vor allem aber stellt dieses klassische Werk der unterscheidenden Rangordnung aller Faktoren im Krieg ein für allemal den Vorrang der Politik fest und definiert den Krieg als politischen Akt. [...] Clausewitz hat nicht ein Handbuch der Kriegführung geschrieben, sondern eine Phänomenologie des Konflikts „großer Interessen, der sich blutig löst." [...] „Er wird es dann immer zwangsläufig, wenn die Politik versagt hat." [5] Mit dieser „Rangordnung" hat Clausewitz das Prinzip des Primates der „Politik" gegenüber dem Militärischen etabliert, ein Prinzip, das heute zu den verfassten Grundlagen unserer Streitkräfte gehört und damit auch zu ihrem Selbstverständnis. Sie war auch Handlungsgrundlage für Generaloberst Beck bis zu dem Zeitpunkt, da der politisch Verantwortliche, Hitler, den Boden von Recht und Gesetz verlassen und damit seinerseits die Grenze militärischen Gehorsams gegenüber

einer politischen Führung gezogen hatte!
Helmuth von Moltke, 1858 zum Chef des preußischen Generalstabes ernannt, kann wohl zu Recht als der Schöpfer eines Generalstabes im Sinne einer „militärwissenschaftlichen Planungsstelle", [6] wie auch der Heranbildung eines militärischen Führungskorps als einer militärischen Führungselite gelten. Walter Görlitz sagt in seinem Buch „Der Deutsche Generalstab": „Der Moltkesche Generalstab wurde eine Gemeinschaft von Offizieren, die Charakter mit nüchternem Tatsachensinn, größter Exaktheit in der Arbeitsmethode, sorgfältiger Kalkulation, Kenntnis des technischen Fortschritts und strenger Moral wie äußerster Zurückhaltung verbanden." [7]
Es soll hier nicht verschwiegen werden, dass dieser Typus des streng auf das rein Militärische begrenzten Fachmannes später zu einem folgeschweren Maß an Distanz gegenüber einer demokratisch legitimierten Reichsregierung und in der Folgezeit zu missverstandener Loyalität gegenüber einem zunehmend totalitären Regime geführt hat.
Die von Moltke entwickelte Methode der „direktiven Befehlsführung" [8] in der Führung militärischer Großverbände ist bis zum heutigen Tage, besser bekannt unter dem Begriff „Auftragstaktik", Grundprinzip deutscher militärischer Führung und wird ebenso von unseren Bündnispartnern angestrebt. Sie setzte allerdings eine stete und gründliche Schulung des Führerkorps voraus, um ein hohes Maß an einheitlichem operativen Denken bei Erhalt geistiger Unabhängigkeit zu erzielen.
Sosehr Moltke auf dem Anspruch alleiniger militärischer Zuständigkeit in Fragen militärischer Führung gegenüber Bismarck bestand, so akzeptierte er letztlich, dass „all dies Planen des Generalstabes der zügelnden und lenkenden Hand eines Staatsmannes, der ihm Richtung wies und gleichzeitig seine Grenzen zeigte" bedurfte. (...) „Aber die Konstellation des großen Staatsmannes und des großen Strategen barg etwas Einmaliges. Sie sollte niemals in der deutschen Geschichte wiederkehren." [9]
Und schließlich soll Generaloberst Ludwig Beck als Traditionsträger preußischer Prägung genannt werden. „Mit Beck wurde noch einmal ein Mann an die Spitze des Generalstabes gestellt, der von der Geistesart des älteren Moltke war, nur dass er unter vollkommen anders gearteten Umständen handeln musste." [10] Oberste Prämisse seines strategischen Denkens war die Theorie, dass im Zeitalter einer zunehmend weltweit verbundenen Wirtschaft jeder Konflikt zwangsläufig zu einem Koalitionskrieg führen müsse, mit der Folge, dass selbst ein auf die Vermeidung eines Zweifrontenkrieges gerichtetes präventives Vorgehen gegen nur einen Nachbarn zwangsläufig zu einem Zweifrontenkrieg führen müsse. Dessen Folgen aber hatte Beck als Teilnehmer am Ersten Weltkrieg persönlich erlebt. Folgerichtig war seine Forderung an die politische Führung die Vermeidung auswärtiger Verwicklungen, eine Forderung, die der politisch-ideologischen Zielsetzung Hitlerscher Außenpolitk diametral entgegenstand und zwangsläufig in die Konfrontation führen musste. Seine Auffassung fand 1938 ihren sichtbaren Ausdruck in einer Denkschrift. Angesichts Hitlers Entschluss, die Tschechoslowakei anzugreifen, war es Becks Absicht, „für das deutsche Volk wie die Weltöffentlichkeit das Alarmsignal zu geben" [11]. In seinem Brief an den Oberbefehlshaber des Heeres, Generaloberst von Brauchitsch, in dem er diesen seine Denkschrift mit dem Ziel eines kollektiven Schrittes der Heeresgeneralität gegenüber Hitler veranlassen wollte, gipfelt seine Auffassung in den Worten: „Die Geschichte wird die höchsten Führer der Wehrmacht mit einer Blutschuld belasten, wenn sie nicht nach ihrem fachlichen und staatspolitischen Wissen und Gewissen handeln. Ihr soldatischer Gehorsam hat dort eine Grenze, wo ihr Wissen, Gewissen und ihre Verantwortung die Ausführung eines Befehls verbieten." [12] Diese Auffassung Becks zu den Grenzen militärischen Gehorsams ist – unausgesprochen – Entscheidungs- und Handlungsgrundlage vieler der Offiziere, insbesondere Generalstabsoffiziere gewesen, die die Mehrheit der am 20. Juli 1944 Handelnden darstellten. Der preußisch-deutsche Generalstab hat in seiner Geschichte höchste Höhen internationaler Anerkennung wie tiefste Tiefen internationaler Verurteilung erfahren. Nur wurde und wird dabei allzu leicht übersehen, dass nicht die Institution als solche oder der Dienst in ihr an sich Gutes oder Schlechtes bewirkt hat, sondern stets das Handeln oder Nichthandeln der im Geschichtsablauf politisch wie militärisch Verantwortlichen!
Die Moltkeschen charakterlichen wie geistigen Anforderungen an den Generalstabsoffizier, ergänzt durch die Pflichtauffassungen Becks, haben unveränderte Gültigkeit für den Offizier im Generalstabsdienst der Bundeswehr, heute im Dienste und im Bezug auf die Grundlagen unseres freiheitlich-demokratischen Rechtsstaates.
Die Kürze dieses Beitrages erforderte die Beschränkung auf wenige, für die Bundeswehr traditionsstiftende Beispiele aus der preußisch-deutschen Geschichte. Mehr als vierzig Jahre loyaler Dienst zur Erhaltung von Frieden in Freiheit unseres Staates und zehn Jahre des erfolgreichen Aufbaus der „Armee der Einheit" nach der Wiedervereinigung Deutschlands sollten unseren Streitkräften das notwendige Maß an rechtsstaatlicher Legitimation und damit die notwendige geistige Souveränität verleihen, die preußisch-deutsche Militärgeschichte nach ihrer traditionsstiftenden Wirkung zwar mit Augenmaß, aber auch mit der notwendigen Aufgeschlossenheit und Unvoreingenommenheit zu würdigen und geeignete Traditionsbezüge sinnvoll weiterzuentwickeln.

Ludwig Beck war von 1935 bis 1938 Generalstabschef des deutschen Heeres. Aus Protest gegen die Kriegsvorbereitungen Hitlers trat er von seinem Amt zurück. Danach organisierte er den militärischen Widerstand. Nach dem gescheiterten Attentat vom 20. Juli 1944 nahm er sich das Leben.

Anmerkungen siehe Anhang S. 320

Was von Preußen blieb

Erinnerungen an einen untergegangenen Staat

Die Siegesallee, um 1900 im Auftrag Kaiser Wilhelms II. errichtet, bestand aus einer Reihe von Standbildern preußischer Herrscher, eingerahmt von Büsten bedeutender Zeitgenossen. 1947, als die Alliierten Preußen per Gesetz auflösten, wurden auch die Reste der Skulpturenallee beiseite geschafft.

Der Zusammenbruch des Deutschen Reiches 1945 und das Kontrollratsgesetz Nr. 46 von 1947 beendeten die staatliche Existenz Preußens. 39 Prozent seines Territoriums fielen an Polen und die Sowjetunion. Seine westlichen Provinzen gingen 1949 in den Ländern der Bundesrepublik Deutschland auf, während das Stammland um Berlin und Brandenburg zum Kern der Deutschen Demokratischen Republik wurde. Die von den Nationalsozialisten instrumentalisierte Überhöhung Preußens schlug unmittelbar nach Kriegsende in ihr Gegenteil um: Preußen wurde für die „deutsche Katastrophe" verantwortlich gemacht und eine direkte Linie von Friedrich II. über Bismarck zu Hitler gezogen. Aus dieser Kritik entwickelte sich in Westdeutschland die Vorstellung von einem undemokratischen „Sonderweg", den Deutschland unter Preußen im Vergleich zu den westlichen Nationen eingeschlagen habe. Die Gründung der Bundesrepublik sah man als eine Korrektur dieser Fehlentwicklung. Deren erster Kanzler, Konrad Adenauer, hatte schon 1919 die Loslösung der Rheinlande von Preußen gefordert und die Gründung eines westdeutschen Staates

vorgeschlagen. Der DDR diente die scharfe Abgrenzung von Preußen zur Propagierung eines radikalen Neuanfangs. Gegen den militaristischen und reaktionären Staat der Hohenzollern berief sich die sozialistische Republik auf die freiheitlichen Traditionen der deutschen Geschichte. Der starke Mann der SED, Walter Ulbricht, ließ demonstrativ eine Reihe bedeutender Baudenkmäler der preußischen Geschichte vernichten.

Bis in die 70er Jahre hinein fand jedoch in keinem der beiden deutschen Staaten eine breite öffentliche Auseinandersetzung mit der preußischen Geschichte statt. Die Vertriebenenverbände in der Bundesrepublik forderten zwar ein Recht auf Heimat, aber nicht die Wiederherstellung Preußens. Und die Brandenburger und Berliner in der DDR hatten andere Sorgen als die Beschäftigung mit ihren preußischen Wurzeln. Erst als Erich Honecker auf der Suche nach einer nationalen Identität der DDR auf das „Erbe" Preußens stieß, änderte sich die Wahrnehmung der preußischen Geschichte. Es begann eine Art west-östlicher Wettstreit um die Aneignung dieses Erbes. In der DDR erregte 1979 die Biografie Friedrichs des Großen von Ingrid Mittenzwei großes Aufsehen und ein Jahr später ließ Honecker das Reiterstandbild des Preußen-Königs an seinem ursprünglichen Standort Unter den Linden wieder aufstellen. Die Bundesrepublik konterte mit einer großen Preußen-Ausstellung in Berlin 1981. Im Westen wie im Osten war Preußen auf einmal wieder in Mode. An die Stelle der vernichtenden Kritik trat eine in der Tendenz eher positive Würdigung der politischen und kulturellen Leistungen des preußischen Staates. In der DDR erschien im Gefolge der neuen historischen Orientierung 1985 der erste Band von Ernst Engelbergs monumentaler Bismarck-Biografie, und der Doyen der westdeutschen Geschichtswissenschaft, Theodor Schieder, legte zum 200. Todestag Friedrichs II. 1986 eine umfassende Darstellung seines Wirkens vor. Nach der Vereinigung der beiden deutschen Staaten 1990 kehrte allerdings die Sorge zurück, die „Osterweiterung" der alten Bundesrepublik könne zu ihrer „Verpreußung" führen. Die von Helmut Kohl unterstützte Überführung der Gebeine Friedrichs II. nach Potsdam im Sommer 1991 und einige unbedachte Stimmen, die eine machtpolitische Neuorientierung der bundesdeutschen Außenpolitik forderten, schienen diese Befürchtung zu bestätigen. Doch eine tiefergehende Wirkung hatten diese Versuche, an preußische Traditionen anzuknüpfen, nicht. Eine Preußen-Renaissance gab es jedoch im kulturellen Bereich. In Berlin und Brandenburg begann die bis heute noch nicht abgeschlossene Restaurierung preußischer Baudenkmäler und Gartenanlagen. Und selbst im fernen Königsberg (Kaliningrad) entstand unter größter Anstrengung der verarmten Region der alte Dom in neuer Pracht. Der Wiederaufbau des Potsdamer und des Berliner Schlosses, dessen Außenfassade 1993/94 bereits als Stoffattrappe zu sehen war, ist allerdings weiterhin umstritten. Dass das Thema Preußen kontrovers bleibt, zeigen die zum Teil sehr kritischen Würdigungen Bismarcks zu seinem 100. Todestag 1998. Was bleibt, sind die vielfältigen Veranstaltungen und Veröffentlichungen zum 300. Jahrestag der Krönung Friedrichs I. zum ersten König in Preußen am 18. Januar 1701.

Nicht unumstritten war in der DDR die Wiederaufstellung des Reiterstandbildes Friedrichs II. an seinem angestammten Platz Unter den Linden im Jahre 1980. Sie war Ausdruck eines neuen Blicks auf die deutsche Geschichte.

Die Überführung der Gebeine Friedrichs des Großen von der Stammburg der Hohenzollern in Hechingen nach Potsdam im Sommer 1991 war ein Politikum. Stimmen im In- und Ausland warnten davor, das vereinigte Deutschland in die Tradition Preußens zu stellen.

Das Schloss als Stoffattrappe: Mit dieser Aktion wurde 1993/94 für den Wiederaufbau des Stadtschlosses in der Mitte Berlins geworben. Ein Projekt, das bis heute umstritten ist.

Bismarck-Denkmäler, wie das 36 Meter hohe Monument in Hamburg, finden sich überall in Deutschland. Sie sind Zeugnisse einer mit dem Deutschen Reich untergegangenen Bismarck-Verehrung. Doch der „Urpreuße und Reichsgründer" ist für viele eine faszinierende Persönlichkeit geblieben, das zeigten die – zum Teil sehr kritischen – Würdigungen zu seinem hundertsten Todesjahr 1998.

Modell des Berliner Stadtschlosses. Das Portal entstand nach Plänen von Johann Eosander von Göthe zu Beginn des 18. Jahrhunderts. Die Kuppel wurde um 1850 von Friedrich August Stüler und A.D. Schadow geschaffen.

Schinkels Neue Wache war von 1822 an Erinnerungsstätte für die Gefallenen der Befreiungskriege, wurde 1930 zur „Gedächtnisstätte für die Gefallenen des Weltkrieges", diente der DDR ab 1960 als „Mahnmal für die Opfer des Faschismus und Militarismus" und ist seit 1993 die „Zentrale Gedenkstätte der Bundesrepublik Deutschland für die Opfer von Krieg und Gewaltherrschaft".

Die Nikolaikirche war früher Teil eines Ensembles, das um den Alten Markt herum das Zentrum Potsdams bildete. Dessen Rekonstruktion durch den Wiederaufbau des Stadtschlosses wird heute heiß diskutiert.

Rechte Seite: Das Brandenburger Tor ist zum Wahrzeichen Berlins geworden. Doch seine preußische Geschichte ist stets gegenwärtig.

Das wohl berühmteste Preußen-Schloss: Sanssouci. Von Wenzeslaus von Knobelsdorff nach Plänen Friedrichs II. Mitte des 18. Jahrhunderts erbaut, ist die Sommerresidenz des Preußenkönigs heute eine Touristenattraktion ersten Ranges.

TNT

WERNER KNOPP

Element der Hauptstadtgeltung

Preußens kulturelles Erbe in Berlin

Unter den Linden: Auf der linken Seite sind von vorne nach hinten die Universität und das Zeughaus, auf der rechten von hinten nach vorne das Stadtschloss, das Prinzessinnenpalais, das Kronprinzenpalais und die Oper zu sehen.

Seit der denkwürdigen Hauptstadtentscheidung des Deutschen Bundestages ist Berlin, das lange geteilte und in seinen Westteilen isolierte, wieder in seine Rolle als Hauptstadt des ganzen Deutschland eingerückt. Nicht in jeder Hinsicht allerdings. Der Berlin einst zugewachsene Part eines führenden Industriestandortes hat die Fährnisse der Kriegs- und Nachkriegszeit ebenso wenig überstanden wie der Part als führender Handels- und Bankenplatz oder der Part als publizistisches Zentrum des Landes. All dies wird aller Voraussicht nach auch nicht zurückzugewinnen sein – niemand, auch eine Hauptstadt nicht, steigt zweimal in denselben Fluss.

Umso bedeutsamer sind die Kontinuitäten, die es auch gibt. Vor allen natürlich die Präsenz der maßgebenden politischen Organe und anderer zentraler Institutionen, die sich rein numerisch durch den auf Dauer unvermeidlichen Zuzug der Bonner Rest-Ministerien noch komplettieren wird, und das Vorhandensein einer reichen, hauptstadtgemäßen Kulturszene. Während die politische Hauptstadtausstattung eine wiedergeschenkte, aber im Westteil der Stadt jahrzehntelang unterbrochene Kontinuität dar-

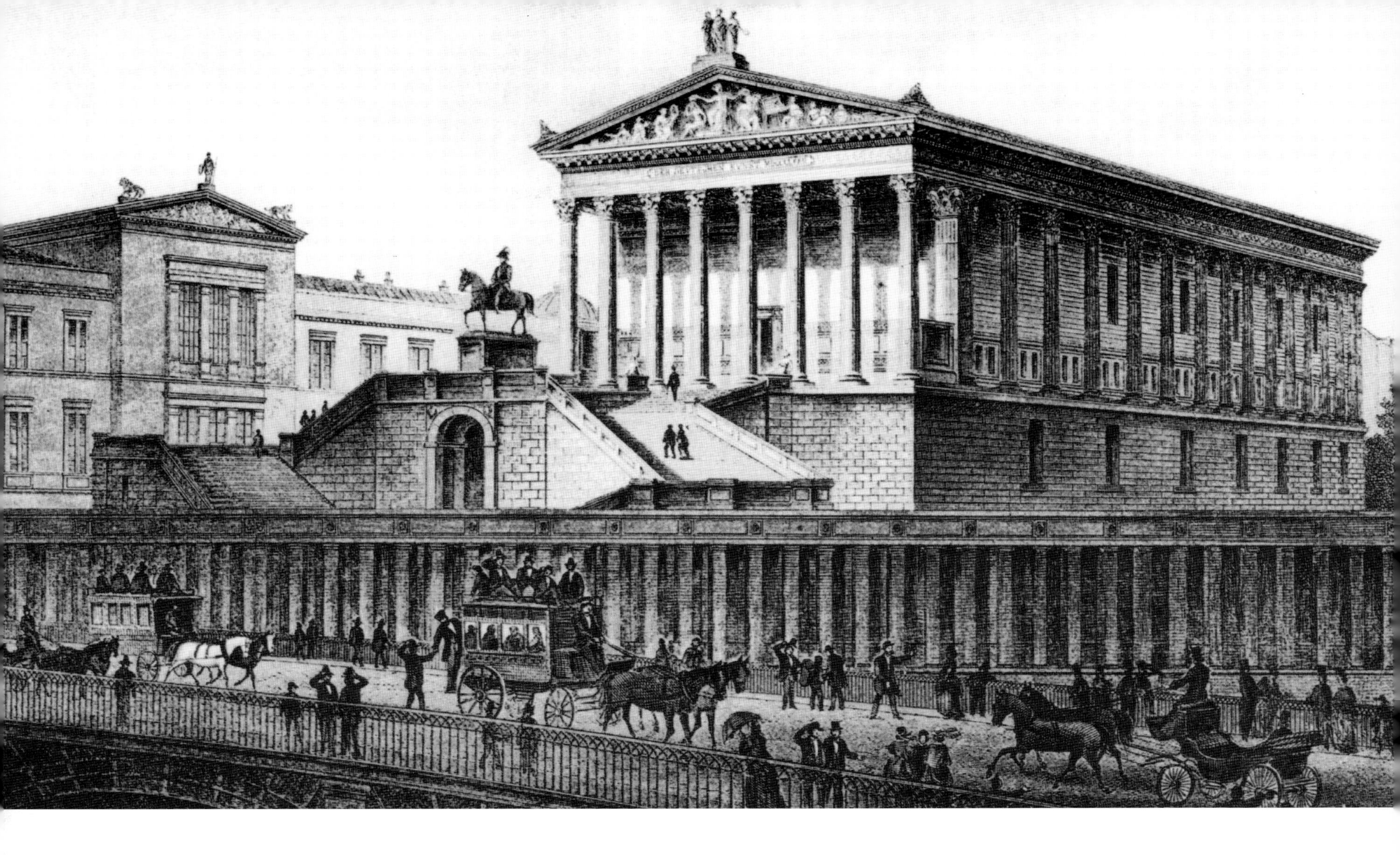

stellt, verkörpert die kulturelle Hauptstadtausstattung Berlins eine in Jahrhunderten gewachsene, auch in den Jahren der Teilung und der Isolation nie ganz abgerissene Kontinuität. Dieses kulturelle Element der Hauptstadt ist für das Selbstverständnis und Selbstbewusstsein Berlins enorm wichtig, wie jeder an der Leidenschaftlichkeit der Diskussionen ablesen kann, die in der Stadt um die Zukunft ihrer Kultur, deren Ausstattung, deren Gestalt und deren Gehäuse geführt werden.
Dass die Berliner Kultur hauptstädtischen Rang erhalten und behalten hat, verdankt sie in wesentlichen Teilen Preußen, das die Grundlagen für späteren Glanz legte. Als Hauptstadt eines deutschen Nationalstaates mag Berlin im Vergleich zu den altetablierten Metropolen Europas ein Nachzügler gewesen sein, Hauptstadt einer Großmacht, nämlich Preußens, war es 1871 schon über ein Jahrhundert lang gewesen, und Residenz eines ansehnlichen deutschen Mittelstaates noch einige Jahrhunderte länger. Und dieses 1701 aus dem Kufürstentum Brandenburg hervorgegangene Preußen war nicht nur ein macht- und Militärstaat, sondern auch ein Kulturstaat von Rang, dem die kulturelle Ausstattung seiner Hauptstadt ein Anliegen war, das über alle Wechselfälle der Geschichte hinweg mit großer Konsequenz verfolgt wurde.
Die Früchte dieser Konsequenz zeigen sich bis heute in zwei großen Bereichen: in der planerisch-baulichen Gestaltung und in den großen kulturellen Sammlungen. Dem baulichen Gestaltungswillen Preußens verdanken wir zwei Gesamtkunstwerke, die das Hauptstadtbild Berlins und seiner Umgebung bis heute entscheidend mitprägen: die Berlin-Potsdamer Schlösser- und Gartenlandschaft und den historischen Stadtkern Berlins mit den großen Repräsentationsbauten Preußens. Diese Bauten sind nicht nur als Solitäre bemerkenswert. Gesamtkunstwerk werden sie dadurch, dass sie in ihrer Zusammensetzung und in ihrer räumlichen Anordnung das Staatsverständnis des alten Preußen widerspiegeln: das Schloss als Sitz der politisch-repräsentativen Macht, das Zeughaus als Symbol der militärischen Macht, beides gleichsam gebändigt, umhegt durch einen Kranz von Bauten, die der Religion, der Kunst und der Wissenschaft gewidmet sind. Bis auf das Schloss haben alle diese Bauten wie durch ein Wunder den Krieg und seine Verwüstungen überstanden, sind bereits wieder geschaffen worden oder doch für eine Rekonstruktion vorgesehen. Nur um die äußere Wiederherstellung des Schlosses, des aus Rachsucht herausgesprengten Herzstückes des Ganzen, wogt noch die Diskussion, doch man darf zuversichtlich sein, dass uns am Ende auch dieses Herzstück in historischer Außenform wiedergeschenkt werden wird.
Das andere große, den Hauptstadtrang Berlins mit konstituierende kulturelle Erbe Preußens sind die großen Sammlungen. Sie sind, wie in anderen europäischen Metropolen auch, über die Jahrhunderte gewachsen und haben immer wieder wesentliche Anstöße durch ein Zusammenwirken von Monarchen und Regierungen einerseits, begnadeten und engagierten Betreuern und Architekten andererseits erhalten. Am weitesten zurück in die Geschichte reicht das Geheime Staatsarchiv, aber auch die Staatsbibliothek, die frühere Königliche und dann Preußische Staatsbibliothek, erhielt entscheidende Impulse bereits durch den Großen Kurfürsten im 17. Jahrhundert: das herrliche Exemplar der Gutenberg-Bibel, bis heute ein Paradestück des Hauses, war eine Erwerbung dieses Monarchen.

Die Alte Nationalgalerie in Berlin wurde von Johann August Strack nach Plänen Friedrich August Stülers in den Jahren 1866 bis 1876 erbaut. Ihr Vorbild war die bayerische Walhalla. Im Hintergrund ist das Neue Museum zu sehen. Stahlstich aus dem Jahre 1870.

Der Kunsthistoriker Wilhelm Bode war ein Kulturmanager von Rang. Dank seiner vielfältigen Initiativen entstand um 1900 in Berlin eine blühende Museumslandschaft. Porträt von Max Liebermann 1904.

Das Interesse der breiten Öffentlichkeit gilt natürlich in erster Linie den Kunstsammlungen und mit ihnen ihrer Konzentration auf der Museumsinsel im Herzen der Stadt. Diese Sammlungen haben zwei Wurzeln, fürstlichen Geltungswillen und bürgerlichen Sammel- und Aufstiegsehrgeiz – beides wuchs im 19. Jahrhundert auf eine Weise zusammen, die reiche Früchte trug. Eine der schönsten ist die Nationalgalerie, deren drei erste Förderer ein stiftender Sammler, der Konsul Wagener, der König von Preußen und ein jüdischer Kaufmann waren – man kann es auf der „ewigen" Fördererliste am Eingang der Neuen Nationalgalerie nachlesen. Die Museumsinsel war die Idee eines preußischen Kronprinzen, des späteren Königs Friedrich Wilhelm IV., und sie wurde bis in die von wirtschaftlicher Not geprägte, republikanische Zeit Preußens hinein mit großer Zähigkeit verwirklicht. 1930 wurde mit dem neuen Pergamon-Museum das Schlussstück eingeweiht.

Bis 1871 galten alle diese baulichen und sammlerischen Leistungen der Selbstdarstellung Preußens. Mit der Gründung des Bismarckreiches kam die Aufgabe hinzu, mit der kulturellen Ausstattung Berlins zugleich Deutschland zu repräsentieren. Nach der Verfassung (also nicht nur der Folklore) des Reiches, der in dieser Hinsicht auch unser heutiges Grundgesetz folgt, war Kulturpolitik nicht Sache des Zentralstaates, sondern der Länder. Nun war die föderale Gliederung des Bismarckreiches durch die Hegemonie Preußens geprägt: 3/5 des Reiches waren preußisch. Dieses Ungleichgewicht in der föderalen Struktur ist oft beklagt worden, und zu Recht.
Im Hinblick auf die kulturelle Hauptstadtausstattung Berlins aber war die preußische Hegemonie ein Vorteil, ja ein Glücksfall: diese Ausstattung fiel eben dem weitaus größten und finanziell potentesten der deutschen Länder zu, das diese Aufgabe glänzend bewältigte, ohne dafür das Reich oder die anderen Länder auch nur mit einem Pfennig zu belasten. Und nicht nur das. Eine patriotische Grundstimmung ließ alle politischen und gesellschaftlichen Kräfte in der Entwicklung vor allem der Museen begeistert zusammemwirken. Die Gunst der Stunde bescherte den Museen auch geniale Museumsmänner wie Wilhelm v. Bode, der die günstige gesellschaftliche Grundstimmung auf unnachahmliche Weise in Freundes- und Fördervereine ummünzte, die zum Teil heute noch bestehen, auf jeden Fall Vorbild geblieben sind. Die Ergiebigkeit des damaligen Kunstmarktes ermöglichte eine Fülle bedeutender Erwerbungen, der in die Welt ausgreifende Ehrgeiz der jungen Großmacht kam hinzu – kein Wunder, dass zum Beispiel die Ankunft der Pergamon-Funde mit einem rauschenden Künstlerfest begrüßt wurde. Bald zählten die Berliner Sammlungen zur Weltspitze, und die Königliche Bibliothek war die inoffizielle Nationalbibliothek Deutschlands. Man bezeichnet die Museumsinsel heute gern als den „deutschen Louvre". Der Vergleich ist ehrgeizig, aber schief, denn der deutsche Louvre steht nicht nur in Berlin, sondern auch in München, Dresden und anderen Kunstmetropolen – Frucht der föderalen Struktur unseres Landes. Aber richtig bleibt die Parallele im Konzept, in der räumlichen Vereinigung der erfahrbar aufeinander bezogenen Sammlungen.

Die Urkatastrophe des 20. Jahrhunderts, der Erste Weltkrieg, bereitete diesem Wachstum, das die Welt staunen ließ und lange unbremsbar schien, ein jähes Ende. Der Freistaat Preußen schaffte gerade noch die Vollendung des Pergamon-Museums und damit der Museumsinsel, vorbereitet wurde durch ihn auch noch der Erwerb von Teilen des Welfenschatzes. Dann fiel der Schatten der Barbarei über das Werk von Jahrhunderten: Noch im Frieden beraubte die schändliche Aktion „Entartete Kunst" die Berliner Sammlungen wesentlicher Teile der klassischen Moderne, die ihr Stolz gewesen waren, und der Krieg tat ein Übriges. Zerstört, verstreut, verschleppt erlebten Museen, Bibliotheken und Archive den Zusammenbruch des Reiches und auch dessen, was von Preußen noch übrig geblieben war. Die Sammlungen, die den Glanz Berlins miterlebt und mit geprägt hatten, teilten nun auch seinen Sturz.
Deutschland und Berlin wurden geteilt, in Ost und West entwickelten sich ganz unterschiedliche Ansätze neuer deutscher Staatlichkeit. Beide nahmen sich im Rahmen ihrer Möglichkeiten und auf ihre Weise des kulturellen Erbes Preußens an. Im Osten entstand die DDR mit ihrer Hauptstadt (Ost-)Berlin, ab 1952 ein Einheitsstaat mit großem Geltungsehrgeiz. Ihm war der größte Teil der traditionellen Berliner Kulturbauten, vor allen die Museumsinsel, zugefallen, und diese Bauten wurden, notdürftig wiederhergestellt, in großen Teilen wieder geöffnet. Doch der größere und glanzvollere Teil der überlebenden Sammlungen fand sich im Westen. Hier entstand die Bundesrepublik Deutschland mit dem vorgelagerten, ihr auf komplizierte, aber effektive Weise zugeordneten (West-)Berlin. Ein deutscher Staatstradition entsprechend föderal organisiertes Staatswesen, in dem Kultur grundsätzlich wieder Ländersache wurde. Nur gab es jetzt kein hegemoniales Preußen mehr, das seine Hauptstadt angemessen hätte ausstatten können und wollen. Berlin musste um das preußische Erbe kämpfen, ohne dass die preußischen Nachfolgeländer unter sich eine zukunftsfähige Trägerschaft zustandegebracht hätten. Es war die Zeit des Kalten Krieges, in dem West-Berlin um sein Überleben rang, und zum Überleben gehörten auch die Reste früherer Hauptstadtgeltung, vor allem die Kultur. In dieser Situation setzte sich im Streit um das preußische

Erbe schließlich der Bund durch. Das Grundgesetz hatte ihm mit klugem Vorbedacht an versteckter Stelle eine Kompetenz für das preußische Erbe zugewiesen, er machte mit einem Bundesgesetz von 1957 davon Gebrauch und verteidigte die Lösung erfolgreich gegen den Bundesrat und eine Reihe von Ländern vor dem Bundesverfassungsgericht.
Die Lösung war die Stiftung Preußischer Kulturbesitz, die 1961, kurz nach dem Bau der Mauer, ihre Arbeit in Berlin aufnahm. Eine Stiftung öffentlichen Rechts, vom Bund und – ab 1975 – allen deutschen Ländern getragen, überwiegend vom Bund und dem Sitzland Berlin finanziert. Eine Stiftung, welche erfolgreich die Lücke schloss, die der Wegfall Preußens gelassen hatte, und die der Bund allein nicht schließen durfte. Die über ganz Deutschland verstreuten ehemals preußischen Sammlungen wurden nach Berlin zurückgeführt, neue Häuser für die im Westen zunächst obdachlosen Sammlungen errichtet. Gleichzeitig war der Besitzanspruch der Bundesrepublik und West-Berlins gegen den Anspruch der DDR zu verteidigen, die ursprünglich im späteren Ost-Berlin beheimateten Sammlungsteile – und das waren viele und wichtige – wieder an den alten Standort zurückzugeben. Damals ein zeitweise mit großer Erbitterung geführter Streit, heute gottlob nur noch Erinnerung an eine uns fern gerückte Episode.
Der Fall der Mauer machte möglich, was Einsichtige auf beiden Seiten immer erhofft hatten: die ehemals preußischen Sammlungen, soweit sie den Krieg überlebt hatten, wieder im vereinigten Berlin zusammenzuführen. Die Stiftung stand als erprobtes Instrument bereit, die Trägerschaft auch der vereinigten Sammlungen zu übernehmen, und alle Länder, auch die „neuen" Länder in Ostdeutschland, fanden sich schließlich bereit, in der bewährten Form an dieser Aufgabe mitzuwirken. So konnten beide Teile des Riesenkomplexes Preußischer Kulturbesitz unter dem Dach der Stiftung wieder zusammengeführt werden, auch die Menschen, die jahrzehntelang getrennt an Erhaltung und Entwicklung der preußischen Sammlungen gearbeitet hatten. Das Geheime Staatsarchiv holte den Großteil seiner Bestände aus Merseburg nach Berlin zurück, das Ethnologische Museum holte einen großen Bestand aus Leipzig heim. Nicht erfüllt wurden bisher leider die Wünsche nach Rückkehr der von Russland und Polen erbeuteten Sammlungsteile, mit dem Goldschatz des Priamos in Moskau, der ostasiatischen Sammlung in Petersburg und den unschätzbaren Musikmanuskripten in Krakau als Glanzstücken.
Große Aufgaben liegen in dieser und anderer Hinsicht noch vor der Stiftung, deren Arbeit in der Hauptstadt des wieder vereinigten Deutschlands erst ihre eigentliche Tiefendimension zurückerhalten hat und von der Öffentlichkeit mit kritischer Wachheit verfolgt wird.
Bei aller Bindung an die große Tradition des Kulturstaates Preußen müssen Wege und Formen gefunden werden, die in die Zukunft weisen, eine Zukunft, in der kulturelle Sammlungen mehr und mehr auf einem international vergleichenden Prüfstand stehen werden und in der überkommene Einrichtungen wie Museen und Bibliotheken ganz neuen Herausforderungen gerecht werden müssen.
Als verlässliche Grundlage für diese riesigen Aufgaben sollten Bund und Länder auch über das bisher vereinbarte Jahr 2005 hinaus die Stiftung weiterführen, die den Namen des untergegangenen Preußen trägt und an Leistungen dieses Staates erinnert, von denen wir heute noch zehren. Auch die kulturelle Geltung Berlins ruht zu einem guten Teil auf diesen Leistungen, und auf sie wird es in der – europäischen – Zukunft mehr denn je ankommen.

Stilgerechtes Domizil: Die 1864 von Hermann Ende erbaute Villa von der Heydt ist heute der Amtssitz des Präsidenten der Stiftung Preußischer Kulturbesitz.

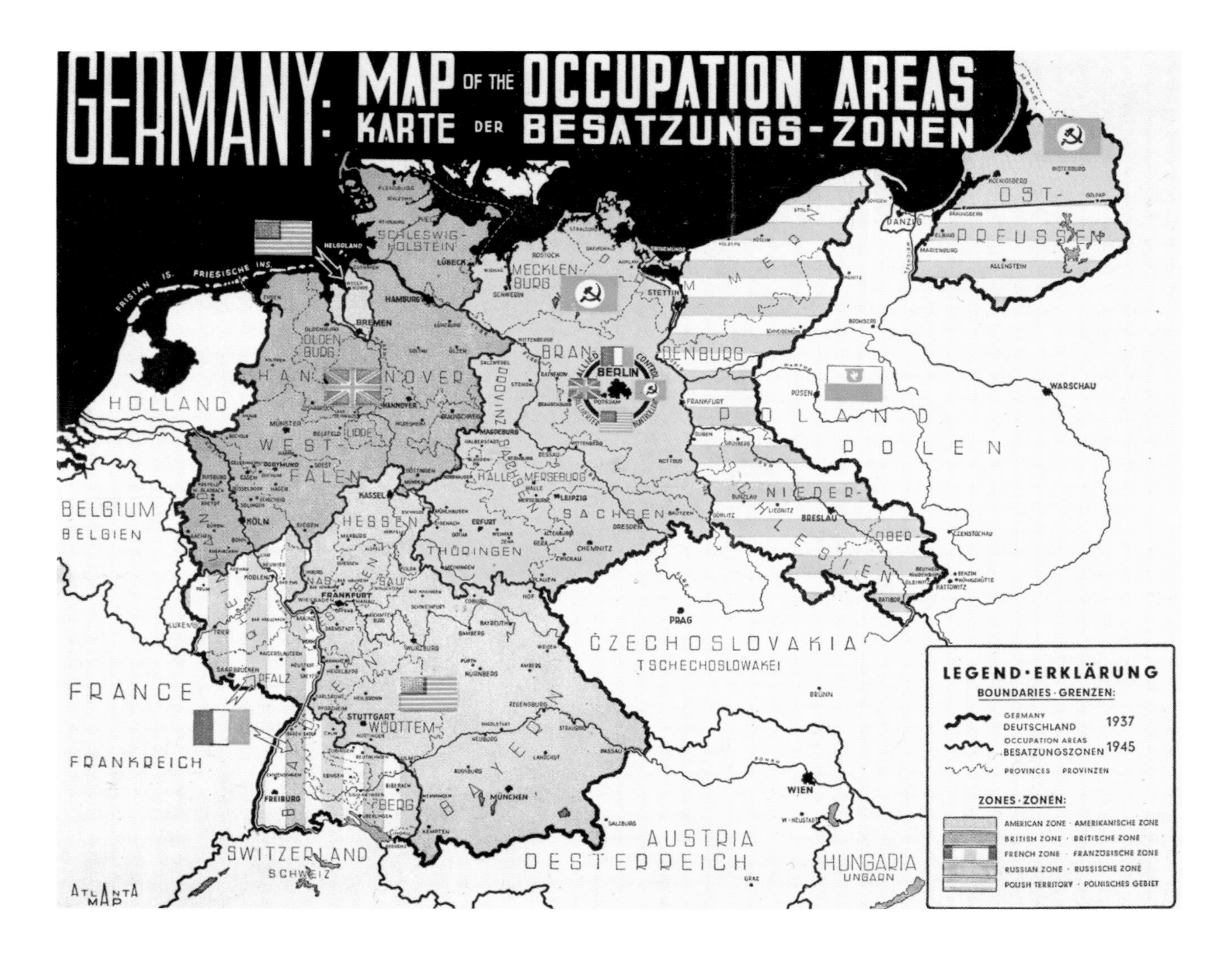

In allen Besatzungszonen wurde nach 1945 heftig über die Gründe für die ‚deutsche Katastrophe' diskutiert. Viele machten preußische Traditionen, zu denen vor allem Militarismus und Untertanengeist gezählt wurden, für den Siegeszug des Nationalsozialismus verantwortlich.

INGRID MITTENZWEI

Preußen und die DDR

Der schwierige Umgang mit dem historischen Erbe

Nach einer kurzen Frist von ca. 20 Jahren wird 2001 zum zweiten Mal in Deutschland preußischer Geschichte gedacht. Anfang der achtziger Jahre gab es dafür eigentlich keinen Grund. Heute ist es der 300. Jahrestag der Krönung Friedrichs III. zum König Friedrich I. in Preußen, den die Öffentlichkeit begeht.

Es existieren Völker, die trotz sozialer Kämpfe und Revolutionen in ihrer Geschichte ruhen wie in einer intakten Familie. In Deutschland gab es das nie. Das Heilige Römische Reich deutscher Nation kannte viele Vaterländer. Selbst heute noch identifizieren sich Menschen zuerst mit dem Land, mit Bayern, Sachsen oder Brandenburg, um nur diese drei zu nennen. Zwölf Jahre Naziherrschaft mit dem schrecklichsten aller Kriege, dem Holocaust und der Vernichtung politischer Gegner haben ein unbefangenes Verhältnis zur deutschen Geschichte endgültig unmöglich gemacht, was nicht bedeutet, dass man Tabus errichten sollte.

Die gab es unmittelbar nach 1945 in allen Besatzungszonen. Preußen wurde von Publizisten, Politikern und Historikern in die militärische Niederlage des Dritten Reiches und in den Sturz der Nationalsozialisten mit einbezogen. Was schon im 19. Jahrhundert kaum auseinander gehalten wurde, die tatsächliche

Geschichte und ihre Rezeption, das vermischte sich nach dem Zweiten Weltkrieg zu einem nicht aufzulösenden Knäuel von Wahrheiten, Halbwahrheiten und Legenden. Nach der Novemberrevolution von 1918 hatten nicht nur Deutschnationale im Kampf gegen die Weimarer Republik auf Preußen gesetzt. Unter Berufung auf den „preußischen Geist" mobilisierten auch Hitler und seine Helfershelfer ihre Gefolgschaft. In unzähligen Reden verkündete Goebbels, dass Nationalsozialismus Preußentum sei, Preußentum Nationalsozialismus. Ihren Höhepunkt erreichte die Inanspruchnahme preußischer Geschichte am 21. März 1933 beim „Tag von Potsdam", der der Welt die Kontinuität von Preußentum und nationalsozialistischer Machtergreifung suggerieren sollte. Im Namen Preußens wurde schließlich das Volk zum Durchhalten aufgerufen, als der Zweite Weltkrieg schon längst verloren war.
Dies alles gehörte zu den unmittelbaren Erfahrungen, die Politiker und Angehörige der schreibenden Zunft 1945 verarbeiten mussten. Nicht wenige von ihnen befragten damals die Geschichte nach Gründen für die Katastrophe des Krieges und der Nazibarbarei. Sie kamen zwangsläufig auf Preußen, weshalb einige von ihnen eine Linie zogen, die von Friedrich II. über Bismarck zu Hitler reichte.
In der sowjetisch besetzten Zone (SBZ) enthielt schon der Aufruf der Kommunisten vom 11. Juni 1945 die Forderung, „den reaktionären altpreußischen Militarismus mit allen seinen ökonomischen und politischen Ablegern zu vernichten". Die Fehlentwicklungen deutscher Geschichte lastete das Dokument dem reaktionären Preußentum an. Ähnliche Tendenzen finden sich auch in Publikationen dieser Jahre. Nur auf zwei soll hier verwiesen werden. „Irrweg einer Nation" nannte sich die im mexikanischen Exil entstandene Arbeit von Alexander Abusch, „Deutsche Daseinsverfehlung" ein Essay von Ernst Niekisch. Der Publizist, den die Nazis wegen „Hochverrats" ins Zuchthaus Brandenburg gesteckt hatten, zog am Ende seines Buches ein wahrhaft pessimistisches Fazit: „Der Ertrag der deutschen Geschichte erweist sich als ein schreckliches Nichts; wo aber das Nichts das letzte Wort ist, da ist das ganze Dasein, das dahin führte, verfehlt." Doch war es vor allem die Schrift des Kommunisten und späteren Kulturpolitikers Abusch, die mit ihren acht Auflagen das Geschichtsbild der Nachkriegsgeneration in der SBZ prägte. Selbst den Kontrollratsbeschluss vom 25. Februar 1947, der den Staat Preußen auflöste, weil er seit jeher Träger des Militarismus und der Reaktion in Deutschland gewesen sei, wertete die Führungsriege der SED mit einem gewissen Recht als Bestätigung ihrer Politik.
Schon im Moskauer Exil hatte die KPD Pläne für die soziale Umgestaltung Deutschlands und die Übernahme der Macht entwickelt. Für beides bedurfte es einer Einordnung in die Geschichte. Der neue Staat musste aus ihr seine Existenzberechtigung ableiten. Ein einfaches Anknüpfen an die Nationalgeschichte, wie man sie in der UdSSR hatte beobachten können, schien wegen der zwölf Jahre Naziherrschaft unmöglich. Doch hatte es in Deutschland außer Herrschenden nicht auch Unterdrückte sowie soziale Kämpfe und Revolutionen gegeben? Zu ihnen setzten Politiker und Historiker die 1949 gegründete DDR in Beziehung. Als Erbin und Vollenderin alles Fortschrittlichen erklärte man sie, wobei sich im Verlaufe ihrer fünfzigjährigen Existenz die Sicht auf Fortschritt und Reaktion änderte.
Die Durchsetzung dieser Linie oblag nicht allein den Historikern. Die SED selbst bekundete in den Anfangsjahren oftmals ihr Missfallen an den Leistungen der Geschichtswissenschaft. Besonders der Beschluss von 1955 orientierte die Historiker auf eine engere Verbindung mit dem Leben, d.h. auf eine Nutzbarmachung von Geschichte für die Tagespolitik. Wir haben es hier mit jener extremen Form von Parteilichkeit zu

Walter Ulbricht, der starke Mann der DDR in den 50er und 60er Jahren, tat alles, um das preußische Erbe zu beseitigen. Er ordnete nicht nur die Sprengung historischer Bauwerke an, sondern machte auch der Geschichtsforschung genaue Vorgaben.

Die SED machte den Kampf gegen die NS-Diktatur zum Gründungsmythos der DDR. Das Foto zeigt eine Großkundgebung zu Ehren der Opfer des Faschismus auf dem Bebelplatz in Ost-Berlin am 14. September 1975.

Die Ruine des Berliner Schlosses fiel als eines der ersten Bauwerke der ‚Säuberung' der DDR vom preußischen Erbe zum Opfer. Die Sprengung fand am 6. September 1950 statt.

tun, die Eric Hobsbawm in der stalinistischen Ära in der Sowjetunion und anderswo ausmachte, eine Parteilichkeit, die in der Endkonsequenz die Überlegenheit der politischen Macht über wissenschaftliche Einzelaussagen bedeutete. Diese Tendenz war vor allem unter Walter Ulbricht ausgeprägt. Der starke Mann der SED, der sich selbst als Historiker sah und sich in wissenschaftliche Debatten einschaltete, nahm persönlich Einfluss auf den Umgang der DDR mit dem preußischen Erbe. Nicht antreten sollte sie es, sondern beseitigen. Eine solche Haltung wirkte nicht nur auf die Geschichtsbetrachtung zurück, sie zeitigte auch Folgen für die kulturelle Hinterlassenschaft des preußischen Staates. Bombenangriffe auf Berlin und Potsdam hatten die dortigen Stadtschlösser und andere barocke Bauten zum großen Teil zerstört. Doch gab es Gutachten von Fachleuten, die eine teilweise Rekonstruktion für möglich hielten. Sicher war es unmittelbar nach dem Kriege wichtiger, den vielen Obdach- und Heimatlosen eine Bleibe zu schaffen, aber eine unmittelbare Notwendigkeit zur Sprengung dieser Bauwerke ergab sich daraus nicht. Wenn im Jahre 1950 das Reiterstandbild Friedrichs II. von seinem angestammten Platz Unter den Linden verschwand, im gleichen Jahr die Reste des Berliner Schlosses gesprengt wurden, 1960 der Abriss des Potsdamer Schlosses folgte und 1968 die Ruine der Garnisonskirche fiel, dann gab es dafür neben finanziellen auch ideologische Gründe. Sie hatten mit der Sicht auf die preußische Geschichte und mit städtebaulichen Konzeptionen zu tun. Am 23. August 1950 beschloss der Ministerrat der DDR den Abriss des Berliner Schlosses, ausgenommen erhaltenswerte Teile, die später Verwendung finden sollten. Schon vorher hatte eine Architektendelegation die UdSSR bereist. Sie war mit dem Vorschlag zurückgekommen, den Lustgarten durch Sprengung des Schlosses so zu erweitern, dass Raum für große Demonstrationen entstand. Mit ihrer Meinung folgten sie Walter Ulbricht, der auf dem dritten Parteitag festgestellt hatte: „Das Zentrum unserer Hauptstadt, der Lustgarten und das Gebiet der jetzigen Schlossruine, muss zu dem großen Demonstrationsplatz werden, auf dem Kampfwille und Aufbauwille unseres Volkes Ausdruck finden können." Dieses schon damals, erst recht heute unverständliche Beharren auf ein Areal für Aufmärsche orientierte sich am sowjetischen Städtebau. Es ging um einen Platz, wo sich die Volksmenge um ihre „Führer, Auserwählten und Helden" scharen sollte, um einen Ort zur Massenbeeinflussung also. Wenn Oberbürgermeister Friedrich Ebert in der nun aufflammenden Diskussion diejenigen, die für den Erhalt des Schlosses eintraten, als Anbeter der Vergangenheit und ihrer Symbole bezeichnete, dann wird deutlich, dass es um mehr ging als um den Abriss eines stark zerstörten Bauwerks, nämlich um den Bruch mit Preußen. Das lässt sich eindeutig aus den Thesen des Kunstwissenschaftlers Gerhard Strauß schließen, damals Leiter des wissenschaftlichen Aktivs zur Überwachung des Abrisses. Es hatten sich nämlich zwei Lager gebildet, Kunstwissenschaftler, Denkmalspfleger und einige wenige Architekten auf der einen sowie die Mehrheit der amtlich bestallten Baumeister und der Mitglieder des Kulturbundes zur demokratischen Erneuerung Deutschlands auf der anderen

Seite. Hermann Henselmann, ein Mann mit Courage, äußerte Otto Grotewohl und Ulbricht gegenüber: „Kein Architekt von einigem Rang wird seine Hand für eine solche Tat hergeben." (Nach Bernd Maether) Heinrich Deiters vom Kulturbund erklärte 1951 in einem Referat: „Es sind Diskussionen über das Schicksal des Berliner Stadtschlosses geführt worden. (...) Niemand kann verlangen, dass wir es unter ungeheurem Aufwand neu errichten sollen, das ginge zu weit. Das sind Zeugen einer Vergangenheit, mit der wir nichts mehr zu tun haben wollen und auch nichts mehr zu tun haben." Die Sichten der beiden Männer verdeutlichen das Dilemma dieser frühen Jahre. Während es dem einen um den Erhalt des Schlöterschen Bauwerks ging, wollte der andere die ungeheuren Mittel für den Aufbau der zerstörten Städte einsetzen und mit Nazismus und Preußentum nichts mehr zu tun haben.
Trotzdem kommt man nicht umhin, die Sprengung des Berliner und des Potsdamer Schlosses als Bilderstürmerei zu bezeichnen, zu der es häufig im Gefolge reformatorischer Bewegungen und von Aufständen gekommen war. Am klarsten sah dies der Kunsthistoriker Richard Hamann. „Der Louvre in Paris hat alle Revolutionen überdauert und der Kreml in Moskau, beide ehemals Sitz der Regierung. (...) Warum sich für spätere Zeiten dem Vorwurf der Barbarei aussetzen?" So schrieb er an Grotewohl.
Verfolgt man die nächsten beiden Jahrzehnte, so scheint sich in der Geschichtsschreibung und in öffentlichen Diskussionen das Negativbild Preußens allgemein durchgesetzt zu haben. Der Forschungsplan für 1972 bis 1975 enthielt beispielsweise nur ein einziges Preußen tangierendes Thema, nämlich „Die Rolle Preußens und des preußischen Militarismus". Als verantwortlich zeichneten Historiker der Universität Halle. Doch war der Kreis derjenigen, die sich mit dem „reaktionären Preußentum" befassten, größer. Die Debatte gewann an Schärfe, als sie sich zu einem Meinungsstreit zwischen Geschichtswissenschaftlern der Bundesrepublik und der DDR ausweitete. Es waren vor allem aus dem Exil heimgekehrte Historiker, Alfred Meusel und Ernst Engelberg, die sich mit Thesen Gerhard Ritters, vorgetragen auf dem Bremer Historikertag und in dem Buch „Staatskunst und Kriegshandwerk", auseinander setzten.
Sicher haben die Erfahrungen des Ersten und Zweiten Weltkrieges sowie das Konkurrenzverhältnis zwischen BRD und DDR auf die Diskussion über den preußischen Militarismus eingewirkt. Manches mag man heute als überzogen betrachten. Aber dass sich Altpreußen seit Friedrich Wilhelm I. hinsichtlich der Rolle des Militärs von anderen europäischen Staaten unterschied, darüber hege ich auch heute keinen Zweifel. Nicht um die Bereitschaft zu gewaltsamen Lösungen geht es mir dabei. Auch nicht um die Größe des stehenden Heeres, sondern darum, dass sich die Armee seit Einführung des Kantonsystems wie ein Pfropf über die ländliche Sozialstruktur stülpte und dem ganzen Land einen militärischen Zuschnitt gab.
Doch irrt, wer ausgehend vom Bild Altpreußens in der Öffentlichkeit annimmt, eine Forschung über andere Seiten preußischer Geschichte habe es in der DDR nicht gegeben. Ganz unspektakulär hatten Historiker der Humboldt-Universität, des Instituts für Wirtschaftsgeschichte an der Akademie der Wissenschaften

Das Potsdamer Stadtschloss war bei Kriegsende 1945 fast völlig ausgebrannt. Die Fassade zeigt jedoch, dass der Baukörper noch vollständig vorhanden war. Walter Ulbricht ließ das von Wenzel von Knobelsdorff für Friedrich II. gebaute Meisterwerk 1960 abreißen.

Der Nachfolger Walter Ulbrichts, Erich Honecker, war kein Preußen-Freund. Doch wollte er das preußische Erbe nicht der Bundesrepublik überlassen, sondern es für die Ausbildung eines neuen Selbstbewusstseins der DDR nutzen.

Das von Christian Daniel Rauch Mitte des 19. Jahrhunderts geschaffene Reiterstandbild Friedrichs des Großen ließ Ulbricht 1950 von seinem angestammten Platz Unter den Linden entfernen. Honecker machte diese Distanzierung der DDR von Preußen 1980 wieder rückgängig.

(AdW), später auch des Instituts für Deutsche Geschichte und selbst der Universität Halle damit begonnen, die wirtschaftliche Entwicklung in Stadt und Land zu untersuchen sowie Arbeiten über Aufklärung und Pietismus zu verfassen. Ende der sechziger Jahre schließlich entstand auf Initiative Ernst Engelbergs, damals Direktor des Instituts für Deutsche Geschichte an der AdW, eine Forschungsgruppe, die sich mit dem preußischen Absolutismus befasste. Die Leitung des kleinen Teams, das bis 1990 nie mehr als fünf bis sieben Mitarbeiter umfasste, wurde mir übertragen.

Gegen Ende der siebziger Jahre begann in der DDR eine neue Etappe der Preußenrezeption. An ihrem Anfang standen zwei „Ereignisse", die der Bevölkerung im wahrsten Sinne des Wortes sichtbar machten, dass sich ein Wandel vollzog. 1979 erschien die von mir verfasste Biographie Friedrichs II. Die Nachfrage war so groß, dass innerhalb kurzer Zeit fünf neue Auflagen herausgegeben wurden. Ein Jahr später konnten die Unter den Linden flanierenden, erstaunten Berliner wieder das Reiterstandbild des Alten Fritz betrachten.

Man hat beides miteinander in Zusammenhang gebracht. Doch gab es einen solchen nach meiner Kenntnis nicht. Außer meinen Mitarbeitern hat niemand Einfluss auf die Biografie genommen. Während ich mich umgekehrt zwar an einer Debatte über die Wiederaufstellung des Denkmals beteiligte, vom Vollzug aber genauso überrascht war wie die Mehrheit der Berliner. Es war Erich Honecker, der relativ früh mit dem Gedanken spielte, das Reiterstandbild nach Berlin zurückzuholen. Einer Leserzuschrift zufolge soll er schon 1973 im kleinen Kreis über diese Absicht gesprochen haben. Honecker war beileibe kein Freund preußischer Geschichte. Wenn er sich überhaupt für die Vergangenheit des deutschen Volkes interessierte, dann für die Arbeiterbewegung und Ernst Thälmann. Nach den Vorbildern seiner Jugend befragt, nannte er im Buch „Der Sturz" Thälmann. „Wir waren begeistert von ihm." Allerdings gehörte Geschichte in der Schule zu seinen Lieblingsfächern. Als alter Mann erinnerte er sich an den Unterricht über „die preußischen Königshäuser" und die Befreiungskriege. Doch sollte man daraus nicht schlussfolgern, dass da mehr als ein oberflächliches Interesse geblieben war. Es ging um Politik, um, wie Klaus Bölling richtig erkannte, die Aufwertung der DDR. Die mit Erfolg um internationale Anerkennung ringende Führung der SED, die 1971 mit der Idee von den zwei deutschen Nationen an die Öffentlichkeit getreten war, bedurfte zur Legitimation dieser These eines breiteren Rückgriffs auf die Nationalgeschichte. Hinzu kam, dass die DDR mit dem Wiederaufbau der Straße Unter den Linden inzwischen über eine repräsentative Mitte verfügte. Die Zeit der Bilderstürmerei war vorbei. Es fehlte lediglich noch das Reiterstandbild.

Am 10. Juni 1980 beschloss das Politbüro der SED, das Denkmal nach Berlin zurückzuführen. Berichterstatter zu diesem Tagesordnungspunkt war Honecker. Er hatte die Angelegenheit endgültig zur Chefsache gemacht. Merkwürdig an der Diskussion war die mangelnde Vorbereitung. Für die übrigen 14 Fragen lagen umfangreiche Beschlussvorlagen vor, für die Wiederaufstellung des Reiterstandbildes wurde während der Sitzung formuliert: „Im Zusammenhang mit der Vollendung des Lindenforums ist das Reiterstandbild Friedrichs II. von Christian Daniel Rauch, das sich zurzeit im Park von Sanssouci befindet, wieder in der Straße Unter den Linden, an seinem alten Standort, aufzustellen." Dafür verantwortlich gemacht wurden Kurt Hager, Günter Mittag und Konrad Naumann. Hat Honecker rasch und unter Druck gehandelt? Wollte er seine Genossen überrumpeln? Die Aktenlage gestattet noch keine Antwort darauf. Dass es in diesem Gremium Widerstand gegen eine Aufwertung Preußens gab, ist bekannt. Vielleicht orientierte sich der Beschluss deshalb auf die architektonische Vollendung der „Linden".

Die Reaktion auf diese Entscheidung war zwiespältig. Nahezu ein Dezennium später, im Mai 1989, versuchte eine Gruppe von Historikern aus dem Zentralinstitut für Geschichte an der AdW ein Resümee nicht nur der Preußen-Debatte, sondern der Erbe-Diskussion insgesamt zu ziehen. Sie konstatierte Fortschritte, warnte aber auch vor Gefahren. Es falle der „Geschichtspropaganda" oft schwer, aus einem Schwarz-Weiß-Klischee herauszukommen. „Nicht selten treten Tendenzen auf, bisher durchweg negativ behandelte Persönlichkeiten zu glorifizieren." Andererseits seien Auffassungen nicht überwunden, politische und geistige Repräsentanten der Herrschenden einseitig negativ zu bewerten und „alternativlos in eine in den Faschismus mündende Klassenlinie zu stellen".

Das hier Gesagte trifft auch auf Preußen zu. Die Öffentlichkeit in der DDR fand

Ende der 70er Jahre setzte in der DDR eine intensive Auseinandersetzung mit dem preußischen Erbe ein. Auch die Kunst nahm sich des Themas an. Das 1978/79 entstandene Gemälde von Bernhard Heisig trägt den Titel „Preußischer Soldatentanz".

kein ausgewogenes, emotionsfreies Verhältnis zur Geschichte dieses Staates. Vorbehalte gab es bei Historikern, in erster Linie Zeitgeschichtlern, bei Politikern und Journalisten. Reden Kurt Hagers über die Erbe-Rezeption enthielten stets einen mit Angriffen auf die Bundesrepublik gespickten warnenden Unterton. So in seiner Ansprache zur Eröffnung der ständigen Ausstellung am Museum für Deutsche Geschichte. „Eine besondere Heraushebung Preußens, wie sie gegenwärtig in der BRD und in Westberlin betrieben wird, ist nicht unsere Sache. Sie ist für uns auch deswegen nicht akzeptabel, weil Preußen – chronologisch und territorial – zwar wichtige Teile, aber eben nur Teile deutscher Geschichte umfasst, weil zu dieser ebenso die Geschichte vieler anderer Territorien gehört und weil wir stets – und das ist das Wichtigste – den Blick auf die Gesamtheit unserer Traditionen richten." Wenn heute von Preußen als dem neuen „Mythos" des Staates DDR geredet wird, dann ist das eine höchst einseitige Betrachtungsweise. Ein Teil des „Parteiapparates" und der Bevölkerung verschloss sich nach wie vor einer differenzierten Betrachtung. Im Dezember 1980 glaubte die Berliner Zeitung, das Organ der Bezirksleitung der SED, darauf hinweisen zu müssen, dass mit der Wiederaufstellung des Denkmals nicht Friedrich II., sondern der Bildhauer Rauch geehrt werden sollte. Der an der Akademie für Gesellschaftswissenschaften beim ZK der SED beschäftigte Historiker Helmut Meier riet in der Wochenschrift des Kulturbundes „Sonntag" den Betrachtern des Reiterstandbildes, nicht zu vergessen, dass sie vor einem der exponiertesten Vertreter des reaktionären Preußentums stehen. 1983 war in einer Umfrage desselben Instituts zum Geschichtsbewusstsein in der DDR der Staat Preußen nicht einmal eine Frage wert.

Möglicherweise war das auf die Preußenwelle zurückzuführen, die nach der Wiederaufstellung des Denkmals auch die DDR überschwemmte. Nie wurde ich um so viele Vorträge gebeten wie zu dieser Zeit. Es gab kein Publikationsorgan, das nicht Artikel über diesen Gegenstand veröffentlichte. Das Fernsehen der DDR nahm sich dieser Problematik mit Spiel- und Dokumentarfilmen an. Theaterstücke, etwa Klaus Hammels „Die Preußen kommen", wurden auf den Spielplan gesetzt. Es gab ausgezeichnete Kunstausstellungen. Was da auf die erstaunten Hörer, Zuschauer und Leser niederkam, entsprach nicht immer dem neuesten Forschungsstand, war oft unkritisch und ließ alte Legenden wieder aufleben.

Trotzdem war das Interesse der DDR-Bürger groß. Die ständige Beschäftigung mit der Arbeiterbewegung hatte seit langem Überdruss geweckt. In der „Preußenwelle" erkannten sie die Möglichkeit, mehr über zurückliegende Zeiten zu erfahren. Auch hatten sie die Abstraktionen satt, die viele Geschichtsbücher prägten. Sie wollten konkrete Beschreibungen von Menschen und Ereignissen. Deshalb der „Boom" von Biografien in dieser Zeit. Zudem verfügte die ältere Generation noch über so etwas wie ein „kollektives Gedächtnis".

Das untergegangene Preußen hat seit dem 19. Jahrhundert nie die Chance gehabt, frei von Einflüssen der Politik untersucht und betrachtet zu werden. Für die DDR gilt diese Feststellung in besonderem Maße, weil Forschung und „Geschichtspropaganda" in diesem Staat für politische Zwecke instrumentalisiert wurden. Doch gab es solche Bestrebungen auch in der Bundesrepublik. Nur war es hier der einzelne Historiker mit seinen speziellen Interessen, politischen Ansichten und Methoden, der sie zu verantworten hat. Liest man heute Meinungsäußerungen zum „Preußen-Jahr", seien es auch nur Leserzuschriften, gewinnt man in Berlin und Brandenburg bisweilen den Eindruck einer Neuauflage alter Rivalitäten. Dabei ist für eine nutzbringende Betrachtung preußischer Geschichte nichts nötiger, als diese endlich aus dem politischen Interessenspiel herauszuhalten, sie nicht für die Lösung von Gegenwartsaufgaben zu benutzen. Doch leider! Auch das „Preußen-Jahr" scheint nicht frei von solchen Tendenzen zu sein.

MICHAEL PRINZ VON PREUSSEN

Burg Hohenzollern

Gedanken und Erinnerungen

Die beiden Häuser Habsburg und Hohenzollern hatten ihre Stammsitze nicht weit voneinander entfernt im Südwesten des Reiches liegen: die Habsburger über dem Ufer der Aar, südwestlich von Brugg, in der heutigen Schweiz, die Hohenzollern im Flussgebiet des Neckars, auf einem Vorberg der Schwäbischen Alb. Die ursprüngliche Burg aus dem 11. Jahrhundert, 1061 erstmals erwähnt, diente den Zollerngrafen bis in das 15. Jahrhundert als Wohnsitz, bis sie 1423 von einem schwäbischen Städtebund erobert und völlig zerstört wurde. Nur die Michaelskapelle entging der Vernichtung.
Doch die Hohenzollern, mittlerweile schon zu einiger Achtung im Reiche gekommen, bauten ihr Stammschloss wieder auf. Die feierliche Grundsteinlegung zur zweiten Burg war am 25. Mai 1454. Erst im Dreißigjährigen Krieg musste die Burg erneut schwer leiden. Nachdem 1798 eine österreichische Besatzung von den Franzosen vertrieben worden war, ließ man die Burg – nunmehr militärisch bedeutungslos geworden – verfallen.
Kronprinz Friedrich Wilhelm, der spätere König Friedrich Wilhelm IV. von Preußen, besuchte im Jahre 1819 die Burg während einer Reise nach Italien. Er war über ihren trostlosen Zustand entsetzt. Die wenigen Mittel, die ihm zur Verfügung standen, erlaubten nur geringe Teilerneuerungen. Erst 1847 – aufgrund eines Vertrages mit den beiden schwäbischen Linien des Hauses Hohenzollern – begann der dritte Burgbau nach Plänen des Schinkel-Schülers Stühler. Der Übergang der Landesherrschaft an Preußen 1850 steigerte die innere Anteilnahme des Königshauses an dem Unternehmen. Seither befand sich die Burg zu zwei Dritteln in preußischem Besitz, ein Drittel verblieb den Hohenzollern.
Nach zwanzigjähriger Bauzeit wurde der im neugotischen Stil errichtete Bau am 3. Oktober 1867 vom preußischen Königspaar, dem Kronprinzen Friedrich und dem Fürstenpaar von Hohenzollern-Sigmaringen feierlich eingeweiht. Da aber das historische Geschehen Preußens fast ausschließlich im Norden und Osten stattfand und Berlin weit, weit weg war, verfiel die Burg bald wieder in einen Dornröschenschlaf. Sie wurde auch nie von einem Mitglied des Königshauses für längere Zeit bewohnt. Die Kriegswirren der beiden Weltkriege überstand die Burg zur großen Freude der Familie ohne Schäden.
Erst 1945 sollte die Burg durch einen kuriosen Umstand wieder stärker ins Bewusstsein der Öffentlichkeit treten: Mein Großvater, Kronprinz Wilhelm von Preußen, wurde auf der Burg Hohenzollern, in seinem eigenen Haus, von der französischen Besatzungsmacht inhaftiert. Schwaben, und somit auch die Burg, gehörten zur französischen Zone. Während der Inhaftierung, die nur einen, wenn auch schrecklich harten Winter lang dauerte, wurde mein Großvater von den Franzosen vorbildlich behandelt. Nach 1946 blieb der Kronprinz in Hechingen, der Zollernstadt am Fuße der Burg. Er bezog in der Hechinger Fürstenstraße ein normales Einfamilienhaus, das gegenüber dem Gymnasium lag. Dies sollte für mich noch eine besondere Bedeutung erhalten.
Mein Großvater bewohnte das Haus bis zu seinem Tode im Sommer 1951. Im Frühjahr desselben Jahres wartete auf meinen älteren Bruder Friedrich Wilhelm und mich noch ein besonderes Ereignis: Unsere Eltern eröffneten uns, dass sie mit uns eine Reise nach Süddeutschland zum Großvater antreten werden. Wir lebten damals in Bremen, wo wir nach dem Krieg und der Flucht aus Ostpreußen gelandet waren, und freuten uns

Hoch über dem Neckar auf dem Hohenzoller bei Hechingen gelegen, beherrscht die Burg Hohenzollern, Stammsitz des gleichnamigen Geschlechts, die Landschaft. Das Gemälde von Lorenzo II Quaglio aus dem Jahre 1851 entstand vor dem Wiederaufbau der Burg durch den Preußen-König Friedrich Wilhelm IV.

Kronprinz Wilhelm, Sohn des letzten deutschen Kaisers Wilhelm II., war nach Ende des Zweiten Weltkrieges auf der Burg Hohenzollern interniert. Nach seiner Entlassung bezog er ein Haus in Hechingen, in dem er bis zu seinem Tode 1951 lebte.

Bei der Taufe von Prinz Michael war auch sein Großvater, Kronprinz Wilhelm von Preußen, anwesend.

auf das Abenteuer. Die Reise ging zunächst von Bremen nach Hamburg, um dort den Schlafwagen nach Stuttgart zu besteigen. Für uns Kinder – mein Bruder war zwölf, ich elf Jahre alt – war alles sehr aufregend. Nach der Ankunft in Stuttgart am nächsten Tage brachte uns der Bummelzug endlich nach Hechingen. Hier quartierten wir uns in dem direkt an der Auffahrt zur Burg gelegenen Hotel Brielhof ein, in früheren Zeiten eine Umspannstation für Postkutschen. Selbst Bismarck hatte hier schon Station gemacht. Voller Ungeduld erwarteten wir den nächsten Morgen.
Als wir den Großvater dann trafen, war er sehr liebevoll und immer zu einem kleinen Spaß aufgelegt. Zusammen mit unseren Eltern verbrachten wir herrliche Stunden und besuchten gemeinsam mit ihm unsere Stammburg. Der Großvater gestattete uns sogar, uns in das goldene Gästebuch der Burg einzutragen. Unter dem Datum 31. März 1951 schrieben wir voller Stolz unsere Namen in das wertvolle Buch. Wir erlebten unbeschwerte, aufregende Tage, mein Großvater brachte meinem Bruder ein wenig Auto fahren bei und ich durfte im Fond seines weißen Sportwagens mitfahren – ein tolles Erlebnis. Beseelt von den Eindrücken dieser Tage und versehen mit einem üppigen Taschengeld traten wir die Rückreise an. Es sollte die letzte Begegnung mit unserem Großvater sein, die mir bis heute in lebendiger und unvergesslicher Erinnerung geblieben ist. Kaum vier Monate später, am 27. Juli 1951 verstarb der Kronprinz und wurde auf der Burg Hohenzollern beigesetzt. Meine Großmutter, die Kronprinzessin Cecilie, folgte ihm 1954.
Ich habe es später immer sehr bedauert, dass ich damals noch zu jung war, die Zusammenhänge und historischen Hintergründe zu verstehen, um mich mit meinem Großvater darüber unterhalten zu können. Da die Rolle meines Großvaters in historischen Darstellungen selten Beachtung findet, begann ich damit, mich intensiver mit ihm zu beschäftigen, zumal ich mich ihm sehr nahe fühlte. Der Konflikt zwischen dem Kronprinzen und dem Kaiser hatte sein Leben stark geprägt. Auch das spätere Verhältnis zwischen dem Kronprinzen und meinem Vater sollte besonders in den letzten Jahren immer gespannter werden. Seinen „Erinnerungen", die er 1919 auf der Insel Wieringen schrieb, wo er vier Jahre als „Gefangener" verbrachte, konnte ich entnehmen, wie sehr er unter der unsäglichen Entwicklung der vorangegangenen Jahre gelitten hatte und dass er ein durchaus „modern" und weitsichtig denkender Mensch war.
Die Burg Hohenzollern entwickelte sich in jenen Jahren für meine damals sechs Geschwister und mich zu einem zweiten Zuhause. Während unserer gesamten Schulzeit verbrachten wir dort – oft zusammen mit meinen Eltern – die Sommerferien. Selbst bei Auslandsreisen wurde traditionsgemäß immer eine Pause auf der Burg eingelegt. Mein Vater, nach dem Tode des Kronprinzen neuer Chef des Hauses Hohenzollern, kümmerte sich verstärkt um die Burg, die sich inzwischen zu einer touristischen Attraktion entwickelt hatte. Er vervollständigte systematisch die Kunstsammlungen in dem Umfang, wie sie bei heutigen Schlossführungen gezeigt werden.
Bereits 1952 war es meinem Vater gelungen, die Särge Friedrichs des Großen und seines Vaters, Friedrich Wilhelm I., auf die Burg Hohenzollern bringen zu lassen, nachdem sie bedingt durch die Kriegswirren 1943 aus der Potsdamer Garnisonskirche abtransportiert worden waren, zunächst versteckt wurden und bis 1952 vorübergehend in der Marburger Elisabethkirche beigesetzt waren.
In der evangelischen Christuskapelle der Burg fanden die Särge eine neue Bleibe. Jedes Jahr am 24. Januar, dem Geburtstag Friedrichs des Großen, organisierte mein Vater einen Gedenkgottesdienst für den großen König, unter reger Anteilnahme der Bundeswehr. Sein jahrzehntelang aufrechterhaltenes Versprechen, er werde die Särge nach Potsdam zurückführen, konnte er im August 1991, nach dem Fall der Mauer und der Wiedervereinigung, einlösen. Gemäß seinem letzten Willen fand Friedrich der Große auf der Terrasse des Schlosses Sanssouci bei seinen Hunden seine letzte Ruhestätte. Der Sarg des Soldatenkönigs steht seither im Mausoleum der Potsdamer Friedenskirche.
Ebenfalls Anfang der 50er Jahre gründeten meine Eltern auf der Burg die „Prinzessin Kira von Preußen-Stiftung". Durch ihre Hilfe konnten Berliner Kinder, bis zur Wende nur hilfsbedürftige Westberliner, in Gruppen bis zu 20 Teilnehmern den ganzen Sommer über jeweils einige Wochen kostenlos Ferien auf der Burg Hohenzollern verleben. Während unserer Ferienwochen auf der Burg waren die Berliner Kinder natürlich gern gesehene Spielkameraden für meine Geschwister und mich. Die Stiftung, die auch heute noch besteht und sich durch jährliche Wohltätigkeitskonzerte auf der Burg finanziert, wird seit dem Tod meiner Mutter 1967 durch meine Schwester Kira geleitet, unterstützt durch meine Schwester Marie-Cecilie.
In all den Jahren, als beide Eltern noch lebten, fanden auf der Zollernburg verschiedene große Familienfeiern statt. Ein herausragendes Ereignis war die 900-Jahr-Feier Hohenzollern-Preußen im Jahre 1961. Drei Tage lang begingen wir mit vielen Verwandten die Festlichkeiten aus Anlass dieses denkwürdigen Datums. Für mich persönlich erhielt die Burg in jenen Tagen noch eine zusätzliche Bedeutung, als sie für einige Wochen mein Zuhause wurde: Bedingt durch mehrere Auslandsaufenthalte hatte sich meine Schulzeit bereits verlängert und ich musste nach Abschluss der Unterprima die Schule wechseln.

So kam ich nach dem Internatsgymnasium Schloss Plön auf das Hechinger Gymnasium und wohnte anfangs auf der Burg. Diese Lösung erwies sich jedoch als zu umständlich und ich fand bei einem meiner Lehrer und seiner fürsorglichen Frau, die mir bis heute freundschaftlich verbunden sind, eine neue Unterkunft. Während der zweijährigen Schulzeit in Hechingen ließ ich keine Gelegenheit aus, alleine oder mit Freunden immer wieder schöne Stunden auf dem Stammsitz unserer Familie zu verbringen. Im Laufe der Zeit beschäftigte ich mich intensiver mit dem Schwabenland und den Menschen, die hier leben, und lernte beides kennen und schätzen. Strahlender Mittelpunkt meiner Beschäftigung aber blieb die Burg Hohenzollern, und sie sollte es auch in der Zukunft sein.
Nachdem die Wiedervereinigung es meinem Vater ermöglichte, sich wieder mehr und mehr um seine Heimat, sein geliebtes Potsdam, zu kümmern, führten ihn seine Wege immer seltener auf die Burg nach Hechingen. 1993, nach neun Jahren Aufenthalt auf Mallorca, kehrten meine Frau und ich nach Deutschland zurück. Auf Wunsch meines Vaters – und in Erinnerung an die Jugendzeit – wählten wir das Schwabenland als neuen Wohnort und ließen uns in der Gemeinde Bisingen nieder, zu der auch die Burg gehört. Da wir uns bereits von Mallorca aus für die touristische Attraktion „Burg Hohenzollern" eingesetzt hatten, begrüßte es mein Vater, dass wir ihn sozusagen vor Ort vertreten konnten und zusammen mit dem damaligen Burgverwalter die Burg im In- und Ausland bekannter machten. Burg und Umgebung waren uns bestens vertraut, und so stürzten wir uns mit großem Enthusiasmus und voller Pläne in die neue Aufgabe. In enger Zusammenarbeit mit dem Fremdenverkehrsverband und der Tourismuszentrale konnten wir die Popularität der Burg auch in den USA und Japan steigern. Bedeutende Unternehmen, darunter der in der Nähe beheimatete Daimler-Benz-Konzern, entdeckten den Reiz der Burg für große Veranstaltungen. Dass ein Mitglied des ehemaligen Königshauses die Gäste auf der Burg begrüßte, verstärkte noch den Eindruck, den die Burg auf ihre Besucher ausübte.
Nach dem Tode meines Vater am 25. September 1994 ändert sich dies leider sehr abrupt. Das heutige Problem begründet sich in der unterschiedlichen Auffassung der Generalverwaltung gegenüber unserer Familie und deren Tradition. Umso wichtiger scheint es mir, dass die Burg Hohenzollern in unserem Bewusstsein unsere Wiege und unser Zuhause bleiben wird, nicht zuletzt deshalb, weil auch die Familie Preußen, wie viele Tausende Mitmenschen auch, ihre Heimat und ihren Besitz im Osten durch den Krieg verloren haben. So blieb nach dem Krieg nur die weit im Westen liegende Stammburg Hohenzollern, die dadurch für die Familie noch an Bedeutung gewann. Unsere Eltern haben auf der Burg ihre letzte Ruhestätte gefunden. Mein Vater hatte bereits die Remise unter der evangelischen Christuskapelle zu einer russischen Kapelle, der Auferstehungskapelle, ausbauen lassen. Hier ruht mein Vater neben meiner Mutter, Prinzessin Kira von Preußen, Großfürstin von Russland und Nichte des letzten russischen Zaren Nikolaus II. Auch meine jüngste Schwester Xenia, die leider viel zu früh am 18. Januar 1992 starb, ist hier beigesetzt.
Wenn wir abends von unserem Haus zur angestrahlten Burg hinaufschauen, scheint sich die Burg in ein geheimnisvolles Märchenschloss zu verwandeln. Sie birgt ihre Sagen und Geschichten, die sich im Laufe der Zeit angesammelt haben. Doch das Geflüster des vorbeihuschenden Burggeistes, der weißen Frau, wird nie durch die dicken Mauern, die Türme oder über die Zugbrücke dringen. Wenn die Sonne dann am Morgen die letzten Nebelschwaden verdrängt, überragt die Burg stolz und majestätisch das Schwabenland. In Abwandlung des englischen Spruchs „My home is my castle" dürfen wir dann sagen „The castle is our home".

Friedrich II. hat einen prominenten Platz in der Ahnengalerie der Hohenzollern. Das Porträt von Friedrich Weitsch aus dem Jahre 1780 ist in der Burg Hohenzollern zu sehen.

Prinz Michael von Preußen vor der Stammburg der Hohenzollern. Der neugotische Bau mit seinen vielen Türmen und der beeindruckenden Wehranlage ist heute der Öffentlichkeit zugänglich.

MANFRED STOLPE

Brandenburg und das Erbe Preußens

Mit seinen zahlreichen Romanen und den berühmten „Wanderungen durch die Mark Brandenburg" setzte er dem alten Preußen ein Denkmal: Theodor Fontane. Die Porträtaufnahme entstand kurz vor seinem Tod im Jahre 1898.

In seinem Opus magnum „Der Stechlin" zieht der Skeptiker Theodor Fontane, der wusste, dass nichts wirklich feststeht und feststehen kann, ein weiteres, ein letztes Mal Bilanz. Die durchgängig wiederkehrenden Themen seines Werks werden noch einmal neu bedacht: letzte Gedanken – so heißt es in einer treffenden Würdigung – „über Gott und die Welt, über Bismarck und den Alten Fritz, über Preußen und die Mark Brandenburg ...".

Bilanz zu ziehen über Preußen, an Versuchen, dies ernsthaft und endgültig zu tun, hat es gerade in den vergangenen Jahrzehnten nicht gefehlt. Vieles ist aus diesen Versuchen zu lernen, am wichtigsten aber erscheint mir die Erkenntnis, dass es ein Ende der Beschäftigung mit Preußen nicht geben kann – und nicht geben sollte.

„Unanfechtbare Wahrheiten gibt es überhaupt nicht, und wenn es welche gibt, so sind sie langweilig." So lautet das Lebensmotto des preußischen Gutsherrn Dubslav von Stechlin, der – und man erkennt daran unschwer den Schöpfer dieser literarischen Figur – in der Lage ist, entgegengesetzte Dinge zusammenzubringen, „weil er seinem ganzen Wesen nach überhaupt hinter alles ein Fragezeichen machte". Es erscheint mir ratsam, sich genau dieser „fontanischen" Fähigkeit zu bedienen, wenn wir heute mit der preußischen Geschichte in einen der Gegenwart dienenden Dialog treten wollen.

Schon die Frage nach dem Sterbedatum Preußens führt uns in eine Kontroverse. War es der 18. Januar 1871, als Wilhelm I. zum deutschen Kaiser gekrönt wurde und – wie der Monarch unter Tränen beklagt haben soll – der preußische Staat als souveränes und unabhängiges Gebilde zu bestehen aufhörte. Oder war es der 9. November 1918, als Reichskanzler Prinz Max von Baden den Thronverzicht des Kaisers bekannt gab und Philipp Scheidemann die Deutsche Republik proklamierte.

War es der 20. Juli 1932, der Tag des so genannten „Preußenschlages", als „Reichskommissar" Franz von Papen die preußische Staatsregierung unter der Führung des sozialdemokratischen Ministerpräsidenten Otto Braun absetzte und damit eine Bastion der Republik gegen den anbrandenden Nationalsozialismus schleifte. Oder war es schließlich doch der 25. Februar 1947, als der Alliierte Kontrollrat per Gesetz Nr. 46 die Auflösung des „Preußischen Staates, seiner Zentralregierung und aller nachgeordneten Behörden" verfügte und zur Begründung anführte, Preußen sei „seit jeher Träger des Militarismus und der Reaktion in Deutschland gewesen".

Preußen ging damals in jedem Fall sang- und klanglos unter. Die Öffentlichkeit

nahm von seiner Auflösung kaum Notiz. Die Menschen hatten im kalten Nachkriegswinter 1946/47 andere Sorgen: Lebensmittel und Heizmaterial waren knapp, das Schicksal vieler Kriegsgefangener war ungewiss, in Moskau verhandelten die Außenminister der Alliierten über die Zukunft Deutschlands. In den Zeitungen wurde die „offizielle Entpreußung Deutschlands" überwiegend begrüßt. Der Einfluss Preußens, hieß es da unter anderem, habe Deutschland in die Katastrophe des Zweiten Weltkriegs geführt.

Die geschichtsklitternde Vereinnahmung des Preußentums durch Hitler und seine Schergen, der Missbrauch und die Verzerrungen der Nazis bewirkten eine Verdammung mit Langzeitwirkung. Fragt man die Menschen heute, was sie mit Preußen verbinden, wird man vielfach nicht zuletzt deshalb noch immer mit abschätzigen Meinungen, hartnäckigen Vorurteilen und Unkenntnis konfrontiert.

Ich meine, Preußen ist besonders in den Nachkriegsjahren in einer Weise verurteilt worden, die bei nüchterner Betrachtung der Geschichte, bei Betrachtung ihrer Höhen und Tiefen, nicht zu rechtfertigen ist. Geschichte ist stets komplex, und gerade die Geschichte Preußens entzieht sich einlinigen Urteilen. Preußen – so formuliert es der Historiker Jürgen Kocka – „erscheint uns als faszinierende Mischung sich bedingender Gegensätze, darin liegt seine Größe".

Richtig ist aber auch: Preußen weckt noch heute widersprüchliche Emotionen, spricht nicht selten eher den Bauch als den Kopf an, Preußen wird von den einen bewundert und kritiklos verehrt, von den anderen beargwöhnt und sogar gehasst. Wer sich mit der Geschichte Preußens befasst, tut gut daran, diese widersprüchlichen Reaktionen im Bewusstsein zu halten. Denn so wie die preußische Wirkungsgeschichte war der preußische Staat selbst durch Zweideutigkeiten und Ambivalenzen geprägt. Der preußische Adler – so hatte es hellsichtig Madame de Staël bereits 1810 definiert – „zeigt ein Doppelgesicht wie der Januskopf: ein militärisches und ein philosophisches".

Auf der einen Seite waren da das Exerzierreglement und die „Langen Kerls", der Kasernenhofton und der militärische Drill, da waren Spießigkeit und Untertanentum, engstirniger Dünkel und schließlich auch Größenwahn. Preußen war ein monarchisch-bürokratischer Staat, der das Instrument einer autoritätsgläubigen und darum kritiklosen Beamtenschaft perfektionierte, der in einer zunehmend industrialisierten,

Kaiserparaden wie die auf dem Berliner Schlossplatz im Jahre 1903 waren beliebt im Deutschen Reich.

Der Nationalsozialismus vereinnahmte den Mythos Preußen. Am 30. Januar 1933 feierten SA, SS und Stahlhelm die Berufung Hitlers zum Reichskanzler mit einem Fackelzug durch das Brandenburger Tor. Propagandagemälde von Arthur Kampf aus dem Jahre 1938.

Sie repräsentieren das schöne Antlitz Preußens: Karl Friedrich Schinkel (oben) und Johann Gottfried Schadow, die beiden Gründerväter des preußischen Klassizismus. Noch heute beeindrucken die Bauten Schinkels, wie das Schauspielhaus am Gendarmenmarkt in Berlin und die Skulpturen Schadows, darunter das Doppelstandbild der Prinzessinnen Luise und Friederike von Preußen.

urbanisierten und verbürgerlichten Welt gesellschaftliche Dynamik stets von oben zu reglementieren versuchte und sich zäh und stur der anstehenden Demokratisierung entzog.
Preußen war auf der anderen Seite aber auch ein Staat der Vernunft, der sich vor allem im 18. und in der ersten Hälfte des 19. Jahrhunderts unter den ungünstigsten Bedingungen – das Land war dünn besiedelt, der Boden karg, die Wirtschaft rückständig, das Territorium zersplittert – mit den jeweils fortschrittlichsten Kräften der Zeit verbündete, der der Aufklärung den Weg bereitete, der Bildung und Wissenschaft förderte, in Kunst und Kultur zu europäischer Größe fand und sich dank seiner Disziplin und intellektuellen Kraft, durch Maßhalten und geistige Konzentration in ständig wechselnder Gestalt behauptete. Zu sprechen ist hier auch über die großen und dauerhaft prägenden Erzieher zum Preußentum, vor allem über Friedrich Wilhelm I., der bis zur Knauserigkeit sparsame, der fromme und zugleich jähzornige „Soldatenkönig", der aber in 27 Jahren Regentschaft keinen großen Krieg führte, und natürlich über Friedrich II., der Philosoph auf dem Thron, „der in Potsdam wie Plato mit seinen Freunden lebte" (Voltaire), der sich als erster Diener seines Staates, als Schutzherr der Liberalität und des Fortschritts verstand und doch 23 Jahre, die Hälfte seiner Regierungszeit, als Feldherr auftrat. Beide, Vater und Sohn, waren Thronfolger, die gegen ihre Väter opponierten und es als Könige besser zu machen versuchten, beide tragen den Januskopf Preußens, und beide – nicht nur der Sohn – verkörpern das Preußentum mit seinen lichten und dunklen, mit seinen weißen und schwarzen Seiten.
Kein Zweifel: Preußens Größe entstand durch Staatskunst von oben, es gewann so aber nicht nur an Macht, es gewann zugleich die Zustimmung vieler Menschen, es brachte kluge Köpfe hervor und holte große Geister ins Land.
Da sind Schinkel und Schadow, die Gründerväter des preußischen Klassizismus, da sind Kant, Fichte und Hegel, die der Philosophie Flügel gaben, da sind Stein und Hardenberg, die den absolutistischen Staat in einen modernen Rechtsstaat verwandelten, Scharnhorst und Gneisenau, die das Militärwesen einer vollständigen Neuordnung unterzogen, Alexander und Wilhelm von Humboldt, der die große Bildungsreform einleitete, die den geistigen Hintergrund aller Reformen bildete. Nicht zuletzt ist da der überzeugte Preuße und scharfsinnige Preußenkritiker Theodor Fontane, der wie kaum jemand sonst unter seinen Zeitgenossen Glanz und Gloria, Schimpf und Schande, kurz: die Janusköpfigkeit Preußens zu erkennen und zu dokumentieren wusste.
Einerseits und andererseits muss es auch heißen, wenn wir über die viel zitierten preußischen Tugenden diskutieren. Ohne Frage sind Redlichkeit, Ordnungssinn, Leistungsbereitschaft, Fleiß, Bescheidenheit oder Pflichtgefühl noch heute einzufordernde Verhaltensweisen und Handlungsziele, also Tugenden im besten Sinne des Wortes, wenn sie auf den Mitmenschen wie auf das Gemeinwohl ausgerichtet sind.
Aber Tugenden sind, ebenso wie Macht, ein Mittel und kein Selbstzweck. Es stellt sich also immer die Frage, wozu man sie nutzt. Das im genauen Wortsinn Fragwürdige an den preußischen Tugenden lässt sich deshalb mit Christian Graf von Krockow so charakterisieren: „Es handelt sich um so genannte Sekundärtugenden. Das heißt: Die Leistungsbereitschaft sagt nicht, wofür sie eingesetzt wird, die Pflichterfüllung nicht, wem sie dient. Die Frage nach den vorrangigen Werten, nach den Zielen muss daher stets gestellt und beantwortet werden, sonst kann in der Tat auch das Verbrechen sich rechtfertigen. Sonst bleibt nur die Warnung vor solchen Tugenden."
Folgt man der Sicht Sebastian Haffners, hatten sich in Preußen alle Tugenden dem ersten und obersten Gebot, der Pflichterfüllung im Dienste des Staates, unterzuordnen: „Die Pflicht gegen den Staat kam zuerst. Mit diesem Religionsersatz ließ sich leben, und sogar ordentlich und anständig leben – solange der Staat, dem man diente, ordentlich und anständig blieb. Die Grenzen und Gefahren der preußischen Pflichtreligion haben sich erst unter Hitler gezeigt."
Preußen hielt seine Untertanen zur Pflichterfüllung an, welcher Idee aber diente Preußen, fragt Haffner und gibt die Antwort: „Wir entdecken keine; keine religiöse, keine nationale, keine von der Art, die man heute ideologisch nennt. Dieser Staat diente nur sich selbst. Preußen war Selbstzweck."
„In mancher Hinsicht", schreibt Marion Gräfin Dönhoff deshalb mit gutem

Recht, „sind es gerade die Eigenschaften, die den preußischen Staat aus kargen, provinziellen Anfängen langsam zu Glanz und Größe in Europa aufsteigen ließen, diejenigen gewesen, die ihn schließlich so unbeliebt gemacht haben. Loyalität dem Herrscher gegenüber, bescheidene Lebensansprüche, äußerste Disziplin und Opferbereitschaft waren das Kapital, mit dem eine Reihe von genialen Regierungschefs diesem Staat zwischen dem 17. und 19. Jahrhundert einen Aufstieg ohnegleichen ermöglicht hatten. Dieselben Eigenschaften aber wurden unter einem Spätgeborenen dieser Dynastie, unter Wilhelm II., dem es an geistigem Maß, moralischem Sinn und politischem Einfühlungsvermögen mangelte, zum Schrecken Europas."

Übersehen dürfen wir dabei allerdings nicht: Preußische Loyalität ist nicht zu verwechseln mit blinder Willfährigkeit, preußisches Pflichtbewusstsein ist keineswegs die harmlose Vorstufe der Pflichtbesessenheit, denn Pflichtfanatismus oder Kadavergehorsam sind von grundsätzlich anderer Natur.

„Wenn irgendwo", so Bundespräsident Theodor Heuss 1954 in seiner Rede zum Gedenken an die Opfer des Widerstands vom 20. Juli 1944, „dann steht Preußens Denkmal in einer Dorfkirche der Mark Brandenburg zu Friedersdorf."

„Wählte Ungnade wo Gehorsam nicht Ehre brachte", heißt es da auf der Grabplatte des Obristen Johann Friedrich Adolph von der Marwitz, der sich dem königlichen Befehl verweigerte, das sächsische Jagdschloss Hubertusburg zu plündern und alles Inventar als Geschenk anzunehmen, – und sodann den Dienst quittierte.

Von Friedersdorf führt eine Linie zu jenem Kreis von Frauen und Männern um Claus Schenk Graf von Stauffenberg und Henning von Tresckow, die den Versuch wagten, dem nationalsozialistischen Terrorregime das Haupt abzuschlagen und mit dem Diktator die Diktatur loszuwerden.

Schließlich war es gerade die Achtung jener Tugenden, die wir preußisch nennen, die Offiziere, Beamte und Zivilisten ins Lager der Widerstandsbewegung trieb und ihnen die Courage gab, sich mörderischen Befehlen zu verweigern und der Menschen verachtenden Hitler-Tyrannei entgegenzustellen. Unter den Opfern der nationalsozialistischen Rache für die Tat des 20. Juli finden sich bemerkenswert viele Namen der brandenburgisch-preußischen Geschichte: Yorck, Moltke, Kleist, Schwerin, Hardenberg und Schulenburg – um hier nur einige zu nennen. So setzt auch die Erinnerung an ihr Erbe einen Maßstab, den wir uns vergegenwärtigen müssen, wenn wir heute der preußischen Geschichte in allen ihren Facetten gerecht werden wollen.

„Preußen ohne Legende", für mich ist der Titel von Sebastian Haffners brillantem Buch gut zwei Jahrzehnte nach seinem Erscheinen noch immer Programm. Der Staat Preußen ist unwiederbringlich Teil der Vergangenheit, Teil der brandenburgischen, der deutschen und der europäischen Geschichte, sein Erbe aber ist uns in Brandenburg auf Schritt und Tritt gegenwärtig: in unseren Familiengeschichten und Einzelschicksalen, im Bild unserer Dörfer, unserer Städte und ganzer Landschaften, in den Mentalitäten der Menschen und nicht zuletzt in den Vorstellungen, die man im Ausland von uns hat. Die Geschichte Preußens hat Land und Leute geformt; oft mehr, als die meisten wahrhaben wollen.

Es ist also an uns, mit diesem Erbe, das wir nicht ausschlagen können noch sollten, „da es viel sagt über unser Werden" (Günter de Bruyn), verantwortungsbewusst und zukunftsorientiert umzugehen. Es ist an uns, in einem in Freiheit wieder erstandenen und demokratisch verfassten Land Brandenburg jene Traditionen zu ehren, die guten Gewissens gerühmt werden dürfen und die wir fortführen sollten.

Wir wollen deshalb anknüpfen, wo Preußen im Geiste der Aufklärung Maßstäbe für Rechtsstaatlichkeit und Rechtssicherheit setzte. Unter der Regentschaft Friedrich II. wurde das Strafrecht humanisiert, ein unabhängiger Richterstand geschaffen und eine moderne Prozessordnung eingeführt. Das „Allgemeine Landrecht für die Preußischen Staaten" galt als das fortschrittlichste seiner Zeit, setzte Zeichen für die Achtung der Menschenrechte und brauchte sich vor den Grundsätzen der Amerikanischen Unabhängigkeitserklärung nicht zu verstecken. Auf dieser Grundlage wurden zu Beginn des 19. Jahrhunderts unter der Leitung des Reichsfreiherrn vom und zum Stein und seinem Nachfolger Fürst von Hardenberg die Voraussetzungen für den Übergang vom absolutistisch regierten Ständestaat zum bürgerlichen Verfassungsstaat geschaffen. Maßstab für das Individuum sollten Fähigkeit und Leistung, nicht länger Rang, Stand und Geburt sein.

Lernen können wir auch vom innovativen Tatendrang unserer brandenburgisch-preußischen Vorfahren. In die Zeit Friedrichs des Großen fiel die Kolonisation im Oderbruch. Durch das Trockenlegen von Sumpfgebieten wurde fruchtbares Ackerland gewonnen und ein einst öder Landstrich in eine wertvolle Kulturlandschaft verwandelt. Kanalbauten zwischen Elbe, Havel und Oder sorgten für die weitere Erschließung des Landes.

Wilhelm II. steht auch für den Hochmut Preußens und eine aggressive Militärpolitik. Während seiner Herrschaft verspielte Preußen-Deutschland den Kredit, den es unter Bismarck in Europa erworben hatte. Die Zeichnung aus dem Jahre 1891 stammt von Max Koner.

Allgemeines
Landrecht
für die
Preussischen Staaten

Erster Theil erster Band.
Dritte Auflage

Berlin, 1796.
in der Buchhandl. des kön. preuss. geh. Commercien-Raths Pauli.

Ein Ruhmesblatt für Preußen: Das „Allgemeine Landrecht für die Preußischen Staaten" aus dem Jahre 1794. Es war eines der fortschrittlichsten Gesetzbücher seiner Zeit und blieb in Teilen bis 1900 in den meisten Provinzen Preußens in Kraft.

Eine gezielte Wirtschaftsförderung kam vor allem der Seiden- und Wollindustrie, den Porzellanmanufakturen und dem Hüttenwesen zugute. Mit der Förderung des Anbaus von Kartoffeln, Flachs und Hopfen und durch die Anwendung fortschrittlicher Bewirtschaftungsmethoden gelang auch in der Landwirtschaft der Aufschwung. In einem Land, das nicht eben reich mit Bodenschätzen und natürlichen Rohstoffen gesegnet ist, müssen seine Bewohner diesen Mangel durch Kreativität, Tatkraft und Innovationsfreude ausgleichen. Immer war es die geistige Vitalität der Menschen, die den Reichtum der märkischen Streusandbüchse begründete. Der Mut, etwas Neues zu wagen und ungewöhnliche Wege zu gehen, der Bildung und Wissenschaft Priorität zu geben, muss uns auch heute Vorbild sein.
Schließlich waren Weltoffenheit und Toleranz über viele Generationen herausragende Merkmale des brandenburgisch-preußischen Staates. Das Edikt von Potsdam vom 29. Oktober 1685 und weitere Edikte machten den Weg frei für die Einbürgerung von Hugenotten, Salzburgern, Böhmen, Holländern und nicht zuletzt Juden, die hier eine neue Heimat fanden, in der sie ihr Leben selbstbestimmt und ohne Verfolgung führen konnten. Im Nebeneffekt erhofften sich die preußischen Monarchen sicherlich den kulturellen und wirtschaftlichen Aufschwung des damals noch recht armseligen Landstrichs. Doch auch wenn man diesen Nebeneffekt zum Hauptgrund erhebt, bleibt das humane Verdienst, den Bedrängten ein offenes Haus geboten und die eigenen Landsleute aus geistiger Enge und Beschränktheit geführt zu haben.
Die Glaubensflüchtlinge aus ganz Europa brachten ökonomisches, technologisches und nicht zuletzt künstlerisches Know-how ins Land und ließen gleichsam nebenbei eine kultiviertere, feinere Lebensart Einzug halten. Und auch wenn es bei dieser Weltoffenheit, wie bei so vielem in Preußen, um ein von oben auferlegtes Prinzip ging, das immer neu durchgesetzt und eingeschärft werden musste, das historische Beispiel lehrt: Auch eine aus Vernunftgründen und Staatsraison gewährte Toleranz ist von ethischer Größe und Qualität.
In Brandenburg-Preußen wurde heimisch, was Europa ausmachte, damals entstand aus der Assimilierung der italienischen Renaissance, der französischen Hofkultur und mit der Aufnahme kultureller Impulse aus Osteuropa, Russland und den calvinistischen Niederlanden jene „europäische Dimension Preußens", von der Marion Gräfin Dönhoff spricht und an die zu erinnern lohnt in einer Zeit, in der der Begriff „Europa" allein für eine wirtschaftliche Zweckgemeinschaft zu stehen scheint.
Es geht also nicht um Rückschau der Historie wegen. Es geht um Selbstvergewisserung in der Gegenwart, um Orientierung für die Zukunft. Landesgeschichte stiftet Identität und weist Wege. Es mag gelegentlich scheinen, als sei uns diese Einsicht zu einer Selbstverständlichkeit, ja in der Fülle von Gedenk- und Erinnerungstagen längst zu einem inhaltsleeren Allgemeinplatz geworden. Geschichtliches Bewusstsein und histo-

„Eine Eroberung ohne Soldaten". Durch die Trockenlegung des Oderbruchs, an der unter Leitung holländischer Fachleute von 1747 bis 1753 gearbeitet wurde, gewann Friedrich II. Ackerland aus Sumpfgebieten. Holzstich nach einer Zeichnung von Ludwig Burger.

rische Kenntnisse, so möchte man glauben, sind allgegenwärtig und das Wissen um unsere landesgeschichtliche Vergangenheit und Herkunft weit verbreitet. Wer aber etwas genauer hinsieht und zuhört, merkt leider rasch, dass der Schein trügt. Nirgendwo wird dies deutlicher als in den neuen Ländern. Nach zwölf Jahren grotesker Verzerrung preußischer Traditionen durch die Nationalsozialisten und weiteren 40 Jahren, in denen die brandenburgisch-preußische Geschichte durch das SED-Regime tabuisiert oder instrumentalisiert wurde, ist es heute höchste Zeit, unser historisches Erbe unverfremdet wieder zu entdecken, es anzunehmen und für die Gestaltung der Zukunft im Land Brandenburg zu nutzen. Und auch dafür mag sich ein viel zitiertes Wort aus Theodor Fontanes „Stechlin" als kluger Ratschlag erweisen: „Alles Alte, soweit es Anspruch darauf hat, sollen wir lieben, aber für das Neue sollen wir recht eigentlich leben."

Preußen war ein Knotenpunkt vielfältiger europäischer Einflüsse. Dazu gehörten auch die Salzburger Protestanten. Wegen ihres Glaubens aus dem katholischen Fürsterzbistum vertrieben, wurden sie von Friedrich Wilhelm I. in Preußen aufgenommen und im Osten angesiedelt. Der Holzstich zeigt den Preußen-König beim Empfang der Glaubensbrüder 1732.

MATTHIAS PLATZECK

Potsdam und Preußen

Facetten eines Gesamtkunstwerks

Das Stadtschloss, unter dem Großen Kurfürsten errichtet, erhielt unter Friedrich II. seine klassische Gestalt. Der Umbau (Pläne: Georg Wenzeslaus von Knobelsdorff) Mitte des 18. Jahrhunderts trägt seine Handschrift.

Die Geschichte Preußens ist nirgendwo so präsent und unmittelbar erfahrbar wie in Potsdam. 300 Jahre Preußen haben die Region und die Architektur von Potsdam in ihrem heutigen Erscheinungsbild unverwechselbar und unwiderruflich geprägt. Ob wir es bemerken oder nicht, diese „preußische Prägung" des Stadtbildes und der Baudenkmäler von Potsdam, 1991 von der UNESCO zum Weltkulturerbe erklärt, legt Zeugnis ab über die Geschichte Preußens, von den Anfängen bis zu den letzten Jahren der monarchistisch-preußischen Vergangenheit – eine Prägung, die auch in Zukunft fortbestehen wird.
Auf Schritt und Tritt erinnert Potsdam an Preußen, an die Geschichte der preußischen Monarchie ebenso wie an deren doktrinäre Instrumentalisierung durch die Nazi-Herrschaft. Preußen und seine Geschichte wurden missdeutet und missbraucht, mit schlimmen Folgen. Durch die Bombardierung von Potsdam am 14. April 1945, die Auflösung Preußens durch die Alliierten und die Sprengung des Stadtschlosses auf Anordnung

Das Holländische Viertel wurde zwischen 1737 und 1740 von Jan Boumann mit Hilfe der Festungsbauingenieure Pierre de Gayette und Andreas Berger im Auftrag Friedrich Wilhelms I. erbaut. Das Foto zeigt eine Häuserreihe am Bassinplatz, der ursprünglich als künstlicher See mit Insel und Lustschloss angelegt war.

Der Portikus an der Westseite von Schloss Charlottenhof entstand beim Umbau des alten Gutshauses durch Karl Friedrich Schinkel in den Jahren 1826 bis 1829. Der damalige Kronprinz und spätere König Friedrich Wilhelm IV. begleitete die Arbeiten mit einer Reihe von Skizzen und Entwürfen.

des SED-Politbüros 1960 sollte auch der so genannte „preußische Geist", eine Metapher des Militarismus, getilgt werden. Aber Geschichte lässt sich nicht einfach wegsprengen, sie kehrt immer wieder zurück, in das Bewusstsein und in die Öffentlichkeit.
In der Vergangenheit gewaltsam geschaffene Lücken im Potsdamer Stadtbild und in den Köpfen sollten heute konstruktiv und produktiv geschlossen werden, sie sollten Anlass dazu geben, die Komplexität und Widersprüchlichkeit der Stadt Potsdam in Verbindung mit der preußischen Geschichte anzuerkennen.
Preußen steht nicht nur für Obrigkeitsgläubigkeit, blinden Gehorsam, Untertanengeist und Militarismus, sondern auch für Einfallsreichtum, Toleranz im Interesse der Staatsräson, effiziente öffentliche Verwaltung, Sparsamkeit im Umgang mit öffentlichen Mitteln, unabhängige Justiz, Schulreform und Sozialgesetzgebung. Friedrich II. sagte von sich selbst: „Das Recht steht über mir. Selbst als König muss ich mich dem beugen." Diese Worte erinnern daran, dass aus den Rechten eines Individuums auch Pflichten entstehen, die zu verantwortlichem Handeln in einer Gemeinschaft von Menschen hinführen. Eine „preußische Tugend" in diesem Sinne fordert uns dazu auf, dass wir alle als „Diener unseres Staates" eben diesen Staat verantwortlich mitgestalten müssen – wenn es sein muss mit Zivilcourage und persönlichem Einsatz, ein sinnvolles und zeitgemäßes Postulat für die demokratische Gesellschaft, in der wir heute leben.
Die Identifikation der Bewohner von Potsdam mit ihrer Stadt und zugleich mit der in ihr verkörperten Geschichte Preußens fällt nicht leicht und könnte am besten als Gratwanderung zwischen historischen Abgründen und positiven Impulsen bezeichnet werden.
Preußen als Staat und Staatsidee ist Vergangenheit, ein für alle Mal Geschichte. Die Diskussionen im Zusammenhang mit drei Jahrhunderten preußischer Geschichte haben jedoch wesentlich dazu beigetragen, Entwicklungen differenzierter wahrnehmbar zu machen: Fortschrittliche Rechtsstaatlichkeit in den Anfängen schlug unter Bismarck und vor allem unter Wilhelm II. in Kadavergehorsam um, der den Weg des militaristischen Preußen in den Ersten Weltkrieg ebnete. Der vom Nazi-Regime inszenierte „Tag von Potsdam" am 21. März 1933 kennzeichnet die infame Vereinnahmung preußischer Traditionen als Rechtfertigung einer verbrecherischen Diktatur, unter Mitwirkung vieler preußischer Offiziere. Andererseits wurde auch die deutsche Widerstandsbewegung gegen Hitler 1944 von preußischen Offizieren mitgetragen, allerdings zu spät.
In Potsdam erinnern viele Gebäude an das alte Preußen. Die Erneuerung und Rekonstruktion preußischer Architektur in Potsdam, die während der letzten Jahre verstärkt vorangetrieben worden ist, beabsichtigt jedoch nicht die Instandsetzung des „preußischen Geistes", sondern beruht in erster Linie auf dem Respekt vor dieser einmaligen architek-

Das Alte Rathaus an der östlichen Seite des Alten Marktes war ein Werk der Baumeister Boumann und Hildebrandt und entstand in den Jahren 1753 bis 1755. 1945 schwer beschädigt, wurde es 1960 bis 1966 wieder aufgebaut und als Kulturhaus genutzt. Den Obelisken im Vordergrund schuf Knobelsdorff in der Zeit des Rathausbaus.

Der markante Turm der barocken Garnisonskirche entstand nach Plänen des Baumeisters Johann Philipp Gerlach zwischen 1732 und 1735. Durch den Krieg fast völlig zerstört, wurde sie 1969 gesprengt.

tonischen Komposition: Auf unwirtlich sumpfigem Grund wurde im Lauf der Jahrhunderte ein städtebauliches Gesamtkunstwerk von Menschenhand geschaffen, mit Schloss Sanssouci, dem Marmorpalais, Schloss Charlottenhof, Schloss Cecilienhof sowie dem Holländischen Viertel und der barocken Innenstadt.

Als großer Vorteil für Potsdam erwies sich insbesondere die Tatsache, dass während der DDR-Ära keine Mittel für größere Abrisse oder Umbaumaßnahmen zur Verfügung standen. Sensible Bereiche Potsdams wie das Holländische Viertel oder die Innenstadt blieben deshalb weitgehend von den Bausünden der sechziger und siebziger Jahre nach westdeutschem Vorbild verschont. Potsdam verfiel leise, aber die Strukturen der Stadt existierten weiter. Motivation für die gegenwärtige Erneuerung des Stadtbildes ist nach wie vor die Achtung vor dem Gesamtkunstwerk Potsdam, vor den Künstlern, Baumeistern und Gartenarchitekten, die es geschaffen haben.

Widersprüchlichkeit ist ein Merkmal der preußischen Geschichte, Widersprüche kennzeichnen auch die Diskussion um Bauprojekte in Potsdam: Soll die Garnisonskirche wieder aufgebaut werden? Gegner des Projektes verweisen auf die negative „preußische" Symbolik dieser „Militärkirche", dem Ort der öffentlichen Proklamation des Nazi-Größenwahns am „Tag von Potsdam", und sie verweisen auf den möglichen Missbrauch durch rechtsradikale Ideologen. Auf der anderen Seite war die Garnisonskirche wesentlicher Bestandteil der Silhouette von Potsdam. Der demokratische Kompromiss und die konstruktive Willensbildung stellen die wichtigsten Mittel für den sich abzeichnenden Balanceakt zwischen dem Bekenntnis zum städtebaulichen Ensemble und der Vorbeugung ideologischer Absichten dar.

Auch die Debatte über den Wiederaufbau des Potsdamer Stadtschlosses ist in vollem Gange. Die Thematik Stadtschloss, das als Keimzelle der städtebaulichen Entwicklung Potsdams betrachtet werden kann, wurde von vielen Neu-Potsdamern und Freunden Potsdams angeregt und ist seither lebhaft diskutiert worden. Allerdings hat Walter Ulbricht in Potsdam noch gründlicher an der Zerstörung des „preußischen Geistes" gearbeitet als etwa in Berlin. Er wollte das Stadtschloss und damit auch diesen preußischen Geist beseitigen – und seine Bürokraten sorgten dafür, dass heute die Hauptverkehrsader Potsdams quer über das ursprüngliche Schlossareal führt, mit bis zu 50 000 Fahrzeugen täglich. Ein Wiederaufbau wirft also große bauliche und verkehrsorganisatorische Probleme auf.

Dieses Projekt besitzt jedoch für Potsdam eine ganz besondere Bedeutung und bietet darüber hinaus die Chance der Integration historischer Perspektiven und der Vervollkommnung des Stadtbildes sowie der Schaffung eines endlich mit Leben erfüllten urbanen Raumes in der Mitte. Ursprung aller städtischen Entwicklung in Potsdam war das Schloss, dann entstand die Burg, dann das umgebaute Schloss, und schließlich entwickelten sich alle anderen städtischen Lebenslinien. Das Potsdamer Stadtschloss darf mit Recht das Herz der Stadt ge-

nannt werden, neben dem Rathaus und der Nikolaikirche. Heute hat man in der Mitte von Potsdam den Eindruck, dass dort, wo einst das Stadtschloss stand, eine Fehlstelle der architektonischen Gesamtkomposition vorliegt.
Vieles spricht für eine Neustrukturierung der Potsdamer Mitte und die überwiegende Mehrheit der Argumente weist darauf hin, dass vor allem die Erhaltung der räumlichen Bemaßung und Struktur im Vordergrund stehen muss. Der alte Baukörper nach einem genialen Entwurf von Knobelsdorff hat einst ein gutes Gefühl ausgestrahlt, dies ist der Maßstab. Es geht keinesfalls darum, das „alte Potsdam" wieder auferstehen zu lassen, trotz zahlreicher Aufbauprojekte, die sich in der Planungsphase befinden oder bereits begonnen worden sind.
Potsdam ist von vier großen Vorstädten umgeben, die zu 50 bis 80 Prozent wiederhergestellt sind. Das Holländische Viertel zeigt sich heute zu drei Vierteln im Originalzustand. Ein weiteres gelungenes Beispiel ist das restaurierte Marmorpalais im Neuen Garten, von dem behauptet wird, das heutige Erscheinungsbild sei schöner und beeindruckender als der ursprüngliche Bau jemals gewesen sein könnte. Das Belvedere auf dem Klausberg wird in diesem Jahr und das Belvedere auf dem Pfingstberg im nächsten Jahr vollständig erneuert und die Restaurierung des Normannenturms auf dem Ruinenberg bis zur Bundesgartenschau 2001 komplett abgeschlossen sein. Darüber hinaus soll auch das Krongut, das „italienische Dorf" von Potsdam, bald wieder in neuer Schönheit erstrahlen, die Bauarbeiten sind weit vorangeschritten.
Ein weiteres viel versprechendes Projekt ist die Neugestaltung von Schloss Babelsberg, für das den Planungen zufolge Möglichkeiten gefunden werden sollen, die auch weitergehende Nutzungen für eine interessierte Öffentlichkeit berücksichtigen. Findet sich noch ein Investor für die Wiederherstellung des Kaiserbahnhofs, sind alle wesentlichen und prägenden Bauten in Potsdam wieder in das städtebauliche Ensemble integriert.
Mit der Neudefinition des Gesamtkunstwerks Potsdam hat sich offensichtlich auch ein unmerklicher Wandel in der Einstellung gegenüber der eigenen Stadt vollzogen. Lebensfreude, in der Vergangenheit kein prägendes Merkmal der Bewohner Potsdams, wird zunehmend spürbar und immer mehr Menschen in dieser Stadt sagen: „Mein Potsdam, meine Stadt." Die positive Ausstrahlung ist auch außerhalb Potsdams nicht unbemerkt geblieben und zieht Menschen an, die sich bewusst Potsdam als Lebensmittelpunkt ausgesucht haben. Günther Jauch bekennt, dass er Potsdam als wirkliche Heimat empfindet – zum ersten Mal in seinem Leben, und der weltgewandte Wolfgang Joop beschreibt Potsdam als die schönste Stadt, die er jemals gesehen hat.
Die Geschichte Preußens und das historische Schicksal von Potsdam sind unauflöslich verflochten, dies ist nicht zu ändern und kann nur akzeptiert werden. Es hat nicht nur ein Preußen von Offizieren und ohnmächtigen Befehlsempfängern gegeben, sondern auch ein freiheitliches demokratisches Preußen, das Rückgrat der Weimarer Republik, wenn man so will – ein kontroverser Spannungsbogen, der vom Toleranzedikt bis zum „Tag von Potsdam" reicht. Potsdam wäre wohl ohne die Widersprüchlichkeit und Brüche in der Geschichte Preußens nicht zum Gesamtkunstwerk geworden. Potsdam und Preußen haben eben eine besondere Verbindung.

Das Belvedere auf dem Pfingstberg zu Beginn der Restaurierungsarbeiten. Das Bauwerk entstand nach Plänen von Friedrich August Stüler, Ludwig Ferdinand Hesse und Friedrich Ludwig Persius zwischen 1847 und 1863, konnte aber nie ganz vollendet werden.

Beispiel für eine gelungene Restauration: Das frühklassizistische Marmorpalais entstand zwischen 1787 und 1792. Die Pläne für den Mittelbau stammen von Carl von Gontard, die Seitenflügel erbaute Carl Gotthard Langhans.

EBERHARD DIEPGEN

Berlin und das Erbe Preußens

Auch fünfzig Jahre nach dem Beschluss der Alliierten, Preußen per Kontrollratsgesetz „als Träger des Militarismus und der Reaktion seit jeher" per Federstrich aufzulösen, hört es nicht auf, uns zu faszinieren, in seinem Bann zu halten. Und so wenig eine staatliche Wiedergeburt zu erwarten, zu erhoffen oder zu befürchten ist, so lebendig ist es an vielen Stellen. „Preußen ist gegenwärtig" hat dieser Tage der Bundespräsident geschrieben. Es kann auch für die Zukunft in einem sich einigenden Europa wichtige Impulse geben. Die Befürchtung des Freiherrn vom Stein, Preußen werde unbetrauert und ohne Nachruhm vergehen, hat sich jedenfalls nicht erfüllt.

In Berlin sind, mehr als anderswo, die Spuren Preußens höchst präsent. Das Charlottenburger Schloss oder der Gendarmenmarkt, der Berliner Dom oder die Museumsinsel, Schloss Köpenick oder Glienicke, Unter den Linden und Brandenburger Tor stehen für Stationen seiner Geschichte. Straßen und Plätze erinnern an Orte wie Hochkirch, Hohenfriedberg, Leuthen und Torgau, an Namen wie Yorck, Gneisenau, an Motz, Goltz und Hardenberg, an Kant, die Humboldts, Mommsen oder Schlüter, an Luise, Dorothea, Sophie Charlotte, an Kurfürsten, Könige und Kaiser.

Dreihundert Jahre sind für ein Königreich kein Alter. Und dennoch ist die Geschichte Preußens bis heute spannend und hochdramatisch. Sie kann in vieler Hinsicht lehrreich sein. Sebastian Haffner hat einmal geschrieben, die preußische Geschichte sei eine interessante Geschichte, mit einem langen Werden und einem langen Sterben, und dazwischen liege die große Tragödie der reinen Staatsvernunft.

Ursprünglich war Preußen nur eine Idee, von vier sehr unterschiedlichen Fürsten geschaffen, mit einem Territorium, das sich unverbunden von der Maas bis an die Memel erstreckte und von der Krone wie eine Klammer zusammengehalten wurde. Im Gegensatz zu anderen stammesgebundenen Ländern musste dieses Kunstgebilde staatsbildende und –fördernde Maximen hervorbringen. Im Kern sind dies die preußischen Tugenden, die zur Staatsräson der Preußen in Ermangelung eines Staatsvolkes wurden. Und einige von ihnen gehören auch heute noch und zumal in Berlin zu unserem Verständnis des Gemeinwesens.

Der alliierte Vorwurf, Preußen sei die alleinige Wurzel des militaristischen und nationalsozialistischen Übels, zeugte ja immer schon von einer historischen Unkenntnis. Hitler war das Gegenbild zur preußischen Nüchternheit, seine Neigung zur Theatralik und Demagogie war der Gegenpol der praktischen Vernunft Preußens. Und seine größenwahnsinnigen außenpolitischen Ideen und Pläne standen nun gänzlich im Gegensatz zur preußischen Maxime der Mäßigung. Die Linie vom König zum Gefreiten war immer schon töricht; sie ist durch Wiederholung nie richtiger geworden.

Das stehende Heer in Europa war schließlich auch keine preußische Erfindung, sondern entstand an der Wiege der britischen Kolonialmacht unter Cromwell und diente der französischen Expansionspolitik unter Ludwig XIV. Hier reagierte die späte europäische Mittelmacht Preußen auf ihre Erfahrungen mit den europäischen Nachbarn im Dreißigjährigen Krieg.

Der totalitäre Machtanspruch des Nationalsozialismus blieb den Vertretern Preußens eher fremd, der Widerstand

Links: In Berlin ist die preußische Geschichte stets gegenwärtig. Das Schauspielhaus auf dem Gendarmenmarkt entstand zwischen 1818 und 1821 nach Plänen Karl Friedrich Schinkels.

Denkmal des großen preußischen Reformers Freiherr vom Stein Unter den Linden. Es wurde 1875 von den Bildhauern Hermann Schievelbein und Hugo Hagen geschaffen.

Das Schloss Köpenick von der Hofseite her gesehen. Der in den Jahren 1677 bis 1682 nach Plänen von Rutger von Langenfeld für den späteren König Friedrich I. errichtete Barockbau befindet sich auf einer Dahme-Insel im Berliner Stadtteil Köpenick.

Nachkommen böhmischer Emigranten, die sich mit Unterstützung Friedrich Wilhelms I. im 18. Jahrhundert in Neukölln niedergelassen hatten, errichteten dem ‚Soldatenkönig' dort in der Kirchgasse 1912 ein Denkmal.

gegen Hitler rekrutierte sich gerade aus alteingesessenen preußischen Familien. Vergleichsweise lange, wenn auch letztendlich erfolglos, widerstand die den Staat Preußen regierende so genannte Weimarer Koalition aus SPD und Zentrum Hitlers Machtanspruch. Auch waren die Wahlergebnisse bei den letzten freien Wahlen für die Nationalsozialisten in Preußen weitaus ungünstiger als in anderen Teilen des Reiches, vor allem in den katholischen Gebieten Preußens und in Berlin weit unterdurchschnittlich.
Preußen war also ein vielschichtiges Gebilde. Der schlesische Germanist Arno Lubos hat diese Facetten folgendermaßen beschrieben: „Ein außergewöhnlicher Staat der Disziplin, des militärischen Exerzitiums, des korrekten Beamtentums, der loyalen Aristokratie, der unbestechlichen und unabhängigen Jurisdiktion, des perfekten Verwaltungsapparates, eines entsagenden Protestantismus bei gleichzeitig prinzipiell freigeistiger Tendenz und großer Toleranz. Er verhieß machtpolitischen, wirtschaftlichen, sozialen und kulturellen Fortschritt auf der Basis eines allgemeinen Leistungswillens", dessen Verneinung er als Gefährdung seiner Existenz ahndete.
In vielem war dieses Preußen seiner Zeit voraus; es galt lange als modernstes Staatswesen in Europa. Nicht zuletzt der Calvinismus als Hof- und Beamtenreligion und später auch der Pietismus als staatstragende Mentalität der preußischen Eliten sorgten für diese Fortschrittlichkeit, die von einer von der Staatsräson bestimmten, pragmatisch orientierten, toleranten Religions- und Einwanderungspolitik ergänzt wurde. Diese Aufgeschlossenheit und Offenheit gegenüber dem Neuen und dem Fremden gehörte zu Preußens großen Stärken. Sie kann uns auch heute als Leitschnur dienen. In manchem hatte Preußen nach der Französischen Revolution Mühe, mit der Zeit Schritt zu halten. Aber immer noch rechtzeitig holte es von oben nach, was andere von unten angestoßen hatten, ersetzte mit sozialer Fürsorge, was anderswo durch politische Rechte verwirklicht wurde, profitierte stets von seiner prinzipiellen Offenheit bei gleichzeitiger Achtung der Grundwerte und Traditionen.
Preußen erlebte nach jeder der Revolutionen von 1789, 1848 und 1918 eine Krise, fand aber regelmäßig das rechte Mittel, um daraus gestärkt hervorzugehen. Während der Befreiungskriege waren es unter anderem die preußischen Reformen, die mit der Bauernbefreiung, der Städteordnung, der Gewerbefreiheit und der Gründung der Universität neue Kräfte mobilisierten, geistig ersetzten, was physisch durch die verheerenden Niederlagen gegen Napoleon verloren gegangen war. Nach der Revolution von 1848 versagte sich der König dem Ansinnen des frei gewählten Parlaments; gleichzeitig kamen in den kommenden Jahrzehnten die fortschrittlichsten Sozialgesetze aus Preußen, wurden die elenden Folgeerscheinungen der industriellen Revolution am ehesten in Berlin gelindert. Auch dies diente der Rationalität und der Effizienz und war einer Haltung geschuldet, die eine Revolution von unten im Grunde für eine Verschwendung von Ressourcen hielt. Haffner sprach von den drei Gleichgültigkeiten Preußens – ich würde lieber von der dreifachen Toleranz Preußens sprechen –, das nicht nach Konfessionen, Nationen oder dem sozialen Rang unterschied,

sondern in erster Linie die Leistungsbereitschaft und -fähigkeit des Einzelnen beachtete. Seine Untertanen durften katholisch, protestantisch, lutherisch, calvinistisch, mosaisch oder, wenn sie wollten, auch mohammedanisch sein, konnten französischer, polnischer, holländischer, schottischer oder österreichischer Herkunft sein – sie alle wurden behandelt wie eingeborene Preußen, wenn sie ihre Pflichten gegenüber dem Staat nur erfüllten.
Letztendlich kann es uns heute nicht um eine Renaissance des Preußentums gehen, auch nicht primär um seine Rehabilitierung, sondern darum, einen Teil der preußischen Ideale, Ideen und Tugenden für unsere Gegenwart zu

Der wuchtige Bau des Berliner Doms beherrscht die Mitte der Stadt. Erbaut wurde er in der Hochzeit des Wilhelminismus zwischen 1893 und 1905 von Julius Raschdorff. Das Foto zeigt die Westfassade vom Lustgarten aus gesehen.

Schloss Charlottenburg wurde Ende des 17. Jahrhunderts für Sophie Charlotte, der Frau Friedrichs III. erbaut. Vor dem Kuppelturm steht das Reiterstandbild des Großen Kurfürsten von Andreas Schlüter.

erschließen. Das Zusammenleben von Menschen unterschiedlicher Herkunft, die sich an eine bestehende Werte- und Rechtsordnung halten, die Toleranz zwischen unterschiedlichen Religionsgemeinschaften, die Betonung der Pflichten gegenüber dem Nächsten, der Loyalität gegenüber dem Staat, Sparsamkeit, Effizienz und Akkuratesse, das ist das preußische Vermächtnis für das dritte nachchristliche Jahrtausend. Diese Botschaften haben uns gerade in einem Zeitalter, in dem zu oft Selbstverwirklichung, Konsum, Genuss und Spaß im Mittelpunkt stehen, einiges zu sagen. Ich denke, wir können uns auch heute noch durchaus von Preußen inspirieren lassen, jenseits der Mythen und Legenden noch einiges von Preußen lernen.

HELMUT SCHMIDT

Die so genannten preußischen Tugenden

Bemerkungen

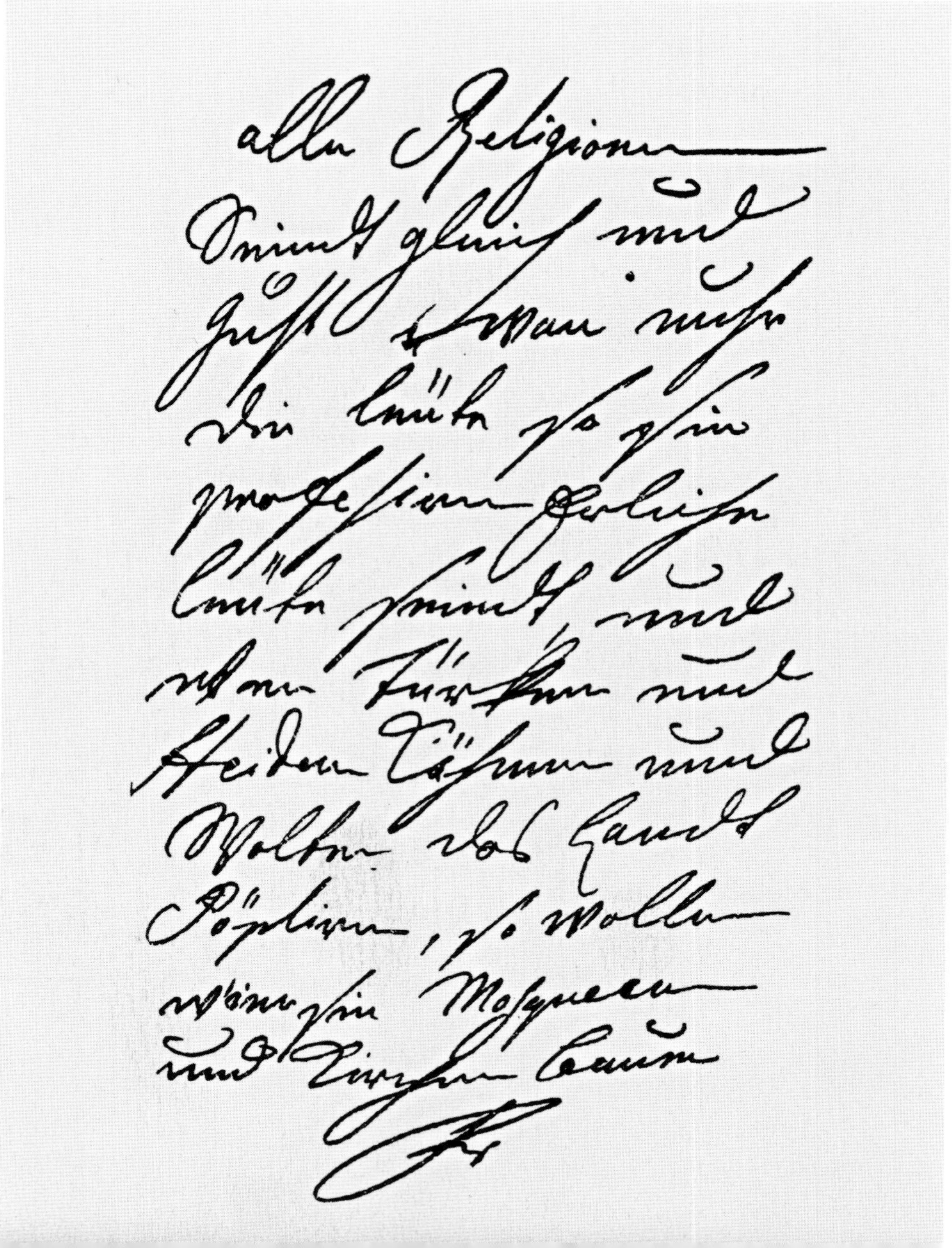
alle Religionen
Seindt gleich und
guht wan nuhr
die leüte so sie
profesiren Erlige
leüte seindt, und
wen Türken und
Heiden Kähmen und
wolten das Landt
Pöpliren, so wollen
wier sie Mosqueen
und Kirchen bauen
Fr

Die Tugend der religiösen Toleranz wurde in Preußen groß geschrieben: „Alle Religionen seindt gleich und guth, wan nuhr die leute so sie profesiren erlige leute seindt, und wen Türken und Heiden kähmen und wollten das Land Pöplieren, so wollen wir sie Mosqueen und Kirchen bauen." Antwort Friedrichs II. auf eine Anfrage, die Einbürgerung von Katholiken in Preußen betreffend.

Wenn ich als Hamburger mich mit Preußen und im Besonderen mit den „preußischen" Tugenden auseinander setzen soll, so muss ich zunächst daran erinnern, dass Preußen für die Freie und Hansestadt Hamburg bis tief ins 19. Jahrhundert – streng genommen – Ausland war. Dass der Senat der Stadt nach der Reichsgründung von 1871 den preußischen König und deutschen Kaiser anlässlich eines Besuchs mit der Anrede „Hoher Verbündeter" begrüßt haben soll, zeugt vom übertriebenen Selbstbewusstsein und Stolz der Hanseaten gegenüber Preußen.
Für einen traditionsbewussten Hamburger ist „preußisch" nicht unbedingt als Auszeichnung zu verstehen. Dennoch hat man bisweilen versucht, mir mit der Charakterisierung als „preußischer Hanseat" zu schmeicheln. „Preußisch" gilt dabei offensichtlich als Synonym für bestimmte Tugenden, ohne zu fragen, was an ihnen denn nun spezifisch preußisch sei. Die so genannten preußischen Tugenden – Pflichtbewusstsein, Tapferkeit und Rechtlichkeit beispielsweise, aber auch Bescheidenheit („Mehr sein als scheinen") und Sparsamkeit oder auch Zuverlässigkeit und Redlichkeit – sind aber keineswegs Erfindungen Preußens gewesen. Einige Preußen haben diese Tugenden zwar gern für sich ver-

Nachholende Reformen: Die Niederlage gegen Frankreich im Jahre 1806 zeigte Preußen die eigene Rückständigkeit gegenüber seinem Nachbarn auf und brachte Reformer wie Karl August Freiherr von Hardenberg an die Spitze der preußischen Regierung.

einnahmt, doch wurden diese „bürgerlichen" Tugenden selbstverständlich auch anderenorts, sei es in Hamburg oder in Württemberg, hoch gehalten. Die Tugenden insgesamt sind weder preußisch noch hanseatisch, noch deutsch, sondern sie sind schlechthin universale Tugenden.
Es war und bleibt eine Anmaßung, bestimmte Tugenden für Preußen zu reklamieren; die Anmaßung fand ihre scheinbare Fundierung im Aufstieg Preußens von der „Streusandbüchse Brandenburg" zur europäischen Großmacht. Dieser außerordentliche Erfolg Preußens hat Staunen und teilweise Bewunderung hervorgerufen. Aber schon bald wurde daraus auch Argwohn bei den Nachbarn. „Preußisch" wurde für manche Nachbarn zum Negativbegriff für Obrigkeitsgläubigkeit und Untertanengeist. Carl Zuckmayer hat solcher keineswegs tugendhaften Geisteshaltung im „Hauptmann von Köpenick" ein Denkmal gesetzt. Wie verhängnisvoll die Hypostasierung des Römerbriefs, Kapitel 13: „Jedermann sei untertan der Obrigkeit, denn es gibt keine Obrigkeit, die nicht von Gott ist" – in Preußen besonders gepflegt – sich auswirken sollte, das hat sich im 20. Jahrhundert gezeigt.
Neben diesen kritischen Anmerkungen ist nicht zu verkennen, dass in Preußen besonders unter der herausragenden Leistung Friedrichs des Großen manche positiven Entwicklungen beispielhaft vorangetrieben wurden. Es ist verständlich, dass sich die Preußen auch nach seinem Tode am liebsten mit dem Alten Fritz identifizierten, zumal die meisten der anderen preußischen Herrscher als Vorbilder der Tugend weniger getaugt haben. Aber auch Friedrich II. ist ein Kind seiner Zeit gewesen – siehe seine Kriege! Seine Toleranz gegenüber der Religion war durchaus auch von Zweckmäßigkeitserwägungen bestimmt, vor allem – wie auch schon bei seinen Vorgängern – im Hinblick auf Einwanderung und Besiedlung des Landes. Auch Friedrichs eher reservierte Haltung gegenüber den Juden darf man dabei nicht einfach übersehen, sie entsprach allerdings dem damaligen Zeitgeist in Europa. Die Emanzipation der Juden ist auch in Preußen bis zum Ende des Kaiserreichs 1918 nie ganz gelungen; Hinweise auf Rahel Varnhagen oder auf Bismarcks Bankier Gerson Bleichröder vermögen diesen Umstand nicht zu verdecken.
Es ist Legendenbildung, wenn man Preußen unter Berufung auf Lessing und Kant oder auf Stein, Hardenberg oder auf Wilhelm von Humboldt zum Heimatland der Aufklärung macht. Denn dabei wird ignoriert, dass die Aufklärung zu gleicher Zeit in anderen europäischen Staaten mit größerem Erfolg verwirklicht worden ist und dass ihre Ursprünge und ihr Impetus tatsächlich aus England, Frankreich und Amerika gekommen sind. Besonders die überragenden verfassungspolitischen Impulse jener Zeit kamen aus Amerika, nämlich durch die Unabhängigkeitserklärung von 1776 und die amerikanische Verfassung von 1787. Sicher war das spätere Allgemeine Preußische Landrecht von 1794 eine große Errungenschaft; aber es war keine ganz ungewöhnliche Leistung, wenn man bedenkt, dass etwa zur gleichen Zeit der mindestens ebenso bedeutende „Code Napoleon" entstanden ist. Geradezu absurd muten einige Versuche zur nachträglichen Vergoldung Preußens an, beispielsweise wenn Bachs „Brandenburgische Konzerte" dem kulturellen Erbe Preußens zugerechnet werden. Gegen die ideologische Veredelung des preußischen Adels hat sich aus guten Gründen Theodor Fontane mit „Effi Briest" und dem „Stechlin" schon vor einhundert Jahren gewandt.
Mein Vorbehalt gegenüber einer Kennzeichnung bestimmter Tugenden als „preußisch" soll keine Leugnung der Tatsache bedeuten, dass in Preußen in der Tat wichtige, für das Zusammenleben von Menschen unerlässliche Tugenden bewusst gepflegt worden sind. Sie sind allerdings gleichzeitig auch in großen Teilen Deutschlands und Europas selbstverständlich gewesen.
Eine wichtige Frage ist, warum heutzutage von den Tugenden und von der Verantwortung des Einzelnen kaum jemals die Rede ist, während wir fast täglich von seinen Grundrechten und Rechten, von seinen vielerlei Ansprüchen hören und lesen. Eine der Ursachen dafür liegt in der etwas einseitigen Betonung der Grundrechte bei der Schaffung des Grundgesetzes 1948/49 – damals eine sehr natürliche Reaktion auf die totale Missachtung der Würde und der Grund-

Bis heute der Inbegriff von Untertanengeist und Obrigkeitsgläubigkeit: der Hauptmann von Köpenick, so wie ihn Carl Zuckmayer in seiner gleichnamigen Erzählung gezeichnet hat. Szene aus Helmut Käutners Verfilmung von 1956 mit Heinz Rühmann in der Hauptrolle.

Zu den führenden Köpfen des Widerstandes gegen Hitler gehörte Helmuth James Graf von Moltke. Er wurde 1944 vor den Volksgerichtshof gestellt und bezahlte wie viele andere preußische Adelige seinen Kampf gegen das Unrechtsregime mit dem Leben.

rechte der Person durch die Nazis und auf deren weitgehend verbrecherische Ausbeutung des Pflichtbewusstseins der großen Mehrheit der Deutschen. Durch diese Ausbeutung sind im weiteren Verlaufe des 20. Jahrhunderts für manche Deutsche die Begriffe Pflichten und Pflichtbewusstsein, Verantwortung und Verantwortungsbewusstsein unter Verdacht geraten. Hinzu kam seit den sechziger Jahren eine zunehmend bewusste Ablehnung des Prinzips der Autorität. Darüber hinaus der fortschreitende Verlust an pädagogischem Einfluss der Kirchen, der Universitäten und der Schulen. Natürlich kann man Moral und Tugenden lehren, jedoch werden sie wirksam nur durch Vorbild, Beispiel und Erziehung, das heißt: durch das alltägliche Verhalten der Personen in der familiären, beruflichen oder schulischen Umwelt jeder heranwachsenden Generation. Der gegenwärtig überwiegende Zeitgeist, der weitgehend durch die Massenmedien und die Produktwerbung der Unternehmungen geprägt wird, liefert dagegen eher negativ zu bewertende Beispiele und Maßstäbe. Auf fast allen Kanälen werden täglich Gewalt, Mord und Totschlag, Schießereien, Unfälle, Katastrophen und Leichen präsentiert. Die Botschaften, welche den Nachwachsenden vermittelt werden, sind weit überwiegend Genuss, Egoismus, Oberflächlichkeit und Permissivität. Große Teile dieser Generation verbringen einen Großteil ihrer Zeit mit Fernsehen, Video oder Internet. Viele Jugendliche halten die „virtuellen" Welten für die Wirklichkeit. Die wirkliche Welt jedoch, mit ihren schwerwiegenden Problemen, mit der Notwendigkeit, sich gegen alle anderen anständig und fair zu benehmen und vor allem: zu verantworten, was man tut oder was man lässt, spielt gegenwärtig eine zu kleine Rolle in der tatsächlichen Erziehung. Denn die Eltern, die Schule, der Lehrbetrieb oder die Universität haben weniger Einfluss als je zuvor. Deshalb ist bei manchen Älteren die sich auf Preußen richtende Nostalgie ein Stück weit verständlich.

In meiner Schulzeit nach 1933 hat mich das Bedürfnis, dem eigenen Leben eine Orientierung zu geben, zu einem ausgedehnten privaten Studium der großen Romanliteratur unserer europäischen Nachbarnationen geführt, gelesen habe ich vor allem nachts. Danach war es als junger Wehrpflichtsoldat in der Nazi-Zeit weniger mein Problem, meine soldatischen Pflichten zu erfüllen, sondern vielmehr zu erkennen, was der Krieg an Folgen auslösen würde, nachdem ich seit 1941 dessen Ausgang voraussehen konnte. Meine Leitfigur war damals der römische Kaiser Marcus Aurelius, dessen „Selbstbetrachtungen", zufällig in meinen Besitz gelangt, mich den ganzen Krieg über begleitet haben; für Mark Aurel war die Erfüllung seiner Pflichten wichtiger als das persönliche Wohlergehen. Aber meine Zweifel über den Sinn des Krieges konnte der römische Stoiker nicht beheben. Dagegen sind die Zweifel mir zeitweise durch den Hinweis auf das Wort des Paulus im Neuen Testament beschwichtigt worden – „Seid untertan der Obrigkeit" –, zum anderen bisweilen durch das Oetinger'sche Gebet mit der Bitte um die Kraft, das zu ertragen, was ich nicht ändern kann. So bin ich ein gehorsamer Soldat geblieben – allerdings habe ich insofern Glück gehabt, als ich keine militärischen Kriegsverbrechen miterlebt habe. Dagegen sind diejenigen, zumeist wesentlich älteren Offiziere, unter ihnen viele aus dem preußischen Adel, die sich angesichts der peinigenden Frage nach ihrer Pflicht schließlich zum Widerstand gegen die Nazi-Herrschaft und zur Beseitigung Hitlers entschlossen haben, nachträglich mit vollem Recht zu Vorbildern für die Zukunft geworden. Sie haben sich zwischen ihren soldatischen Pflich-

ten und den übergeordneten Pflichten, die sie erkannt hatten, moralisch richtig entschieden – unter Inkaufnahme tödlicher Risiken.
In meiner Zeit als Bundeskanzler ist mir in Extremsituationen die bohrende Frage nach meiner Pflicht wiederholt begegnet. So zum Beispiel während der Entführung Peter Lorenz' 1975, wo wir, das wurde schon bald danach deutlich, eine Fehlentscheidung getroffen haben, indem wir den Entführern nachgaben. Oder abermals 1977 während der Entführung Hanns Martin Schleyers und eines vollbesetzten Verkehrsflugzeuges, wo wir die richtige Entscheidung getroffen haben, den Mördern nicht nachzugeben; dabei ist es nur allzu verständlich, dass Schleyers Angehörige unser Verhalten auch heute noch als Fehler werten. Auch dem Entschluss zum so genannten NATO-Doppelbeschluss 1979 – der sich später als richtig erwiesen hat, weil er wie beabsichtigt einen echten Abrüstungsvertrag ausgelöst hat – ist eine peinigende moralische Abwägung vorausgegangen. Und ähnlich ein knappes Jahrzehnt zuvor, als ich als Verteidigungsminister die von der NATO vorbereitete Verlegung eines Gürtels von atomaren Landminen quer durch Deutschland verhindert habe. Auch in den letzten beiden Fällen hat es sich um einen Konflikt zwischen mehreren Pflichten und Loyalitäten gehandelt.
Für solche Fälle gibt es im Deutschen den Begriff der Gewissensentscheidung. Das Erforschen und Erkennen der Pflichten und die Verantwortung vor dem eigenen Gewissen – oder vor Gott – ist allerdings eine jener Tugenden, die im Laufe der preußischen Geschichte im 19. Jahrhundert in den Hintergrund gedrängt worden sind. Das Beispiel des Obersten von der Marwitz, der sich – seiner Ehre und seines Gewissens wegen – einem Plünderungsbefehl Friedrichs II. widersetzte und deshalb den Abschied nahm, ist eine hochrühmliche Ausnahme geblieben; Bedingungslosigkeit des Gehorsams ist in Preußen dominierend gewesen. Sicher war die spöttische Bemerkung des Grafen Mirabeau, andere Staaten besäßen eine Armee, Preußen hingegen sei eine Armee, die einen Staat besitze, eine sehr einseitige Übertreibung. Bismarck war zum Beispiel weder militärhörig, noch hat er sich militärfromm verhalten; 1866 setzte er den Primat der Politik gegen das Militär durch; 1870/71 widersetzte er sich der von den Militärs gewünschten Annexion Elsass-Lothringens, wenn auch ohne Erfolg. Nach Bismarcks Sturz 1890 gewannen jedoch unter Wilhelm II. – selbst sehr eitel, zugleich aber willensschwach – prestigeorientierte, zugleich willensstarke Angebertypen wie Tirpitz und später Ludendorff enorm an Einfluss. Der Militarismus siegte über die Politik, das Pflichtbewusstsein verkam zum Kadavergehorsam. Eine verhängnisvolle Entwicklung, an deren Ende aber dann die Männer des 20. Juli standen, die ihren Entschluss zum Widerstand gegen ein verbrecherisches Regime mit dem Leben bezahlt und damit ihre eigene Ehre gerettet haben. Nicht aber die Ehre des Militärs schlechthin; denn kollektive Ehre kann es genauso wenig geben wie kollektive Unehre, genauso wenig wie kollektive Schuld oder kollektive Unschuld.
Unsere deutsche Erfahrung mit blindem Gehorsam hat in den 60er Jahren, in den teilweise zermürbenden Auseinandersetzungen um die Verabschiedung der Notstandsgesetze eine wichtige Rolle gespielt. Sie hat schließlich dazu geführt, das Widerstandsrecht gegen eine undemokratische, nicht verfassungsgemäße Regierung in der Verfassung zu verankern. Seither heißt es im Absatz 4 des Artikels 20 des Grundgesetzes: „Gegen jeden, der es unternimmt, diese Ordnung zu beseitigen, haben alle Deutschen das Recht zum Widerstand, wenn andere Abhilfe nicht möglich ist."
Das Bemühen, aus der Vergangenheit Lehren zu ziehen, war ein wesentliches Motiv bei der Einbettung der Bundeswehr in das Verfassungsgefüge des Grundgesetzes und bei ihrer Modernisierung. Zwar herrschte dort nicht mehr blinder Gehorsam; wohl aber gab es einen Mangel an Bildung, vor allem auch an historischer Bildung – ein Defizit, das nur allzu leicht dazu verführt, die eigene Geschichte einseitig zu beschönigen. Solche Tendenz war allerdings weder eine preußische noch eine deutsche Eigenart des Militärs, sondern sie lässt sich in vielen anderen Ländern beobachten. Durch die Einrichtung der Bundeswehrhochschulen geben wir heute den zukünftigen Berufsoffizieren eine gute Bildung und eine fundierte historische Ausbildung mit auf ihren Weg. Eine breitere historische Bildung ist unserer Gesellschaft insgesamt zu wünschen.
Wer einen einigermaßen ausreichenden Überblick über die europäische Geschichte der letzten drei Jahrhunderte besitzt, für den bleibt Preußen eine wichtige und lehrreiche Episode. Weder Glorifizierung noch Verdammnis werden Preußen gerecht; beides sind extreme Ausprägungen von Geschichtsklitterung. Ähnlich wie der gewaltige, sich über Jahrhunderte hinziehende Konflikt zwischen kaiserlicher und kirchlicher Macht, ähnlich wie die gemein-europäische Entfaltung des modernen Verfassungsstaates oder der Prozess der französischen und der englischen Aufklärung, so ist auch die Entwicklung Preußens ein wichtiger Faktor, eine gewichtige Epoche der europäischen Geschichte gewesen – und besonders der deutschen Geschichte. Man kann vieles daraus lernen, wofür man dankbar sein darf. Dankbar im Bewusstsein der eigenen Identität und im Blick auf die europäische Entwicklung, die künftig vor uns liegt.

Auch wenn er immer wieder in Uniform auftrat: Der Staatsmann Otto von Bismarck ließ gegenüber den preußischen Militärs keinen Zweifel am Vorrang der Politik. Das Foto entstand in den 1870er Jahren.

Das reaktionäre Gesicht Preußens: Erich Ludendorff war der Prototyp des politischen Offiziers. Im Ersten Weltkrieg stürzte er den Reichskanzler Bethmann Hollweg, verbreitete nach 1918 die Dolchstoßlegende und war in den 20er Jahren Parteigänger Hitlers.

Biographien der Autoren

Reinhard Appel
Geboren am 21. Februar 1927 in Königshütte (Oberschlesien) als Sohn eines Kaufmanns, aufgewachsen in Berlin-Spandau. Nach der Mittelschule Besuch einer Lehrerbildungsanstalt in Brandenburg. 1945 als Wehrmachtssoldat eingezogen und in sowjetische Kriegsgefangenschaft geraten, noch im gleichen Jahr entlassen. 1946 als Volontär zur „Stuttgarter Zeitung". Seit 1949/50 Bonner Korrespondent. Von 1971 bis 1973 Leiter des Bonner Büros der „Süddeutschen Zeitung". 1973 wurde Appel Intendant des Deutschlandfunks und von 1976 bis 1988 war er Chefredakteur des ZDF. Von 1992 bis 1994 war er Hörfunkbeauftragter des ZDF beim ehemaligen Ostberliner „Deutschlandsender Kultur", den er mit dem "RIAS" zum "DeutschlandRadio" vereinte. Dem Fernsehpublikum wurde Appel als Kommentator und vor allem durch die Sendung „Journalisten fragen - Politiker antworten" bekannt, der er, mit Unterbrechungen, fast drei Jahrzehnte lang seine Prägung gab.

Philipp von Bismarck
Geboren am 19. August 1913 in Jarchlin (Pommern). Nach Kriegsdienst als Generalstabsoffizier und britischer Gefangenschaft studierte von Bismarck Rechtswissenschaft und Volkswirtschaft in Freiburg im Breisgau und promovierte dort 1950. Danach arbeitete er für die Kali-Chemie AG in Hannover, in deren Vorstand er 1960 eintrat. Zwischen 1967 und 1971 hatte von Bismarck das Amt des Präsidenten der Industrie- und Handelskammer Hannover inne. Neben seiner beruflichen Tätigkeit engagierte sich von Bismarck im Bund der Vertriebenen. 1970 wurde er Sprecher der Pommerschen Landsmannschaft. Von 1969 bis 1979 gehörte von Bismarck dem Deutschen Bundestag an und leitete von 1970 bis 1983 den Wirtschaftsrat der CDU. 1978 wurde er in das Europa-Parlament gewählt, aus dem er 1989 als Ehrenmitglied ausschied. Von Bismarck wurde mit verschiedenen Orden ausgezeichnet, darunter das Große Bundesverdienstkreuz mit Stern.

Karl Dietrich Bracher
Geboren am 13. März 1922 in Stuttgart. Nach Abitur, Kriegsdienst und amerikanischer Gefangenschaft studierte Bracher Geschichte, Philosophie und Philologie in Tübingen und promovierte dort 1948. Von 1950 bis 1958 arbeitete Bracher zunächst als Assistent und dann als Abteilungsleiter am Institut für politische Wissenschaften in Berlin. Nach der Habilitation 1955 erhielt Bracher 1959 einen Ruf an die Bonner Universität und übernahm dort die Leitung des Seminars für Politische Wissenschaften. Unterbrochen durch mehrere Gastprofessuren, hatte er dieses Amt bis 1987 inne. Bracher hat zahlreiche politikwissenschaftliche und zeitgeschichtliche Werke verfasst, u.a. „Die Auflösung der Weimarer Republik" (1955), „Die deutsche Diktatur" (1969) und „Wendezeiten der Geschichte" (1992). Bracher ist Mitglied einer Reihe von Akademien und wurde mit verschiedenen Orden ausgezeichnet, darunter das Große Bundesverdienstkreuz mit Stern.

Rüdiger vom Bruch
Geboren am 19. Dezember 1944 in Kohlow (Neumark), wuchs vom Bruch in Westfalen auf. Nach dem Abitur in Münster studierte er in Berlin und Münster und machte 1970 Staatsexamen in Geschichte und Deutsch. Vom Bruch arbeitete als wissenschaftlicher Assistent in Münster und München, promovierte dort 1978 und habilitierte sich 1987 für Neuere Geschichte. 1990 ging er nach Tübingen und arbeitete dort am Deutschen Institut für Fernstudien, zuletzt als Direktor. Seit 1993 bekleidet vom Bruch den Lehrstuhl für Wissenschaftsgeschichte an der Berliner Humboldt-Universität. 1998 wurde er zum Präsidenten der Gesellschaft für Wissenschaftsgeschichte gewählt. Vom Bruch hat zahlreiche Bücher und Aufsätze zur deutschen Wissenschafts- und Kulturgeschichte vom 18. Jahrhundert bis in die Gegenwart veröffentlicht. Einem breiteren Publikum wurde er durch das Funkkolleg „Jahrhundertwende 1880-1930" bekannt.

Ernst Cramer
Geboren am 28. Januar 1913 in Augsburg. Nach dem Besuch des Gymnasiums absolvierte Cramer eine kaufmännische Lehre und ein Volontariat in der Landwirtschaft. Später studierte er in den USA. Von 1948 bis 1954 war Cramer stellvertretender Chefredakteur der Neuen Zeitung. Von 1954 bis 1958 UPI. Seit 1958 arbeitet Cramer für den Axel Springer Verlag, bis 1995 als Herausgeber der Welt am Sonntag, zuletzt als stellvertretender Aufsichtsratsvorsitzender und Vorsitzender der Axel Springer Stiftung. Cramer ist seit 1988 Professor ehrenhalber der Stadt Berlin und wurde mit verschiedenen Orden ausgezeichnet, darunter das Große Bundesverdienstkreuz mit Stern.

Laurenz Demps
Geboren am 24. Juli 1940 in Berlin. Demps absolvierte nach der Mittelschule eine Lehre bei der Deutschen Reichsbahn. Das Abitur machte er auf dem zweiten Bildungsweg 1961. Danach studierte Demps bis 1966 Geschichte und Kunstgeschichte. Nach dem Studium arbeitete er zunächst in einem Rechtsanwaltsbüro, wurde 1969 Assistent an der Berliner Humboldt-Universität und war nach der Promotion dort ab 1971 als Oberassistent und Dozent tätig. Demps habilitierte sich 1982 im Fach Geschichte und bekleidet seit 1988 eine Professur für Landesgeschichte. Zu seinen zahlreichen Veröffentlichungen zur NS-Zeit und zur Berlin-Brandenburgischen Geschichte zählen u.a. Bücher über den Gendarmenmarkt, die Neue Wache und den Schiffbauerdamm.

Eberhard Diepgen
Geboren am 13. November 1941 in Berlin. Nach dem Abitur 1960 bis 1967 Studium der Rechtswissenschaften an der Freien Universität Berlin. 1965/66 stellvertretender Vorsitzender des Verbandes Deutscher Studentenschaften. 1972 Zulassung als Rechtsanwalt. Eintritt in die CDU 1962. 1971 Wahl ins Berliner Abgeordnetenhaus und Aufnahme in den Landesvorstand der Berliner CDU. 1983 Wahl zum Landesvorsitzenden und Mitglied des Bundesvorstandes. Von 1980 bis 1984 und 1989 bis 1991 war Diepgen Fraktionsvorsitzender der CDU im Berliner Abgeordnetenhaus. 1984 bis 1989 war er als Regierender Bürgermeister von West-Berlin tätig. Seit 1991 ist er Regierender Bürgermeister des wiedervereinten Berlins.

Marion Gräfin Dönhoff
Geboren am 2. Dezember 1909 in Friedrichstein (Ostpreußen). Gräfin Dönhoff entstammt einer ostpreußischen Adelsfamilie. Ihr Vater war Mitglied des Preußischen Herrenhauses. Sie studierte in Frankfurt am Main und in Basel und promovierte im Fach Politikwissenschaft. Seit 1946 arbeitet Gräfin Dönhoff für die Wochenzeitung Die Zeit, deren Herausgeberin sie seit 1972 ist. Zu ihren Buchveröffentlichungen gehören u.a. „Preußen – Maß und Maßlosigkeit" (1987), „Kindheit in Ostpreußen" (1988) und „Um der Ehre willen. Erinnerungen an die Freunde vom 20. Juli" (1994). Gräfin Dönhoff wurde vielfach ausgezeichnet, u.a. mit dem Friedenspreis des Deutschen Buchhandels.

Lothar Graf zu Dohna
Geboren am 4. Mai 1924 in Seepothen (Ostpreußen). Nach dem Abitur studierte Dohna 1941/42 in Königsberg, wurde dann Soldat und im Krieg verwundet. Sein Vater, Heinrich Graf zu Dohna, wurde 1944 hingerichtet. Nach dem Krieg studierte Dohna Geschichte, Germanistik, lateinische Philologie und Theologie in Göttingen. Von 1953 bis 1958 arbeitete er am Institut für Europäische Geschichte in Mainz. Nach der Promotion war Dohna an der Universität Göttingen, der TU Hannover und der Universität Tübingen tätig. 1972 wurde er auf den Lehrstuhl für Mittelalterliche Geschichte der TU Darmstadt berufen. Daneben bekleidete Dohna eine Honorarprofessur für Kirchengeschichte an der Universität Frankfurt am Main. Zahlreiche Veröffentlichungen zur Reformationsgeschichte, zur Geschichte Preußens und über den Widerstand im Dritten Reich.

Sir David Fraser
Sir David Fraser wurde im Jahre 1920 geboren, besuchte die Schule von Eton und studierte am Christ Church College in Oxford. 1940 trat er in die britische Armee ein und kämpfte 1944/45 an der nordwesteuropäischen Front. Nach Kriegsende war Sir Fraser u.a. in den Krisengebieten Malaya (1948), Ägypten (1952-1954), Westafrika (1961) und Malaysia (1965) für die Armee tätig. Eine Zeit lang arbeitete er beim britischen Generalstab, dessen Vizechef Sir Fraser von 1973 bis 1975 war. Vor seinem Rückzug in den Ruhestand war er Leiter des Royal College of Defence Studies in London und zuletzt britischer Militärvertreter bei der NATO in Brüssel. Sir Fraser hat mehrere Romane geschrieben und ist der Verfasser einer Geschichte der britischen Armee im Zweiten Weltkrieg sowie mehrerer Biografien, darunter eine Lebensgeschichte Friedrichs des Großen.

Bronisław Geremek
Geboren am 6. März 1932 in Warschau. Er studierte Geschichte an der Historischen Fakultät der Universität zu Warschau. 1960 promovierte er in der Polnischen Akademie der Wissenschaften zum Doktor der Geschichte und habilitierte sich 1972. 1989 zum außerordentlichen Professor ernannt. Seine Bücher, die in der Mehrzahl der Geschichte des Mittelalters gewidmet sind, wurden in zehn Sprachen übersetzt. Seit den 50er Jahren politisch engagiert. 1980 war Geremek einer der führenden Berater der Danziger Streikbewegung, aus der die Gewerkschaft Solidarność hervorgegangen ist. Wegen seiner politischen Aktivitäten 1981/82 interniert, war er nach der Haft, der eine weitere folgte, enger Berater von Lech Walesa. 1989 wurde er ins polnische Parlament gewählt. Von 1997 bis 2000 war er polnischer Außenminister. Geremek hat zahlreiche Ehrungen im In- und Ausland erhalten, u.a. auch das Große Verdienstkreuz mit Stern des Verdienstordens der Bundesrepublik Deutschland. Seit Juli 2000 ist er Vorsitzender des Polnischen Parlamentsausschusses für Europäisches Recht.

Hans Joachim Giersberg
Geboren am 9. März 1938 in Liegnitz (Schlesien). Von 1959 bis 1964 studierte Giersberg Kunstgeschichte, Geschichte und Völkerkunde an der Berliner Humboldt-Universität. Danach arbeitete er als wissenschaftlicher Mitarbeiter für Skulpturen und Denkmalpflege in den Staatlichen Schlössern und Gärten in Potsdam. Giersberg promovierte 1975 über Friedrich II. als Bauherrn und Baumeister. 1978 wurde er Direktor der Schlösser und 1991 Generaldirektor der Stiftung Schlösser und Gärten Potsdam-Sanssouci. 1995 übernahm Giersberg eine Honorarprofessur für Kunstgeschichte an der Universität Potsdam. Seit April 1995 ist er Generaldirektor der Stiftung Preußische Schlösser und Gärten Berlin-Brandenburg. Giersberg ist Mitglied verschiedener Fachgremien der Denkmalpflege und des Museumswesens, darunter der Regierungskommission zur Rückführung der Kunstschätze aus Russland. Er hat zahlreiche Arbeiten zur Kunst- und Kulturgeschichte Potsdams veröffentlicht und war an der Organisation einer Vielzahl von Ausstellungen beteiligt, darunter zuletzt „Friedrich der Große. Sammler und Mäzen" in München (1993) und „Das Potsdamer Stadtschloss" in Potsdam (1998).

Otto von Habsburg
Geboren am 20. November 1912 in Reichenau (Österreich). Sein Vater war Karl I., der letzte Kaiser von Österreich und König von Ungarn. Von Habsburg studierte an der Universität Löwen in Belgien und promovierte dort 1935 im Fach Politik- und Sozialwissenschaft. Er arbeitete als Publizist und engagierte sich für die Paneuropa-Ideen des Grafen Coudenhove Kalergi. 1961 verzichtete Otto von Habsburg auf den Titel eines Kaisers von Österreich und den damit verbundenen Thronanspruch. Seit 1973 ist von Habsburg Präsident der Paneuropa-Union und seit 1979 Mitglied des Europaparlamentes. Er hat mehrere Bücher verfasst, darunter „Die Reichsidee – Geschichte und Zukunft einer übernationalen Ordnung" und „Friedensmacht Europa". Zu seinen zahlreichen Auszeichnungen gehört u.a. das Großkreuz des Päpstlichen Gregorius-Ordens mit Band und Stern.

Helge Hansen
Geboren am 13. März 1936 in Dresden. Hansen entstammt einer Familie mit langer Militärtradition. Sein Onkel Paul von Hase wurde als Mitglied der Widerstandsgruppe 20. Juli 1944 hingerichtet. Nach dem Abitur wählte auch Hansen die militärische Laufbahn und trat 1957 als Offiziersanwärter in die Bundeswehr ein. 1959 wurde er zum Leutnant, 1965 zum Kompaniechef ernannt. Anschließend wechselnde Führungspositionen als Kommandeur sowie u.a. als Referatsleiter für Militärpolitische Grundlagen im Führungsstab der Streitkräfte in Bonn und als Abteilungsleiter bei der Ständigen Vertretung der Bundesrepublik bei der NATO in Brüssel (1982-1984). 1992 wurde Hansen zum Inspekteur des Heeres berufen, 1994 folgte die Beförderung zum Vier-Sterne-General und Oberbefehlshaber der NATO-Streitkräfte Europa-Mitte. Hansen war Mitglied der Kommission zur Reform der Bundeswehr unter Vorsitz des früheren Bundespräsidenten Richard von Weizsäcker.

Karl-Günther von Hase
Geboren am 15. Dezember 1917 in Wangern (Niederschlesien) als Sohn eines Offiziers. Nach Abitur und Arbeitsdienst 1936 Eintritt als Fahnenjunker in die Wehrmacht. Teilnahme – zuletzt als Major – an den Feldzügen in Polen, Frankreich und der UdSSR. 1945 – 1949 Kriegsgefangenschaft in der UdSSR. 1950 Besuch der Diplomatenschule in Speyer, danach Eintritt in das Auswärtige Amt. Dort ab 1958 Leiter des Pressereferates. 1962 – 1967 Staatssekretär und Leiter des Presse- und Informationsamtes der Bundesregierung. 1967 – 1969 Staatssekretär des Bundesministeriums der Verteidigung. 1970 – 1977 Deutscher Botschafter in London. 1977 – 1982 Intendant des ZDF. Von Hase ist Ehrendoktor der Universität Manchester. Mitherausgegeben hat er das Buch „Die Soldaten der Wehrmacht".

Hermann Edmund Johannes Kalinna
Geboren am 26. Juni 1929 in Düsseldorf. Nach dem Abitur Studium der Theologie und Philosophie in Bonn, Tübingen, Paris und Genf, anschließend Vikar. Von 1957 bis 1961 wissenschaftliche Hilfskraft an der Theologischen Fakultät der Universität Bonn, danach Studentenpfarrer an der amerikanischen Universität Seattle-Washington und bis 1966 Pfarrer an der Christuskirche in Bonn-Bad Godesberg. Im selben Jahr wurde Kalinna zum Oberkirchenrat beim Bevollmächtigten des Rates der Evangelischen Kirche in Deutschland ernannt, 1977 folgt die Berufung zum Stellvertreter des Bevollmächtigten des Rates der Evangelischen Kirche in Deutschland. Beide Ämter bekleidete Kalinna bis 1994. Kalinna hat sich in zahlreichen Gremien und Organisationen engagiert, u.a. als Mitglied und Vorsitzender des Programmausschusses des Deutschlandfunks sowie als Vorstandsmitglied der Welthungerhilfe.

Friedhelm Klein
Geboren am 29. Oktober 1940 in München. Nach dem Abitur in Mannheim studierte Klein von 1960 bis 1965 Geschichte und Politik an der Universität Heidelberg. 1966 trat er als Berufssoldat in die Bundeswehr ein und war dort bis 1970 u.a. als Kompaniechef tätig. Zwischen 1970 und 1973 arbeitete Klein als Historikerstabsoffizier im Militärgeschichtlichen Forschungsamt in Freiburg. Danach Tätigkeit als Dozent für Wehrgeschichte an der Führungsakademie der Bundeswehr in Hamburg. Von 1977 bis 1987 war Klein Generalstabsoffizier zur besonderen Verwendung, dann Leiter der Abteilung Ausbildung, Information und Fachstudien im Militärgeschichtlichen Forschungsamt Freiburg. Danach arbeitete Klein zehn Jahre als Referatsleiter im Bundesministerium für Verteidigung. Zuletzt war er als Amtschef des Militärgeschichtlichen Forschungsamtes in Potsdam tätig.

Werner Knopp
Geboren am 31. Januar 1931 in Braunschweig. Knopp studierte Jura in Braunschweig und Heidelberg sowie Neuere Geschichte am St. Antony's College in Oxford. 1968 habilitierte er sich in Heidelberg und war von 1969 bis 1977 als Professor für Bürgerliches Recht, Handels- und Wirtschaftsrecht an der Universität Münster tätig. Dort bekleidete Knopp in den Jahren von 1970 bis 1974 das Amt des Rektors. Zwischen 1974 und 1977 war er Präsident der Westdeutschen Rektorenkonferenz. Danach leitete er bis 1998 als Präsident die Stiftung Preußischer Kulturbesitz in Berlin. Knopp ist Vorsitzender der Sachverständigenkommission für das Deutsche Historische Museum in Berlin sowie Mitglied des Präsidiums des Goethe-Instituts und des Kuratoriums der Robert-Bosch-Stiftung. Seit 1998 ist Knopp Vorstand der Werner-Reimers-Stiftung, Bad Homburg.

John C. Kornblum
Geboren am 6. Februar 1943 in Detroit (Michigan) als Enkel deutschstämmiger Einwanderer. Nach dem Studium der Germanistik und der Politikwissenschaften 1964 Eintritt in den diplomatischen Dienst der Vereinigten Staaten. Durch zahlreiche diplomatische Aufenthalte in der Bundesrepublik, so u.a. in Bonn als Mitglied der politischen Abteilung der US-Botschaft (1969-1973), als politischer Berater in der US-Mission in Berlin (1979-1981) und als amerikanischer Gesandter und Stellvertretender Kommandant in Berlin (1985-1987), erwarb sich Kornblum einen Ruf als hervorragender Deutschlandkenner. Daneben arbeitete er als diplomatischer Vertreter der USA bei der NATO und der KSZE und besetzte hochrangige Funktionen im amerikanischen Außenministerium. Von 1997 bis 2001 war Kornblum amerikanischer Botschafter in Bonn und Berlin.

Christian Graf von Krockow
Geboren am 26. Mai 1927 in Rumbske (Ostpommern). Er entstammt einem pommerschen Adelsgeschlecht. Nach dem Abitur studierte Krockow Soziologie, Philosophie und Staatsrecht in Göttingen und Durham (England). Er promovierte zum Dr. phil. 1954. Ab 1961 Professor für Politikwissenschaft an der Pädagogischen Hochschule in Saarbrücken, 1965 an der Saarbrücker Universität und 1968 an der Universität Frankfurt am Main. Ein Jahr später verließ Krockow den Hochschuldienst und arbeitet seitdem als freier Wissenschaftler und Publizist in Göttingen. Daneben ist er als Honorarprofessor an der Universität Göttingen tätig. Einer breiteren Öffentlichkeit wurde Krockow vor allem durch seine Preußen-Bücher bekannt, darunter die Biographie „Friedrich der Große" (1986) und „Preußen – Eine Bilanz" (1992). Zuletzt erschien die autobiographische Schrift „Erinnerungen. Zu Gast in drei Welten" (2000).

Horst Lademacher
Geboren am 13. Juli 1931 in Ründeroth (Oberbergischer Kreis). Sein Abitur legte Lademacher 1951 ab und studierte Geschichte, Niederländisch und Öffentliches Recht an den Universitäten Bonn und Münster. Nach der Promotion war er in einem Pressebüro tätig. Von 1958 – 1962 arbeitete Lademacher als wissenschaftlicher Mitarbeiter am Internationalen Institut für Sozialgeschichte in Amsterdam, danach war er bis 1964 Berufsübersetzer bei der EWG-Kommission in Brüssel. Es folgte der Übergang an das Institut für Geschichtliche Landeskunde der Universität Bonn als wissenschaftlicher Assistent, wo Lademacher sich 1969 habilitierte. Von 1971 bis 1979 war Lademacher Professor für Neueste Geschichte an der Vrije Universiteit Amsterdam und von 1979 bis 1990 Professor für Neuere und Neueste Geschichte an der Universität Kassel. Danach hatte er bis zu seiner Emeritierung im Oktober 1999 den Lehrstuhl für Neuere und Neueste Geschichte und Niederlande-Kunde an der Universität Münster inne und war Direktor des Zentrums für Niederlande-Studien der Universität. Zahlreiche Veröffentlichungen zur Geschichte der internationalen Arbeiterbewegung, des Kalten Krieges, der Vorgeschichte der Bundesrepublik und vor allem der niederländischen und belgischen Geschichte.

Lothar de Maizière
Geboren am 2. März 1940 in Nordhausen. Als Absolvent der Musikhochschule in Ostberlin zunächst in verschiedenen Orchestern tätig, nahm de Maizière nach einem juristischen Fernstudium 1976 eine Tätigkeit als Rechtsanwalt auf. Schon als Schüler war er 1956 der Ost-CDU beigetreten. 1989 wurde er in die von Hans Modrow neugebildete Regierung der DDR als Minister für Kirchenfragen berufen. Unter de Maizières Führung wurde die CDU der DDR bei der ersten freien Volkskammerwahl am 18. März 1990 stärkste Partei. De Maizière führte als Ministerpräsident eine große Koalition mit SPD und Liberalen. Auf dem ersten gesamtdeutschen CDU-Parteitag am 1./2. Oktober 1990 wurde de Maizière zum Stellvertreter des Vorsitzenden Helmut Kohl gewählt. Im Herbst 1991 zog sich de Maizière aus der aktiven Politik zurück. 1996 erschien sein Buch über den Einigungsprozess „Anwalt der Einheit".

Ingrid Mittenzwei
Geboren am 14. Mai 1929 in Bochum als Tochter eines Metallarbeiters. Die Familie zog 1936 nach Magdeburg. Nach dem Abitur Studium der Germanistik und Geschichte in Halle und Leningrad, 1963 Promotion. Danach wissenschaftliche Mitarbeiterin am Institut für Geschichte an der Akademie der Wissenschaften in Ostberlin, wo sie 1968 mit dem Aufbau einer Abteilung zur Erforschung des preußischen Absolutismus beauftragt wurde. 1976 Habilitation, 1980 Berufung zur Professorin an der Akademie der Wissenschaften, wo sie bis Mai 1989 tätig war. Mittenzwei hat zahlreiche wissenschaftliche Werke verfasst, darunter die Biographie „Friedrich II. von Preußen" (1979) und zusammen mit Erika Herzfeld „Brandenburg-Preußen 1648-1789" (1985).

Rudolf Morsey
Geboren am 16. Oktober 1927 in Recklinghausen. Nach dem Abitur studierte Morsey an der Universität Münster Geschichte. Er habilitierte sich 1965, wurde 1966 an die Universität Würzburg berufen und lehrte danach von 1970 bis 1992 an der Deutschen Hochschule für Verwaltungswissenschaften Speyer Neuere Geschichte. Von 1968 an Präsident der Kommission für die Geschichte der politischen Parteien und zwischen 1982 und 1985 Vorsitzender der Arbeitsgemeinschaft außeruniversitärer Forschungseinrichtungen in der Bundesrepublik Deutschland. Zahlreiche Buchveröffentlichungen, insbesondere zur Geschichte des politischen Katholizismus im 19. und 20. Jahrhundert. Zuletzt erschien „Bismarck und die deutschen Katholiken" (2000).

Franz Pfeffer
Geboren am 15. Januar 1926 in Koblenz. Pfeffer studierte Jura und Neuere Geschichte in Deutschland, Frankreich und den USA. 1954 trat er in den Auswärtigen Dienst ein und bekleidete wechselnde Posten im In- und Ausland, u.a. in New York, Rom und Brüssel. 1981 wurde er zum Politischen Direktor des Auswärtigen Amtes ernannt, 1985 folgte die Berufung zum Botschafter in Polen. Von 1987 bis zu seinem Eintritt in den Ruhestand 1991 war Pfeffer als Botschafter in Frankreich tätig. Seitdem setzte er sich intensiv für die Förderung des französischen Engagements in den neuen Bundesländern ein. Pfeffer ist Vorsitzender des Aufsichtsrats der GAZ de France Deutschland und Vorstandsmitglied der Deutsch-Französischen Gesellschaft für Wissenschaft und Technologie. Er wurde u.a. mit dem Großen Bundesverdienstkreuz ausgezeichnet und ist Großoffizier der französischen Ehrenlegion.

Matthias Platzeck
Geboren am 29. Dezember 1953 in Potsdam. Studium der biomedizinischen Kybernetik an der Technischen Hochschule Ilmenau in Thüringen, 1979 Abschluss als Diplomingenieur. Von 1980 bis 1982 arbeitete Platzeck als Direktor für Ökonomie und Technik im Kreiskrankenhaus Bad Freienwalde, anschließend bis 1990 als Abteilungsleiter für Umwelthygiene bei der Hygieneinspektion Potsdam. Schon in der DDR umweltpolitisch aktiv, wurde Platzeck nach der Wende Sprecher der Grünen Liga, nahm an den Verhandlungen des Zentralen Runden Tisches teil und war Minister ohne Geschäftsbereich in der Regierung Modrow. Von 1990 bis 1998 hatte Platzeck das Amt des Ministers für Umwelt-, Naturschutz und Raumordnung in Brandenburg inne. Bekannt wurde er durch sein erfolgreiches Krisenmanagement bei der Oderüberschwemmung 1997. 1998 Wahl zum Oberbürgermeister von Potsdam. Seit 1999 ist Platzeck Vorstandsmitglied der SPD und wurde im Juli 2000 zum SPD-Landesvorsitzenden von Brandenburg gewählt.

Michael Prinz von Preußen
Geboren am 22. März 1940 in Berlin als zweiter Sohn von Prinz Louis Ferdinand von Preußen. Nach der Flucht aus Ostpreußen wuchs Michael Prinz von Preußen in Borgfeld bei Bremen auf. Er studierte in Freiburg und ging dann für einen mehrjährigen Ausbildungsaufenthalt in die USA. Später arbeitete Michael Prinz von Preußen bei PanAm in New York. Es folgten Tätigkeiten im Hotelwesen und in der Finanzwelt, zunächst in Norddeutschland, dann in Frankfurt am Main. Zurzeit ist Michael Prinz von Preußen vor allem im PR-Bereich für große Firmen tätig.

Wilhelm-Karl Prinz von Preußen
Geboren am 20. Januar 1922 in Potsdam. Der Enkel des letzten deutschen Kaisers Wilhelm II. trat nach dem Abitur 1939 in die Wehrmacht ein, aus der er 1944 aus politischen Gründen entlassen wurde. Er absolvierte eine Landwirtschaftslehre in Ostpreußen. 1945 Flucht in den Westen. Dort arbeitete Wilhelm-Karl Prinz von Preußen lange Jahre für die Firma DRAGOCO, deren Geschäftsführer er von 1960 bis 1984 war. Wilhelm-Karl Prinz von Preußen engagierte sich in der Kommunalpolitik als Stadt- und Kreisrat. Seit 1958 ist er ehrenamtlicher Herrenmeister des Johanniterordens.

Johannes Rau
Geboren am 16. Januar 1931 in Wuppertal-Barmen. Nach dem Abitur absolvierte Rau eine Verlagsbuchhändlerlehre. Von 1954 bis 1967 arbeitete er in Wuppertal für einen theologischen Verlag, dessen Direktor er zuletzt war. Bereits 1952 trat Rau in die Gesamtdeutsche Volkspartei von Gustav Heinemann ein, dem er nach der Parteiauflösung 1957 in die SPD folgte. Rau engagierte sich in der Wuppertaler Kommunalpolitik und war von 1969 bis 1970 Oberbürgermeister der Stadt. 1958 wurde er erstmals in den nordrhein-westfälischen Landtag gewählt. In die Landesregierung trat er 1970 als Minister für Wissenschaft und Forschung ein. Von 1978 bis 1998 war Rau Ministerpräsident von Nordrhein-Westfalen. 1982 wählte ihn die SPD zum stellvertretenden Parteivorsitzenden. 1987 zog er als Spitzenkandidat seiner Partei in den Bundestagswahlkampf. Seit 1999 ist Johannes Rau Bundespräsident der Bundesrepublik Deutschland.

Ursula Röper
Geboren 1953 in Stuttgart, studierte Röper Religionswissenschaft, Ethnologie und Psychologie in Berlin und Paris. Abschluss mit der Promotion zum Dr. phil. und Forschungstätigkeit von 1987 bis 1996 im Bereich der Sozial-, Kirchen- und Baugeschichte Preußens im 19. Jahrhundert. Seit 1996 ist Ursula Röper als freie Ausstellungsmacherin tätig. Von ihr stammen u.a. Konzeption und Realisierung der Ausstellung „Preußens FrauenZimmer" im Kloster Stift zum Heiligengrabe (2001). Zurzeit arbeitet sie an der Erschließung und Präsentation der Sammlung Gertrud Weinhold im Museum Europäischer Kulturen, das zu den Staatlichen Museen Preußischer Kulturbesitz gehört. Zu ihren Veröffentlichungen gehören u.a. „Schinkels Vorstadtkirchen in Berlin" (1991) und „Marianne von Rantzau und die Kunst der Demut. Frömmigkeitsbewegung und Frauenpolitik in Preußen" (1997).

Karl Schlögel
Geboren am 7. März 1948 in Hawangen. Schlögel studierte Philosophie, Geschichte, Soziologie und Slawistik an der Freien Universität Berlin. Von 1990 bis 1994 war der promovierte Historiker als Professor für Osteuropäische Geschichte an der Universität Konstanz tätig. Seit 1994 lehrt er an der Europa-Universität Viadrina in Frankfurt an der Oder. Zahlreiche Veröffentlichungen zur Geschichte Russlands und Osteuropas, darunter „Die Mitte liegt ostwärts" (1986) und „Go East oder die zweite Entdeckung des Ostens" (1995). Schlögel wurde u.a. mit dem Essaypreis des Berliner Tagesspiegel ausgezeichnet.

Helmut Schmidt
Geboren am 23. Dezember 1918 in Hamburg als Sohn eines Lehrers. 1940 wurde Schmidt zur Wehrmacht eingezogen. Von 1945 bis 1949 Studium der Volkswirtschaft. Danach bis 1953 Arbeit bei einer Hamburger Behörde. Seit 1946 Mitglied der SPD, war Schmidt 1947/48 Vorsitzender des Sozialistischen Deutschen Studentenbundes. Mitglied des Bundestages von 1953 bis 1997, unterbrochen nur durch seine Tätigkeit als Hamburger Innensenator von 1961-1965. Fraktionsvorsitzender 1967 bis 1969. In den sozialliberalen Regierungen seit 1969 zunächst Verteidigungs-, von 1972 an Finanzminister und von 1974 bis 1982 Bundeskanzler. Seit 1983 ist Schmidt Mitherausgeber der Zeit, international gefragter Redner und Autor zahlreicher Bücher. 1998 erschien „Auf der Suche nach einer öffentlichen Moral".

Carl Schurz
Geboren am 2. März 1829 in Liblar bei Köln. Schurz nahm als junger Mann an der Revolution von 1848 teil und floh nach deren Niederschlagung 1849 in die Schweiz. 1850 emigrierte der Demokrat in die USA und schloss sich dort der Republikanischen Partei an. Nach dem Wahlsieg des Republikaners Abraham Lincoln ging Schurz zunächst als Gesandter nach Madrid. Im Sezessionskrieg befehligte er seit 1862 eine deutsch-amerikanische Division. Von 1869 bis 1875 war Schurz Senator für Missouri und von 1877 bis 1881 Innenminister der USA. In dieser Zeit bemühte er sich um eine Versöhnung mit den Südstaaten und die Reform des öffentlichen Dienstes. Schurz setzte sich als Journalist als einer der Ersten für die Eingliederung der Indianer in die amerikanische Gesellschaft ein. 1898 wandte er sich gegen den Krieg mit Spanien und die imperialistischen Tendenzen der US-Politik. Schurz starb hoch geehrt am 14. Mai 1906 in New York. Sein Name steht heute in den USA für die Pflege der deutsch-amerikanischen Beziehungen.

Manfred Stolpe
Geboren am 16. Mai 1936 in Stettin. Nach dem Abitur in Greifswald 1955 studierte er Rechtswissenschaften in Jena (1959 juristisches Staatsexamen). Danach war er bei der Evangelischen Kirche Berlin-Brandenburg tätig, unter anderem als Konsistorialpräsident der Ostregion von 1982 bis 1990. Seit Juli 1990 ist Stolpe Mitglied der SPD. Im Oktober des Jahres wurde er in den Brandenburgischen Landtag und am 1. November 1990 zum Ministerpräsidenten gewählt. Er ist seit Mai 1991 Mitglied im Vorstand der SPD. Bei den Landtagswahlen 1994 und 1999 wurde er im Amt des Ministerpräsidenten bestätigt. Stolpe ist seit 1989 Ehrendoktor der Universität Greifswald, seit 1991 der Universität Zürich und seit 1996 der Universität Szczecin; außerdem wurde ihm 1991 der Carlo-Schmid-Preis verliehen.

Hans-Jochen Vogel
Geboren am 3. Februar 1926 in Göttingen. Nach dem Abitur 1943, Kriegsdienst und Kriegsgefangenschaft, studierte Vogel Jura und promovierte in diesem Fach 1950. Im selben Jahr trat Vogel in die SPD ein. Nach Tätigkeiten in bayerischen Ministerien und als Amtsgerichtsrat wurde er 1958 Rechtsreferent in München. 1960-1972 Oberbürgermeister von München, danach bis 1977 Landesvorsitzender der bayerischen SPD. 1972-1994 Mitglied des Bundestages, bekleidete Vogel verschiedene Ministerämter: 1972-1974 Minister für Städtebau, Raumordnung und Bauwesen, 1974-1981 Justizminister. 1981 Regierender Bürgermeister von Berlin. 1983 Kanzlerkandidat der SPD, führte nach verlorener Wahl die SPD-Fraktion im Bundestag bis 1991. 1984-1987 stellvertretender Vorsitzender, 1987-1991 Vorsitzender der SPD. Nach dem Abschied aus der Politik 1994 erschien 1996 Vogels Erinnerungsband „Nachsichten. Die Bonner und Berliner Jahre". Vogel engagiert sich weiterhin in dem Projekt „Gegen Vergessen – Für Demokratie" und ist seit dem Sommer 2000 Vize-Vorsitzender der „Zuwanderungskommission".

Richard von Weizsäcker
Geboren am 15. April 1920 in Stuttgart. Bis 1949 Studium der Rechtswissenschaften und Geschichte in Oxford, Grenoble und Göttingen, unterbrochen vom Militär- und Wehrdienst von 1938 bis 1945. 1950-1966 als Rechtsanwalt in der Industrie. 1964-1970 Präsident des Evangelischen Kirchentages und 1967-1984 Mitglied der Synode und des Rates der EKD. Seit 1950 Mitglied der CDU, in der er verschiedene wichtige Ämter übernahm. 1969-1981 Abgeordneter des Deutschen Bundestages, danach leitete er bis 1984 als Regierender Bürgermeister die Geschicke Berlins. Von 1984 bis 1994 trug er als Bundespräsident sehr zum Ansehen Deutschlands im Ausland bei und begleitete den deutschen Einigungsprozess in seiner entscheidenden Phase. Richard von Weizsäcker ist Träger vieler internationaler Auszeichnungen.

Hanna Delf von Wolzogen
Geboren 1951 in Berlin. Ihr Studium der Germanistik, Philosophie und Psychoanalyse an den Universitäten Gießen, Frankfurt am Main, Heidelberg, schloss Hanna Delf von Wolzogen mit einer Promotion über den deutsch-jüdischen Schriftsteller Gustav Landauer ab. 1985-1988 arbeitete sie in Tel Aviv und Jerusalem an den Nachlässen von Martin Buber und Gustav Landauer. 1989 wurde sie Wissenschaftliche Assistentin an den Universitäten Duisburg und später Potsdam. Bis 1995 war sie als Geschäftsführerin des Moses Mendelssohn-Zentrums in Potsdam tätig. Seit 1996 Direktorin des Theodor-Fontane-Archivs in Potsdam und leitet gemeinsam mit Gert Mattenklott das Editionsprojekt „Gustav Landauer. Werke und Briefe" an der FU Berlin. Zahlreiche Publikationen zur deutsch-jüdischen Literatur und Philosophie, u.a. „Gustav Landauer und Fritz Mauthner. Briefe 1890–1919" (1994) und den Band 3 der Werkausgabe Gustav Landauer (1996).

Preußen, Europa und die Welt – Daten und Ereignisse

10. Jahrhundert Unter den Ottonen wird außerhalb der Reichsgrenze nordöstlich von Magdeburg rund um die Stadt Brandenburg die Nordmark eingerichtet. Sie reicht nach Osten bis an die Oder und wird vom slawischen Volk der Heveller bewohnt.

1061 Erste urkundliche Erwähnung des schwäbischen Grafengeschlechts der Zollern.

1134 Durch die Belehnung Albrechts „des Bären" von Ballenstedt mit der Nordmark erhält das mitteldeutsche Fürstengeschlecht der Askanier von Kaiser Lothar III. den Auftrag zur Rückeroberung des Gebietes von den Slawen.

1192 Der Zoller Friedrich III. steigt zum Burggrafen von Nürnberg auf.

1230 Beginn der Eroberung des Ordensstaates durch den Deutschen Orden. In der Mark Brandenburg wird die Stadt Berlin-Cölln gegründet.

1231 Das Herzogtum Pommern wird brandenburgisches Lehen.

Um 1350 Die Zollern ändern den Namen ihres Geschlechts in Hohenzollern

1411 Als Dank für die Unterstützung bei seiner Wahl zum Deutschen König ernennt Sigismund den Burggrafen von Nürnberg, den Hohenzoller Friedrich VI., zum Verweser der Mark Brandenburg.

1412 Beginn des Krieges Friedrichs VI. gegen rebellische Adlige, die bereits seit acht Jahren das Land tyrannisieren.

1414 Im Landfrieden von Tangermünde müssen die aufständischen Adelsfamilien die Position Friedrichs VI. anerkennen.

1415 Friedrich VI. wird als Friedrich I. zum Markgrafen und Kurfürsten erhoben (Abb.).

1417 König Sigismund belehnt Friedrich I. offiziell mit der Mark Brandenburg. Zudem erhält er die Würde des Reichserzkämmerers.

1426 Nach mehreren politischen und militärischen Misserfolgen, einer verfehlten Bündnispolitik mit Polen und dem Zerwürfnis mit König Sigismund legt Friedrich die Regentschaft in die Hände seines Sohnes Johann. Friedrich verzichtet auch auf alle Nürnberger Besitzungen und zieht sich nach Franken zurück.

1440 Nach dem Tod Friedrichs I. geht die Kurfürstenwürde auf seinen Sohn Friedrich II. „den Eisernen" über. Im Staat des Deutschen Ordens schließen sich Städte und Adel gegen die Obrigkeit zum „Preußischen Bund" zusammen.

1448 Friedrich II. unterwirft Berlin-Cölln und zwingt die märkischen Städte unter seine landesherrliche Autorität.

1455 Erwerbung der Neumark vom Deutschen Orden, der sich durch den schwierigen Krieg gegen Polen in einer Notlage befindet.

1466 Nach der Niederlage gegen Polen (Abb.) verliert der Deutsche Orden weite Gebiete und muss sich dem polnischen König unterwerfen.

1469 Der Versuch Friedrichs scheitert, einen direkten Zugriff auf das Herzogtum Pommern und damit einen Zugang zur Ostsee zu bekommen.

1470 Kurfürst Friedrich II. tritt die Regierung der Mark Brandenburg an seinen Bruder Albrecht Achilles ab und zieht sich nach Franken zurück, wo er im Folgejahr stirbt. Albrecht hält sich allerdings so gut wie nie in der Mark Brandenburg auf und ernennt seinen Sohn Johann Cicero zum Regenten.

1473 Albrecht teilt seine Besitzungen auf: Johann Cicero erhält die Mark Brandenburg, die beiden jüngeren Brüder die fränkischen Fürstentümer Ansbach und Bayreuth.

1486 Nach dem Tode Albrechts tritt die 1473 beschlossene Erbteilung in Kraft. Fortan bleiben die fränkischen Besitzungen der Hohenzollern und die Mark Brandenburg über 300 Jahre getrennt.

1499 Kurfürst Johann Cicero stirbt. Nachfolger wird Joachim I. Nestor.

1511 Der Ansbacher Hohenzoller Albrecht wird zum Hochmeister des Deutschen Ordens gewählt.

1525 Hochmeister Albrecht wandelt die Reste des Deutschen Ordensstaates in ein weltliches Fürstentum unter polnischer Lehnshoheit um. Er selbst trägt fortan den Titel „Herzog in Preußen".

1535 Nach dem Tode Joachims I. Nestor wird Joachim II. Hektor brandenburgischer Kurfürst.

1540 Brandenburg schließt sich der Reformation an und wird lutherisch.

1547 Dennoch unterstützt Joachim II. als Markgraf den Kaiser im Schmalkaldischen Krieg gegen die protestantischen Reichsfürsten.

1569 Nach dem Tode Albrechts von Preußen erlangt Kurfürst Joachim II. vom polnischen König Lehnsrechte in Preußen.

1594 Durch geschickte Heiratspolitik kann Brandenburg Erbansprüche auf Preußen und das rheinische Jülich-Kleve-Berg begründen.

1598 Nach dem Tode Joachims II. wird Joachim Friedrich brandenburgischer Kurfürst. Gleichzeitig wird die Unteilbarkeit der Mark Brandenburg und ihrer Erbansprüche gegen Dritte festgelegt.

1608 Erneuter Machtwechsel: Auf Joachim Friedrich folgt Johann Sigismund.

1618 Nach dem Tode des Hohenzollern Fürst Albrecht Friedrich von Preußen erbt Kurfürst Johann Sigismund das Herzogtum Preußen, das aber weiterhin unter polnischer Lehnshoheit verbleibt.

1619 Kurfürst Georg Wilhelm wird Nachfolger des verstorbenen Johann Sigismund.

1627 Die Mark Brandenburg wird Kriegsschauplatz im Dreißigjährigen Krieg.

1633 Verbündet mit Schweden, müssen die brandenburgischen Truppen vor Wallenstein kapitulieren.

1635 Brandenburg schließt sich dem Kaiser an, ist aber weiterhin schwedisch besetzt.

1640 In Königsberg stirbt Kurfürst Georg Wilhelm. Ihm folgt Friedrich Wilhelm auf den brandenburgischen Thron.

1643 Als Lehre aus den Niederlagen und der Machtlosigkeit während des Dreißigjährigen Krieges entwickelt Friedrich Wilhelm seine Ideen von der Gründung eines stehenden Heeres nach französischem Vorbild.

1653 Friedrich Wilhelm setzt die Einführung langfristiger Heeressteuern durch.

1655 Im Ersten Nordischen Krieg verbünden sich Brandenburg und Schweden gegen Russland, Polen und das Reich. Schweden verspricht Brandenburg die Souveränität über das Herzogtum Preußen.

1657 Im Angesicht der drohenden Niederlage wechselt Friedrich Wilhelm die Seiten.

1660 Nach der Niederlage Schwedens verzichtet Polen im Frieden von Oliva zu Gunsten Brandenburgs auf die Lehnshoheit über Preußen. Dies ist der Grundstein für den Aufstieg Preußens zum Königtum und später zur Großmacht.

ab 1660 Brandenburg-Preußen tritt zunehmend als Gesamtstaat auf, was sich vor allem in der gemeinsamen Außenpolitik aller Territorien ausdrückt. Typisch für die Politik Friedrich Wilhelms ist eine taktische Außenpolitik mit häufigen Seitenwechseln. Ziel ist es zwischen den Großmächten nicht „zerrieben" zu werden.

1661-63 Auf dem Dauerlandtag zu Königsberg bricht Friedrich Wilhelm den Widerstand der Stände und erreicht die volle Anerkennung seiner Souveränität über Preußen.

1675-79 Die brandenburgisch-preußische Armee besiegt die stärkste europäische Militärmacht Schweden und steigt damit zur nach Österreich zweitstärksten deutschen Macht auf. Friedrich Wilhelm wird seit diesem Erfolg als „der große Kurfürst" bezeichnet.

1685 Im Potsdamer Edikt lädt Friedrich Wilhelm (Abb.) 15 000 durch die Aufhebung des Edikts von Nantes aus Frankreich vertriebene Hugenotten zur Ansiedelung in Brandenburg ein. Dadurch erhält Brandenburg einen ungeheuren kulturellen und wirtschaftlichen Anschub.

1688 Nach dem Tode des Großen Kurfürsten folgt Friedrich III. auf den Thron. Er lässt die Regierung ganz nach absolutistischer Manier von Ministern leiten und konzentriert sich auf die barock-prachtvolle Hofhaltung und Repräsentation.

1700 Im Spanischen Erbfolgekrieg stellt sich Friedrich III. auf die Seite Österreichs sowie des Kaisers und gegen Frankreich. Dies bringt ihm die große Dankbarkeit des Hauses Habsburg ein.

Preußen

18.1.1701 Als Dank für das Kontraktat vom 16.11.1700, in dem Friedrich III. dem Hause Habsburg politische und militärische Unterstützung im Streit mit Frankreich um die spanische Erbfolge zugesichert hat, wird ihm vom Kaiser der Rang eines Königs zugestanden. Nun krönt er sich in Königsberg als Friedrich I. zum König „in" Preußen. Diesen ungewöhnlichen Titel wählt er mit Rücksicht auf den polnischen König, zu dessen Territorium Westpreußen gehört.

7.9.1701 Preußen tritt an der Seite Österreichs und Englands in den Krieg mit Frankreich um die Nachfolge des verstorbenen spanischen Königs Karl II. ein. Gleichzeitig verhindert die vorläufige preußische Neutralität im Nordischen Krieg (1700-1721) zwischen Schweden und Russland das Ausbrechen eines allgemeinen europäischen Krieges.

1700/01 Auf Anregung des Philosophen Gottfried Wilhelm Freiherr von Leibniz wird in Berlin die „Preußische Akademie der Wissenschaften" gegründet.

1701-1713 Aufbau der königlich preußischen Residenz in Berlin mit zahlreichen barocken Prunkbauten.

1708 Eine schwere Hungersnot wütet in Ostpreußen und fordert zahlreiche Opfer unter der Landbevölkerung.

1709/10 Die Überlebenden der schweren Hungersnot vom Vorjahr werden nun von einer Pestwelle überrollt. Nach dem Abklingen der Pest ist Ostpreußen nahezu entvölkert.

1710 Das preußische Finanzsystem gerät durch die verschwenderische, nach dem Vorbild Frankreichs angelegte Hofhaltung in eine schwere Krise, die durch

Europa

18.2.1701 Der Herzog von Anjou trifft in Madrid ein und wird als Philipp V. König von Spanien. Dies führt zum Spanischen Erbfolgekrieg, der größten europäischen Auseinandersetzung seit dem Dreißigjährigen Krieg.

22.3.1701 Das englische Parlament beschließt den „Act of Settlement": Die englische Thronfolge soll nach dem Tode Anna Stuarts auf das protestantische Haus Hannover übergehen.

7.9.1701 England, Österreich und die niederländischen Generalstaaten verbünden sich im Spanischen Erbfolgekrieg als Haager Allianz mit Preußen, Hannover und dem Reich gegen die Herrschaft der französischen Bourbonen in Spanien.

8.3.1702 Anna Stuart wird nach dem Tod Wilhelms III. von Oranien (Abb. bei seiner Thronbesteigung) Königin von England.

27.5.1703 Zar Peter I. von Russland sichert die im Nordischen Krieg gewonnenen Gebiete am Finnischen Meerbusen durch die Anlage der Peter- und Pauls-Festung in der Newa-Mündung. Damit wird der Grundstein für die Stadt Sankt Petersburg gelegt.

12.9.1703 Der Habsburger Karl Joseph Franz, Sohn von Kaiser Leopold I., trifft in Portugal ein und nimmt von dort aus den Kampf gegen Philipp V. von Bourbon auf.

Außereuropäische Welt

1701 Zu Beginn des 18. Jahrhunderts leben in den britischen Kolonien in Nordamerika etwa 275 000 Siedler (Abb.). Auf dem Teilkontinent konkurrieren Engländer, Franzosen, Spanier, Portugiesen und Niederländer um die Gebiete.

1702 Der Spanische Erbfolgekrieg dehnt sich auf die Kolonialgebiete in Nordamerika aus: Frankreich und England konkurrieren um die Kolonialgebiete Neufundland, Neuschottland und die Handelsposten und strategischen Punkte an der Hudson Bay.

11.3.1713 Mit dem Frieden von Utrecht verliert Frankreich die zuvor kolonisierten Gebiete Neufundland, Neuschottland und die Posten an der Hudson Bay in Nordamerika an Großbritannien.

1713 Mit dem Asiento-Vertrag erhält Großbritannien von Spanien das Recht, jährlich 4800 Sklaven in den spanischen Kolonien Amerikas zu verkaufen.

1718 Als Hauptstadt der französischen Kolonie Louisiana wird New Orleans gegründet.

1720 Japan öffnet sich erstmals seit dem Besuch der Portugiesen im Jahre 1542 (Abb. S. 269) für die westliche Kultur. Shogun Yoshimune hebt das Verbot ausländischer Literatur und die Zensur wissenschaftlicher Studien auf. Damit legt er den

Preußen

die Hungersnot von 1708 und die Pestwelle von 1709/10 noch dramatisch verschärft wird.

24.1.1712 In Berlin wird Friedrich geboren, der Enkel des Königs und Sohn des Kronprinzen Friedrich Wilhelm. Friedrich entwickelt sich zu einem hoch begabten Kind mit einer großen Vorliebe für das höfische Leben, die Musik und die Literatur. Später zeigt er sich den Ideen der Aufklärung gegenüber sehr aufgeschlossen.

25.1.1713 Der preußische König Friedrich I. stirbt. Nachfolger wird der „Soldatenkönig" Friedrich Wilhelm I. (Abb.). Er beginnt sofort mit einer radikalen Umgestaltung von Staat, Militär und Gesellschaft. Die prunkvolle Hofhaltung wird abgeschafft, Nüchternheit, Selbstdisziplin und Strenge halten Einzug. Der Adel wird politisch entmachtet und von der Pacht königlicher Domänen ausgeschlossen. Im August erklärt Friedrich Wilhelm die Unteilbarkeit und Unveräußerlichkeit aller Besitzungen der Hohenzollern. Damit ist die Grundlage für die Bildung eines modernen Einheitsstaates geschaffen.

Europa

27.12.1703 Portugal verpflichtet sich im Methuen-Vertrag, seine Märkte inklusive Brasilien für englische Wolle zu öffnen. England verpflichtet sich im Gegenzug, portugiesischen Weinen ein Importvorrecht zu erteilen.

12.7.1704 Der schwedische König Karl XII. erzwingt im besetzten Polen die Wahl Stanislaus I. Leszczyński zum Gegenkönig gegen den Sachsen August der Starke.

4.8.1704 England erobert im Spanischen Erbfolgekrieg das südspanische Felsenstädtchen Gibraltar.

13.8.1704 Ein bayerisch-französisches Heer unterliegt in der Schlacht bei Höchstädt an der Donau den Kaiserlichen unter Prinz Eugen von Savoyen und den Engländern unter dem Befehl des Herzogs von Marlborough, John Churchill. In der Folge wird Kurbayern von den Kaiserlichen besetzt.

5.5.1705 Kaiser Leopold I. stirbt in Wien, auf dem Thron folgt ihm sein Sohn Joseph I.

23.5.1706 Eine niederländisch-englische Armee besiegt in der Schlacht bei Ramillies die französischen und bayerischen Truppen.

7.9.1706 Bei Turin besiegt der kaiserliche Feldherr Prinz Eugen von Savoyen die Franzosen und nimmt Frankreich Oberitalien ab.

25.6.1706 Die Engländer erobern Madrid. Der Habsburger Karl Joseph Franz wird als Karl III. zum König von Spanien ernannt, kann aber keinen Thronverzicht Philipps V. erreichen.

29.4.1707 Mit der Unionsakte verschmelzen England und Schottland zu Großbritannien, 45 schottische Commoners und 16 schottische Peers vertreten von nun an Schottland im Parlament von Westminster.

Außereuropäische Welt

Grundstein für den Aufstieg Japans zur Großmacht.

1721 Afghanische Heere greifen Persien an und erobern die Hauptstadt Isfahan.

1728 Der Däne Vitus Bering umsegelt die Ostküste Asiens und findet die nach ihm als Beringstraße benannte Durchfahrt zwischen Asien und Nordamerika.

1729 Nadir Schah vertreibt die afghanischen Stämme aus der persischen Hauptstadt Isfahan und begründet damit den Aufbau des Neupersischen Reiches.

1732 George Washington, Gutsbesitzer aus Virginia, wird Oberbefehlshaber der Siedlertruppen in Nordamerika und beginnt den Unabhängigkeitskrieg Nordamerikas gegen die britische Kolonialarmee, in deren Reihen sich 17 000 Söldner aus Braunschweig und Hessen befinden. Washingtons Truppen kämpfen zudem gegen die „Loyalists", englandtreue Amerikaner, sowie mit England verbündete Indianerstämme.

1736 Kaiser Kao-tsung, vierter Kaiser der Mandschu-Dynastie in China, baut das Kaiserreich

Preußen

1714 Die Finanzpolitik des Staates wird vom neuen König radikal geändert. Oberstes Prinzip ist es, die Ausgabenhöhe so zu begrenzen, dass sie stets unterhalb der Höhe der Staatseinnahmen liegt. Schulden dürfen nicht gemacht werden, Verstöße gegen dieses Prinzip sind strafbar. Über die Einhaltung der Prinzipien dieser neuen Sparsamkeit wacht die neu gegründete Generalrechenkammer. Sie ist direkt dem König unterstellt und kontrolliert sowohl die zivilen Staatseinnahmen und -ausgaben als auch die Militärausgaben, deren Anteil am Gesamtbudget immer mehr wächst.

1713 Preußen gibt seine Neutralität im Nordischen Krieg auf und stellt sich auf die Seite Russlands gegen die bereits schwer angeschlagenen Schweden.

1716 Die letzten Reste städtischer Freiheit und kommunaler Selbstständigkeit werden beseitigt. Beamte des Zentralstaates übernehmen überall in den Städten und Kommunen die Aufgaben der Verwaltung.

1717 Großen Teilen des Adels bleibt zur wirtschaftlichen Absicherung nach dem Entzug der

Europa

8.7.1709 In der Schlacht bei Poltawa besiegen die Truppen von Zar Peter I. dem Großen im Nordischen Krieg über die Armee des schwedischen Königs Karl XII. Die den Krieg entscheidende Niederlage zwingt Karl XII. zur Flucht ins Osmanische Reich.

11.7.1708 Bei Oudenaarde im belgischen Ostflandern unterliegen die Franzosen den britisch-österreichischen Truppen.

11.8.1709 Die schwedische Vorherrschaft in Polen zerbricht und damit auch die Unterstützung für König Stanislaus I. Leszczyński, der nun Polen verlässt.

11.9.1709 Österreicher, Briten und Preußen erringen bei Malplaquet einen Sieg über Frankreich, das seine Truppen daraufhin aus den südlichen Niederlanden abzieht.

16.4.1710 Nach der Flucht von Stanislaus I. Leszczyński kehrt König August II. der Starke nach Polen zurück.

17.4.1711 Wende im Spanischen Erbfolgekrieg: Kaiser Joseph I. stirbt, die Nachfolge in den österreichischen Erblanden durch seinen Bruder Karl Joseph Franz, der gerade als Karl III. um die Anerkennung als König von Spanien kämpft, würde das Mächteverhältnis in Europa empfindlich stören.

12.10.1711 Karl III., Gegenkönig in Spanien, wird als Karl VI. zum römisch-deutschen Kaiser gewählt. Erste Verhandlungen zwischen den Kriegsparteien deuten eine Einigung im Spanischen Erbfolgekrieg und den Thronverzicht Karls an. Im Gegenzug verzichtet der Bourbone Philipp V. auf die Thronfolge in Frankreich.

1711 Petersburg wird russische Residenz- und Hauptstadt.

Außereuropäische Welt

China aus, das unter seiner Herrschaft seine größte Ausdehnung erreicht.

1739 Der Schah von Persien, Nadir Schah, erobert weite Teile Indiens, besiegt den indischen Großmogul und plündert Delhi. Damit leitet er den Zerfall des indischen Mogulreiches ein.

19.10.1739 Großbritannien erklärt dem Königreich Spanien den „Ohrenkrieg", nachdem Spanier dem britischen Matrosen Robert Jenkins ein Ohr abgeschnitten haben. Ein weiterer Grund für diesen „War of Jenkin's Ear" waren die Grenzkonflikte zwischen Briten und Spaniern in der nordamerikanischen Kolonie Florida.

1740 Das hinduistische Marathen-Reich in Indien erreicht unter Balaji Baji Rao seine größte Ausdehnung.

1740 Im Österreichischen Erbfolgekrieg kämpfen Briten und Franzosen auch um die Kolonialgebiete in Nordamerika: Großbritannien erobert Fort Louisbourg auf Cape Breton Island.

1746 Großbritannien verliert das indische Madras an Frankreich, erhält es im Frieden von Madras 1748 aber wieder zurück.

18.10.1748 Der Frieden von Aachen teilt die zuletzt umkämpften Kolonialgebiete zwischen Großbritannien und Frankreich neu auf: Großbritannien muss auf Fort Louisbourg verzichten, erhält aber das ostindische Madras zurück.

1754 In Nordamerika beginnt der „French and Indian War" um die Kolonialgebiete mit einer britischen Expedition ins Ohiotal. Im Norden marschieren die

Preußen

Pacht nur der Eintritt in die überall im Königreich neu gegründeten Kadettenanstalten. Hier werden die Adligen nach einem harten Exerzierreglement zu unbedingtem Gehorsam herangebildet, um für die Führung des Heeres geeignet zu sein (Abb.).

1717 Das Gerichtswesen des Staates Preußen wird zentralisiert und unter zentralstaatliche Aufsicht durch die Kriminalkollegien gestellt.

21.1.1720 Nach dem Frieden von Stockholm scheidet Preußen aus der antischwedischen Koalition des Nordischen Krieges aus. Dafür erhält Friedrich Wilhelm von Schweden die Ostseeinseln Wollin und Usedom sowie Stettin und Vorpommern.

1721 Beginn von groß angelegten Maßnahmen zum Wiederaufbau des von 1708-1710 durch Hungersnot und Pest verwüsteten Ostpreußens. Dazu gehören Reformen der Verwaltung ebenso wie die Anlage von Be- und Entwässerungskanälen zur Verbesserung der Bodenqualität für die Landwirtschaft. Großen Erfolg hat die Ansiedlung von protestantischen Religionsflüchtlingen aus anderen Staaten, die eine massive Steigerung der landwirtschaftlichen Produktion erbringt.

1723 Vorläufiger Höhepunkt der Zentralisierung und Verwaltungsreform ist die Schaffung eines Generaldirektoriums als höchstem Organ der Zivilverwaltung. Das Generaldirektorium ist direkt dem König unterstellt und an seine Weisungen gebunden. Auch das Beamtentum wird reformiert. Zukünftig sollen höhere Verwaltungsbeamte nicht in ihrer Heimatprovinz tätig werden, um Korruption und Vettern-

Europa

25.7.1712 Die eidgenössischen Religionskriege sind auf dem Höhepunkt: Bei Villmergen besiegt ein Heer aus Berner Reformern die katholischen Soldaten.

11.8.1712 Der Friede von Aarau beendet die Hegemonie der katholischen Orte in der Schweiz.

11.4.1713 Durch den Frieden von Utrecht werden die Kampfhandlungen des Spanischen Erbfolgekrieges endgültig beendet. Beteiligt sind Frankreich, Großbritannien, Portugal, Preußen sowie Savoyen, nicht aber Österreich. Der spanische König Philipp V. hat vorher auf die französische Thronfolge verzichtet, die spanische und französische Linie des Hauses Bourbon ist damit getrennt. Großbritannien erhält Gibraltar und Menorca von Spanien sowie die Hudson Bay, Neufundland und Neuschottland von Frankreich. Der deutsche Kaiser Karl VI. erkennt den Friedensschluss nicht an und hält seinen Anspruch auf die spanische Krone aufrecht.

19.4.1713 Kaiser Karl VI. erlässt die „Pragmatische Sanktion", ein Staatsgrundgesetz, in dem die Unteilbarkeit der habsburgischen Erblande und die weibliche Erbfolge festgeschrieben werden.

6.3.1714 Im Frieden von Rastatt erkennt Kaiser Karl VI. die Ergebnisse des Spanischen Erbfolgekriegs an und verzichtet selbst auf Thronansprüche in Spanien. Österreich erhält dafür die Spanischen Niederlande, Mailand und Sardinien.

1.8.1714 In Großbritannien geht die Thronfolge nach dem Tod von Anna Stuart gemäß des „Settlement Acts" von 1701 auf das Haus Hannover über. Kurfürst Georg Ludwig von Hannover wird König Georg I. von Großbritannien.

Außereuropäische Welt

britischen Truppen auf Montreal und Quebec zu und erobern erneut Fort Louisbourg.

1757 Der britische Kaufmann und Offizier Robert Clive besiegt im Auftrag der East India Company den Nabob von Bengalen und begründet damit die britische Herrschaft über Indien. Der britische Sieg von Plassey begründet die britische Vorherrschaft in Indien, Frankreich zieht sich aus Südasien zurück.

1759 Die Briten erobern das im französischen Besitz befindliche Quebec, die französischen Antillen und weite Teile der französischen Besitzungen in Westafrika.

8.9.1760 Die Franzosen werden auf dem nordamerikanischen Kontinent von den britischen Truppen endgültig geschlagen. Montreal und die Großen Seen fallen an Großbritannien.

1762 Großbritannien besetzt das französische Martinique.

15.2.1763 Im Frieden von Paris wird der Siebenjährige Krieg für Großbritannien, Portugal, Frankreich und Spanien beendet. Großbritannien erhält dadurch das von Frankreich gehaltene Kanada und das von Spaniern besetzte Florida. Frankreich verliert bis auf New Orleans seine Besitzungen in Nordamerika an Großbritannien und das Gebiet westlich des Mississippi in Louisiana an Spanien. Dadurch wird Großbritannien die führende Kolonialmacht in Nordamerika.

1763 König Georg II. von Großbritannien regelt die britische Verwaltung auf dem nordamerikanischen Kontinent: Am St. Lorenz-Strom entsteht die Provinz Quebec mit einem britischen Gouverneur, das Hinterland und die Gebiete um die Großen Seen sowie das Terri-

Preußen

wirtschaft zu unterbinden. Zudem wird das Beamtentum einem neuen Disziplinarrecht unterstellt, das ganz stark vom militärischen Gehorsamsprinzip geprägt ist.

1728 Friedrich Wilhelm erkennt die Pragmatische Sanktion Kaiser Karls VI. an. Mit ihr hatte Karl 1713 die ungeteilte Erbfolge in allen habsburgischen Territorien sicherstellen wollen, da er keine männlichen Thronfolger besaß. Im Gegenzug erkennt der Kaiser die Erbfolgerechte der Hohenzollern in den rheinischen Provinzen Jülich und Berg noch einmal ausdrücklich an.

1728 In Preußen entsteht eine neue Behörde, die sich speziell mit den Fragen der Auswärtigen Angelegenheiten beschäftigt. Das Kabinettsministerium wird den anderen Obersten Behörden gleichgestellt. Die wichtigsten Entscheidungen werden aber weiterhin im informellen „Tabakskollegium" gefällt.

1730 Fluchtversuch des Kronprinzen Friedrich vor den harten Erziehungsmethoden seines Vaters. Gemeinsam mit seinem Freund Hans Hermann von Katte versucht der 18-Jährige nach England zu gelangen. Die Flucht scheitert jedoch, Friedrich wird seines Status als Kronprinz enthoben und kommt gemein-

Europa

7.9.1714 Die Stände des Reiches erkennen im Frieden von Baden die Neuordnung Europas an.

1.9.1715 Ludwig XIV., König von Frankreich seit 1643 (Abb). stirbt in Versailles. Sein Urenkel folgt ihm als Ludwig XV. auf dem Thron und übernimmt ein finanziell zerrüttetes Land. Die Krise des Absolutismus beginnt.

5.8.1716 Im 6. Krieg der Österreicher gegen das Osmanische Reich schlägt der habsburgische Feldherr Prinz Eugen von Savoyen das osmanische Heer bei Peterwardein schwer.

22.8.1717 Der kaiserliche Feldherr Prinz Eugen von Savoyen zieht im Rahmen des „Türkenkriegs" in die Stadt Belgrad ein, nachdem seine Truppen die Türken bei Belgrad entscheidend geschlagen haben.

11.12.1718 Der schwedische König Karl XII. fällt im Nordischen Krieg bei der Belagerung der norwegischen Stadt Frederikshald. Karls Schwester Ulrike Eleonore tritt seine Nachfolge an.

21.1.1720 Im Frieden von Stockholm werden dem Kurfürstentum Hannover die bisher schwedischen Herzogtümer Bremen und Verden zugesprochen. Der Besitz-

Außereuropäische Welt

torium zwischen Appalachen und Mississippi soll nach der Proklamation des Königs zunächst den Indianern vorbehalten bleiben.

1763 In Nordamerika beginnt der „Indianerkrieg" der Ottawa-Indianer gegen die Briten.

1764 Mit dem „Sugar Act" erlässt das britische Parlament das erste Abgabengesetz für die nordamerikanischen Kolonien. Großbritannien ist durch den Siebenjährigen Krieg hoch verschuldet und führt in der Folgezeit zahlreiche Steuern in den Kolonien ein.

22.3.1765 Mit dem „Stamp Act" beschließt Großbritannien das nächste umfassende Steuergesetz für die nordamerikanischen Kolonien. Die Besteuerung von Druckerzeugnissen aller Art ruft Proteste hervor.

12.8.1765 Der Mogulkaiser Shah Alam II. wird zwangsweise Verwalter der Ostindischen Kompanie. Damit wird die direkte britische Herrschaft in Indien eingeführt.

1766 Der Häuptling der Ottawa-Indianer, Pontiac, schließt mit den Briten ein Friedensabkommen.

1767 Die Burmesen zerstören die Hauptstadt des Thai-Reiches, Ayuthya.

1768 James Cook bricht mit dem Schiff „Endeavour" zu seinen großen Forschungsreisen in den Pazifik auf. Sein Auftrag lautet, den „Südkontinent" zu finden. Diese erste Reise dauert bis 1771.

1770 James Cook landet in Australien und nimmt den Kontinent für Großbritannien in Besitz.

16.12.1773 Bostoner Bürger stürmen die Schiffe der East India Company und vernichten den gelade-

Preußen

sam mit Katte in Festungshaft. Hier zwingt ihn sein Vater, die Hinrichtung seines Freundes vom Fenster seiner Zelle aus anzusehen (Abb.).

1732 Durch die Einwilligung Friedrichs zur Heirat mit Elisabeth Christine, der Tochter Ferdinand Alberts II. von Braunschweig, entspannt sich sein Verhältnis zu seinem Vater und König Friedrich Wilhelm wieder. Friedrich wird als Kronprinz rehabilitiert.

2.2.1732 14 000 aus Salzburg vertriebene Protestanten siedeln sich im bevölkerungsarmen Ostpreußen an.

1733-35 Im Polnischen Thronfolgekrieg stellt sich Friedrich Wilhelm auf die Seite Österreichs und gegen Frankreich.

1733 Durch das „Kantonreglement" wird der Staat in Bezirke aufgeteilt, denen einzelne Regimente des Heeres fest zugeteilt werden. Gleichzeitig wird eine Wehrerfassung eingeführt, die zukünftige Soldaten schon im Kindesalter in Verzeichnisse eintragen lässt.

1736 Kronprinz Friedrich zieht in das Schloss Rheinsberg, wo ihm eine eigene Hofhaltung zur Verfügung steht. Hier widmet

Europa

stand Dänemarks und Polens wird auf der Basis des Status quo festgeschrieben.

17.2.1720 Spaniens König Philipp V. schließt Frieden mit der feindlichen Koalition des Spanischen Erbfolgekriegs. Herzog Viktor Amadeus II. von Savoyen erhält im Tausch von Kaiser Karl VI. Sardinien für Sizilien und herrscht hier fortan in Personalunion als König von Sardinien.

21.2.1720 Der schwedische Reichstag verabschiedet ein neues Staatsgrundgesetz, mit dem die „Freiheitszeit" und damit die Herrschaft von Reichstag und Reichsrat beginnt. Darin stehen sich die großen Parteien der „Mützen" und der „Hüte" gegenüber, die von Russland und Frankreich unterstützt werden. Das Gesetz entzieht zugleich dem König Friedrich I. seinen politischen Einfluss.

24.3.1720 In Frankreich bricht durch die erste Inflation der Geschichte die vom schottischen Finanzexperten John Law of Laurisson gegründete Staatsnotenbank zusammen, das Land stürzt in eine neue Finanzkrise.

10.9.1721 Der Friede von Nystad beendet den Nordischen Krieg zwischen Russland und Schweden. Russland löst Schweden als Großmacht im Ostseeraum ab. Die Russen erhalten die Gebiete Livland, Estland, Ösel, Ingermanland und einen Teil Kareliens und verfügen damit über einen breiten Zugang zur Ostsee. Der russische Zar Peter I. der Große, nennt sich fortan „Allrussischer Kaiser". Grönland kommt in dänischen Besitz.

1721 Großbritannien erhält mit dem Whig-Politiker Sir Robert Walpole faktisch seinen ersten Premierminister, der bis 1742 die

Außereuropäische Welt

nen Tee. Der Protest richtet sich gegen die von den Briten eingeführte Teesteuer. Dieses Ereignis bedeutet den Beginn des Unabhängigkeitskampfes der nordamerikanischen Siedler gegen die britische Herrschaft.

1773 Die East India Company wird entmachtet und unter die Kontrolle eines Generalgouverneurs gestellt, erhält aber das Monopol über den Opiumhandel mit China.

1774 Die Briten stellen Labrador und die nördlichen Indianergebiete bis zum Mississippi und Ohio unter die Verwaltung des Gouverneurs von Quebec. Die britische Krone erlässt den „Quebec Act", mit dem den Frankokanadiern Mitspracherecht und Religionsfreiheit gewährt werden.

5.9.1774 Auf dem 1. Kontinentalkongress der nordamerikanischen Kolonien erklären die Delegierten die britischen Steuergesetze für ungültig und rufen zum Boykott britischer Erzeugnisse auf. Außerdem fordern sie eine parlamentarische Vertretung im Mutterland. Sie verlangen aber noch nicht die Unabhängigkeit.

19.4.1775 In Massachusetts beginnt mit dem Aufstand von Lexington der Unabhängigkeitskrieg der nordamerikanischen Siedler. In

Preußen

er sich dem Studium der Philosophie, der Geschichte und der Literatur. Zudem führt er einen regen Briefwechsel mit dem französischen Philosophen Voltaire.

1737 König Friedrich Wilhelm I. lässt durch den Minister Samuel von Cocceji das Preußische Landrecht modernisieren, die Grundlage des Rechtswesens des preußischen Staates.

1738 England, Frankreich, Österreich und die Vereinigten Niederlande schließen einen Staatsvertrag, der die preußischen Erbansprüche und -rechte in den rheinischen Territorien missachtet.

1739 Friedrich Wilhelm I. stellt sich gegen Österreich und schließt einen Geheimvertrag mit Frankreich, der die preußischen Ansprüche auf die rheinischen Territorien sichern soll.

1739 In einer Abhandlung setzt sich Kronprinz Friedrich kritisch mit dem Werk des Italieners Machiavelli auseinander. Er tritt für eine friedliche und von den Gesetzmäßigkeiten der Aufklärung geleitete Herrschaft ein und betrachtet den Herrscher als „Ersten Diener des Staates".

31.5.1740 Tod des „Soldatenkönigs". Friedrich Wilhelm I. hat das Gesicht Preußens verändert wie kein Herrscher vor ihm. Er hat die absolutistische Regierungsform rationalisiert und mit der Verschmelzung von Staat und Heer eine neue Form des Militarismus geschaffen. Auf diese Weise legte er den Grundstein für die Entwicklung Preußens zur Großmacht. Trotz der prekären finanziellen Situation baute Friedrich Wilhelm die viertgrößte Armee Europas auf und beglich gleichzeitig alle Staats- und Domänenschulden. Bei seinem Tode

Europa

Richtung der Politik maßgeblich bestimmt.

2.12.1723 Ludwig XV. von Frankreich wird volljährig. Dennoch überlässt er das Regieren dem Minister Kardinal André Hercule de Fleury.

8.2.1725 Zar Peter I. (der Große, Abb.) stirbt in St. Petersburg. Seine Witwe übernimmt als Katharina I. die Herrschaft und übt die politische Macht gemeinsam mit Alexander Danilowitsch Fürst Menschikow aus.

17.5.1727 Die russische Zarin Katharina I. stirbt. Ihr Enkel Peter II. übernimmt als Zwölfjähriger die Herrschaft über das Russische Reich. Er wird stark vom Hofstaat beeinflusst.

11.6.1727 Georg I. von Großbritannien stirbt in Osnabrück. Sein Sohn Georg II. folgt ihm in seinen Ämtern als König von Großbritannien und Kurfürst von Hannover.

29.1.1730 Peter II., Zar von Russland, stirbt im Alter von 15 Jahren.

Außereuropäische Welt

Philadelphia wird George Washington zum Oberbefehlshaber gewählt und begründet die Kontinentalarmee.

10.1.1776 Thomas Paine fordert die Unabhängigkeit der nordamerikanischen Provinzen vom britischen Mutterland.

4.7.1776 Thomas Jeffersons Unabhängigkeitserklärung wird vom 2. Kontinentalkongress in Philadeplhia angenommen. Die 13 teilnehmenden Staaten erklären gemeinsam ihre Unabhängigkeit als Vereinigte Staaten von Amerika. Thomas Jefferson führt das Prinzip der Volkssouveränität ein und verkündet mit der „Virginia Bill of Rights" die erste umfassende Grundrechtecharta.

27.8.1776 George Washingtons (Abb.) Milizen siegen über eine von den Briten angeheuerte hessische Armee bei Trenton und nehmen 900 Söldner gefangen. Im Verlaufe des Unabhängigkeitskrieges flüchten über 40 000 englandtreue Loyalisten nach Neuschottland und Oberkanada.

Oktober 1777 Der Kontinentalkongress in Philadelphia beschließt die Schaffung einer nordamerikanischen Nationalflagge: 13 Streifen und 13 Sterne

Preußen

hinterlässt er eine Kriegskasse mit 10 Millionen Talern. Nach dem Tod seines Vaters übernimmt Friedrich II. den (Abb. u.) preußischen Thron.

20.10.1740 Maria Theresia wird nach dem Tod ihres Vaters Kaiser Karl VI. Erzherzogin von Österreich. Unter dem Vorwand bestehender preußischer Ansprüche fordert Friedrich II. die Abtretung Schlesiens an Preußen. Als Gegendienst soll die Pragmatische Sanktion Anerkennung finden, auf deren Grundlage Maria Theresia die österreichischen Lande geerbt hatte.

Europa

2.2.1732 Der Salzburger Erzbischof veranlasst die Vertreibung von 14 000 Protestanten, die in Brandenburg-Preußen Aufnahme finden.

1.2.1733 In Polen entfacht sich nach dem Tod von August II. dem Starken ein Streit um die Thronfolge. Erneut wird Stanislaus I. Leszczyński König von Polen. Doch Augusts Sohn lässt sich kurz darauf als August III. zum König wählen. Da Frankreich Stanislaus I. Leszczyński, Russland und Österreich aber August III. unterstützen, bricht daraufhin der Polnische Erbfolgekrieg aus.

1735 Die Kampfhandlungen des Polnischen Erbfolgekrieges enden mit dem Präliminarfrieden von Wien: Stanislaus I. Leszczyński verzichtet auf den Thron und August III. wird als König Polens anerkannt.

12.2.1736 Die österreichische Thronerbin Maria Theresia, älteste Tochter von Kaiser Karl VI., heiratet Franz Stephan von Lothringen.

18.9.1739 Österreich verliert den Westteil der Walachei und Nordserbien mit Belgrad, die nach dem Frieden von Belgrad wieder an das Osmanische Reich fallen.

17.10.1740 Nach dem Tod der Zarin Anna Iwanowa übernimmt formell der zwei Monate alte Iwan VI. Antonowitsch die Herrschaft. Iwan VI. steht unter der Vormundschaft von Ernst Johann, Reichsgraf von Biron, der bereits einen Monat später verbannt wird. Daraufhin übernimmt die Mutter des Zaren, Anna Leopoldowna die Regentschaft über das Russische Reich.

20.10.1740 Der römisch-deutsche Kaiser Karl VI. stirbt in Wien. Gemäß

Außereuropäische Welt

symbolisieren die 13 Bundesstaaten Nordamerikas. Die 13 Streifen bleiben bis heute erhalten, doch die Sterne nehmen mit der Besiedelung des Westens und der Integration weiterer Staaten in die USA zu.

IN CONGRESS, JULY 4, 1776.
A DECLARATION
BY THE REPRESENTATIVES OF THE
UNITED STATES OF AMERICA,
IN GENERAL CONGRESS ASSEMBLED.

17.10.1777 Der britische General John Burgoyne muss mit seinem 5700 Mann starken Heer vor den Amerikanern bei Saratoga kapitulieren (Abb.).

6.2.1778 Nach Verhandlungen Benjamin Franklins in Paris unterstützen die absolutistischen Monarchien Frankreich und Spanien zur Schwächung Großbritanniens die Unabhängigkeitsbewegung in Nordamerika und kämpfen militärisch an der Seite der Truppen von George Washington, insbesondere bei deren Vormarsch auf die kanadischen Städte Quebec und Montreal, das die nordamerikanischen und französischen

Preußen

Österreich lehnt diese Forderung ab, woraufhin Friedrich II. am 16. Dezember in Schlesien einmarschiert. Mit diesem Gewaltakt löst er den 1. Schlesischen Krieg aus, der sich bald zum Österreichischen Erbfolgekrieg ausweitet.

1741 Im 1. Schlesischen Krieg siegt in der Schlacht bei Mollwitz erstmals ein preußisches über ein österreichisches Heer. Der Krieg ist damit schon fast entschieden.

28.7.1742 Im Frieden von Berlin wird der 1. Schlesische Krieg beendet. Österreich muss fast ganz Schlesien und die Grafschaft Glatz an Preußen abtreten. Sachsen stellt sich nun gegen Preußen und auf die Seite Österreichs.

1744 Preußen erwirbt Ostfriesland, nachdem das dortige Herrscherhaus ausgestorben ist.

August 1744 König Friedrich II. entfacht den 2. Schlesischen Krieg, um den Besitz Schlesiens endgültig zu sichern.

25.12.1745 Sieg Preußens im 2. Schlesischen Krieg. Als Gegenleistung für die Abtretung Schlesiens erfolgt die Anerkennung Franz I., des Gemahls Maria Theresias, als Kaiser.

1753 Nach einem Zerwürfnis mit dem König verlässt nach drei Jahren Aufenthalt der französische Aufklärer Voltaire (Abb.) den Hof in Berlin.

Europa

der „Pragmatischen Sanktion" folgt ihm Maria Theresia (Abb. mit Familie) auf dem Thron, doch der Kurfürst Karl Albrecht von Bayern streitet die Rechtmäßigkeit der Thronfolge ab und erhebt ebenfalls Anspruch auf die Regentschaft.

16.12.1740 Mit dem Einmarsch der Preußen in Schlesien beginnt der Österreichische Erbfolgekrieg.

1740 In Russland stürzt die Tochter von Peter I., Elisabeth Petrowna, den einjährigen Zar Iwan VI. und die Regentin Anna Leopoldowna. Auf dem Thron folgt nun der Neffe von Elisabeth Petrowna, Peter von Holstein-Gottorf als Peter III.

28.7.1741 Der venezianische Komponist Antonio Vivaldi stirbt in Wien. Vivaldi schrieb 46 Opern und 344 Solokonzerte.

24.1.1742 Der bayerische Kurfürst Karl Albrecht wird zum römisch-deutschen Kaiser Karl VIII. gewählt.

14.2.1742 Österreichische Truppen erobern die Stadt München, Karl Albrecht muss fliehen.

1742 Kardinal André Hercule de Fleury, leitender Minister in Frankreich, stirbt. Von nun an will König Ludwig XV. allein regieren.

1744 Nach dem Tod Philipps V. wird Ferdinand VI. spanischer König.

Außereuropäische Welt

Truppen zeitweise besetzen. Die Unterstützung Frankreichs für die Amerikaner führt zum Krieg zwischen Großbritannien und Frankreich.

14.2.1779 Auf seiner dritten Reise in den Südpazifik wird der britische Entdecker James Cook auf Hawaii von Einheimischen erschlagen.

1780 Unter der Führung von Tupac Amarú widersetzen sich die peruanischen Indianer der spanischen Kolonialherrschaft. Der Aufstand wird blutig niedergeschlagen und bedeutet das letzte große Aufbegehren der Indio-Völker gegen die Spanier.

1781 Der letzte Indioführer in Peru, Tupac Amarú, wird in Cuzco hingerichtet. Damit festigt Spanien seine Kolonialherrschaft in den ab 1492 eroberten Gebieten zwischen Nordamerika und Feuerland.

19.10.1781 8000 britische Soldaten unter General Charles Cornwallis müssen sich einer doppelt so starken amerikanisch-französischen Truppe in Yorktown ergeben. Damit enden die Kampfhandlungen im nordamerikanischen Befreiungskrieg.

3.9.1783 Im Frieden von Versailles erkennt Großbritannien die Unabhängigkeit der Vereinigten Staaten von Amerika an. Des Weiteren bedeutet der Friedensschluss, dass Tobago und Senegambien an Frankreich fallen und Spanien Menorca und Florida erhält. Damit wird die Dominanz Großbritanniens auf dem nordamerikanischen Kontinent geschwächt, doch hält England noch Kanada und die neu besiedelten Gebiete im Südwesten Nordamerikas.

1784 In Paris wird der britisch-niederländische Seekrieg (seit 1780) um Indien beendet.

Preußen

1756 Friedrich II. erkennt als erster europäischer Monarch die Bedeutung der Kartoffel als Massennahrungsmittel und ordnet deren Anbau in großem Umfang an. Zudem wird die veraltete Dreifelderwirtschaft durch die moderne Fruchtwechselwirtschaft nach britischem Vorbild ersetzt.

29.8.1756 Die preußische Armee marschiert in Sachsen ein und löst damit den 3. Schlesischen Krieg und in der Folge den Siebenjährigen Krieg aus. Dem preußischen Heer stehen die Verbündeten Schweden, Russland, Sachsen, Frankreich und Österreich gegenüber. Finanzielle Unterstützung erhält Preußen von Großbritannien. Die gegnerische Übermacht bringt Preußen an den Rande der Kapitulation und nur das Ausscheiden Russlands nach dem Tod von Zarin Elisabeth und die preußenfreundliche Haltung ihres Nachfolgers Peter III. retten Preußen vor der vernichtenden Niederlage.

15.2.1763 Im Frieden von Hubertusburg erreicht Preußen die Anerkennung des Besitzes Schlesiens durch die europäischen Großmächte. Die eigene Position als Großmacht kann dadurch gefestigt und der territoriale Status der Vorkriegszeit gesichert werden. Allerdings ist der Preis dafür hoch: Die Kriege haben eine halbe Million Menschen das Leben gekostet und die Finanzen sowie die Wirtschaft des Landes an den Rand der Zerrüttung getrieben.

1764 Verteidigungsbündnis Friedrichs II. mit Zarin Katharina II. und Einigung zwischen Preußen und Russland über die Frage der polnischen Thronfolge.

5.8.1772 Bei der 1. Polnischen Teilung erhält Preußen Ermland und

Europa

20.1.1745 Durch den Tod des Bayern Karl Albrecht wird eine Einigung im Österreichischen Erbfolgekrieg ermöglicht.

13.9.1745 Franz Stephan von Lothringen, der Ehemann von Erzherzogin Maria Theresia, wird als Franz I. zum römisch-deutschen Kaiser gewählt.

25.12.1745 Mit dem Frieden von Dresden endet der Zweite Schlesische Krieg. Österreich bestätigt die Abtretung von Schlesien, im Frieden von Füssen erkennt Bayern Kaiser Franz I. an; der Kurfürst von Bayern, Maximilian III. Joseph, verzichtet auf alle Ansprüche Bayerns auf den Kaiserthron und erhält dafür die besetzten bayerischen Erblande zurück.

1745 Der König von Frankreich, Ludwig XV., macht seine Mätresse Jean Antoinette Poisson zur Marquise de Pompadour, die dadurch maßgeblichen Einfluss auf die Politik gewinnt.

1745 Der russische Zar Peter III. heiratet Sophie Friederike Auguste von Anhalt-Zerbst, die spätere Zarin Katharina II.

1745 Wilhelm I. von Oranien wird zum Statthalter der Vereinigten Provinzen der Niederlande.

18.10.1748 Ende des Österreichischen Erbfolgekrieges durch den Frieden von Aachen: Die Habsburger verzichten auf Parma und Piacenza. Frankreich gibt die Österreichischen Niederlande an Österreich und die britischen Kolonialgebiete an Großbritannien zurück. Die Pragmatische Sanktion wird international anerkannt.

1748 Der Philosoph Charles-Louis de Secondat, Baron de Montesquieu (1689-1755) begründet das Prinzip der Gewaltenteilung in seiner anonymen Schrift „Der Geist der Gesetze".

Außereuropäische Welt

1787 In Westafrika gründen freigelassene Sklaven aus den britischen Kolonien und den USA die Provinz Freetown, die Hauptstadt der späteren Kolonie und des heutigen Staates Sierra Leone.

17.9.1787 Die Verfassung der Vereinigten Staaten von Amerika tritt in Kraft. Sie ist das erste Grundgesetz einer modernen Demokratie mit Gewaltenteilung und gegenseitiger Kontrolle der Staatsorgane („checks and balances"). Diese Verfassung und die darin enthaltenen Grundrechte werden zum Vorbild für die späteren Staatsverfassungen in Europa und den amerikanischen Staaten.

26.1.1788 Großbritannien beginnt mit der Ansiedlung von Strafgefangenen in Australien, das zunächst zu einer reinen Strafgefangenenkolonie wird.

1789 In der Südsee wird der britische Kapitän William Bligh mit weiteren 18 Personen von Meuterern abgesetzt und von seinem Schiff „Bounty" verjagt.

30.4.1789 Der Oberbefehlshaber der amerikanischen Truppen, die die USA in die Unabhängigkeit führten, George Washington, wird der erste Präsident der Vereinigten Staaten von Amerika.

1789 Der schottische Pelzhändler Alexander Mackenzie erreicht auf der Fahrt über den nach ihm benannten Mackenzie-River in Kanada das Nördliche Eismeer. Er ist auf der Suche nach einem nördlichen Seeweg vom Atlantik zum Pazifik.

1789 In der portugiesischen Kolonie Brasilien formiert sich der als „Tiradentes-Verschwörung" bekannt gewordene Widerstand gegen die europäische Kolonialmacht und ihre Steuergesetze.

Preußen

Westpreußen, sodass Preußen einen großen Schritt auf dem Weg zu einem modernen Flächenstaat macht. In der Folge nennt sich der preußische König nun zum ersten Mal König „von" Preußen.

13.5.1779 Nach den gemäßigten militärischen Auseinandersetzungen des „Kartoffelkrieges" mit Österreich im Rahmen des Bayrischen Erbfolgekrieges erhält Preußen im Frieden von Teschen die alten, 1473 abgespaltenen Hohenzollernbesitzungen Ansbach und Bayreuth zugesprochen.

1780 Die Kodifizierung des modernisierten Preußischen Landrechts auf der Grundlage von 1737 beginnt.

23.7.1785 Friedrich II. ruft den deutschen Fürstenbund ins Leben, um der immer noch bestehenden österreichischen Vorherrschaft in Deutschland wirkungsvoller entgegentreten zu können.

10.9.1785 Abschluss eines Handels- und Freundschaftsvertrags mit den neu gegründeten USA.

17.8.1786 Friedrich II. stirbt in Sancoussi. In der Spätzeit seiner Regierung wird er von der Bevölkerung respektvoll der Alte Fritz genannt, der Nachwelt bleibt er als Friedrich „der Große" in Erinnerung. Er hat das Werk seines Vaters fortgeführt und Preußen zielstrebig in den Kreis der europäischen Großmächte geführt und dort fest etabliert. Das preußische Staatsgebiet und die Einwohnerzahl wurden nahezu verdoppelt. Die Verwaltung und die Wirtschaft des Landes wurde einem intensiven Ausbau unterzogen und stark bürokratisiert und zentralisiert. Ein dem König ergebenes und zu strengem Gehorsam verpflichtetes Beamtentum verwaltete den Staat auf effiziente Weise. Als Fried-

Europa

1750 In Deutschland und Frankreich wird der Begriff „Aufklärung" zum Synonym für eine Geisteshaltung, die als Richtschnur allen menschlichen Handelns die Vernunft betrachtet. (Abb. Immanuel Kant)

1.11.1755 Die portugiesische Hauptstadt Lissabon wird durch ein schweres Erdbeben fast vollständig zerstört.

November 1755 Im Streit um die nordamerikanischen Kolonien kapert die britische Flotte 300 französische Handelsschiffe. Der Ausbruch eines britisch-französischen Kolonialkrieges deutet sich an.

16.1.1756 Die Annäherung zwischen Großbritannien und Preußen führt zum „Umsturz der Bündnisse".

1.5.1756 Frankreich, Österreich und Sachsen bilden eine Allianz gegen das britisch-preußische Bündnis.

29.8.1756 Mit dem Einmarsch preußischer Soldaten in Sachsen beginnt der Siebenjährige Krieg, der erste „Weltkrieg" der Neuzeit. In Europa findet er vor allem als 3. Schlesischer Krieg zwischen Preußen und Österreich statt, weltweit als Kolonialkrieg zwischen Großbritannien und Frankreich.

Außereuropäische Welt

1791 Im „Canada Act" wird die Provinz Quebec geteilt: Im vorwiegend britisch besiedelten Teil Oberkanada entsteht der spätere kanadische Bundesstaat Ontario, im französisch geprägten Niederkanada die Provinz Quebec.

15.12.1791 Die „Bill of Rights" treten in den USA in Kraft. Neben der freien Religionsausübung, der Presse-, Rede-, und Versammlungsfreiheit beinhaltet sie das Recht, Waffen zu tragen.

9.1.1792 Der seit vier Jahren andauernde Krieg zwischen der österreichisch-russischen Koalition und dem Osmanischen Reich endet mit den Friedensschlüssen von Jassy. Die Türken müssen weite Teile der nördlichen Schwarzmeerküste an das Zarenreich abtreten. Der Zerfall des Osmanischen Reich ist in der Folgezeit nicht mehr zu bremsen.

2.4.1792 In den USA wird der Dollar nationale Währungseinheit. Der Begriff stammt aus dem niederdeutschen Wort „daler" (Taler).

1792 Die Wall Street in New York City wird zum Handelsplatz für Wertpapiere und Finanzzentrum der „neuen Welt".

Preußen

rich II. stirbt, hat sich sein System des aufgeklärten Absolutismus aber schon ansatzweise selbst überlebt, denn trotz aller rationellen Fortschrittlichkeit blieb das Volk immer nur ein Objekt der Politik und des Staates. Friedrichs Nachfolger wird sein Neffe Friedrich Wilhelm II. Der neue König verschafft sich gleich zu Beginn seiner Amtszeit Sympathien durch populäre und liberale Maßnahmen.

1787 Das Militärkabinett, eine zentrale königliche Kommandobehörde für das Heer, wird ins Leben gerufen.

1788 Im Rahmen einer Bildungsreform wird das Abitur eingeführt. Durch Zensurverfügungen wird die Aufklärung faktisch beendet.

1788 Baubeginn des Brandenburger Tores in Berlin.

1790 Preußen und Österreich können in der Konvention von Reichenbach strittige Fragen über die österreichische Expansion auf dem Balkan und die preußische Expansion im Ostseeraum klären.

27.8.1791 In der Pillnitzer Konvention erklären Österreich und Preußen ihren Willen zum militärischen Eingreifen im revolutionären Frankreich.

Europa

2.2.1757 Russland und Schweden schließen sich dem Bündnis gegen Großbritannien und Preußen an.

25.10.1760 Georg III. wird nach dem Tod seines Großvaters Georgs II. König von Großbritannien und Irland und Kurfürst von Hannover.

5.1.1762 In Russland stirbt Zarin Elisabeth, ihr Nachfolger Peter III. ruft seine Truppen aus dem Siebenjährigen Krieg zurück und schließt Frieden mit Preußen.

28.6.1762 Zar Peter III. wird von seiner Gattin gestürzt, die als Katharina II. gekrönt wird (Abb.). Russland bleibt im Siebenjährigen Krieg fortan neutral.

Außereuropäische Welt

1794 Der US-General Anthony Wayne besiegt mit seinen Truppen bei Fallen Thimbers indianische Einheiten und erobert für die USA damit die Gebiete der heutigen Bundesstaaten Ohio und Indiana. Die besiegten Indianer werden nach Westen verdrängt.

1795 Der schottische Arzt Mungo Park bereist den Senegal, Sudan und Niger und leitet damit die Erforschung des afrikanischen Inlandes ein, das den Europäern im Gegensatz zur gut erforschten westafrikanischen Küste bis dahin unbekannt ist.

7.12.1796 John Adams, der erste Vizepräsident der USA unter George Washington, wird zum zweiten Präsidenten der USA gewählt.

1796 Der chinesische Kaiser Quianlong dankt nach über 60 Regierungsjahren im Alter von 85 Jahren ab.

1797 Aus einem Teil des spanischen Vizekönigreiches Peru entsteht das Generalkapitanat Chile.

21.7.1798 Der französische General Napoleon Bonaparte besiegt die Mameluken in der Schlacht bei den Pyramiden und besetzt Kairo.

1.8.1798 Dem britischen Admiral Horatio Nelson gelingt die Vernichtung der französischen Flotte bei Abukir im Nildelta. Großbritannien sichert sich damit die Vormachtstellung im Mittelmeerraum und in Ägypten. Daraufhin verlässt Napoleon Bonaparte Ägypten. Die vom Nachschub abgeschnittenen französischen Truppen in Nordafrika führt nun General Jean-Baptiste Kléber.

14.12.1799 Im Alter von 67 Jahren stirbt George Washington auf seinem Besitz Mount Vernon. Der Besitzer einer Tabakplantage

Preußen

20.4.1792 Beginn des 1. Koalitionskrieges. Schon bald überschreiten die preußisch-österreichischen Heere die Landesgrenzen und nähern sich Paris. Schließlich gewinnen jedoch die Franzosen die Oberhand und drängen die unzureichend ausgerüsteten und koordinierten Verbündeten über den Rhein zurück.

23.1.1793 2. Polnische Teilung: Preußen erhält die Bezirke Kalisch, Gnesen und Posen sowie Thorn und Danzig.

1793 In Posen findet der letzte offizielle Hexenprozess in Deutschland statt.

1794 Das „Allgemeine Landrecht für die preußischen Staaten" tritt in Kraft. Nun gilt in ganz Preußen ein umfassender Rechtskodex.

5.4.1795 Preußen scheidet aus der 1. Koalition gegen das revolutionäre Frankreich aus.

24.10.1795 In der 3. Polnischen Teilung teilen Russland, Österreich und Preußen den Rest des polnischen Staates auch noch unter sich auf. Polen hört auf zu existieren.

16.11.1797 König Friedrich Wilhelm II. stirbt. Seine Regierungszeit war geprägt von nachlassendem Reformeifer in Staat und Wirtschaft. Die staatlichen Zwänge und Eingriffe in das Wirtschaftsleben verhindern den Aufbau einer international konkurrenzfähigen Wirtschaft. Die Staatsverschuldung beträgt mittlerweile über 50 Millionen Taler. Zudem wird die Regierungszeit Friedrich Wilhelms II. überschattet von einem ausufernden Günstlingssystem. Neuer König wird sein Sohn Friedrich Wilhelm III.

1804 Freiherr vom Stein wird zum Preußischen Minister für Wirtschaft und Finanzen ernannt.

Europa

17.7.1762 Ermordung des gestürzten Zaren Peter III.

1762 Jean-Jacques Rousseau (Abb.) veröffentlicht seine grundlegende Schrift „Der Gesellschaftsvertrag", in der das Prinzip der Volkssouveränität begründet wird.

15.2.1763 Ende des Siebenjährigen Krieges durch die Friedensschlüsse von Paris und Hubertusburg. Großbritannien kann sich als erste Weltmacht etablieren, Preußen steigt zur europäischen Großmacht auf.

1764 Der Brite James Hargreaves baut die erste Spinnmaschine der Welt. Die industrielle Revolution bahnt sich an.

1768 Der Brite James Cook beginnt mit seinen Entdeckungs- und Forschungsreisen im Südpazifik.

1769 Der Brite James Watt baut die erste Dampfmaschine, kurz darauf baut der französische Ingenieur Joseph Cugnot den ersten Dampfwagen, ein Dreirad, das eine Geschwindigkeit von vier Stundenkilometern erreicht.

1770 Der französische Thronfolger Ludwig XVI. heiratet in Paris Marie Antoinette, die Tochter Maria Theresias.

Außereuropäische Welt

kämpfte bereits seit seinem 20. Lebensjahr gegen die Kolonialherren, zunächst die Franzosen, später die Briten. Als Oberbefehlshaber der Revolutionstruppen zwang er 1781 die britische Armee zur Kapitulation. 1787 wurde Washington zum Präsidenten des Verfassungskonvents und 1789 einstimmig zum ersten Präsidenten der USA gewählt.

1799 Alexander von Humboldt beginnt mit seinen Forschungsreisen in Südamerika.

1800 Das Gebiet zwischen den Flüssen Ohio und Mississippi sowie der kanadischen Grenze wird zu den US-Territorien Ohio und Indiana. Dieses Gebiet umfasst die späteren US-Bundesstaaten Ohio, Illinois, Indiana, Wisconsin, Michigan und Teile von Minnesota.

1801 Spanien verliert den Westteil der Insel Hispaniola (auch Santo Domingo, das spätere Haiti) an Frankreich.

4.3.1801 Der Begründer der amerikanischen Verfassung, Thomas Jefferson (Abb.), wird zum dritten Präsidenten der USA gewählt.

1802 Alexander Freiherr von Humboldt besteigt den 6267 Meter hohen Vulkan Chimborazo bis zu einer Höhe von 5749 Metern.

Preußen

24.5.1804 Bündnis König Friedrich Wilhelms III. mit Zar Alexander I. gegen Frankreich.

12.12.1805 Preußen beendet seine Neutralitätspolitik und stellt sich auf die Seite Frankreichs. Im Tausch gegen Kleve, Ansbach, Bayreuth und Neuenburg erhält Preußen das Kurfürstentum Hannover.

9.8.1806 Mobilmachung Preußens, nachdem Meldungen über eine Einigung Frankreichs und Großbritanniens über Hannover eingetroffen sind.

26.9.1806 König Friedrich Wilhelm III. setzt Napoleon ein Ultimatum zum Rückzug aus rechtsrheinischem Gebiet.

9.10.1806 Ausbruch des 4. Koalitionskrieges.

14.10.1806 Napoleon schlägt mit seiner Armee die Preußen und die Russen während der Doppelschlacht von Jena und Auerstedt im Rahmen des 4. Koalitionskrieges. Zunächst trifft Napoleon bei Jena auf den 50 000 Mann starken linken Flügel des preußischen Heeres und treibt diesen zurück. Etwa zur gleichen Zeit schlägt der französische Marschall Louis Nicolas Davout mit seinen 27 000 Soldaten ein weiteres, beinahe doppelt so starkes preußisches Heer bei Auerstedt. Nach diesen beiden

Europa

7.7.1770 Russische Schiffe vernichten bei Cesme vor der Küste Anatoliens die türkische Flotte und verschaffen damit Russland die militärische Vormachtstellung in der Ägäis.

12.2.1771 Die Krönung des schwedischen Königs Gustav III. beendet die Ständeherrschaft der „Mützen" und „Hüte".

5.8.1772 Preußen, Österreich und Russland einigen sich in St. Petersburg über die Aufteilung Polens, die 1. Polnische Teilung. Österreich erhält Galizien, Russland fallen die Gebiete östlich der Düna und des Dnjepr zu.

September 1773 Der Kosakenführer Jemeljan Iwanowitsch Pugatschow erklärt sich zum Zar Peter III., führt einen Aufstand gegen Katharina II. und bringt weite Teile Südrusslands unter seine Gewalt.

21.7.1774 Der seit 1768 herrschende russisch-türkische Krieg wird mit dem Frieden von Kücük Kayanarci beendet. Russland gewinnt die Mündungsgebiete von Don, Dnjepr und Bug, das Osmanische Reich muss sich aus der Krim sowie aus der Walachei zurückziehen.

21.1.1775 Der Kosakenführer Jemeljan Iwanowitsch Pugatschow, der behauptet hatte, Peter III. zu sein, wird in Russland hingerichtet.

29.11.1780 Tod der österreichischen Erzherzogin Maria Theresia. Ihr Nachfolger Joseph II. verursacht durch seine auf das Deutsche zentrierte Politik viele Nationalitätenkonflikte im Vielvölkerstaat.

8.4.1783 Die russische Zarin Katharina II. annektiert die Krim, die Tamanhalbinsel und das Kubangebiet vom Osmanischen Reich.

1784 Annexion Georgiens durch Russland.

Außereuropäische Welt

30.4.1803 Zur Finanzierung der napoleonischen Kriege verkauft Frankreich Louisiana für 15 Millionen Dollar an die Vereinigten Staaten, die ihr Territorium dadurch verdoppeln und nun über die freie Schifffahrt auf dem Mississippi verfügen.

1803 Die Engländer nehmen das südasiatische Mogulreich und dessen Hauptstadt Delhi in Besitz.

1803 Die lange Suche nach einer nördlichen Verbindung vom Atlantik zum Pazifik ist erfolgreich: M. Lewis und W. Clark erreichen über die Flüsse Mississippi, Missouri, den Snake River und den Columbus River die Westküste Nordamerikas und den Pazifik.

März 1807 In den USA wird die Einfuhr von weiteren Sklaven verboten, die besonders im Süden vorhandene Sklaverei bleibt aber weiterhin bestehen.

1807 Robert Fulton fährt mit seinem Dampfschiff „Clermont" erstmals den Hudson River von New York bis Albany hoch.

4.3.1809 James Madison wird zum vierten US-Präsidenten gewählt.

1.3.1811 Der osmanische Statthalter in Ägypten, Mehmet Ali, lässt in Kairo 300 Mameluken-Anführer töten und bricht damit auf Dauer deren Macht in Ägypten.

5.7.1811 Unter der Führung des Freiheitskämpfers Simón Bolívar erklärt sich Venezuela als eines der ersten spanischen Kolonialgebiete in Südamerika für unabhängig, wird aber drei Jahre später erneut von Spanien unterworfen.

7.11.1811 General William Henry Harrison gelingt es, zwischen Ohio und Mississippi (USA) einen großen Indianeraufstand ge-

Preußen

Niederlagen ist der Widerstand der Preußen gebrochen.

21.10.1806 Französische Truppen marschieren in die preußische Hauptstadt Berlin ein. Durch den Sieg über die mit Russland verbündeten Preußen steigt Napoleon endgültig zum mächtigsten Mann Europas auf.

1.7.1807 Der preußische Generalleutnant Gerhard Leberecht von Blücher („Marschall Vorwärts") ruft die gesamte preußische Bevölkerung auf, sich dem militärisch allerdings bereits aussichtslosen Kampf gegen Napoleon anzuschließen.

9.7.1807 Im Frieden von Tilsit muss Preußen alle Gebietsgewinne aus der Aufteilung des ehemaligen Königreichs Polen und zudem alle Besitzungen links der Elbe abtreten. Darüber hinaus legt Napoleon Preußen hohe Reparationsleistungen auf und lässt das Land vollständig von französischen Truppen besetzen. Die ehemaligen preußischen Besitzungen werden den neu errichteten Vasallenstaaten Westfalen und Warschau zugeteilt. Im Königreich Westfalen setzt Napoleon seinen Bruder Jerome als König ein.

30.9.1807 Freiherr vom Stein wird Leitender Minister in Preußen. Er ist bestrebt, die gesellschaftlichen und politischen Gegebenheiten an die moderne Entwicklung anzupassen. Durch die Reformen soll Preußen für die Auseinandersetzung mit Napoleon gerüstet werden. So erfolgt die Beseitigung der geburtsständischen Schranken und die Aufhebung der Leibeigenschaft der Bauern. Durch die Städteordnung soll den Gemeinden Selbstverwaltung auf den Gebieten des Finanz- und Steuerwesens, der Polizei, der Schule sowie der Armenbetreuung zugebilligt werden.

Europa

1783 Den Gebrüdern Montgolfier gelingt der erste Flug eines Heißluftballons (Abb.).

1784 Edmund Cartwright baut in Großbritannien den ersten mechanischen Webstuhl.

1786 Luigi Galvani entdeckt die Berührungselektrizität, die Reaktion von Muskeln und Nerven auf elektrische Ströme.

1787 Bei einem Besuch der Zarin Katharina II. in den annektierten Gebieten werden Fassaden von Dörfern aufgebaut, die der Zarin eine hohe Bevölkerungsdichte vorgaukeln sollen, die „Potemkinschen Dörfer".

1788 Adolph von Knigge veröffentlicht seinen Verhaltenskodex „Über den Umgang mit Menschen".

26.8.1788 Frankreich erklärt den Staatsbankrott.

5.5.1789 Zum ersten Mal seit 1614 werden in Frankreich die Generalstände einberufen. Sie sollen nach einem Weg aus der finanziellen Misere suchen.

Außereuropäische Welt

gen die fortschreitende Landnahme weißer Siedler zu unterdrücken.

19.6.1812 US-Präsident James Madison führt die USA in den „Zweiten Unabhängigkeitskrieg". Großbritannien und die USA kämpfen um die britischen Kolonialgebiete im Norden (Kanada). Großbritannien kann sich jedoch gegen die Angriffe der Amerikaner behaupten, es kommt auch im Frieden von Gent zu keinen Besitzverschiebungen. In der Folge des britisch-amerikanischen Krieges um Kanada verstärkt sich die Welle der Einwanderer aus Europa, insbesondere von Engländern, Schotten und Iren: In den folgenden 35 Jahren verdoppelt sich die Einwohnerzahl Kanadas auf über eine Million.

1812 Chile erkämpft sich die Unabhängigkeit von Spanien.

6.11.1813 In Mexiko beginnt der Kampf für Unabhängigkeit der mittelamerikanischen Staaten mit der Forderung nach Souveränität des Landes, wird aber zunächst von den Spaniern niedergeschlagen.

16.12.1815 Brasilien wird als Teil der Vereinigten Königreiche von Portugal, Brasilien und Algarve selbstständig.

9.7.1816 In Tucumán (Argentinien) beschließt der Kongress die Unabhängigkeit der La-Plata-Staaten (Argentinien, Bolivien, Uruguay und Paraguay).

1816 Der Bantu-Häuptling Chaka gründet in Südafrika das Reich der Zulu.

1816 Der fernöstliche Gurkha-Krieg endet mit dem Sieg der britischen Kolonialmacht in dem Himalajagebiet. Nepal kommt unter britischen Schutz, in Katmandu regiert ein Brite.

Preußen

16.12.1808 Napoleon erzwingt vom preußischen König wegen angeblicher antifranzösischer Äußerungen die Entlassung des Freiherrn vom Stein.

Ab 1809 Wilhelm von Humboldt betreibt eine Bildungsreform nach neuhumanistischen Grundsätzen.

16.8.1809 Auf Initiative von Gerhard von Scharnhorst werden Reformen zur grundsätzlichen Modernisierung des Heeres in Angriff genommen. Es erfolgt die Abschaffung der Prügelstrafe, die Zulassung Bürgerlicher zur Offizierslaufbahn sowie die kurzfristige Rekrutenausbildung zur Bereitstellung größerer Reserven.

4.10.1810 Karl August von Hardenberg wird zum Leiter der Regierung berufen (Abb.).

1811 In Preußen wird die Gewerbefreiheit eingeführt. Damit ist eine wichtige Weiche in Richtung des wirtschaftlichen Aufstiegs des Landes gestellt.

11.3.1812 Die 30 000 in Preußen lebenden Juden erhalten die vollen bürgerlichen Rechte.

Europa

17.6.1789 600 Vertreter des Dritten Standes erklären sich zur Nationalversammlung und beginnen mit der Ausarbeitung einer Verfassung (Abb.).

14.7.1789 Der Sturm auf die Bastille, das Staatsgefängnis in Paris, leitet die Französische Revolution ein (Abb.).

Juli 1789 Die Revolution breitet sich über ganz Frankreich aus. Das Volk siegt über den Absolutismus, das Heer löst sich auf.

4.8.1789 In Frankreich wird die Feudalordnung abgeschafft, die Bauern werden frei.

26.8.1789 Erklärung der Menschenrechte in Frankreich in Anlehnung an die Bill of Rights von Virginia: Proklamation von Liberté, Égalité und Fraternité (Freiheit, Gleichheit, Brüderlichkeit).

5.10.1789 Da sich König Ludwig XVI. weigert die Erklärungen der Verfassunggebenden Nationalver-

Außereuropäische Welt

12.2.1817 General José de San Martín führt Argentinien und Chile in die Unabhängigkeit und wird damit zum nationalen Befreiungshelden in den beiden südamerikanischen Ländern.

4.3.1817 James Monroe wird der fünfte Präsident der Vereinigten Staaten von Amerika.

1818 Mit dem Sieg über die Marathen gelingt Großbritannien die vollständige Unterwerfung Indiens.

15.2.1819 Simón Bolívar wird Präsident des aus Venezuela und Kolumbien gebildeten Großkolumbiens.

22.2.1819 Die USA kaufen für fünf Millionen Dollar Florida von Spanien.

1819 Der Dampfsegler „Savannah" überquert als erstes Schiff mit Dampfantrieb den Atlantik von Georgia nach Liverpool.

3.3.1820 Die USA spalten sich zunehmend in Staaten mit Sklaverei und Staaten ohne Sklaverei auf: In den 12 südlichen Bundesstaaten werden afrikanische Sklaven gehalten, in den 12 nördlichen US-Staaten ist die Sklaverei verboten.

24.2.1821 Mexiko erklärt sich zu einem unabhängigen Kaiserreich, der spanische Offizier Augustín de Itúrbide wird als Augustín I. zum Kaiser ausgerufen, zwei Jahre später jedoch wieder gestürzt.

24.6.1821 Simón Bolívar erreicht mit militärischer Unterstützung der Briten in einer Entscheidungsschlacht mit den Spaniern die endgültige Unabhängigkeit der nördlichen Gebiete Südamerikas als Großkolumbien.

28.7.1821 Peru kann sich aus der spanischen Vorherrschaft befreien und erreicht die Unabhängigkeit.

Preußen

1812 Der Wille zur Befreiung von Napoleon wächst auch in Preußen. In der geheimen Tauroggen-Konvention erklärt das unter französischem Befehl stehende preußische Hilfskorps dem russischen Zaren ohne Unterrichtung des preußischen

Königs die Neutralität im Kriegsfall. Gleichzeitig wird in Ostpreußen eine Landwehr für den „Volkskrieg" gegen Napoleon rekrutiert.

28.2.1813 König Friedrich Wilhelm III. schließt nach langem Zögern ein Bündnis mit Russland gegen Napoleon.

17.3.1813 Der preußische König fordert in dem Aufruf „An mein Volk" die Preußen zum „Befreiungskampf" gegen Frankreich auf.

16.10.1813 Vor den Toren Leipzigs beginnt die dreitägige „Völkerschlacht", in der die Völker Preußens, Russlands, Österreichs und Schwedens Frankreich eine schwere Niederlage beibringen. Die bis zu diesem Zeitpunkt größte Schlacht in der Geschichte fordert 100 000 Opfer und läutet das Ende der napo-

Europa

sammlung anzuerkennen, organisieren die Revolutionäre den Zug der Marktweiber auf Versailles.

2.11.1789 Die Französische Nationalversammlung beschließt die Verstaatlichung der Kirchengüter.

19.6.1790 Die Verfassunggebende Nationalversammlung erklärt den erblichen Adel für abgeschafft.

21.6.1791 Ludwig XVI. flieht mit seiner Familie aus Paris, wird aber in Varennes festgenommen und nach Paris zurückgeführt.

3.9.1791 Verkündung der neuen französischen Verfassung, die zum Vorbild aller bürgerlichen Verfassungen im Europa des 19. Jahrhunderts wird.

9.1.1792 Das Osmanische Reich muss nach dem verlorenen Krieg gegen Russland die nördliche Schwarzmeerküste abgeben.

20.4.1792 Der 1. Koalitionskrieg Frankreichs gegen das Bündnis aus Preußen, Österreich, Spanien und Großbritannien beginnt.

20.9.1792 Französische Truppen siegen nach dem Erfolg bei der Kanonade von Valmy (Abb.) bei Jemappes über die Österreicher. Die Habsburger verlieren damit die gesamten Österreichischen Niederlande.

Außereuropäische Welt

1822 Das indische Textilhandwerk verliert mit der Produktion von Maschinenzwirn seine wirtschaftliche Bedeutung.

24.5.1822 Mit dem Sieg über die Spanier endet auch in Ecuador die Kolonialherrschaft.

7.9.1822 Brasilien erlangt die volle Unabhängigkeit von Portugal, Pedro I. wird Kaiser von Brasilien.

1822 Die „American Colonization Society" kauft Land in Westafrika und gründet nach Freetown mit Liberia die zweite Siedlung für die freigelassenen afroamerikanischen Sklaven.

1.4.1823 In Mittelamerika wird nach der Unabhängigkeit der ehemaligen spanischen Provinzen die „Zentralamerikanische Konföderation" gebildet.

2.12.1823 US-Präsident James Monroe verkündet die Monroe-Doktrin, nach der sich die USA nicht in Europa einmischen sollen und Europa keine neuen Kolonien in Amerika mehr aufbauen dürfe, die bestehenden Kolonien aber weiterhin Bestand hätten. Die Doktrin wendet sich insbesondere gegen die von Russland geltend gemachten Gebietsansprüche im Westen Nordamerikas und das Bestreben der Europäer, Lateinamerika weiterhin zu kontrollieren.

9.12.1824 Mit dem Sieg der Truppen von Simón Bolívar, dem Befreier Großkolumbiens, bei Ayacucho (Peru) endet die spanische Herrschaft in Südamerika endgültig.

1824 Der nach Vorstellungen George Washingtons von J. Hoban entworfene und 1814 von den Briten schwer beschädigte Bau des Weißen Hauses wird von B. H. Latrobe endgültig fertiggestellt.

Preußen

leonischen Ära ein. Zu Beginn des Jahres 1814 ziehen die Alliierten unter der Führung des preußischen Generals Blücher in Paris ein.

22.5.1815 König Friedrich Wilhelm III. gibt dem preußischen Volk das Versprechen, dem Staat eine Verfassung zu geben.

8.6.1815 Auf dem Wiener Kongress bekommt Preußen Schwedisch-Pommern, Teile von Westfalen, Teile des Rheinlandes und die Hälfte des Königreiches Sachsen zugesprochen. Zudem ist Preußen Gründungsmitglied im Deutschen Bund. Dieser vereint beinahe 40 souveräne Staaten im Rahmen eines Staatenbundes unter dem geschäftsführenden Präsidium Österreichs. Die während der Befreiungs-

kriege vielfach geforderte Gründung eines deutschen Einheitsstaats wird nicht vollzogen und Deutschland bleibt weiterhin in unzählige Kleinstaaten zersplittert. Die auch vom preußischen Herrscher als revolutionäres Gedankengut bezeichneten Ideen von Einheit und Freiheit aller Deutschen werden nicht verwirklicht. Dennoch bleiben sie in Preußen präsent.

18.6.1815 In der Schlacht von Waterloo bereiten die preußischen und die britischen Truppen unter der Führung Blüchers und Wellingtons Napoleon eine unwiderrufliche, endgültig vernichtende Niederlage. Zwar schafft es Napoleon zunächst,

Europa

17.1.1793 König Ludwig XVI. von Frankreich wird in Paris von einem Revolutionstribunal zum Tode verurteilt.

21.1.1793 Die Hinrichtung Ludwigs (Abb.) ruft in den europäischen Herrscherhäusern Entsetzen hervor und steigert den Hass auf die Französische Revolution.

10.3.1793 Robespierre (Abb.) und seine „Schwertträger" errichten eine Diktatur in Frankreich, die als „Schreckensherrschaft" gilt. Das „Revolutionstribunal", ein politischer Gerichtshof, setzt die Menschenrechte faktisch außer Kraft und lässt bis Juli 1794 allein in Paris 1251 Verdächtige durch die Guillotine hinrichten.

23.8.1793 Der französische Nationalkonvent beschließt die allgemeine Dienstpflicht für alle ledigen jungen Männer zwischen 18 und 25 Jahren und baut darauf ein großes, stehendes Revolutionsheer auf.

Außereuropäische Welt

4.3.1825 John Quincy Adams wird der sechste Präsident der USA.

6.8.1825 Nach Erreichen seiner Unabhängigkeit benennt sich der neue Andenstaat Bolivien nach seinem Befreier Bolívar (Abb.).

27.8.1828 Argentinien und Brasilien erkennen die Unabhängigkeit des zuvor von beiden beanspruchten Uruguays an.

4.3.1829 Andrew Jackson wird der siebte Präsident der USA.

1829 Alexander von Humboldt unternimmt auf Wunsch des russischen Zaren eine Forschungsreise nach Sibirien.

28.5.1830 US-Präsident Andrew Jackson nimmt mit dem „Indian Removal Act" den Indianern östlich des Mississippi die Freiheits- und Bürgerrechte und führt die Umsiedlungen der einheimischen Bevölkerung fort.

13.5.1830 Nach dem Ausscheiden Ecuadors und Venezuelas aus Großkolumbien besteht der Staat nur noch aus Kolumbien und Panama.

Preußen

Blüchers 83 000 Mann starke Armee zu schlagen, doch etwa 70 000 preußischen Soldaten gelingt der geordnete Rückzug. Während sich die Franzosen nun auf die Armee Wellingtons konzentrieren, stoßen Blücher und Gneisenau zur Überraschung Napoleons zu Wellingtons Truppen hinzu. Nach schweren Verlusten müssen sich die Franzosen zurückziehen. Die preußische Armee nimmt die Verfolgung auf und zerschlägt die französischen Truppen endgültig.

Ab 1815 Der preußisch-österreichische Dualismus belastet den Deutschen Bund. Beide Staaten stellen ihre Eigeninteressen über die des Bundes und festigen so den eigenen Einfluss auf die kleineren Staaten. Sowohl Preußen als auch Österreich wissen den Bund hingegen immer wieder im Sinne ihrer eigenen außen- und kriegspolitischen Interessen zu mobilisieren. Auch militärisch gehört Preußen zu den deutschen Führungsmächten. Eine kriegerische Bewährungsprobe muss der Deutsche Bund aber nicht ablegen, denn nie wird während seines Bestehens deutsches Territorium militärisch bedroht.

1816 In Preußen wird die Pressefreiheit aufgehoben.

1818 König Friedrich Wilhelm III. bricht sein Versprechen und erklärt, dass es keine preußische Verfassung geben werde.

1818 Aufhebung aller Binnengrenzen in Preußen und Schaffung eines einheitlichen Zollgebietes.

1819 Der liberal gesinnte Alexander von Humboldt quittiert den Dienst als preußischer Beamter, um auf diese Weise seiner oppositionellen Haltung gegen

Europa

16.10.1793 Wegen Verschwörung gegen die Revolution und angeblichen sexuellen Missbrauchs des Dauphins wird Königin Marie Antoinette in Paris hingerichtet.

28.7.1794 Mit der Hinrichtung Robespierres endet die Terrorherrschaft im revolutionären Frankreich.

5.10.1795 Napoleon Bonaparte (Abb.) wird mit der Niederschlagung eines Aufstandes beauftragt.

1795 Französische Truppen besetzen das Herzogtum Luxemburg.

1795 Französische Truppen besetzen die Vereinigten Provinzen der Niederlande; aus ihnen wird die Batavische Republik. Erbstatthalter Wilhelm V. dankt ab.

1795 Der älteste Bruder des hingerichteten Königs von Frankreich, Graf von Provence, nimmt in seinem Koblenzer Exil den Königstitel als Ludwig XVIII. an.

1795 Im Frieden von Basel muss Spanien seinen Besitz auf der Insel Hispaniola an Frankreich abtreten; Frankreich zieht sich aus den zuvor besetzten Gebieten Katalonien und dem Baskenland zurück.

1795 In Frankreich löst der Franc die Livre als nationale Währungseinheit ab.

Außereuropäische Welt

1831 Nach einem Volksaufstand flieht der Kaiser Brasiliens, Peter I., nach Portugal. Sein Sohn Peter II. übernimmt den brasilianischen Thron.

1832 South Carolina droht wegen des drohenden Sklavereiverbots mit dem Austritt aus den USA.

1835 Ein Teil der Buren wandert aus der britischen Kolonie am Kap von Afrika aus und gründet die ersten Burenrepubliken.

2.3.1836 Texas erklärt seine Unabhängigkeit von Mexiko; dadurch kommt es zum Texanischen Krieg zwischen Nordamerikanern und Mexikanern (bis 1843).

1836 Mit Arkansas und Michigan werden zwei neue Staaten (25. und 26.) in die USA aufgenommen. In Arkansas herrscht Sklaverei, in Michigan nicht; das Gleichgewicht zwischen Staaten mit und ohne Sklaverei bleibt erhalten.

4.3.1836 Martin van Buren wird der achte Präsident der USA.

6.6.1838 Die US-Armee vertreibt die Cherokee-Indianer aus deren Siedlungsgebiet in den Appalachen. Ein Viertel der 60 000 Indianer kommen auf diesem „Zug der Tränen" ums Leben, weitere 9000 Cherokee sterben später in Oklahoma, wo sie zwangsweise angesiedelt wurden.

1838 Die Buren besiegen in der Schlacht am Blood River die Zulus und bauen ihre Herrschaft in Südafrika aus.

1.2.1839 Die Zentralamerikanische Konföderation beginnt zu zerfallen: Aus ihr gehen in den Folgejahren die Staaten Costa Rica, El Salvador, Guatemala, Honduras und Nicaragua hervor.

Preußen

die reaktionäre und repressive Politik des Deutschen Bundes Ausdruck zu verleihen.

August 1819 Abgesandte der preußischen Regierung führen mit Vertretern der wichtigsten deutschen Staaten in Treplitz vorbereitende Gespräche über eine Einschränkung weiterer Bürgerrechte. Die Karlsbader Beschlüsse sehen eine allgemeine Pressezensur, ein Verbot von Burschenschaften, eine allgemeine Überwachung der Universitäten und die Entlassung revolutionär gesinnter Lehrkräfte vor. In Mainz wird eine zentrale Untersuchungskommission für die Aufspürung „staatsfeindlicher Elemente" eingerichtet.

1820 Auf dem Troppauer Fürstenkongress einigen sich Preußen, Österreich und Russland auf das Prinzip der militärischen Intervention in von liberalen Revolutionen bedrohten Drittstaaten.

Ab 1830 Die Regierung Preußens wird in zunehmendem Maße von nationalen, liberalen und freiheitlichen Bewegungen bedrängt, die durch die revolutionären Vorgänge von 1830 in Frank-

Europa

2.3.1796 Napoleon Bonaparte wird zum Oberbefehlshaber der Italienarmee ernannt und erobert daraufhin für Frankreich Mailand. Auch Savoyen und Nizza fallen mit dem folgenden Friedensschluss an Frankreich.

17.11.1796 Nach 34 Regierungsjahren stirbt Zarin Katharina II. Ihr Sohn Paul I. übernimmt den Thron Russlands.

17.10.1797 Der Frieden von Campo Fòrmio beendet den 1. Koalitionskrieg: Österreich verliert die Österreichischen Niederlande, Mailand, Modena und Mantua sowie das linke Rheinufer an Frankreich, es erhält dafür einen Teil Venetiens, Istrien und Dalmatien.

1.3.1799 Französische Truppen überschreiten den Rhein bei Kehl und Basel und lösen damit den 2. Koalitionskrieg gegen Russland, Großbritannien, Österreich und Preußen aus.

Sommer 1799 Nach einer Serie von militärischen Niederlagen verliert Frankreich nahezu seine gesamten Besitzungen in Italien und die Satellitenrepubliken.

Oktober 1799 Zar Paul I. zieht die russischen Truppen aus dem Koalitionskrieg zurück.

9.11.1799 Staatsstreich: Napoleon Bonaparte setzt das regierende Direktorium in Frankreich ab und löst die Parlamente auf. Mit einer neuen Konsulatsverfassung sichert sich Napoleon Bonaparte die Macht über Frankreich.

1.1.1801 Durch die Unionsakte wird Großbritannien mit Irland vereinigt.

24.3.1801 Zar Paul I. wird in St. Petersburg ermordet, Alexander I. folgt ihm auf dem Thron.

2.8.1802 Napoleon ernennt sich zum „Konsul auf Lebenszeit".

Außereuropäische Welt

6.2.1840 Neuseeland wird britische Kronkolonie.

5.1.1840 Nach dem Abbruch aller Handelsbeziehungen mit Großbritannien beginnt in China der Opiumkrieg.

29.8.1842 Mit dem Ende des Opiumkrieges muss China den Briten fünf seiner Häfen öffnen und Hongkong an Großbritannien abtreten.

1843 Die letzten unabhängigen Fürstentümer in Indien werden unter direkte britische Kontrolle gestellt.

14.8.1843 Nach der Unterwerfung der Semiolen-Indianer beginnt in den USA die Eroberung und Besiedlung des mittleren Westens.

24.5.1844 In den USA gelingt dem Entwickler der Morsetelegrafie Samuel Morse erstmals die funkgesteuerte Übermittlung eines Telegramms.

4.3.1845 James Knox Polk wird zum 11. Präsidenten der USA gewählt.

29.12.1845 Das von Spanien gekaufte Territorium Florida und das ehemals mexikanische Texas werden zu US-Bundesstaaten.

13.5.1846 In dem Konflikt um Texas erklären die USA Mexiko den Krieg. Der Mexikanische Krieg endet knapp zwei Jahre später mit der Festlegung des Rio Grande als Grenze zwischen den USA und Mexiko. Damit fallen neben Texas auch Kalifornien und Neu-Mexiko an die USA. Mexiko verliert damit einen großen Teil seines ursprünglichen Territoriums.

15.6.1846 In Oregon unterzeichnen die Vertreter Großbritanniens und der USA einen Vertrag, der die Grenze zwischen den Vereinigten Staaten und der britischen

Preußen

reich zusätzliche Motivation erlangen. Gerade auch die Unterdrückungsmaßnahmen im Zeichen der Restauration und der Reaktion beschleunigen die Ausbreitung des freiheitlichen Gedankengutes. In Preußen herrscht bis zur Revolution von 1848 eine strenge Zensur. Alle liberalen und freiheitlichen Tendenzen werden unterdrückt.

1833/34 Gründung des Deutschen Zollvereins zur Überwindung der Kleinstaaterei und zur Stärkung der Industrialisierung (Abb.). Vormacht ist Preußen, Österreich bleibt ausgeschlossen.

1838 Zwischen Berlin und Potsdam wird die erste preußische Eisenbahnstrecke eröffnet.

1839 Die Kinderarbeit in Preußen wird beschränkt.

7.6.1840 König Friedrich Wilhelm III. stirbt. Sein Sohn Friedrich Wilhelm IV. folgt ihm auf dem Thron nach. Während der Verstorbene als strammer Vertreter der Restauration galt, knüpfen sich an den neuen König zunächst viele liberale Hoffnungen. Doch auch Friedrich Wilhelm IV. lehnt eine Verfassung für Preußen strikt ab.

1841 Die Berliner Firma Borsig liefert ihre erste Lokomotive aus.

Europa

23.2.1803 Der auf französischen Druck zu Stande gekommene Reichsdeputationshauptschluss verändert das Gesicht Deutschlands. Die Fürsten, die ihre linksrheinischen Besitzungen an Frankreich abtreten mussten, werden entschädigt. Alle geistlichen Fürstentümer werden aufgelöst und verweltlicht. Die meisten Reichsstädte und kleineren Territorien werden größeren Fürstentümern zugeschlagen.

11.8.1804 Franz II. römisch-deutscher Kaiser, erhebt die österreichischen Erblande zum Kaiserreich und gibt sich als Franz I. den Titel eines erblichen Kaisers von Österreich.

2.12.1804 Napoleon Bonaparte krönt sich selbst zum Kaiser der Franzosen und seine Gemahlin Joséphine de Beauharnais zur Kaiserin (Abb.).

18.3.1805 Napoleon I. krönt sich zum König von Italien.

8.9.1805 Österreichische Truppen marschieren in Bayern ein und lösen den 3. Koalitionskrieg aus.

21.10.1805 Bei Trafalgar siegt die britische Flotte über spanische und französische Einheiten; der britische Admiral Horatio Nelson fällt.

2.12.1805 Napoleon I. besiegt die österreichischen und russischen Truppen in der Dreikaiserschlacht bei Austerlitz.

Außereuropäische Welt

Kolonie Kanada auf den 49. Breitengrad festschreibt.

1846 In Boston (USA) gelingt der erste chirurgische Eingriff unter Narkose.

21.7.1847 12 000 Mitglieder der Mormonenkirche siedeln sich in Ohio (USA) an und gründen die Stadt Salt Lake City.

23.12.1847 Die algerische Unabhängigkeitsbewegung unter Emir Abd El Kader ergibt sich den französischen Truppen, die Algerien in das französische Kolonialreich eingliedern.

1847 Das westafrikanische Liberia wird unabhängige Republik.

1848 Nach ersten Goldfunden in Kalifornien (USA) beginnt die Ära des „Goldrausches", die Tausende in den Westen und Nordwesten der USA lockt.

1848 In den USA fordert die erste große Frauenrechtskonferenz die rechtliche Gleichstellung von Männern und Frauen.

1849 In Indien besiegen britische Truppen in der Schlacht bei Gujrath die Sikhs. Großbritannien annektiert das Sikh-Reich im indischen Pandschab.

24.2.1850 Wen Tsung gibt sich als neuer Kaiser von China den Namen Hsien-Feng („Fülle des Segens"). Unter seiner Herrschaft bricht der T'ai-p'ing-Aufstand aus.

1851 Unter der Herrschaft des buddhistischen Mönches Mongkut als Rama IV. in Siam (Thailand) beginnt die Modernisierung des Landes nach westlichem Vorbild.

1852 Harriet Beecher Stowe veröffentlicht in Boston (USA) ihren Roman „Onkel Tom's Hütte", der als Plädoyer gegen die Sklaverei heftige Kontroversen zwischen

Preußen

1844 Ein Aufstand schlesischer Weber (Abb.) wegen der Einführung von Maschinen wird mit großer Härte niedergeschlagen.

1847 Auflösung des Vereinigten Landtags wegen der Forderung nach einer Verfassung für Preußen.

18.3.1848 In Berlin prägt eine revolutionäre Stimmung die Stadt. Zur Sicherung der bestehenden Verhältnisse konzentriert König Friedrich Wilhelm IV. zahlreiche Truppeneinheiten in der Stadt, was bei der Bevölkerung für Verunsicherung sorgt. Eine große Menschenmenge versammelt sich vor dem Schloss. Es kommt zu kleineren Auseinandersetzungen mit den anwesenden Truppen, woraufhin zunächst die Räumung des Schlossplatzes befohlen wird. Als einige Schüsse fallen, entwickeln sich heftige Straßen- und Barrikadenkämpfe der Be-

Europa

30.3.1806 Napoleons Bruder Joseph Bonaparte wird König von Neapel.

30.3.1806 Napoleons Bruder Louis Napoleon Bonaparte wird König der aus der Batavischen Republik hervorgegangenen Niederlande.

12.7.1806 16 süd- und südwestdeutsche Fürsten erklären sich unter französischem Schutz für souverän und bilden den Rheinbund.

6.8.1806 Kaiser Franz II. (Abb.) legt nach einem Ultimatum Napoleons die römisch-deutsche Krone nieder, bleibt aber als Franz I. Kaiser von Österreich. Damit hört das römisch-deutsche Kaiserreich nach 900 Jahren auf zu existieren.

5.9.1807 Britische Truppen beschießen Kopenhagen und nehmen die Stadt ein.

27.11.1807 Französische Truppen besetzen Lissabon, Prinzregent Johann flieht nach Brasilien.

2.2.1808 Papst Pius VII. weigert sich, sich an der Kontinentalsperre gegen Großbritannien zu beteiligen. Daraufhin besetzen französische Truppen den Kirchenstaat.

Außereuropäische Welt

den im Süden dominierenden Befürwortern und den im Norden dominanten Widersachern der Sklaverei in den USA auslöst.

30.12.1853 Mexiko verkauft die südlichen Gebiete von Arizona und New Mexico an die USA.

31.3.1854 Die USA zwingen Japan zur Öffnung seiner Märkte.

6.7.1854 Im US-Staat Michigan wird die Republikanische Partei gegründet, die sich entschieden gegen die Sklaverei ausspricht.

1857 Britische und französische Truppen stürmen während des zweiten Opiumkrieges die chinesische Stadt Kanton.

18.2.1859 Französische Truppen besetzen die Stadt Saigon im Kaiserreich Annam (Vietnam) und beginnen damit den Aufbau der französischen Kolonien in Indochina.

12.8.1859 Im US-Bundesstaat Pennsylvania wird die erste Ölquelle erschlossen.

9.9.1860 In China wird während des zweiten Opiumkrieges der Sommerpalast in Peking zerstört.

9.1.1861 Sieben Südstaaten der USA verkünden die gemeinsame Verfassung der „Konföderierten Staaten von Amerika" und wählen Jefferson Davis zu ihrem Präsidenten. Die Abspaltung der Südstaaten wird von der Union aber abgelehnt.

4.3.1861 Der Republikaner Abraham Lincoln wird zum 16. Präsidenten der USA gewählt. Es beginnt die Phase der Sezession und des Bürgerkrieges.

12.4.1861 Truppen der Konföderierten greifen das von den Nordstaaten gehaltene Fort Sumter in

Preußen

völkerung mit der preußischen Armee. Der König versucht, sich an die Spitze der Revolution zu stellen.

29.3.1848 Friedrich Wilhelm IV. beruft ein liberales Ministerium.

22.5.1848 Eine gewählte Preußische Nationalversammlung tritt zusammen.

5.12.1848 Nachdem sich die konservativen Kräfte neu formiert haben, löst Friedrich Wilhelm IV. die preußische Nationalversammlung wieder auf und erlässt eine gemäßigt liberale Verfassung.

28.3.1849 Die Nationalversammlung in Frankfurt entscheidet sich für eine „kleindeutsche" Lösung ohne Österreich und bietet dem preußischen König Friedrich Wilhelm IV. die erbliche deutsche Kaiserkrone an. Doch der will diesen „mit dem Ludergeruch der Revolution behafteten" „imaginären Reif aus Dreck und

Letten" nicht aus den Händen der „Frankfurter Mensch-, Esel-, Hund-, Schweine- und Katzen-Deputation" des „Lumpenparlaments" entgegennehmen und lehnt die Wahl zum Kaiser ab.

Europa

19.3.1808 Napoleon fordert den Thronverzicht von Karl IV. (Abb. mit Familie) von Spanien und dessen Nachfolger Ferdinand VII. Er setzt seinen Bruder Joseph als König von Spanien ein.

2.5.1808 Nach der durch Napoleon erzwungenen Abdankung Ferdinands VII., des Sohns des zurückgetretenen Königs Karls IV., kommt es in Spanien zum Unabhängigkeitskampf gegen die Franzosen. Napoleon reagiert mit Härte und lässt am 3. Mai zahlreiche Aufständische erschießen.

13.3.1809 Gustav IV. Adolf von Schweden wird nach der Niederlage Schwedens im Finnischen Krieg gegen Russland entthront. Die Krone erhält sein Onkel Karl XIII.

14.10.1809 Der Friede von Schönbrunn beendet den französisch-österreichischen Krieg: Österreich muss Galizien, Salzburg, die Gebiete an der Adria und das Innviertel abtreten.

Außereuropäische Welt

South Carolina an und lösen damit den Sezessionskrieg aus.

25.6.1861 Unter Sultan Abd ül-Aziz beginnt der Zerfall des Osmanischen Reiches.

Ende 1861 Frankreich ist nun im Besitz des südlichen Teil Vietnams (Cochinchina).

3.7.1863 In Gettysburg im US-Bundesstaat Pennsylvania unterliegen die Konföderierten den Truppen der Nordstaaten. Die Schlacht bedeutet einen entscheidenden Sieg der Unionisten und die Wende im Sezessionskrieg.

9.4.1865 Der Oberkommandierende der Südstaaten, General Robert E. Lee, unterzeichnet in Virginia die Kapitulation seiner Truppen. Damit endet der Amerikanische Bürgerkrieg mit dem Sieg der Unionisten und der Einheit des Staates USA. Der Sezessionskrieg ist der erste moderne, industrialisierte Krieg der Neuzeit. Ihm sind über 600 000 Menschen zum Opfer gefallen.

14.4.1865 US-Präsident Abraham Lincoln (Abb.) fällt einem Attentat zum Opfer, sein Nachfolger wird der aus dem Süden stammende Unionist Andrew Johnson.

1865 Mit dem 13. Zusatz zur Verfassung wird die Sklaverei in den gesamten USA verboten. Ehemalige Südstaaten-Offiziere gründen den rassistischen Ku-Klux-Klan, der mit militanten

Preußen

Damit ist das Frankfurter Parlament gescheitert. Unter dem Befehl des preußischen „Kartätschenprinzen" Wilhelm, des späteren Königs und Kaisers Wilhelms I., wird der Aufstand in Deutschland endgültig niedergeschlagen. In der Folge kommt es zu einer Emigrationswelle enttäuschter Liberaler.

Mai 1849 Preußen gründet die „Erfurter Union", aus der ein „kleindeutscher" Nationalstaat unter preußischer Führung hervorgehen soll. Zeitweilig gehören ihr bis auf Österreich und seine Verbündeten alle Staaten des Deutschen Bundes an.

1850 In den Staaten der „Erfurter Union" wird ein Unionsparlament gewählt. Im März tritt es in Erfurt zusammen. Es erarbeitet eine Verfassung, die allerdings von den Oberhäuptern der Unionsstaaten nicht ratifiziert wird.

29.11.1850 Nach einer von Russland unterstützten Kriegsdrohung Österreichs muss die preußische Regierung unter Ministerpräsident Otto von Manteuffel in der Olmützer Punktation alle Pläne zur Bildung eines deutschen Nationalstaates unter preußischer Führung aufschieben und zudem auf Druck der Großmächte die Zugehörigkeit Schleswigs und Holsteins zu Dänemark anerkennen.

1851 Otto von Bismarck wird preußischer Abgeordneter im Frankfurter Bundestag.

1853 Preußen errichtet am Jadebusen einen Flottenstützpunkt, dem späteren Wilhelmshaven.

26.10.1858 Prinz Wilhelm übernimmt offiziell die Regierungsgeschäfte von seinem geistig erkrankten Bruder König Friedrich Wilhelm IV. Er bildet eine mäßig liberale Regierung, doch die

Europa

2.4.1810 Nach der Scheidung von Kaiserin Joséphine ehelicht Napoleon I. Erzherzogin Marie-Louise von Österreich.

8.7.1810 Napoleon I. gliedert die Niederlande dem französischen Staatsgebiet ein.

29.1.1811 Aufgrund der Geisteskrankheit Georgs III. wird dessen Sohn vom britischen Parlament zum neuen König erklärt. Er besteigt als Georg IV. den Thron.

18.3.1812 Die spanischen Cortes (Nationalversammlung) beschließen in Cádiz eine Verfassung, die das Land als konstitutionelle Erbmonarchie definiert.

24.6.1812 Napoleon lässt seine Truppen ohne Kriegserklärung in Russland einmarschieren.

14.9.1812 Napoleons Truppen ziehen in das menschenleere Moskau ein, in dem ein Brand ausbricht, der die geplanten Winterlager der Armee völlig zerstört.

19.10.1812 Die Franzosen ziehen aus Moskau ab und werden in der Folgezeit von den Russen schwer attackiert.

19.12.1812 Der geschlagene Napoleon kehrt nach Paris zurück (Abb.).

Außereuropäische Welt

Mitteln weiterhin die Gleichstellung der Afroamerikaner verhindern will.

1866 Mit dem „Civil Rights Act" erhalten alle in den USA geborenen Personen – außer den Indianern – die Bürgerrechte. Von einer Gleichstellung der ehemaligen Sklaven sind die USA allerdings noch weit entfernt.

30.3.1867 Die USA kaufen die zu Russland gehörenden Gebiete Alaska und die Aleuten für 7,2 Millionen Dollar und beginnen mit der Erschließung des Nordwestens Amerikas.

19.6.1867 In Mexiko wird Kaiser Maximilian hingerichtet und die Republik ausgerufen. Präsident des Landes wird Benito Juárez García.

9.11.1867 In Japan wird das Shogunat abgeschafft, Japans Kaiser Mutsuhito (Abb.) führt ein modernes Regierungssystem ein.

10.5.1869 Mit der Verbindung der Eisenbahnstrecken von Union Pacific und Central Pacific in Ogden wird die erste kontinentale Zugverbindung in Nordamerika geschaffen.

17.11.1869 In Ägypten wird der Suezkanal eingeweiht.

Preußen

bürgerlichen Hoffnungen auf eine dem Liberalismus verbundene Reformpolitik erfüllen sich nicht. Helmuth von Moltke wird Chef des preußischen Generalstabs.

1859 Otto von Bismarck wird von Frankfurt als Gesandter nach Sankt Petersburg versetzt.

2.1.1861 Nach dem Tod Friedrich Wilhelms IV. wird Wilhelm I. (Abb.) offiziell zum preußischen König gekrönt. Der neue Herrscher plant eine Heeresreform, um die Schlagkraft der preußischen Truppen zu erhöhen. Das in der Regel von adligen Offizieren geführte Feldheer soll hierbei zum Nachteil der als bürgerlich geltenden Landwehr verstärkt werden, was im Kreise der Liberalen auf breite Ablehnung stößt, denn dies stärkt die Position des Adels und erscheint wenig fortschrittlich. Die Landwehr, die im Rahmen der Freiheitskriege gegen Napoleon entstand, erfährt eine drastische Abwertung.

Juni 1861 Gründung der Deutschen Fortschrittspartei, der in erster Linie Anhänger eines parla-

Europa

21.6.1813 Die Briten erringen bei Vitoria im Baskenland den für Spaniens Unabhängigkeit entscheidenden Sieg über die Truppen Napoleons.

1.12.1813 In den Niederlanden wird Wilhelm I. zum König gekrönt.

31.3.1814 Die alliierten Truppen erobern Paris und zwingen Napoleon I. zur Abdankung.

2.4.1814 Ludwig XVIII. kehrt nach Frankreich zurück und restauriert das Regime der Bourbonen.

16.4.1814 Napoleon entsagt der Krone und erhält die Insel Elba als Fürstentum, wohin er sich zurückzieht.

30.5.1814 Mit dem 1. Pariser Frieden enden die Koalitionskriege.

18.9.1814 Eröffnung des Wiener Kongresses zur Neuordnung Europas.

1.3.1815 Napoleon kehrt von Elba zurück nach Frankreich und leitet die „Herrschaft der 100 Tage" ein.

9.6.1815 Auf dem Wiener Kongress wird der Deutsche Bund gegründet. Aus dem Warschauer Großherzogtum wird „Kongresspolen", das in Personalunion mit Russland steht, Österreich erhält Besitzungen in Italien und die Niederlande die Österreichischen Niederlande. Führende Persönlichkeit des Kongresses ist der österreichische Außenminister Fürst Clemens von Metternich.

18.6.1815 Napoleon erleidet bei Waterloo eine Niederlage durch die britisch-niederländisch-deutsche Armee unter dem Herzog von Wellington und durch die preußische Armee unter Blücher.

7.7.1815 Nach seiner erneuten Abdankung vom 22. Juni wird Napoleon auf die fast 2000 Kilometer vor der westafrikanischen

Außereuropäische Welt

1870 John Davison Rockefeller gründet in Cleveland (USA) die Standard Oil Company (seit 1972 Exxon Corporation).

24.11.1875 Mit vier Millionen Pfund Sterling kauft sich Großbritannien in die Suezkanal-Gesellschaft ein und verfügt damit faktisch über die Kontrolle des bedeutsamen Schifffahrtsweges.

14.2.1876 Alexander Graham Bell meldet in den USA ein Patent auf das von ihm entwickelte Fernsprechgerät an.

25.6.1876 Am Little Big Horn River unterliegt die US-Kavallerie den aufständischen Sioux-Indianern.

5.4.1879 Kriegserklärung Chiles an Peru und Bolivien. Die drei Staaten kämpfen um die an Salpeter reichen Gebiete in der Atacamawüste.

1879 Thomas Alva Edison erfindet in den USA die elektrische Glühbirne.

1.9.1880 Die Briten unterwerfen Afghanistan der Kolonialherrschaft.

1881 Frankreich erobert nach Algerien ein zweites nordafrikanisches Land, Tunesien.

3.8.1881 In Südafrika wird ein von Großbritannien unabhängiger Burenstaat gegründet.

11.7.1882 Großbritannien interveniert in Ägypten. Das nordafrikanische Land fällt unter britische Herrschaft, bleibt formell jedoch Teil des Osmanischen Reiches.

1882 Mit der Eroberung Tonkings im Norden Vietnams bauen die Franzosen ihr Kolonialgebiet Indochina aus.

1883 Die Brooklyn Bridge über den Hudson River in New York wird eröffnet. Sie verbindet Manhattan mit Brooklyn und ist mit

Preußen

mentarischen Liberalismus und Demokraten angehören. Das Programm dieser ersten wirksam organisierten politischen Partei zielt auf die Abschaffung der Privilegien der Kirche und des Adels ab. Zudem fordern die Fortschrittlichen die Schaffung eines deutschen Nationalstaates. Aus den Wahlen zum Preußischen Landtag vom Herbst 1861 geht die Deutsche Fortschrittspartei als klare Siegerin hervor. König Wilhelm I. ist jedoch nicht bereit, auf die geplante Heeresreform zu verzichten, was von der Deutschen Fortschrittspartei gefordert wird. Unter dem Einfluss konservativer Berater entscheidet er sich für die Konfrontation mit der Mehrheit des Abgeordnetenhauses.

24.9.1862 Otto von Bismarck (Abb.) wird preußischer Ministerpräsident. Seine Politik läuft auf einen Bruch des Deutschen Bundes hinaus. Er regiert ohne die Zustimmung des Parlaments und bekämpft rücksichtslos die Opposition. Der konservative Rittergutsbesitzer beabsichtigt die Heeresreform auch gegen den Willen des Abgeordnetenhauses durchzusetzen. Das liberale Bürgertum wird nun mit einem vier Jahre andauernden Verfassungskonflikt konfrontiert.

Europa

Küste gelegene Atlantikinsel Sankt Helena verbannt, wo er 1821 stirbt.

19.10.1817 Auf der Wartburg protestieren Hunderte von Studenten gegen die restaurative antiliberale Politik des Deutschen Bundes (Abb.).

21.8.1818 Nach dem Tod des schwedischen Königs Karl XIII. wird sein Adoptivsohn Jean-Baptiste Bernadotte als Karl XIV. Johann König von Schweden.

1.1.1820 Ein militärischer Aufstand zwingt den spanischen König Ferdinand VII. zur Anerkennung der Verfassung von 1812.

8.4.1821 Die Großmächte beschließen in Laibach (Ljubljana) die Intervention im Königreich Neapel und in Sardinien-Piemont, um dort den Absolutismus wieder einzuführen.

1.1.1822 In Griechenland wird die Unabhängigkeit vom Osmanischen Reich verkündet.

1.10.1822 Portugal wird zu einer konstitutionellen Monarchie.

14.12.1822 In Verona tagen die letzten absolutistischen Monarchen Europas, die Kaiser von Österreich und Russland sowie der König von Preußen und der König beider Sizilien: Sie ermächtigen Frankreich zur Intervention im liberalen Spanien.

7.4.1823 Französische Truppen marschieren in Spanien ein. König Ferdi-

Außereuropäische Welt

einer Spannweite von 486 Metern bis 1903 die längste Hängebrücke der Welt und gilt als eine ingenieurtechnische Meisterleistung.

20.10.1883 In Südamerika endet der Salpeterkrieg zwischen Chile, Peru und Bolivien: Bolivien verliert mit Antofagasta seinen Zugang zum Meer und wichtige Kupfervorräte. Peru büßt weite Teile seines südlichen Gebietes an Chile ein. Dadurch kann sich Chile das Weltmonopol auf Salpeter sichern.

1883 In New York wird das Metropolitan Opera House eröffnet.

24.4.1884 Der deutsche Reichskanzler Otto von Bismarck gründet in Westafrika die erste deutsche Kolonie. Auch Togo, Kamerun und Deutsch-Ostafrika (Tansania) fallen 1885 unter deutsche Herrschaft. In Asien sichert sich das Deutsche Reich Neuguinea, das Bismarck-Archipel und die Marshall-Inseln als abhängige Gebiete. Damit greift das Deutsche Reich in die imperialistische Aufteilung der Welt unter den europäischen Mächten, Japan und den USA ein (Abb.).

1885 Kurt von Schleinitz wird zum Kommandeur der deutschen Kolonialtruppen in Deutsch-Ostafrika ernannt.

1886 Der US-amerikanische Apotheker John S. Pemberton aus Atlanta erfindet das Erfrischungsgetränk Coca-Cola.

Preußen

1863 Dänemark verletzt durch die Einführung einer Gesamtstaatsverfassung seine Verpflichtungen gegenüber Preußen und Österreich. Durch die Gesamtstaatsverfassung, die auch für Schleswig und Holstein Gültigkeit besitzen soll, betont der dänische König Christian IX. seinen Anspruch auf diese beiden Fürstentümer. Es kommt zum Deutsch-Dänischen Krieg.

23.5.1863 Der Allgemeine Deutsche Arbeiterverein (ADAV) gründet sich als erste politische Interessenvertretung der deutschen Arbeiterschaft. Delegierte aus elf Industriestädten wählen Ferdinand Lassalle zum ersten Präsidenten des ADAV.

April/Mai 1864 Preußische und österreichische Truppen erstürmen die Düppeler Schanzen, besetzen Schleswig und Jütland und entscheiden auf diese Weise den Deutsch-Dänischen Krieg für den Bund. Im Frieden von Wien verliert Dänemark die Gebiete Schleswig, Holstein und Lauenburg, welche der gemeinsamen Verwaltung Preußens und Österreichs unterstellt werden. Der gemeinsame Sieg über Dänemark indessen mehrt die Interessenkonflikte zwischen Preußen und Österreich. Die gemeinsame Verwaltung der beiden Herzogtümer erweist sich als Ausgangspunkt für zahlreiche Streitigkeiten.

1865 Bismarck erreicht eine französische Neutralitätserklärung für den Fall eines preußisch-österreichischen Krieges.

14.8.1865 Die gemeinsame Verwaltung der dänischen Gebiete wird geteilt: Holstein fällt an Österreich und Schleswig an Preußen. Auf diese Weise kann der schon zu diesem Zeitpunkt drohende Krieg noch einmal verhindert werden. In der Folge-

Europa

nand VIII. hebt alle liberalen Verfügungen auf.

27.9.1824 Karl X. folgt dem verstorbenen französischen König Ludwig XVIII. auf dem Thron nach.

27.9.1825 In Großbritannien verkehrt zwischen Stockton und Darlington die erste Personen-Dampfeisenbahn.

1.12.1825 Zar Alexander I. stirbt, auf dem Thron folgt ihm nach der Niederschlagung des Dekabristenaufstandes Nikolaus I.

10.3.1826 Nach dem Tod von Johann VI. wird Kaiser Peter I. von Brasilien auch König von Portugal, übergibt den Thron aber seiner unmündigen Tochter Maria II. da Glória.

27.7.1830 In der Juli-Revolution (Abb.) wird König Karl X. von Frankreich gestürzt. Das Parlament wählt Louis Philippe zum „Bürgerkönig".

6.9.1830 Die Revolution greift auf die deutschen Staaten über, kann aber durch die restaurative Haltung Preußens und Österreichs gestoppt werden.

18.11.1830 Belgien erklärt seine Unabhängigkeit von den Vereinigten Niederlanden.

29.11.1830 Der Aufstand der Polen gegen Russland wird blutig niedergeschlagen.

21.7.1831 Leopold I. wird zum König von Belgien gewählt.

Außereuropäische Welt

1886 Großbritannien erobert das ostasiatische Land Burma (Abb.).

1886 Mit den Apachen ergeben sich die letzten aufständischen Indianer den US-Truppen. Damit ist der Weg für eine flächendeckende Besiedlung durch die Siedler frei, der Lebensraum der Indianer wird auf einzelne Territorien begrenzt.

28.10.1886 In New York wird die Freiheitsstatue – ein Geschenk Frankreichs zur Unabhängigkeit der USA – errichtet.

Preußen

zeit verschärfen sich die Gegensätze jedoch erneut, sodass sich die beiden Staaten entschließen Kriegsvorbereitungen zu treffen.

7.6.1866 Preußen lässt seine Truppen in Holstein einmarschieren. Der Bundestag stimmt der Mobilisierung gegen Preußen zu, woraufhin dieses die Bundesverfassung für außer Kraft gesetzt erklärt. Zur endgültigen Klärung der Machtverhältnisse in Deutschland kommt es im

Deutschen Krieg. 13 Bundesstaaten (unter anderem Sachsen, Bayern, Baden, Hannover, Württemberg) kämpfen an der Seite Österreichs, während Italien und 18 überwiegend norddeutsche Klein- und Mittelstaaten Preußen unterstützen. Die preußischen Truppen dringen unter der Führung von Generalstabschef Graf von Moltke in Böhmen ein und besiegen in der Schlacht von Königgrätz (Abb.) am 3. Juli die österreichischen Truppen. Preußen annektiert Schleswig, Holstein, Kurhessen, Hannover, Nassau und die Stadt Frankfurt. Auf diese Weise kann die preußische Vormachtstellung in Deutschland bis zur Mainlinie ausgebaut werden, ohne dabei Frankreich zu provozieren.

Europa

26.2.1832 „Kongresspolen" wird nach gescheiterter polnischer Revolution russische Provinz.

27.5.1832 Tausende Menschen ziehen zur Hambacher Schlossruine und demonstrieren gegen die repressive und restaurative Politik des Deutschen Bundes und für ihre fortschrittlichen liberalen Ideen (Abb.).

8.8.1832 In Nafplion wird der Wittelsbacher Otto I. zum König von Griechenland gewählt.

29.9.1833 Durch den Tod Ferdinands VII. von Spanien entfacht sich ein Bürgerkrieg zwischen Isabellinern, die seine Tochter Isabella II. unterstützen, und den Anhängern von Karl V., aus dem sich die bis 1876 fortgesetzten Karlistenkriege entwickeln.

2.3.1835 In Wien stirbt der Kaiser von Österreich Kaiser Franz I. Nachfolger wird der geistig verwirrte Ferdinand I.

7.12.1835 Zwischen Nürnberg und Fürth verkehrt die erste Dampfeisenbahn Deutschlands.

20.6.1837 Mit dem Tod von Wilhelm IV. endet die Personalunion von Großbritannien und Hannover. Auf dem britischen Thron folgt ihm seine Nichte Viktoria, in Hannover löst ihn sein Bruder Ernst August II. ab.

1837 Ferdinand II. von Sachsen-Coburg-Saalfeld wird nach seiner Heirat mit der portugiesischen

Außereuropäische Welt

2.12.1886 Die US-amerikanischen Gewerkschaften gründen in Ohio den Dachverband American Federation of Labor.

18.10.1887 Die von Frankreich besetzten Gebiete in Südostasien werden zur Indochinesischen Union vereinigt.

11.2.1889 Japan wird konstitutionelle Monarchie.

15.11.1889 Kaiser Peter II. von Brasilien verbietet die Sklaverei und wird auf Druck der Landbesitzer abgesetzt. Damit endet die Monarchie in Brasilien, das zur Republik erklärt wird.

1889 Italien errichtet an der Ostküste Afrikas (Mogadischu und Osthorn) ein Protektorat.

6.8.1890 Erstmals wird in den USA ein Mensch auf dem elektrischen Stuhl hingerichtet.

1890 Die US-Armee verübt am Wounded Knee Creek ein Massaker an 200 Kindern, Frauen und Männern der Sioux-Indianer.

1.1.1892 Auf der vor New York liegenden Insel Ellis Island werden Einwanderungseinrichtungen geschaffen, um den Strom von Zuwanderern zu steuern.

3.10.1893 Das französische Kolonialgebiet Indochina wird um Laos erweitert.

1894 Der Bure Paulus „Ohm" Krüger kann die Unabhängigkeit der Burenrepublik Transvaal gegen die Ausweitung des von der britischen Kolonialmacht direkt verwalteten Gebietes in Südafrika verteidigen.

1894 In Hongkong entdeckt der Schweizer Arzt Alexandre Yersin den Erreger der Pestkrankheit; etwa zeitgleich entdeckt der Japaner Shibasaburo Kitasato den Pestbazillus. Schon bald wird ein Serum gegen den Erreger entwickelt.

Preußen

18.8.1866 Der Norddeutsche Bund löst den Deutschen Bund von 1815 ab. Preußen ist Führungsmacht dieses Bundes von 18 norddeutschen Staaten. Eine liberale bundesstaatliche Verfassung, die der verfassunggebende Norddeutsche Reichstag zusammen mit den Länderregierungen entworfen hat, tritt am 1. Juli 1867 in Kraft. Bundespräsident wird der preußische König, Bundeskanzler der preußische Ministerpräsident.

3.9.1866 Die parlamentarische Opposition gegen Bismarck erweist sich immer mehr als aussichtslos. Als der erfolgreiche Kanzler das Abgeordnetenhaus um „Indemnität", um die nachträgliche Zustimmung zu den Staatsausgaben der vergangenen vier Jahre ersucht, stimmen 230 Abgeordnete, darunter viele Mitglieder der Fortschrittspartei, diesem Anliegen trotz aller Differenzen zu. Nur 75 Parlamentarier votieren gegen Bismarcks Haushaltspolitik.

17.1.1867 Der Berliner Ingenieur, Erfinder und Unternehmer Werner Siemens hält in Berlin einen Vortrag über den von ihm konstruierten elektrischen Generator. Er nutzt seine Erfindung äußerst erfolgreich industriell und begründet damit ein riesiges Wirtschaftsimperium.

1868 Während der Norddeutsche Bund von 1866 nur die Staaten nördlich des Mains politisch einigt, sind die süddeutschen Staaten nun im Zollverein vertreten, der durch die Überwindung der vielfältigen Zollschranken innerhalb Deutschlands die Industrialisierung erleichtern soll.

4.7.1870 Der französische Kaiser Napoleon III. spricht sich gegen die Kandidatur eines Prinzen aus dem Hause Hohenzollern für

Europa

Regentin Maria II. König von Portugal.

1838 Der britische Dampfer „Great Western" fährt in der Rekordzeit von 15 Tagen über den Atlantik.

10.2.1840 Königin Viktoria heiratet ihren Cousin Prinz Albert von Sachsen-Coburg-Gotha.

13.7.1841 Der Dardanellenvertrag überträgt die Seehoheit über die Durchfahrt durch die Dardanellen auf das Osmanische Reich.

10.9.1844 Zwischen Marokko und Frankreich entbrennt ein Kolonialkrieg, da Tanger den nach Unabhängigkeit strebenden Algeriern zur Hilfe eilt. Der Krieg endet durch die Vermittlung Großbritanniens.

1845 Karl Marx muss Frankreich verlassen und zieht nach Brüssel. Im gleichen Jahr verfasst Friedrich Engels in Leipzig sein Buch „Die Lage der arbeitenden Klasse in Großbritannien".

Herbst 1845 Eine äußerst schlechte Ernte führt in Irland zu einer Hungersnot, in deren Verlauf 700.000 Menschen sterben und Millionen nach Großbritannien und in die USA auswandern.

24.2.1848 Louis Philippe von Frankreich wird in der Februarrevolte zum Rücktritt gezwungen. In Frankreich wird die Republik ausgerufen.

25.2.1848 Karl Marx und Friedrich Engels veröffentlichen in London das „Kommunistische Manifest".

13.3.1848 Märzrevolution in Österreich: Der Kanzler Fürst Metternich flieht nach Großbritannien.

15.3.1848 Der bayerische König Ludwig I. dankt ab und überlässt den Thron seinem Sohn Maximilian II. Joseph.

Außereuropäische Welt

1894 In einem britisch-italienischen Vertrag werden die Grenzen zwischen den Besitzungen beider Länder in Somaliland festgelegt.

17.4.1895 Mit dem Frieden von Schimonoseki endet der japanisch-chinesische Krieg. China muss Formosa (Taiwan) und die Pescadores-Inseln an Japan abtreten und Korea in die Unabhängigkeit entlassen. Japan steigt dadurch zur Großmacht im asiatisch-pazifischen Raum auf.

1.3.1896 Kaiser Menelik II. von Äthiopien besiegt in der Schlacht bei Adua die Italiener und erreicht die Unabhängigkeit des afrikanischen Kaiserreichs.

1896 Frankreich bildet aus seinen Besitzungen in Ostafrika die Kolonie Französisch-Somaliland mit der Hauptstadt Dschibuti.

Sommer 1898 Im Kolonialkrieg der USA gegen Spanien erobern die Amerikaner Kuba. Marineinfanteristen des Kriegsschiffes „Denver" besetzen die kubanische Hauptstadt Havanna (Abb.).

10.12.1898 Spanien verliert nach dem Ausbruch des spanisch-amerikanischen Krieges innerhalb von acht Monaten nahezu seine gesamten restlichen Besitzungen in Übersee.

Preußen

den spanischen Thron aus. Zwar zieht der Vater des Prinzen die Kandidatur bald zurück, doch Napoleon III. gibt sich damit noch nicht zufrieden. Er erwartet vom preußischen König, dass dieser einer derartigen Kandidatur niemals wieder zustimmen würde. Die Demütigung, welche der französische Kaiser Preußen hiermit zufügen will, erregt den deutschen Nationalstolz.

13.7.1870 Der französische Außenminister fordert von Wilhelm I. ein persönliches Entschuldigungsschreiben an Napoleon III. (Abb.) Der preußische König lehnt derartige Forderungen ab und sendet aus Bad Ems ein entsprechendes Telegramm an Bismarck mit der Erlaubnis, den Sachverhalt publik zu machen. Bismarck ergreift die Gelegenheit, den Widerstand der Fran-

zosen gegen die Gründung eines deutschen Nationalstaates zu brechen. Er lässt den Inhalt der Schriftwechsel so verfälschen, dass die französischen Forderungen den Charakter eines Ultimatums erhalten. Bismarck ist sich der Tatsache bewusst, dass er angesichts der deutsch-französischen Spannungen durch die „Emser Depesche" eine Kriegserklärung Frankreichs provozieren würde.

Europa

18.5.1848 In der Frankfurter Paulskirche formiert sich die Nationalversammlung (Abb.) und wählt den österreichischen Erzherzog Johann zum Reichsverweser.

16.6.1848 Brutale Niederschlagung des Prager Pfingstaufstandes durch das österreichische Militär.

24.6.1848 Die französische Armee schlägt den Juni-Aufstand der Arbeiter blutig nieder.

2.12.1848 Kaiser Ferdinand I. von Österreich dankt ab und überlässt den Thron seinem Neffen Franz Joseph I.

10.12.1848 Louis Napoléon Bonaparte wird Präsident der II. Republik in Frankreich.

9.2.1849 In Rom wird die Republik ausgerufen, die im Juli von französischen Truppen gestürzt wird.

1.5.1851 In London findet die erste Weltausstellung statt.

2.12.1851 Frankreichs Präsident Louis Napoléon Bonaparte putscht und löst die Nationalversammlung auf.

21.11.1852 In einem Referendum sprechen sich 97 Prozent der Franzosen für die Wiedereinführung des Kaiserreiches aus; der französische Präsident Louis Napoléon Bonaparte lässt sich als Napoleon III. zum Kaiser der Franzosen krönen.

Außereuropäische Welt

1898 Die chinesische Kaiserinwitwe Tzu-Hsi übernimmt durch einen Staatsstreich selbst die Macht im „Reich der Mitte". Sie wendet sich gegen Reformen des Staates und gegen die wirtschaftliche und kulturelle Beeinflussung durch den Westen.

11.10.1899 Die unabhängige Burenrepublik Transvaal in Südafrika erklärt den Briten den Krieg. Damit beginnt der Burenkrieg.

1.2.1900 Mit der Eröffnung der Eisenbahnlinie von Ain-Sefra nach Djennienbou-Rezg (Abb.) erreicht das französische Eisenbahnnetz in Algerien eine Länge von 4000 Kilometern.

Preußen

19.7.1870 Der Deutsch-Französische Krieg beginnt. Die süddeutschen Staaten schließen sich Preußen an. Ein Bündnis Frankreichs mit Österreich-Ungarn kommt nicht zustande, weil sich die Doppelmonarchie nach russischen Drohungen zur Neutralität gezwungen sieht. Italien

und Großbritannien verhalten sich ebenfalls neutral. Die Entscheidungsschlacht dieses Krieges bei Sedan können die preußischen Truppen und deren Verbündete für sich entscheiden. Frankreich muss kapitulieren (Abb.).

3.12.1870 König Ludwig II. von Bayern (Abb.) schlägt im berühmten „Kaiserbrief" König Wilhelm I. von Preußen als Kaiser eines neu zu schaffenden Deutschen Reiches vor. Der Inhalt des Briefes ist allerdings nicht von König Ludwig, sondern von Otto von Bismarck verfasst worden.

Europa

31.12.1852 Kaiser Franz Joseph I. stellt mit dem Silvesterpatent die absolute Monarchie in Österreich wieder her.

3.7.1853 Das Osmanische Reich und Russland treten in den Krimkrieg um die Donaufürstentümer.

15.11.1853 Peter V. von Sachsen-Coburg-Braganza wird König von Portugal.

21.2.1854 Der Krimkrieg weitet sich zum europäischen Krieg aus, auch wenn die Kampfhandlungen weitgehend auf die Krim beschränkt bleiben. Russland steht alleine gegen Frankreich und Großbritannien, die das Osmanische Reich unterstützen.

2.3.1855 Zar Nikolaus I. stirbt in St. Petersburg, ihm folgt sein Sohn Alexander II. auf dem Thron.

30.3.1856 Mit dem Frieden von Paris endet der Krimkrieg; Russland muss auf die militärische Bewegungsfreiheit auf dem Schwarzen Meer und den Zugang zum Mittelmeer verzichten.

1859 Charles Darwin veröffentlicht die Schrift „Über die Entstehung der Arten durch natürliche Zuchtwahl" und begründet darin die Darwinistische Evolutionstheorie.

11.5.1860 Der italienische Freiheitskämpfer Giuseppe Garibaldi (Abb.) erobert die Westspitze Siziliens

Außereuropäische Welt

10. April 1900 Die französischen Kolonialtruppen in Nordafrika schlagen den Aufstand des Stammes der Tuareg in einem blutigen Wüstenkrieg nieder (Abb.).

20.6.1900 Aufständische aus der Geheimloge der „Boxer" besetzen Peking und ermorden den deutschen Gesandten Klemens Freiherr von Ketteler. Dies ist der Beginn des „Boxeraufstandes" gegen die europäischen Mächte.

Sommer 1900 Der Boxeraufstand in China richtet sich gegen das Eindringen der Europäer in China. Er

Deutsches Reich

18.1.1871 Der militärische Erfolg über Frankreich führt zur Gründung eines deutschen Nationalstaats und der preußische König Wilhelm I. wird im Spiegelsaal des Versailler Schlosses zum Deutschen Kaiser proklamiert (Abb.). Es entsteht nun ein Bundesstaat nach dem Modell des Norddeutschen Bundes unter preußischer Führung. Der Kaiser führt den Oberbefehl über das Militär und vertritt das Reich in der Außenpolitik. Der preußische Ministerpräsident ist gleichzeitig Reichskanzler und steht dem Reichstag vor, einer Vertretung der Bundesstaaten mit Gesetzgebungs-, Aufsichts- und Verordnungsrechten. Dennoch besitzt dieser Reichstag nur begrenzte Befugnisse, am wichtigsten ist das Budgetrecht. Das „alte" Preußen jedoch hört in diesem Moment eigentlich auf zu existieren.

1871 Reichskanzler Bismarck entfacht den „Kulturkampf" zwischen dem preußischen Staat und der katholischen Kirche (Abb.). Erste Maßnahme ist die Aufhebung der katholischen Abteilung im preußischen Kultusministerium.

Europa

mit dem Ziel, die Bourbonenherrschaft Beider Sizilien zu beenden. König Franz II. flieht daraufhin aus Neapel und Garibaldi besetzt die Stadt. Die Bevölkerung Siziliens spricht sich für die von Garibaldi angestrebte Vereinigung von Sizilien und Sardinien-Piemont zum Königreich Italien aus.

3.3.1861 Zar Alexander II. von Russland verfügt die Abschaffung der Leibeigenschaft für etwa 23 Millionen Bauern.

17.3.1861 König Viktor Emanuel II. von Sardinien-Piemont wird erster Regent des neuen Königreichs Italien.

1861 In Frankfurt am Main stellt Johann Philipp Reis sein erstes Telefongerät vor.

8.12.1861 Die Fürstentümer Moldau und Walachei vereinigen sich zum Fürstentum Rumänien. Erster Fürst Rumäniens wird Alexandru Ioan I. Cuza.

24.10.1862 Otto I. von Griechenland wird durch einen Militärputsch abgesetzt. Die Nationalversammlung wählt daraufhin den dänischen Prinzen Wilhelm Georg I. zum König.

1863 In London nimmt die erste Untergrundbahn ihren Betrieb auf.

22.1.1863 Ein erfolgloser polnischer Aufstand gegen die russische Vorherrschaft beginnt, wird aber bald niedergeschlagen.

23.5.1863 In Leipzig wird der Allgemeine Deutsche Arbeiterverein (ADAV) gegründet. Erster Präsident dieser ersten Arbeiterpartei wird Ferdinand Lasalle.

15.11.1863 In Dänemark kommt nach dem Tod von König Friedrich VII. der Protokollprinz Christian IX. auf den Thron.

Außereuropäische Welt

wird von Russland, Japan, Großbritannien, Frankreich und dem Deutschen Reich blutig niedergeworfen (Abb.).

19.9.1900 Das britische Expeditionskorps im Burenkrieg (Abb.) erklärt nach der Eroberung der Republiken Oranjefreistaat und Transvaal den Krieg für beendet. Zahlreiche Buren setzen die Kämpfe jedoch als Guerillakrieg fort.

3.11.1900 Die siegreichen britischen Soldaten aus dem Burenkrieg werden bei ihrer Heimkehr in Großbritannien begeistert empfangen (Abb.).

THE ILLUSTRATED LONDON NEWS

SATURDAY, NOVEMBER 3, 1900. ONE SHILLING.

Deutsches Reich

11.3.1872 Ein neues Schulaufsichtsgesetz entlässt alle geistlichen Kreis- und Ortsschulinspektoren und unterstellt alle privaten und kommunalen Schulen der staatlichen Aufsicht.

4.7.1872 Der Reichstag und der Bundesrat beschließen das „Jesuitengesetz". Dem Jesuitenorden untersagt man alle Niederlassungen auf deutschem Boden, den einzelnen Mitgliedern erlegt man Aufenthaltsbeschränkungen auf.

11.5.1873 Für die Übernahme eines geistlichen Amtes wird nun das Abitur, ein Hochschulabschluss und die Ablegung eines „Kulturexamens" in den Bereichen Geschichte und Philosophie verlangt. Zahlreiche Bischöfe und Priester werden ihrer Ämter enthoben und teilweise sogar verhaftet.

22.10.1873 Durch ein Netz außenpolitischer Bündnisse soll Frankreich außenpolitisch isoliert werden. Ein erster Schritt auf diesem Weg ist das Dreikaiserabkommen mit Russland und Österreich.

4.5.1874 Der Reichstag verabschiedet das „Expatriierungsgesetz". Die Länderregierungen besitzen nun die Erlaubnis, Geistliche auf einen bestimmten Aufenthaltsort zu beschränken oder diese aus dem Reichsgebiet auszuweisen.

1875 Der Kulturkampf erreicht mit dem „Brotkorbgesetz" und dem „Klostergesetz" seinen Höhepunkt. Staatliche Geldzuwendungen an die katholische Kirche werden gestrichen, die Niederlassungen aller Orden in Preußen aufgehoben.

1876 Die Polizei verhaftet alle Bischöfe und weist sie aus Deutschland aus. Die Mittel des Staates sind nun aber erschöpft. Der Kulturkampf entwickelt sich zu einer schweren Niederlage

Europa

1.2.1864 Der Deutsch-Dänische Krieg dauert acht Monate und endet mit dem Verlust der Herzogtümer Schleswig, Holstein und Lauenburg an Österreich und Preußen.

10.12.1865 König Leopold I. von Belgien stirbt, sein Sohn Leopold II. wird König von Belgien.

20.4.1866 Ein Militärputsch stürzt Alexandru Ioan I. Cuza, Fürst von Rumänien. An seine Stelle tritt Prinz Karl Eitel Friedrich von Hohenzollern-Sigmaringen als Karl I.

23.8.1866 Österreich muss infolge des Deutschen Krieges im Frieden von Wien zu Gunsten Italiens, das auf preußischer Seite gekämpft hat, Venetien abtreten.

11.9.1867 In Hamburg wird der erste Band von Karl Marx' (Abb.) Werk „Das Kapital. Kritik der politischen Ökonomie" veröffentlicht.

18.7.1870 Das Erste Vatikanische Konzil unter Pius IX. erhebt auf Drängen desselben die Unfehlbarkeit des Papstes zum Dogma.

2.9.1870 In Sedan unterliegen französische Truppen dem preußischen Heer im Krieg um die spanische Thronfolge. Napoleon III. wird gefangen, Frankreich wieder zur Republik erklärt.

Außereuropäische Welt

1.1.1901 Die britischen Kolonialgebiete Neusüdwales, Victoria, Queensland, Südaustralien, Westaustralien und Tasmanien schließen sich zum Bundesstaat Australien zusammen.

14.9.1901 Der 25. US-Präsident William McKinley stirbt an den Folgen eines Attentats. Vizepräsident Theodore Roosevelt wird 26. Präsident der USA.

18.11.1901 Die USA und Großbritannien schließen einen Vertrag zum Bau des Panamakanals unter US-Führung, Großkolumbien widersetzt sich aber dem Plan, eine unter US-Verwaltung stehende Kanalzone einzurichten.

1901 Erstmals gelingt eine Funkfernverbindung über den Atlantik.

20.5.1902 Kuba wird eine von Spanien unabhängige Republik.

31.5.1902 Der Burenkrieg in Südafrika endet mit dem Sieg der Briten gegen die Burenstaaten Transvaal und Oranjefreistaat.

10.12.1902 Der Nilstaudamm bei Assuan in Ägypten wird eingeweiht. Er bietet die Möglichkeit, die Nilfluten zu steuern und weite Teile des Landes zu bewässern.

13.12.1902 Großbritannien, das Deutsche Reich und Italien bauen ihre Seeblockade gegen Venezuela aus, das seine Auslandsschulden nicht begleicht.

4.11.1903 Durch die Unabhängigkeitserklärung von Panama an Großkolumbien werden die politischen Grundlagen zum Bau des Panamakanals gelegt. Großkolumbien war gegen die Schaffung einer US-Kanalzone, Panama stimmt dem zu.

17.12.1903 Den Gebrüdern Orville und Wilbur Wright gelingt in den USA der erste Flug mit einem Motorflugzeug.

Deutsches Reich

Bismarcks und der Liberalen. Eine politische Schwächung der Zentrumspartei gelingt nicht.

1878 Die Mitglieder der Arbeiterbewegung gelten als „Reichsfeinde", die die monarchische Ordnung und den Bestand des Reiches gefährden. Bismarck betrachtet die Sozialdemokratie als gefährlichen Gegner der Monarchie.

11.5.1878 Ein Revolverattentat auf Kaiser Wilhelm I. scheitert.

2.6.1878 Bei einem weiteren Attentat wird Kaiser Wilhelm schwer verletzt. Die beiden Attentate schaffen die Voraussetzung, ein Sondergesetz gegen die Sozialdemokratie durchzusetzen, obwohl eine politische Verbindung nicht nachgewiesen werden kann. Es kommt zur Verabschiedung des „Sozialistengesetzes", das alle kommunistischen, sozialistischen oder sozialdemokratischen Vereine, Versammlungen und Schriften verbietet, nicht aber die sozialdemokratische Partei selbst.

7.10.1879 Mit dem Zweibund mit Österreich kommt Bismarck seinem großen außenpolitischen Ziel, der Isolierung Frankreichs, ein gutes Stück näher.

14.7.1880 Mit dem ersten „Milderungsgesetz" wird das Ende des Kulturkampfes eingeleitet.

20.5.1882 Die Erweiterung des Zweibundes von 1879 um Italien zum Dreibund isoliert Frankreich weitgehend (Abb.).

Europa

4.9.1870 Die republikanischen Abgeordneten Léon Gambetta und Jules Favre proklamieren in Frankreich die Republik.

20.9.1870 Italienische Truppen lösen den Kirchenstaat auf.

16.11.1870 Die spanischen Cortes wählen Amadeus I., Herzog von Aosta, zum König.

18.1.1871 Wilhelm I. wird in Versailles zum deutschen Kaiser ernannt; die Krönung bedeutet die Bildung des deutschen Nationalstaates.

21.5.1871 Der als Kommune von Paris bekannt gewordene Aufstand der Arbeiter und der Nationalgarde in Frankreich wird blutig niedergeschlagen.

31.8.1871 Adolphe Thiers wird zum ersten Präsidenten der französischen Republik gewählt.

1872 Das erste Fußballländerspiel wird in Glasgow zwischen der Auswahl Großbritanniens und der Schottlands ausgetragen.

22.10.1873 Mit dem „Dreikaiserabkommen" (Bündnis von Schönbrunn) zwischen Österreich, Russland und dem Deutschen Reich wollen die drei Mächte Frankreich politisch und militärisch isolieren.

29.12.1874 Durch einen Militärputsch gelangt der Sohn der früheren spanischen Königin Isabella II. als Alfons XII. auf den Thron.

1.1.1877 Königin Viktoria von Großbritannien wird nun auch Kaiserin von Indien, was die imperialistische Weltmachtpolitik Großbritanniens unterstreicht.

3.3.1878 Der russisch-türkische Krieg endet mit dem Vorfrieden von San Stefano, durch den der Staat Bulgarien neu gebildet und die starke Position Russlands auf dem Balkan gefestigt wird.

Außereuropäische Welt

1904 Britische Truppen besetzen das unter chinesischem Protektorat stehende Tibet.

28.5.1905 In der Straße von Korea bei Tsushima besiegen die Japaner die russische Flotte, versenken 20 der 38 Schiffe und entscheiden damit den russisch-japanischen Krieg (Abb.).

11.8.1905 In Deutsch-Südwestafrika erhebt sich der Stamm der Herero und rebelliert gegen die deutsche Kolonialherrschaft. Die deutschen Truppen unter General von Trotha schlagen den Aufstand brutal nieder. Sie kreisen den Großteil der Aufständischen am Waterberg ein und treiben sie in die Wüste, wo sie elend umkommen. Die restlichen Herero werden in Gefangenenlagern interniert (Abb.).

Deutsches Reich

15.6.1883 Um den Einfluss der Sozialdemokratie zu schwächen, führt Bismarck schrittweise staatliche soziale Sicherungssysteme ein, zunächst die gesetzliche Krankenversicherung.

27.6.1884 Als zweites Sozialgesetz verabschiedet der Reichstag die gesetzliche Unfallversicherung.

November 1884 Die Vertreter 13 europäischer Staaten sowie der USA und des Osmanischen Reichs versammeln sich in Berlin zu einer großen Afrika-Konferenz. Diese soll eine verbindliche Einigung der Staaten über ihr Vorgehen in Afrika herbeiführen. König Leopold II. erhält das „Herz" Afrikas, die Kongo-Region, als persönlichen Besitz zugesprochen.

1885 Vertreibung von 30 000 Polen aus den preußischen Ostprovinzen.

26.4.1886 Ein Gesetz regelt die Übernahme von Ländereien und Gütern polnischer Besitzer durch deutsche Siedler.

18.6.1887 Zur völligen außenpolitischen Isolierung Frankreichs kommt es durch den Rückversicherungsvertrag mit Russland,

Europa

13.6.1878 Die europäischen Großmächte setzen die Ergebnisse von San Stefano auf dem Berliner Kongress (Abb.) außer Kraft. Russland muss auf die Bildung eines großbulgarischen Reiches, die im russisch-türkischen Krieg besetzten Gebiete und den Zugang zum Mittelmeer verzichten.

14.7.1880 Der Jahrestag der Revolution wird in Frankreich zum Nationalfeiertag erklärt.

13.3.1881 Zar Alexander II. wird ermordet. Sein Sohn Alexander III. erbt den Thron Russlands.

20.5.1882 Der bestehende Zweibund zwischen Deutschland und Österreich-Ungarn wird mit Italien zum Dreibund erweitert.

1883 In Barcelona wird mit dem Bau der von Antoni Gaudí entworfenen Kathedrale Sagrada Familia begonnen, die bis heute nicht vollendet ist.

25.11.1885 Alfons XII. von Spanien stirbt in Madrid, auf dem Thron folgt ihm sein neu geborener Sohn Alfons XIII., der bis 1902 unter der Regentschaft seiner Mutter Maria Christine von Österreich steht.

Außereuropäische Welt

5.9.1905 Russland erkennt in Portsmouth (USA) den Sieg Japans an und muss Port Arthur, Südsachalin und die Kurilen abtreten.

15.4.1906 Britische Kolonialtruppen schlagen in Afrika einen Aufstand der Eingeborenen von Natal blutig nieder. Dabei setzen die Briten in nächtlichen Gefechten in großem Ausmaß Scheinwerfer zum Blenden der Aufständischen und kürzlich entwickelte neuartige Maschinengewehre ein (Abb.).

18.4.1906 Durch ein furchtbares Erdbeben mit der Stärke 8,3 auf der nach oben offenen Richterskala und ein daraus entstandenes Großfeuer wird ein großer Teil von San Francisco (USA) zerstört. 1000 Menschen werden getötet.

1906 Frankreich, Großbritannien und Italien sichern Äthiopien seine Unabhängigkeit zu.

12.8.1908 Mit dem von Henry Ford entwickelten Ford Modell T beginnt die moderne industrielle Massenproduktion von Automobilen und die Konzentration der Industrie auf die Produktion von Massenkonsumgütern.

6.4.1909 Der US-Amerikaner Robert Edwin Peary gelangt als erster Mensch in die Nähe des Nordpols. Er erreicht mit Matthew Heson und vier Inuit 89° 57'

Deutsches Reich

durch den Bismarck das Reich zudem aus den Konflikten zwischen Russland und Österreich auf dem Balkan heraushalten kann.

9.3.1888 Nach dem Tod Kaiser Wilhelms I. kommt zunächst Friedrich III. und schließlich der erst 29-Jährige Wilhelm II. („Dreikaiserjahr") auf den Thron. Wilhelm strebt ein „persönliches Regiment" an, mit dem er viel stärker selbst die Regierungsgeschäfte leiten will als seine Vorgänger. In der Außenpolitik schlägt das Deutsche Reich bald einen „neuen Kurs" ein und strebt eine aktive Weltmacht- und Kolonialpolitik an (Abb.).

22.6.1889 Mit der gesetzlichen Rentenversicherung findet das soziale Sicherungssystem Bismarcks seinen Abschluss.

4.2.1890 Kaiser Wilhelm II. veröffentlicht ohne Kenntnis Bismarcks weiter gehende Arbeiterschutzrechte.

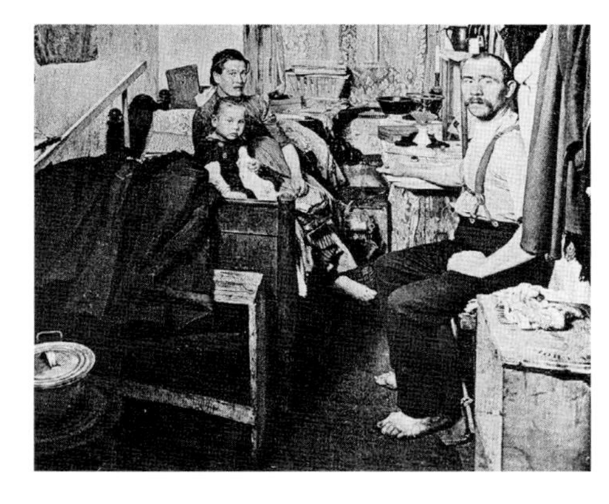

Europa

15.5.1889 Einweihung des von Gustave Eiffel für die Weltausstellung gebauten Eiffelturms (Abb.).

15.5.1891 Papst Leo XIII. begründet die katholische Soziallehre.

31.5.1891 In Russland beginnt der Bau der Transsibirischen Eisenbahn von Wladiwostok nach Moskau.

1.11.1894 Nikolaus II. (Abb.) übernimmt den russischen Thron von seinem verstorbenen Vater Alexander III.

28.12.1895 Die Brüder Lumière projizieren in Paris erstmals bewegte Bilder – dies ist der Beginn der Kinematographie.

Außereuropäische Welt

nördlicher Breite. Für die Reise zum Nordpol benötigten Peary, seine Mannschaft, 17 Inuit und 133 Schlittenhunde etwa neun Monate. Auf zahlreichen Forschungsreisen war Peary zuvor der Beweis gelungen, dass Grönland eine Insel ist. Auch der US-amerikanische Forscher Frederick A. Cook behauptet, er sei am Nordpol gewesen – sogar vor Peary, doch wird Cook nicht geglaubt.

31.5.1910 Die britischen Kolonien in Südafrika schließen sich zur Südafrikanischen Union zusammen. Erster Präsident wird der Burengeneral Louis Botha.

22.8.1910 Japan annektiert Korea und Formosa (Taiwan).

1910 In China werden Sklaverei und Menschenhandel verboten.

1910 US-Truppen intervenieren in Nicaragua und bleiben bis 1933 in dem mittelamerikanischen Land präsent, um die Interessen von US-Konzernen, darunter die United Fruit Company, zu unterstützen.

25.5.1911 Mexikos Diktator Porfirio Díaz tritt im Laufe des 1910 begonnenen Bürgerkriegs zurück.

14.11.1911 Der Norweger Roald Amundsen erreicht mit vier weiteren Männern und 52 grönländischen Schlittenhunden im Dezember nach etwa zweimonatiger Reise und 1100 Kilometern über das Eis als erster Mensch den Südpol und kehrt wieder zurück.

Januar 1912 Auch eine Expedition des Briten Robert Falcon Scott erreicht den Südpol. Scott und seine Mannschaft kommen auf dem Rückweg im Eis der Antarktis um.

12.2.1912 Im Zuge der chinesischen Revolution tritt der letzte Mandschu-Kaiser, der sechsjährige

Deutsches Reich

20.2.1890 Die Sozialdemokraten entwickeln sich bei den Reichstagswahlen zur stärksten Fraktion. So scheitert neben dem Kulturkampf auch das zweite wesentliche innenpolitische Anliegen Bismarcks.

20.3.1890 Aufgrund unüberbrückbarer politischer und persönlicher Gegensätze entlässt Kaiser Wilhelm II. seinen Reichskanzler Otto von Bismarck aus dem Amt. Dieser zieht sich auf sein Landgut Friedrichsruh zurück (Abb.).

27.3.1890 Kaiser Wilhelm II. verlängert den Rückversicherungsvertrag mit Russland nicht. Damit beginnt der Zusammenbruch des Bismarckschen Bündnissystems und der lange Weg Deutschlands in die außenpolitische Isolation.

3.1.1896 Kaiser Wilhelm II. brüskiert Großbritannien, indem er dem Burenführer „Ohm" Krüger zum Sieg über die Briten gratuliert.

Europa

6.4.1896 Die ersten Olympischen Spiele der Neuzeit werden in Athen eröffnet.

10.12.1898 Der spanisch-amerikanische Krieg endet mit dem Frieden von Paris und dem Verlust des spanischen Weltreiches.

29.7.1899 Mit der Haager Landkriegsordnung einigen sich 26 Staaten auf Regeln über die Behandlung von Zivilisten und Kriegsgefangenen.

29.7.1900 König Umberto I. von Italien wird von einem Anarchisten erschossen. Sein Sohn Viktor Emanuel III. wird zum König gekrönt.

22.1.1901 Nach dem Tod der britischen Königin Viktoria übernimmt ihr Sohn Eduard VIII. den Thron.

10.12.1901 Erstmals werden die in Alfred Nobels Testament verfügten Auszeichnungen (Nobelpreise) vergeben.

1.11.1902 Frankreich und Italien schließen einen Geheimvertrag über eine gemeinsame politisch-militärische Strategie in Marokko und Tripolis ab.

11.6.1903 Der serbische König Alexander I. Obrenović und Frau Draga sowie Mitglieder der Regierung werden in Belgrad ermordet.

1.7.1903 Erstmals findet das Radrennen „Tour de France" statt.

23.8.1903 Auf ihrer 2. Parteikonferenz in London spaltet sich die Sozialdemokratische Arbeiterpartei Russlands (SDAPR) in zwei Lager: Bolschewiki und Menschewiki.

22.1.1905 Etwa 30 000 Arbeiter demonstrieren in St. Petersburg. Die Kundgebung wird vom Militär blutig auseinander gejagt („Blutsonntag").

Außereuropäische Welt

Pu Yi, zurück. China wird eine Republik. Tibet gelingt es nicht, sich aus der chinesischen Vorherrschaft zu befreien.

15.4.1912 Die Titanic, das neueste und größte Passagierschiff, sinkt auf ihrer Jungfernfahrt vor Neufundland im Atlantik nach der Kollision mit einem Eisberg. Es sind zu wenige Rettungsboote an Bord. 1503 Menschen ertrinken in der kalten See.

18.10.1912 Der ein Jahr zuvor begonnene Krieg zwischen Italien und dem Osmanischen Reich endet mit dem Frieden von Lausanne. Das Osmanische Reich muss seine Besitzungen in Nordafrika, Tripolis, Cyrenaika und 50 Dodekaneninseln vor der türkischen Ägäis-Küste abgeben (Abb.).

1913 In New York wird mit der Grand Central Station der größte Bahnhof der Welt eröffnet.

Deutsches Reich

6.12.1897 Außenminister Bernhard Graf von Bülow formuliert die Ziele der deutschen Außenpolitik so: „Wir wollen niemanden in den Schatten stellen, aber wir verlangen auch unseren Platz an der Sonne" (Abb.).

28.3.1898 Das erste Flottengesetz sieht eine massive Hochrüstung der deutschen Kriegsflotte vor und belastet das Verhältnis zu Großbritannien schwer.

30.7.1898 Auf seinem Landgut Friedrichsruh stirbt Otto von Bismarck, der ehemalige Reichskanzler und Architekt des ersten deutschen Nationalstaats der Geschichte.

17.10.1900 Der neue Reichskanzler von Bülow gibt die Maxime aus: „Weltpolitik als Aufgabe, Weltmacht als Ziel, Flotte als Instrument".

Europa

7.6.1905 Die seit 1814 bestehende Union zwischen Schweden und Norwegen wird vom norwegischen Parlament aufgelöst. Der dänische Prinz Carl wird als Haakon VII. zum König Norwegens gekrönt.

1905 Matrosen auf dem russischen Panzerkreuzer Potemkin meutern gegen ihre Kommandanten (Abb.).

6.5.1906 In Russland erlässt Zar Nikolaus II. eine Staatsverfassung und legt damit die Grundlage für die Bildung eines Parlaments, der Duma, die noch im gleichen Jahr wieder aufgelöst wird.

1.2.1908 Portugals König Karl I. wird ermordet. Auf dem Thron folgt ihm sein Sohn Emanuel I.

5.10.1908 Fürst Ferdinand von Bulgarien erklärt das Land zu einem vom Osmanischen Reich unabhängigen Königreich und nimmt den Zarentitel an.

5.10.1908 Kaiser Franz Joseph I. von Österreich erklärt die von Österreich-Ungarn seit 1878 besetzten Provinzen Bosnien und Herzegowina gegen den Protest Serbiens für annektiert.

28.12.1908 Ein schweres Erdbeben zerstört die italienischen Städte Messina und Reggio di Calabria und fordert über 100.000 Menschenleben.

Außereuropäische Welt

1913 In Südafrika wird der Inder Mahatma Gandhi (Abb.) bekannt. Er protestiert mit seinen Anhängern gegen die Rassendiskriminierung indischer Einwanderer.

15.8.1914 Der Panamakanal wird für den Schiffsverkehr freigegeben. Mit dem Bau war 1881 von einer französischen Gesellschaft begonnen worden, die 1889 in Konkurs ging. Nach politischen Konflikten um den Bau des Kanals unter US-Führung setzten die USA nach der Unabhängigkeit Panamas 1903 den Bau ab 1904 fort. Der Kanal verkürzt den Seeweg vom Atlantik zum Pazifik um 15.000 Kilometer und ist 81,6 Kilometer lang. Der Kanal bleibt bis zum Ende des 20. Jahrhunderts im Besitz der USA.

23.8.1914 Erster Weltkrieg: Japan erklärt dem Deutschen Reich den Krieg, nimmt den deutschen Stützpunkt Tsingtau ein und besetzt die Kolonie Kiautschou. Darüber hinaus erobern japanische Truppen die deutschen Südseekolonien auf den Marianen, den Karolinen, den Salomonen und den Marshall-Inseln.

Deutsches Reich

18.1.1901 In Preußen finden große Feierlichkeiten zum 200-Jährigen Bestehen des Königreichs statt.

31.3.1905 Durch seinen Besuch in Marokko brüskiert Kaiser Wilhelm II. Frankreich und löst die 1. Marokkokrise aus.

Dezember 1905 Der preußische Generalstabschef Alfred Graf von Schlieffen legt einen Plan vor, mit dem Deutschland einen Zweifrontenkrieg gegen Russland und Frankreich führen und gewinnen könnte.

7.4.1906 In der Algeciras-Konferenz zur Lösung der Marokko-Krise werden die deutschen Interessen nicht berücksichtigt.

20.3.1908 Ein Gesetz regelt die Enteignung von 70 000 ha polnischen Grundbesitzes und seine Verteilung an Deutsche.

1.7.1911 Der Besuch der deutschen Kanonenboote „Panther" und „Berlin" im Hafen von Agadir löst die 2. Marokkokrise aus. Deutschland will die Besitzergreifung Marokkos durch Frankreich nicht hinnehmen (Abb.).

Europa

6.5.1910 Der britische König Eduard VII. stirbt in London. Sein Thronfolger wird Georg V.

5.10.1910 In Portugal wird nach einem Aufstand von Marine- und Heeressoldaten die Republik ausgerufen; König Emanuel II. flieht nach Gibraltar.

19.3.1911 Im Deutschen Reich, in Österreich, Dänemark und der Schweiz demonstrieren über eine Million Frauen und Männer für das Frauenwahlrecht.

1.7.1911 Der „Panthersprung nach Agadir", die Entsendung des deutschen Kanonenbootes „Panther" zu der marokkanischen Stadt löst die2. Marokkokrise zwischen dem Deutschen Reich und Frankreich aus.

8.10.1912 Mit der Kriegserklärung Montenegros an das Osmanische Reich beginnt der Erste Balkan-

krieg. (Abb.) Bulgarien, Griechenland und Serbien schließen sich Montenegro an. Das Osmanische Reich muss 1913 im Frieden von London die Gebiete westlich der Enos-Midia-Linie abtreten.

29.6.1913 Im Zweiten Balkankrieg stehen sich Truppen Serbiens und Bulgariens gegenüber. Sie kämpfen

Außereuropäische Welt

10.6.1915 Die Regierung des Osmanischen Reiches lässt die christlichen Armenier aus Anatolien vertreiben. Dabei werden die meisten der 1,4 Millionen deportierten Menschen getötet.

9.7.1915 Die deutschen Truppen in Deutsch-Südwestafrika (Namibia) kapitulieren und ergeben sich der Südafrikanischen Union. Das Deutsche Reich verliert im Ersten Weltkrieg alle seine Kolonien.

29.7.1915 US-Truppen besetzen Haiti und machen den Karibikstaat zum US-Protektorat.

1916 US-Truppen besetzen die Dominikanische Republik und kontrollieren sie bis 1924.

6.6.1916 Nach dem Tod von Staatspräsident und Kaiser Yüan Shih-k'ai bricht in China ein Bürgerkrieg aus.

3.8.1916 Das an der Seite des Deutschen Reiches und Österreich-Ungarns kämpfende Osmanische Reich scheitert bei dem Versuch, die Briten vom Suezkanal zu verdrängen.

18.2.1916 Die Briten nehmen den deutschen Truppen die Kolonie Kamerun ab. Die deutschen Soldaten weichen nach Deutsch-Ostafrika aus.

5.2.1917 Mit dem Amtsantritt von Präsident Venustiano Carranza endet die mexikanische Revolution.

6.4.1917 Die USA treten in den Ersten Weltkrieg ein und stellen sich an die Seite der Entente gegen die Mittelmächte, nachdem das Deutsche Reich seinen uneingeschränkten U-Boot-Krieg wieder aufgenommen und dem mit den USA verfeindeten Mexiko ein Bündnis angeboten hatte. Die USA schicken über

Deutsches Reich

6.7.1914 Mit der Erklärung der absoluten Bündnistreue stellt Kaiser Wilhelm II. Österreich-Ungarn eine Blankovollmacht für das weitere Vorgehen in der Balkankrise nach der Ermordung des österreichischen Thronfolgers Franz Ferdinand aus.

1.8.1914 Kriegserklärung Deutschlands an Russland.

3.8.1914 Kriegserklärung an Frankreich. Der Erste Weltkrieg hat begonnen, „in Europa gehen die Lichter aus".

9.9.1914 Die deutsche Regierung formuliert ihre Kriegsziele: Gebietserweiterungen, Vorherrschaft in Europa, Kolonien, Reparationen.

9.9.1914 Der Westfeldzug kommt zum Stillstand, der Schlieffenplan ist damit gescheitert. Der Krieg gegen Frankreich wird zum Stellungskrieg.

Europa

um die im Ersten Balkankrieg aufgeteilten, ehemals osmanischen Gebiete in Makedonien (Abb.).

28.6.1914 In Sarajewo sterben der österreichisch-ungarische Thronfolger Erzherzog Ferdinand und seine Frau Sophie nach einem Attentat (Abb.). Serbien wird vom Deutschen Reich und Österreich-Ungarn für den Anschlag verantwortlich gemacht.

28.7.1914 Österreich-Ungarn erklärt Serbien den Krieg und löst damit den Ersten Weltkrieg aus.

23.5.1915 Italien scheidet aus dem 1882 gegründeten Dreibund aus und kämpft von nun an auf der Seite der Alliierten gegen die Mittelmächte.

14.10.1915 Bulgarien tritt auf der Seite der Mittelmächte in den Ersten Weltkrieg ein.

Außereuropäische Welt

zwei Millionen Soldaten nach Frankreich, von denen mehr als 126.000 ums Leben kommen (Abb.).

9.12.1917 Britische Truppen erobern Jerusalem und zwingen das Osmanische Reich zum Rückzug aus Palästina.

8.1.1918 Woodrow Wilson stellt dem US-Kongress seinen 14 Punkte umfassenden Plan für einen Frieden nach dem Ersten Weltkrieg vor (Abb.). Darunter sind die Unabhängigkeit Belgiens, die Räumung der von den Mittelmächten besetzten Gebiete, die Bildung eines unabhängigen Staates Polen und die Autonomie der Völker in Österreich-Ungarn und im Osmanischen Reich. Das 14-Punkte-Programm wird zur Grundlage für die Friedensverhandlungen in Europa.

Deutsches Reich

12.12.1916 Die Alliierten lehnen ein Friedensangebot der Deutschen ab.

1.2.1917 Der unbeschränkte U-Boot-Krieg auch gegen Schiffe neutraler Staaten wird ausgerufen.

6.4.1917 Kriegserklärung der USA an das Deutsche Reich.

14.7.1917 Nach der Entlassung von Reichskanzler Bethmann Hollweg (Abb.) übernimmt faktisch die Oberste Heeresleitung mit Paul von Hindenburg und Erich Ludendorff die Regierungsgewalt im Deutschen Reich.

20.11.1917 Beim Angriff von 400 neuartigen britischen Panzerwagen bricht die deutsche Front bei Cambrai unter chaotischen Umständen völlig zusammen.

Europa

24.4.1916 Im Osteraufmarsch von Dublin fordert die irische Untergrundarmee Irish Volunteers die Unabhängigkeit Irlands, kann sich gegen die britischen Truppen aber nicht behaupten.

21.11.1916 Kaiser Franz Joseph I. von Österreich stirbt. Sein Nachfolger, sein Großneffe Karl I. Franz Joseph, sondiert das Terrain für einen Sonderfrieden Österreichs mit den Alliierten.

15.3.1917 Zar Nikolaus II. von Russland dankt nach Massenstreiks ab, eine bürgerliche Regierung übernimmt die Macht. Kurz darauf trifft Wladimir Iljitsch Lenin aus seinem Schweizer Exil in Russland ein, muss nach einem missglückten Umsturzversuch aber erneut das Land verlassen und flieht nach Finnland.

7.11.1917 Oktoberrevolution (nach russischem Kalender am 25.10.): Lenins Bolschewiken gelingt der Sturz der Regierung (Abb.).

1917 Das britische Königshaus ändert aufgrund des Krieges mit dem Deutschen Reich seinen Namen von Sachsen-Coburg-Gotha in Windsor.

Außereuropäische Welt

Sommer 1918 In der „Palästinaschlacht" erobern britische und arabische Truppen unter der Führung des britischen Agenten Thomas Edward Lawrence (Lawrence von Arabien) die syrische Stadt Damaskus.

30.10.1918 Die Alliierten der Entente schließen mit dem Osmanischen Reich den Waffenstillstand von Mudros; dadurch erhalten sie freien Zugang zu den Dardanellen und zum gesamten Osmanischen Reich.

1.3.1919 In Korea demonstrieren etwa zwei Millionen Menschen für die Unabhängigkeit des 1910 von Japan als Provinz Chosen annektierten Landes. Die japanische Besatzungsmacht geht hart gegen die Demonstranten vor und provoziert damit die Bildung der Widerstandsbewegung „1. März" und der Exilregierung um Syngman Rhee in Schanghai.

13.4.1919 Beim Massaker von Amritsar (Indien) töten britische Soldaten etwa 400 Zivilisten, die gegen die Politik der britischen Kolonialherrschaft demonstrieren.

28.4.1919 Der auf Vorschlag von US-Präsident Woodrow Wilson ins Leben gerufene Völkerbund wird ohne Beteiligung der USA gegründet: Der US-Senat votierte mehrheitlich gegen die Versailler Verträge und die Mitgliedschaft der USA im Völkerbund.

4.7.1919 Der mexikanische Revolutionär Emiliano Zapata wird von Soldaten ermordet und dadurch zur Symbolfigur bäuerlicher Widerstandsbewegungen.

28.10.1919 Mit dem Verfassungszusatz über die Prohibition werden in den USA die Herstellung, der Verkauf und der Genuss von Getränken mit mehr als 0,5 Prozent Alkoholgehalt verboten.

Deutsches Reich

Ab Anfang 1918 Im Angesicht der drohenden militärischen Niederlage beginnt die deutsche Propaganda zunehmend, Kaiser Wilhelm II. als unschuldig am Ausbruch des Ersten Weltkriegs darzustellen.

3.3.1918 Das revolutionäre Russland unterwirft sich in Brest-Litowsk einem Diktatfrieden der Mittelmächte. Deutschland gewinnt neue Ressourcen für den Krieg an der Westfront.

21.4.1918 Über der Somme wird in seinem Fokker-Dreidecker Manfred Freiherr von Richthofen abgeschossen, der mit 80 Abschüssen ergfolgreichste deutsche Jagdflieger des Ersten Weltkriegs.

Sommer 1918 Den neuartigen britischen Panzerwagen („Tanks") haben die deutschen Stellungen nur noch wenig entgegenzusetzen. Sie entwickeln sich im letzten Kriegsjahr zur entscheidenden Waffe.

3.10.1918 Prinz Max von Baden ist der erste Kanzler des Deutschen Reiches, der nicht zugleich preußischer Ministerpräsident ist.

9.11.1918 Der Matrosenaufstand in Kiel löst die Revolution aus. Kaiser Wilhelm II. flieht in die Niederlande. Der Sozialdemokrat Philipp Scheidemann ruft die Republik aus, sein Parteifreund Friedrich Ebert wird erster Reichskanzler der deutschen Republik.

11.11.1918 Die Unterzeichnung des Waffenstillstands mit den Alliierten durch den Zentrumsabgeordneten Matthias Erzberger kommt faktisch einer deutschen Kapitulation gleich.

12.11.1918 Eine revolutionäre preußische Regierung aus SPD und USPD tritt zusammen. Sie beschlagnahmt das gesamte Vermögen der Hohenzollern.

Europa

25.1.1918 In St. Petersburg wird vom Allrussischen Kongress der Arbeiter- und Soldatendeputierten die Russische Föderative Sowjetrepublik ausgerufen.

9.2.1918 In Brest-Litowsk schließen die Mittelmächte einen Sonderfrieden mit der Ukraine, die damit zu einer unabhängigen Volksrepublik wird.

23.2.1918 Der russische Außenminister Leo D. Trotzki gründet die Rote Armee, die den Kampf gegen die von Konterrevolutionären gebildete Weiße Armee aufnimmt.

3.3.1918 Sowjetrussland wird von den Mittelmächten in Brest Litowsk zum „Diktatfrieden" gezwungen.

10.3.1918 Die russische Regierung zieht von St. Petersburg in die alte russische Hauptstadt Moskau.

16./17.7. 1918 Der letzte russische Zar, Nikolaus II. (Abb.), wird in Jekaterinburg mit seiner Familie von Bolschewisten erschossen.

16.10.1918 Die k.u.k. Monarchie Österreich-Ungarn wird aufgelöst.

Außereuropäische Welt

1919 Im Vertrag von Rawalpindi erkennt Großbritannien die außenpolitische Unabhängigkeit Afghanistans an.

26.8.1920 In den USA wird das allgemeine Frauenwahlrecht eingeführt.

2.9.1920 Warren G. Harding (Abb.) wird zum Präsidenten der USA gewählt. Der Republikaner hat einen stark von isolationistischen Parolen geprägten Wahlkampf geführt.

1920 In Pittsburgh (USA) nimmt der Sender KDKA das erste regelmäßige Rundfunkprogramm der Welt auf.

18.7.1921 Die japanischen Provinzen Navaja und Kioto werden von schweren Überschwemmungen heimgesucht. Rund 800 Menschen kommen dabei ums Leben.

20.7.1921 In Schanghai gründet sich die Kommunistische Partei Chinas, deren Vorsitzender Mao Zedong wird.

1921 In Kanada gelingt es den Medizinern Frederick Grant Banting und Charles Herbert Best, das den Blutzuckergehalt regulierende Hormon Insulin zu isolieren.

Deutsches Reich

28.11.1918 In seinem niederländischen Exil entsagt Wilhelm II. formell seinen Ämtern als deutscher Kaiser und preußischer König. Auch der Kronprinz verzichtet auf jegliche Ansprüche. Damit endet nach 217 Jahren die preußische Monarchie.

5.1.1919 Spartakusaufstand: Kommunisten besetzen das Berliner Zeitungsviertel und rufen zum Generalstreik gegen die verfassunggebende Weimarer Nationalversammlung auf.

11.2.1919 Die Weimarer Nationalversammlung wählt Friedrich Ebert (SPD, Abb.) zum ersten Reichspräsidenten.

25.3.1919 Die erste Regierung der „Weimarer Koalition" aus SPD, DDP und Zentrum wird gebildet. Preußen geht auf in der Weimarer Republik und verliert einen großen Teil seiner Selbstständigkeit, bleibt aber aufgrund seiner wirt-

Europa

28.10.1918 Die Tschechoslowakei wird ein unabhängiger Staat.

12.11.1918 Die Demokratische Republik Deutsch-Österreich wird gegründet.

16.11.1918 Mit der Proklamation der Ungarischen Republik durch deren ersten Regierungschef Mihály Graf Károlyi endet die österreichische Herrschaft nach mehr als 200 Jahren.

1.12.1918 Das Königreich der Serben, Kroaten und Slowenen wird proklamiert und bald darauf In Königreich Jugoslawien umbenannt.

3.11.1918 Die Kriegsverhandlungen zwischen Österreich-Ungarn und den Alliierten endet mit dem Waffenstillstand von Padua.

11.11.1918 Der Erste Weltkrieg endet mit der Unterzeichnung der von den Alliierten gestellten Waffenstillstandsbedingungen durch den Vertreter des Deutschen Reiches, Matthias Erzberger.

28.4.1919 In Frankreich gründen die Siegermächte des Ersten Weltkriegs den Völkerbund (Abb.).

Außereuropäische Welt

6.2.1922 Das Washingtoner Flottenabkommen zwischen den USA, Großbritannien, Japan, Frankreich und Italien schreibt bis 1934 das Verhältnis der Flottenstärke der Unterzeichnerstaaten fest. Danach dürfen die USA und Großbritannien die größten Flotten unterhalten.

1923 In Japan fordert ein verheerendes Erdbeben 143.000 Menschenleben.

4.9.1924 Die US-Amerikaner wählen Calvin Coolidge (Abb.) zum neuen Präsidenten der USA. Der Republikaner hat das Amt bereits seit dem Tod seines Vorgängers Harding vor einem Jahr inne. Auch Coolidge ist Isolationist, sein Wahlspruch lautet: „Die Sache Amerikas ist das Geschäft".

1924 Als Folge der Isolationspolitik rüsten die USA massiv ab und legen den Großteil ihrer Flotte still.

20.3.1925 General Ch'iang Kai-shek übernimmt nach dem Tod von Sun Yat-sen die Führung der Nationalen Volkspartei (Kuomintang) in China.

31.3.1925 Das iranische Parlament erklärt Ahmed Schah für abgesetzt

Deutsches Reich

schaftlichen Überlegenheit ein Machtfaktor.

28.6.1919 Im Spiegelsaal des Versailler Schlosses, wo 1871 das deutsche Kaiserreich ausgerufen worden war, unterzeichnet das besiegte Deutschland den Versailler Vertrag.

31.7.1919 Die Nationalversammlung in Weimar verabschiedet eine demokratische Verfassung für das Deutsche Reich.

10.1.1920 Der Versailler Vertrag tritt in Kraft. Preußen erleidet in Westpreußen, Posen, an der Memel, in Schlesien und an der belgischen Grenze große Gebietsverluste.

1920 Der Sozialdemokrat Otto Braun wird preußischer Ministerpräsident.

30.11.1920 Mit der Annahme der neuen Verfassung wird Preußen zum demokratischen Freistaat. Regierungschef ist der vom Landtag gewählte Ministerpräsident.

24.6.1922 Mit der Ermordung von Außenminister Walther Rathenau fällt nach Matthias Erzberger schon der zweite Spitzenpolitiker rechtsradikalen Mordschergen zum Opfer.

15.11.1923 Höhepunkt der dramatischen Inflation in Deutschland: Ein US-Dollar ist 4,2 Billionen (= 4.200.000.000.000) Reichsmark wert.

Europa

10.10.1919 Trotz einer internationalen Wirtschaftsblockade ist das siegreiche Vorrücken der russischen Roten Revolutionsarmee nicht zu stoppen.

15.5.1919 Griechische Truppen besetzen die überwiegend griechisch bewohnte türkische Stadt Smyrna/Izmir im Osmanischen Reich. Der griechisch-türkische Krieg dauert bis 1922. Mustafa Kemal (ab 1934: Kemal Atatürk) führt die nationaltürkische Unabhängigkeitsbewegung an.

Januar 1920 Frankreich entsendet Offiziere nach Berlin, die die Internationale Kommission zur Überwachung des Vollzugs des Versailler Friedensvertrags bei ihrer Arbeit unterstützen sollen (Abb.).

7.5.1920 Russland muss im polnisch-russischen Krieg vor den polnischen Truppen um etwa 200 Kilometer nach Osten zurückweichen und die Unabhängigkeit Finnlands anerkennen.

17.11.1920 Der Bürgerkrieg in Russland endet mit dem Sieg der Roten Armee.

20.10.1921 Der Völkerbund entscheidet entgegen dem Ergebnis eines Referendums, Oberschlesien zu teilen und den größten Teil des Gebiets unter polnische Herrschaft zu stellen.

28.10.1922 Mit dem Marsch auf Rom sichert sich der Faschistenführer Benito Mussolini die Macht in Italien.

Außereuropäische Welt

und benennt Ministerpräsident Resa Khan zum kommissarischen Staatsoberhaupt, der noch im gleichen Jahr zum Schah Resa Pahlewi gekrönt wird.

Sommer 1926 Der Italiener Umberto Nobile und der Norweger Roald Amundsen überfliegen mit dem Luftschiff Norge erstmals den Nordpol.

25.12.1926 Nach dem Tod von Kaiser Yoshihito (auch: Taishi-Tenno) wird sein Sohn Hirohito der 124. Tenno von Japan.

1926 Der Emir der Nadschd, Abdal Asis ibn-Saud, erklärt sich zum König der Hedschas und legt damit den Grundstein für das 1932 gebildete Königreich Saudi-Arabien.

21.5.1927 Charles Augustus Lindbergh gelingt erstmals die Überquerung des Atlantischen Ozeans mit einem Motorflugzeug. Für die Strecke New York-Paris benötigt er 33,5 Stunden.

15.7.1927 Der chinesische Kuomintang-Führer Ch'iang Kai-shek unterwirft die Kommunisten in Shanghai und leitet damit die Spaltung der nationalchinesischen Bewegung ein.

8.6.1928 Die Truppen von Kuomintang-Führer General Ch'iang Kai-shek marschieren auf Peking zu. Unterdessen gründet die Kommunistische Partei Chinas die „Volksbefreiungsarmee" (Rote Armee). In der Folge kommt es zum chinesischen Bürgerkrieg, der kommunistischen Revolution und schließlich zur Spaltung Chinas in die Volksrepublik und Nationalchina (Taiwan).

1929 In Chicago (USA) macht der Gangsterboss Al Capone durch die Ermordung rivalisierender Mafiosi die Stadt unsicher.

Deutsches Reich

9.11.1923 Ein Putschversuch Hitlers in München scheitert. Die bayerische Polizei verhindert den „Marsch auf Berlin" nach Mussolinis Vorbild und verhaftet Hitler.

April 1923 Erneut wird Otto Braun auf der Grundlage der Weimarer Koalition preußischer Ministerpräsident.

26.4.1925 Nach dem überraschenden Tod Friedrich Eberts wird Paul von Hindenburg (Abb.) zum Reichspräsidenten gewählt.

9.9.1926 Deutschland tritt dem Völkerbund bei und ist jetzt international wieder „salonfähig" (Abb.).

Europa

1.11.1922 Mit dem Rücktritt von Sultan Muhammad VI. endet das Osmanische Reich.

10.12.1922 Die Union der Sozialistischen Sowjetrepubliken (UdSSR) wird gegründet.

13.9.1923 General Miguel Primo de Rivera wird unter Billigung von König Alfons XIII. Diktator von Spanien.

29.10.1923 Die Republik Türkei entsteht, erster Staatspräsident wird Mustafa Kemal Pascha (Kemal Atatürk).

21.1.1924 Wladimir Iljitsch Lenin stirbt nach einem Schlaganfall in Gorki. Stalin (Abb.) kann in der Folgezeit die Macht an sich reißen.

25.3.1924 Die griechische Nationalversammlung ruft die Republik aus und treibt damit König Georg II. ins rumänische Exil.

21.10.1927 Leo D. Trotzki, Lew B. Kamenew und Grigori J. Sinowjew werden aufgrund ihrer Kritik an Stalin aus der KPdSU ausgeschlossen.

27.8.1928 Paris: Erstmals in der Geschichte wird der Angriffskrieg von 15 Staaten im Briand-Kellogg-Pakt für völkerrechtswidrig erklärt.

Außereuropäische Welt

1929 In den USA wird erstmals der Academy Award, „Oscar" genannt, für herausragende Filme verliehen.

25.10.1929 Die Börse von New York erlebt am „Schwarzen Freitag" vernichtende Kursstürze, die zu einer der schwersten Weltwirtschaftskrisen der Geschichte führen.

12.3.1930 Mahatma Gandhi beginnt während des „Salzmarsches" in Indien mit der Organisation des passiven Widerstandes gegen die britische Vorherrschaft, der Indien später in die Unabhängigkeit führt.

Sommer 1930 In Uruguay findet die erste Fußballweltmeisterschaft mit 13 teilnehmenden Teams statt. Uruguay gewinnt das Finale gegen Argentinien mit 4:2.

1930 Ho-Chi Minh gründet in Hongkong die Kommunistische Partei Vietnams mit dem Ziel, die französische Kolonie in die Unabhängigkeit zu führen.

1931 Das Gedicht „The Star Spangled Banner" und die Melodie „To Anacreon in Heaven" werden vom US-Kongress zur Nationalhymne der USA erklärt.

1.5.1931 Das mit 381 Metern höchste Gebäude der Welt, das Empire State Building, wird in New York eingeweiht.

1931 Auf Initiative des US-Präsidenten Herbert Hoover werden die Reparationszahlungen des Deutschen Reiches aus dem Ersten Weltkrieg für ein Jahr ausgesetzt.

18.9.1931 Das expansionistische und aggressive Japan streckt seine Finger nach dem asiatischen Kontinent aus und beginnt ohne Kriegserklärung mit der Eroberung der an Rohstoffen reichen chinesischen Mand-

Deutsches Reich

14.9.1930 Die Reichstagswahlen bringen auch in Preußen starke Gewinne der Nationalsozialisten.

Juni 1931 Das Volksbegehren der Nationalsozialisten zur Auflösung des preußischen Landtags und für Neuwahlen scheitert. Ministerpräsident Braun ist bei den Regierungsgeschäften zunehmend auf Notverordnungen angewiesen.

24.4.1932 Die Nationalsozialisten werden bei den Landtagswahlen stärkste Fraktion. Doch die von der Regierung Braun durchgesetzte Änderung der Geschäftsordnung, nach der nun der Ministerpräsident vom Landtag mit absoluter Mehrheit gewählt werden muss, verhindert eine Regierungsbildung. Um einen eigenen Kandidaten durchzusetzen, fehlen den Nationalsozialisten die Stimmen. Die Regierung Braun tritt zurück, bleibt aber geschäftsführend im Amt.

20.7.1932 Der „Preußenschlag" des Reichskanzlers von Papen beendet die Selbstständigkeit Preußens und ebnet im Reich den Weg für die Bildung einer nationalen Regierung und letztlich auch die „Machtergreifung" der Nationalsozialisten. Bis zuletzt regieren in Preußen Kabinette der Weimarer Koalition, die im Reich schon längst zerbrochen ist. Damit ist Preußen das letzte große Bollwerk der Republikaner und Demokraten. Von Papen lässt die geschäftsführende preußische Regierung durch eine Notverordnung des greisen Reichspräsidenten absetzen, installiert sich selbst als Reichskommissar und übernimmt die Regierungsgeschäfte. Mit diesem Staatsstreich findet der Staat Preußen faktisch sein Ende.

Europa

11.2.1929 Der „Staat der Vatikanstadt" wird auf Veranlassung Mussolinis ein unabhängiger Staat mit dem Papst als Staatsoberhaupt.

28.1.1930 Nach dem Rücktritt von Diktator Primo de Rivera kehrt Spanien zur konstitutionellen Monarchie zurück.

1930 Josef W. Stalin verfügt die Enteignung und Deportation der Land besitzenden Kulaken an, die sich der Kollektivierung der Landwirtschaft in der UdSSR widersetzen.

14.4.1931 In Spanien wird die Republik ausgerufen. König Alfons XIII. geht ins Exil. (Abb. mit Familie).

20.5.1932 Der autoritäre Christsoziale Engelbert Dollfuß wird österreichischer Bundeskanzler.

5.7.1932 Nach der Ernennung von Finanzminister Antonio de Oliveira Salazar zum Ministerpräsidenten von Portugal führt dieser die Republik in die Diktatur, den so genannten „Estado Novo".

1932 Auch in Europa trifft die Weltwirtschaftskrise die Menschen hart. Die Arbeitslosenquoten steigen in allen Ländern, in Norwegen sogar auf die Rekordmarke von über 33 Prozent.

Außereuropäische Welt

schurei. Mit dem Angriff der Japaner kommt der lange schwelende japanisch-chinesische Gegensatz offen zum Ausbruch (Abb.).

1931 Italienische Truppen erobern Libyen.

20.1.1932 Die total rückständige chinesische Armee kann dem Ansturm der mit modernstem Kriegsmaterial ausgerüsteten Japaner nicht lange widerstehen. Die japanische Armee rückt schnell vor und besetzt schließlich die gesamte Mandschurei.

18.2.1932 Die japanischen Truppen rufen in der besetzten Mandschurei den Marionettenstaat Mandschukuo aus. Die Großmächte erkennen diesen jedoch nicht an. Zur Legitimation setzen die Japaner 1934 als Staatsoberhaupt Pu Yi ein, den ehemaligen Kaiser von China.

Ende 1932 Die Weltwirtschaftskrise lähmt die Volkswirtschaften. In den USA sind 15 Millionen Menschen ohne Arbeit.

Epilog Preußens

20.7.1932 Der neue Reichskommissar für Preußen, Reichskanzler von Papen, ernennt den Essener Oberbürgermeister Franz Bracht zum kommissarischen preußischen Innenminister.

25.10.1932 Obwohl der preußische Staatsgerichtshof die Rechtmäßigkeit der Regierung Braun feststellt, bekräftigt er dennoch die Regierungsgewalt des Reichskommissars.

30.1.1933 Innenminister Bracht wird abgelöst. Kommissarischer preußischer Innenminister wird getreu der Devise „Wer Preußen besitzt, besitzt das Reich" der Reichsminister ohne Geschäftsbereich der NSDAP, Hermann Göring. Damit haben die Nationalsozialisten Zugriff auf die preußische Polizei, die stärkste Polizeitruppe des Reiches.

Ab Februar 1933 Die Nationalsozialisten versuchen sofort nach der „Machtergreifung" die preußische Mythologie für sich zu nutzen. Es erscheinen Propagandapostkarten, die eine historische Kontinuität von Friedrich dem Großen über Bismarck und Hindenburg zu Hitler konstruieren. Demselben Zweck dient die Propagandafotografie, die Hitler in demütiger Haltung beim Handschlag mit Reichspräsident Hindenburg zeigt.

4.2.1933 Der Preußische Landtag lehnt die von den Nationalsozialisten geforderte Selbstauflösung ab.

6.2.1933 Reichspräsident Hindenburg überträgt die vom Staatsgerichtshof anerkannten verbliebenen Befugnisse der Regierung Braun per Notverordnung auf die Reichskommissare. Preußen klagt dagegen erneut vor dem Staatsgerichtshof, die Klage kommt jedoch nie zur Verhandlung.

22.2.1933 Gleichschaltung der preußischen Schutzpolizei durch Eingliederung von SS- und SA-Verbänden in das Polizeikorps.

27.2.1933 Durch Brandstiftung wird das Gebäude des Berliner Reichstags vernichtet. Die Nationalsozialisten geben Juden und Kommunisten die Schuld am Großfeuer. Dies ist das Signal für den Beginn der Verfolgung aller politischen Gegner des Nationalsozialismus.

21.3.1933 Die Nationalsozialisten versuchen mit einem Propagandaspektakel in der Potsdamer Garnisonkirche die preußischen Führungsschichten für den Nationalsozialismus zu gewinnen (Abb.).

22.3.1933 Bei den preußischen Landtagswahlen erreichen die Nationalsozialisten gemeinsam mit den Deutschnationalen mit 254 die Mehrheit der 476 Mandate. Eine der ersten Handlungen des neuen Landtags ist die nachträgliche Legalisierung der Absetzung der Regierung Braun.

25.3.1933 Otto Braun gibt den Kampf auf und verzichtet endgültig auf die Regierungsgewalt in Preußen.

31.3.1933 Gemäß dem „Gesetz zur Gleichschaltung der Länder mit dem Reich" werden die preußischen Regierungspräsidenten durch Gauleiter oder SA-Gruppenführer ersetzt. Gleichzeitig statten die Nationalsozialisten die Länderregierungen mit diktatorischen Vollmachten aus.

April 1933 Allein in diesem Monat werden über 25.000 Gegner des Nationalsozialismus in Preußen widerrechtlich verhaftet.

7.4.1933 Franz von Papen tritt als Reichskommissar für Preußen zurück und wird durch Hermann Göring abgelöst, der von Hitler zum preußischen Ministerpräsidenten und Innenminister ernannt wird.

25.4.1933 Hermann Göring wird Reichsstatthalter in Preußen.

1.6.1933 In Analogie zum Reich wird in Preußen ein „Gesetz zur Behebung der Not von Volk und Land" verabschiedet, das dem Ministerpräsidenten diktatorische Vollmacht verleiht.

14.10.1933 Endgültige Auflösung des Preußischen Landtages.

30.1.1934 Sämtliche verbliebenen Hoheitsrechte des Landes Preußen werden durch das „Gesetz über den Neuaufbau des Reiches" auf die Reichsregierung übertragen. Bis auf das Finanzministerium werden alle preußischen Ministerien abgeschafft.

20.4.1934 Heinrich Himmler wird auch in Preußen zum Chef der Geheimen Staatspolizei ernannt.

1939 Nach dem Sieg über Polen gliedern die Deutschen Teile der durch den Versailler Vertrag 1919/20 verloren gegangenen ehemals preußischen Territorien Preußen wieder ein. Andere ehemals preußische Gebiete werden direkt dem Reich unterstellt.

20.7.1944 Zu spät erkennen traditionsbewusste Offiziere der Wehrmacht, dass die Nationalsozialisten die Totengräber der deutschen und der preußischen Geschichte sind und dass es nötig ist, zu ihrer Rettung typisch preußische Werte von Pflichterfüllung und Gehorsam zu durchbrechen. Das Attentat auf Hitler schlägt fehl und es beginnt eine gnadenlose Jagd auf verdächtige Offiziere, von denen viele die Namen alter preußischer Familien tragen.

Ab Anfang 1945 In den von der Roten Armee eroberten ehemals preußischen Gebieten östlich von Oder und Neiße setzt eine Massenflucht der deutschen Bevölkerung ein. Insgesamt werden aus dem Baltikum 300 000, aus Hinterpommern 2,4 Millionen, aus Ostpreußen 2,4 Millionen sowie aus Schlesien 4,5 Millionen Deutsche vertrieben. Hinzu kommen noch 2,5 Millionen Menschen aus polnischen Gebieten.

23.4.1945 Wegen Verhandlungen mit den Alliierten entlässt Hitler den preußischen Ministerpräsidenten Göring aus allen Ämtern.

17.7.1945 Auf der Potsdamer Konferenz (Abb.) der Siegermächte werden der Norden Ostpreußens unter sowjetische, der Süden sowie Hinterpommern und Schlesien unter polnische Verwaltung gestellt. Die Billigung der Vertreibung der Deutschen aus diesen Gebieten zeigt jedoch bereits die Endgültigkeit dieser Maßnahmen. Die Oder-Neiße-Linie wird zum neuen Grenzverlauf zu Polen bestimmt.

1.10.1946 Der ehemalige preußische Innenminister, Ministerpräsident und Reichskommissar, Reichsmarschall Herrmann Göring, wird vom Kriegsverbrechertribunal in Nürnberg zum Tode verurteilt (Abb.). Während des Prozesses verteidigt Göring im Zeugenstand Ziele und Handeln der Nationalsozialisten. Vor der Vollstreckung des Urteils gelingt es ihm sich mit Zyankali zu vergiften.

25.2.1947 Mit dem alliierten Kontrollratsgesetz Nr. 46 lösen die Alliierten „den Staat Preußen, seine Zentralregierung und alle nachgeordneten Behörden" offiziell auf. In der Folgezeit werden in der DDR die architektonischen Hinterlassenschaften der Hohenzollern systematisch zerstört.

7.9.1950 Der Ostberliner Magistrat lässt das Berliner Stadtschloss sprengen (Abb.).

12.5.1959 Das Politbüro der SED verfügt den Abriss des Potsdamer Stadtschlosses.

16.1.1960 Der Abriss des Potsdamer Stadtschlosses beginnt.

3.5.1962 Der Plan, den Potsdamer Stadtkanal zuzuschütten, wird gefasst.

26.4.1968 Die Stadtverordnetenversammlung von Potsdam beschließt die Sprengung der Garnisonkirche.

14.6.1968 Die Garnisonkirche in Potsdam wird gesprengt.

23.4.1974 Der Turm der Potsdamer Heiligengeistkirche wird gesprengt.

1980 Das Rauchsche Denkmal Friedrichs II. wird wieder Unter den Linden in Ostberlin aufgestellt.

1981 Große Preußenausstellung in West-Berlin.

August 1991 Nach Mauerfall und Wiedervereinigung findet Friedrich II. im Park von Sanssouci seine letzte Ruhestätte. Der Sarg Friedrich Wilhelm I. steht seither im Mausoleum der Potsdamer Friedenskirche.

2001 Unter großer öffentlicher Teilnahme finden aus Anlass des dreihundertsten Jahrestages der Gründung des Königreiches Preußen viele Veranstaltungen statt, die sich kontrovers mit der Rolle Preußens in der deutschen Geschichte, aber auch kritisch mit dem Erbe Preußens und den Auswirkungen seiner Traditionen auf die Gesellschaft der Bundesrepublik beschäftigen.

Die Herrscher des Hauses

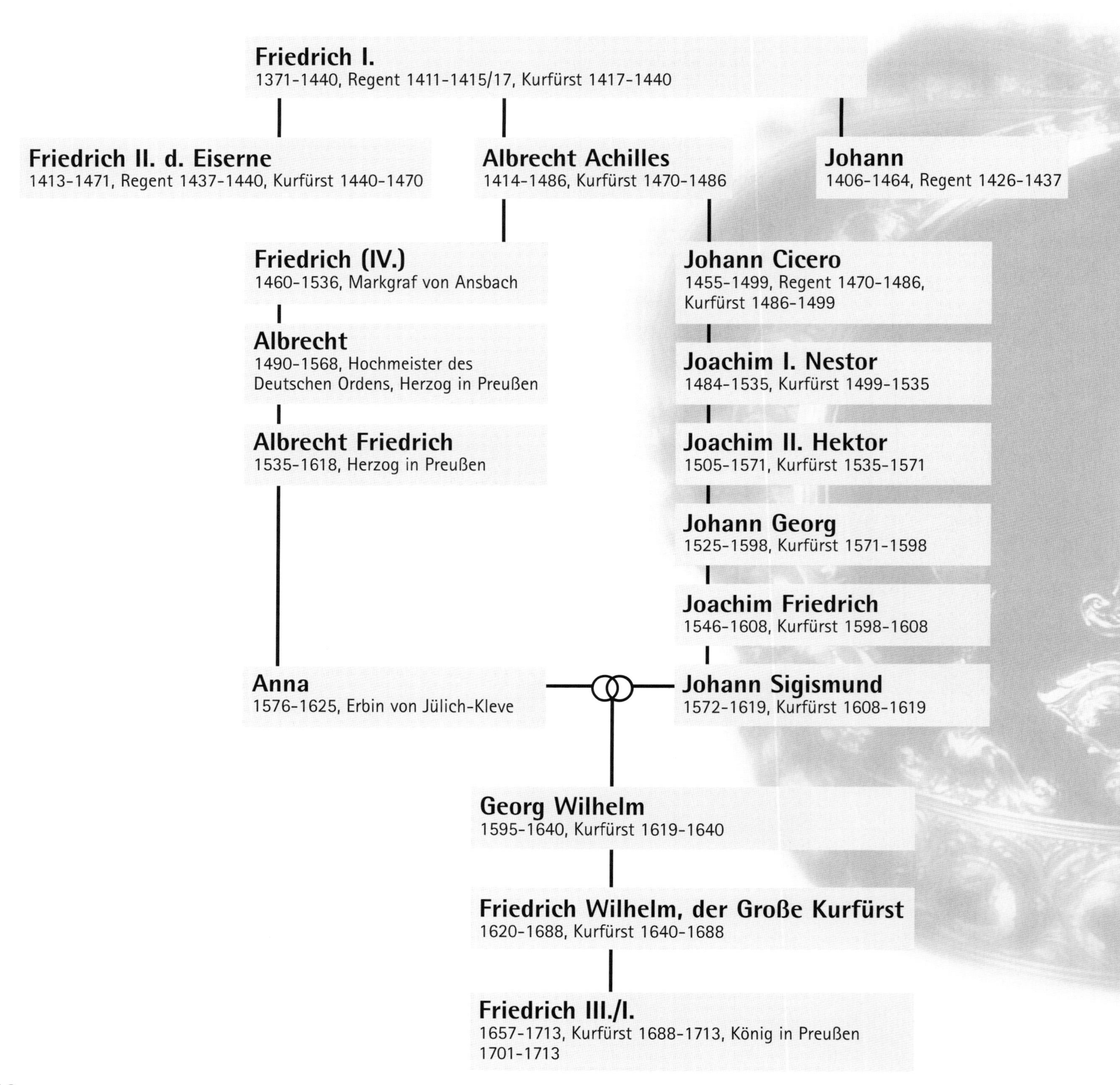

Hohenzollern

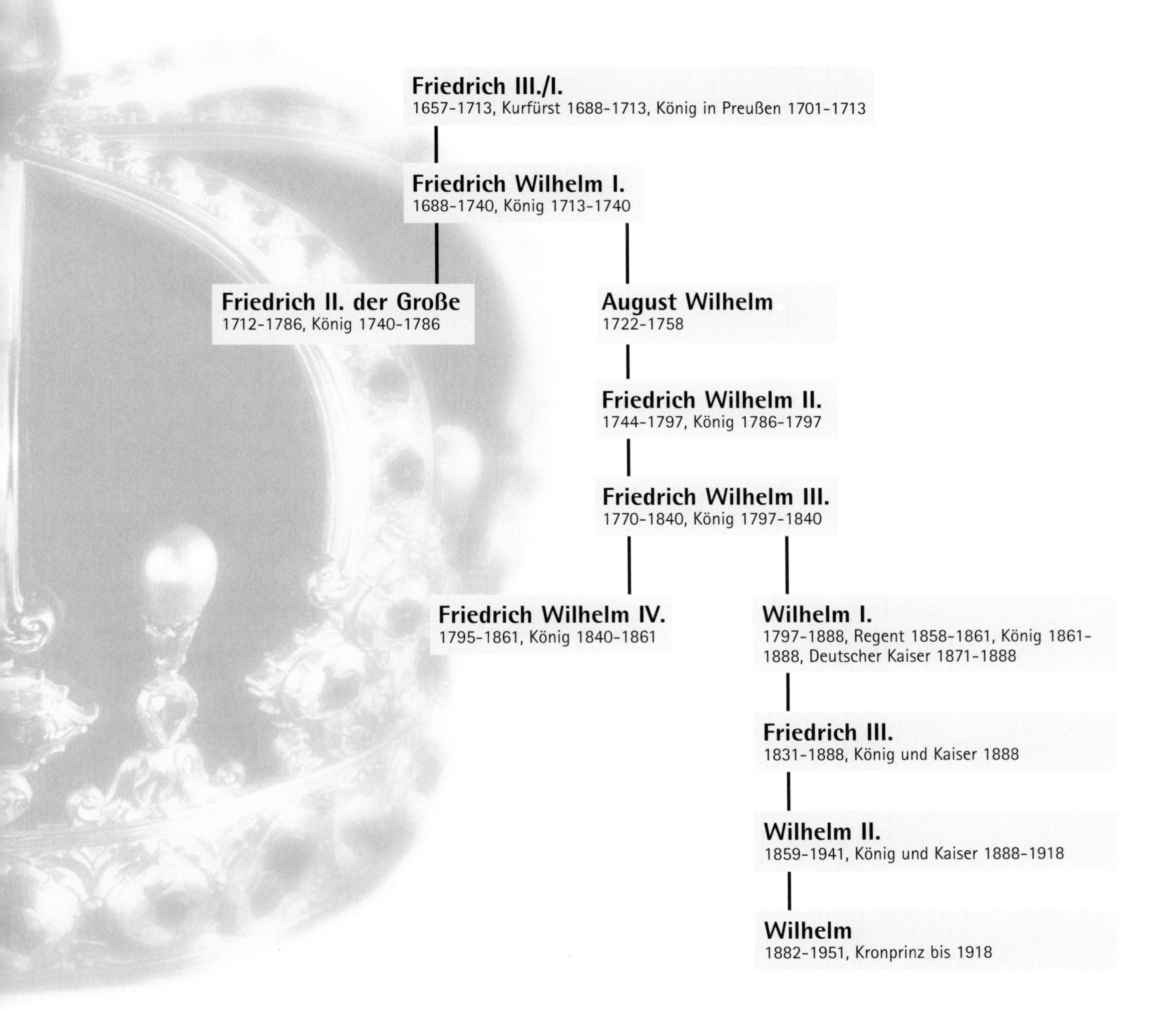

Friedrich III./I.
1657-1713, Kurfürst 1688-1713, König in Preußen 1701-1713

Friedrich Wilhelm I.
1688-1740, König 1713-1740

Friedrich II. der Große
1712-1786, König 1740-1786

August Wilhelm
1722-1758

Friedrich Wilhelm II.
1744-1797, König 1786-1797

Friedrich Wilhelm III.
1770-1840, König 1797-1840

Friedrich Wilhelm IV.
1795-1861, König 1840-1861

Wilhelm I.
1797-1888, Regent 1858-1861, König 1861-1888, Deutscher Kaiser 1871-1888

Friedrich III.
1831-1888, König und Kaiser 1888

Wilhelm II.
1859-1941, König und Kaiser 1888-1918

Wilhelm
1882-1951, Kronprinz bis 1918

LITERATURVERZEICHNIS:

Blasius Dirk, Hrsg.: Preußen in der deutschen Geschichte. Königstein i.Ts. 1980.

Bleckwenn, Hans: Unter dem Preußenadler, München 1978.

Bock, Gisela: Frauen in der europäischen Geschichte. Vom Mittelalter bis zur Gegenwart, München 2000.

Büsch, Otto, Hrsg.: Preußen und das Ausland, Berlin 1982.

Büsch, Otto und Neugebauer, Wolfgang, Hrsg.: Moderne preußische Geschichte 1648-1947. Eine Anthologie. 3 Bde. Berlin 1981.

Craig, Gordon A.: Das Ende Preußens. Acht Porträts. München 1985.

Demeter, Karl: Das Deutsche Offizierkorps in Gesellschaft und Staat, 1650-1945, Frankfurt a.M. 1962.

Dietrich, Richard: Kleine Geschichte Preußens. Berlin 1966.

Dollinger, Hans: Preußen. Eine Kulturgeschichte in Bildern und Dokumenten, München 1980

Dönhoff, Marion Gräfin: Preußen - Maß und Maßlosigkeit, Berlin1987.

Engelmann, Bernt: Preußen. Land der unbegrenzten Möglichkeiten. München 1979.

Feierabend, Peter und Streidt, Gert, Hrsg.: Preußen. Kunst und Architektur. Köln 1999.

Fiedler, Siegfried: Grundriss der Militär- und Kriegsgeschichte, München 1972.

Flemming, Hans Friedrich: Der Vollkommene Teutsche Soldat, Osnabrück 1967.

Foerster, Roland G., Hrsg.: Generalfeldmarschall von Moltke, Bedeutung und Wirkung, Schriftenreihe des Militärgeschichtlichen Forschungsamtes, München 1991.

Gahrig, Werner: Unterwegs zu den Hugenotten in Berlin, Edition Ost, Berlin 2000.

Gembruch, Werner: Staat und Heer. Hrsg. Johannes Kunisch, Berlin 1990.

Görlitz, Walter: Der Deutsche Generalstab, Verlag der Frankfurter Hefte, 1953.

Groote, Wolfgang von, Hrsg.: Große Soldaten der Europäischen Geschichte, Frankfurt a.M. und Bonn 1961.

Haffner, Sebastian: Preußen ohne Legende. Hamburg 1979.

Haffner, Sebastian: Von Bismarck zu Hitler. Ein Rückblick. München 1989.

Handbuch zur deutschen Militärgeschichte 1648-1939, München 1979.

Heinrich, Gerd: Geschichte Preußens. Staat und Dynastie. Berlin 1981.

Herm, Gerhard: Glanz und Niedergang des Hauses Hohenzollern. Düsseldorf 1996.

Hintze, Otto: Die Hohenzollern und ihr Werk. Fünfhundert Jahre vaterländischer Geschichte. Berlin 1915.

Hubatsch, Walther: Grundlinien preußischer Geschichte. Königtum und Staatsgestaltung 1701-1871. Darmstadt 1983.

Hürten, Heinz: Das Offizierkorps des Reichsheeres, in: Das deutsche Offizierkorps 1860-1960.

Kathe, Heinz: Preußen zwischen Mars und Musen. Eine Kulturgeschichte von 1100 bis 1920. München 1993.

Knopp, Werner: Preußens Wege, Preußens Spuren. Gedanken über einen versunkenen Staat. Düsseldorf 1981.

Koser, Reinhold: Die preußische Reformgesetzgebung in ihrem Verhältnis zur französischen Revolution. In: Historische Zeitschrift, 1894.

Krockow, Christian Graf von: Preußen. Eine Bilanz. Stuttgart 1992.

Krockow, Christian Graf von: Warnung vor Preußen. Berlin 1981.

Kroll, Frank-Lothar, Hrsg.: Preußens Herrscher - von den ersten Hohenzollern bis zu Wilhelm II., München 2000.

MacDonogh, Giles: Prussia. Perversion of an Idea. London 1994.

Mast, Peter: Die Hohenzollern in Lebensbildern. Graz 1988.

Möller, Horst: Primat der Außenpolitik: Preußen und die Französische Revolution 1789 - 1795, in: Beihefte der Francia.

Neugebauer, Karl-Volker, Hrsg.: Grundzüge der deutschen Militärgeschichte. Bd. 1. Freiburg 1993.

Neugebauer, Wolfgang: Die Hohenzollern. Bd. 1: Anfänge, Landesstaat und monarchische Autokratie bis 1740. Stuttgart u.a. 1996.

Ohff, Heinz: Preußens Könige. 2. Aufl. München 1999.

Puhle, Hans-Jürgen und Wehler Hans-Ulrich, Hrsg.: Preußen im Rückblick. Göttingen 1980.

Schlenke, Manfred, Hrsg.: Preußen. Politik, Kultur, Gesellschaft. 2 Bde. Reinbek bei Hamburg 1986.
Schlenke, Manfred, Hrsg.: Preußen-Ploetz. Preußische Geschichte zum Nachschlagen. Freiburg/Würzburg 1987.
Renoúvin, Pierre: Les relations franco-allemandes de 1871 à 1914, in: Studies in diplomatic history and historiography, ed. A.O. Sarkissian, London 1961.
Ribbe, Wolfgang und Rosenbauer, Hansjürgen, Hrsg.: Preußen. Chronik eines deutschen Staates. Berlin 2000.
Ritter, Gerhard: Staatskunst und Kriegshandwerk, Band I, München 1965.
Röper, Ursula: Mariane von Rantzau und die Kunst der Demut. Frömmigkeitsbewegung und Frauenpolitik in Preußen unter Friedrich Wilhelm IV., Stuttgart 1997.
Scheurig, Bodo: Henning von Tresckow, Berlin 1997.
Schieder, Theodor: Friedrich der Große, Berlin 1983.
Schlögel, Karl: Berlin Ostbahnhof Europas. Russen und Deutsche in ihrem Jahrhundert, Berlin 1998.
Schoeps, Hans-Joachim: Preußen. Geschichte eines Staates. Bilder und Zeugnisse. Berlin 1981.
Schoeps, Julius H., Hrsg.: Preußen, Geschichte eines Mythos, Berlin 2000.
Schössler, Dietmar, Hrsg.: Ausgewählte Beiträge der Militärwissenschaftlichen Tagung der Clausewitz-Gesellschaft in Berlin 1997, Universität der Bundeswehr, München 1998.
Schramm, Wilhelm von: Clausewitz, 'General und Philosoph', München 2000.
Schulze Wessel, Martin: Russlands Blick nach Preußen, Stuttgart 1995.
Schumann, Werner: Ohne Tritt – marsch! Das Militär in der Karikatur. Hannover 1956.
Sieburg, Friedrich: Die Lust am Untergang, 1954.
Thadden, Rudolf von: Fragen an Preußen. Zur Geschichte eines aufgehobenen Staates. München 1981.
Vad, Erich: Carl von Clausewitz: Seine Bedeutung heute, Hrsg. Werner Kaltefleiter, Schriftenreihe des Instituts für Sicherheitspolitik an der Christian-Albrechts-Universität zu Kiel, Herford 1983.
Vogel, Thomas, Hrsg.: Aufstand des Gewissens, Hamburg; Berlin; Bonn 2000.
Wagemann, Eberhard: Verdrängte Geschichte, Verteidigung und Verfassung in Europa, Band 1 und 2, Mainz 1999.
Wohlfeil, Rainer: Die Beförderungsgrundsätze, in: Untersuchungen zur Geschichte des Offizierkorps. Stuttgart 1962.
Wunder, Heide: 'Er ist die Sonn', sie ist der Mond'. Frauen in der Frühen Neuzeit, München 1992.

Quellennachweis:

Kornblum, John C.: Amerika, Preußen, Deutschland: Die Tradition der Offenheit wiedergewinnen. Auszug aus einem Beitrag in „Preußische Nachrichten von Staats- und Gelehrten Sachen." Monatsblatt der preußischen Gesellschaft Berlin-Brandenburg. April 2000.
Krockow, Christian Graf von: Preußens Gloria und Verhängnis. Aus: Welt am Sonntag vom 31.12.2000.
Wilhelm-Karl, Prinz von Preußen: Preußen – Nostalgie? Verdammung? Hilfe zur Zukunftsbewältigung? Auszug aus einem Vortrag aus Anlass des 40. Jahrestages der Auflösung Preußens, 1987 gehalten vor dem „Gelben Kreis".
Carl Schurz – Das Jahr der Revolution 1848: Aus „Jünglingsjahre in Deutschland", Berlin 1913, 5. Kapitel.
Richard von Weizsäcker – Friedrich II. Missbrauch eines Mythos: Aus einer Ansprache zum 200. Todestag des Preußenkönigs in Berlin, Schloss Charlottenburg am 16. August 1986.

Alle übrigen Artikel sind Originalbeiträge zu diesem Band.

Literaturhinweise zum Text von Friedhelm Klein (S. 38-43):

1. **Siegfried Fiedler,** Grundriss der Militär- und Kriegsgeschichte, Bd. I, Die stehenden Heere im Zeitalter des Absolutismus 1640-1789, München 1972, Seite 114
2. **Gerhard Papke,** Von der Miliz zum stehenden Heer. Wehrwesen im Absolutismus, in: Handbuch zur deutschen Militärgeschichte 1648-1939, Bd. I, München 1979, Abschnitt I, S. 184
3. **Werner Gembruch,** Staat und Heer. Ausgewählte historische Studien zum ancien régime, zur Französischen Revolution und in den Befreiungskriegen, hrsg. v. Johannes Kunisch (= Historische Forschung, Bd. 40) Berlin 1990, S. 188
4. **Theodor Schieder,** Friedrich der Große, Berlin 1983, S. 60
5. **Rainer Wohlfeil,** Vom stehenden Heer des Absolutismus zur allgemeinen Wehrpflicht, in: Handbuch zur deutschen Militärgeschichte 1648-1939, Bd. I, München 1979, Abschn. II, Boppard 1980, S. 137
6. **Rainer Wohlfeil,** Die Beförderungsgrundsätze, in: Untersuchungen zur Geschichte des Offizierkorps. Anciennität und Beförderung nach Leistung, Stuttgart 1962, S. 20
7. **Heinz Hürten,** Das Offizierkorps des Reichsheeres, in: Das deutsche Offizierkorps 1860-1960, S. 239
8. **Uta Freifrau von Aretin,** Preußische Tradition als Motiv für den Widerstand gegen das NS-Regime, in: Aufstand des Gewissens. Militärischer Widerstand gegen Hitler und das NS-Regime 1933-1945, hrsg. im Auftr. des MGFA von Thomas Vogel, 5. völlig überarb. und erw. Aufl., Hamburg; Berlin; Bonn 2000, S. 285

Literaturhinweise zum Text von Franz Pfeffer (S. 86-89):

1. **Werner Gahrig,** Unterwegs zu den Hugenotten in Berlin, Edition Ost, Berlin 2000, S.31. Zur Hugenottenfrage und dem Gesamtthema: Pierre-Paul Sagave in „Preußen und das Ausland", hrsg. Otto Büsch, Einzelveröffentlichungen der Historischen Kommission in Berlin, Bd. 35, Colloquium Verlag, Berlin 1982.
2. **Kroll, Frank-Lothar, Hrsg.,** Preußens Herrscher - von den ersten Hohenzollern bis zu Wilhelm II, C.H. Beck, 2000, Seite 128
3. **Möller, Horst,** Primat der Außenpolitik: Preußen und die Französische Revolution 1789 - 1795, in: Beihefte der Francia; 12, 68
4. **Koser, Reinhold,** Die preußische Reformgesetzgebung in ihrem Verhältnis zur französischen Revolution. In: Historische Zeitschrift, 73, 1894, S. 205
5. **Renoúvin, Pierre,** Les relations franco-allemandes de 1871 à 1914, in: Studies in diplomatic history and historiography, ed. A.O. Sarkissian, London 1961, S. 308 - 321

Literaturhinweise zum Text von Helge Hansen (S. 216-221):

1. **Eberhard Wagemann,** Verdrängte Geschichte Band I, S. 446
2. **Bodo Scheurig,** Henning von Tresckow, S. 173
3. **Manfred Görtemaker,** Das Ende Preußens, S. 204 in Julius H. Schoeps „Preußen", Geschichte eines Mythos.
4. **Walter Görlitz,** Der Deutsche Generalstab, S. 39
5. **Wilhelm von Schramm,** Clausewitz, S. 35
6. **Walter Görlitz,** Der Deutsche Generalstab, S. 60
7. ibd. S. 61
8. ibd. S. 61
9. ibd. S. 63
10. ibd. S. 232
11. ibd. S. 267
12. ibd. S. 268